Robert Fabbri

Vespasianus

V

Heersers van Rome

Karakter Uitgevers B.V.

Oorspronkelijke titel: *Vespasian V – Masters of Rome*

Vertaling: Henk Moerdijk

Opmaak binnenwerk: ZetSpiegel, Best
Omslagontwerp: Mark Hesseling, Wageningen
Omslagbeeld: Tim Byrne

ISBN 978 90 452 0518 2
NUR 332

Voor de vrienden van mijn leven:
Jon Watson-Miller, Matthew Pinhey, Rupert White en Cris Grundy.
Dank jullie wel, jongens.

En ter nagedachtenis aan Steve Le Butt (1961-2013),
die eerder aan zijn grote reis is begonnen dan wij.

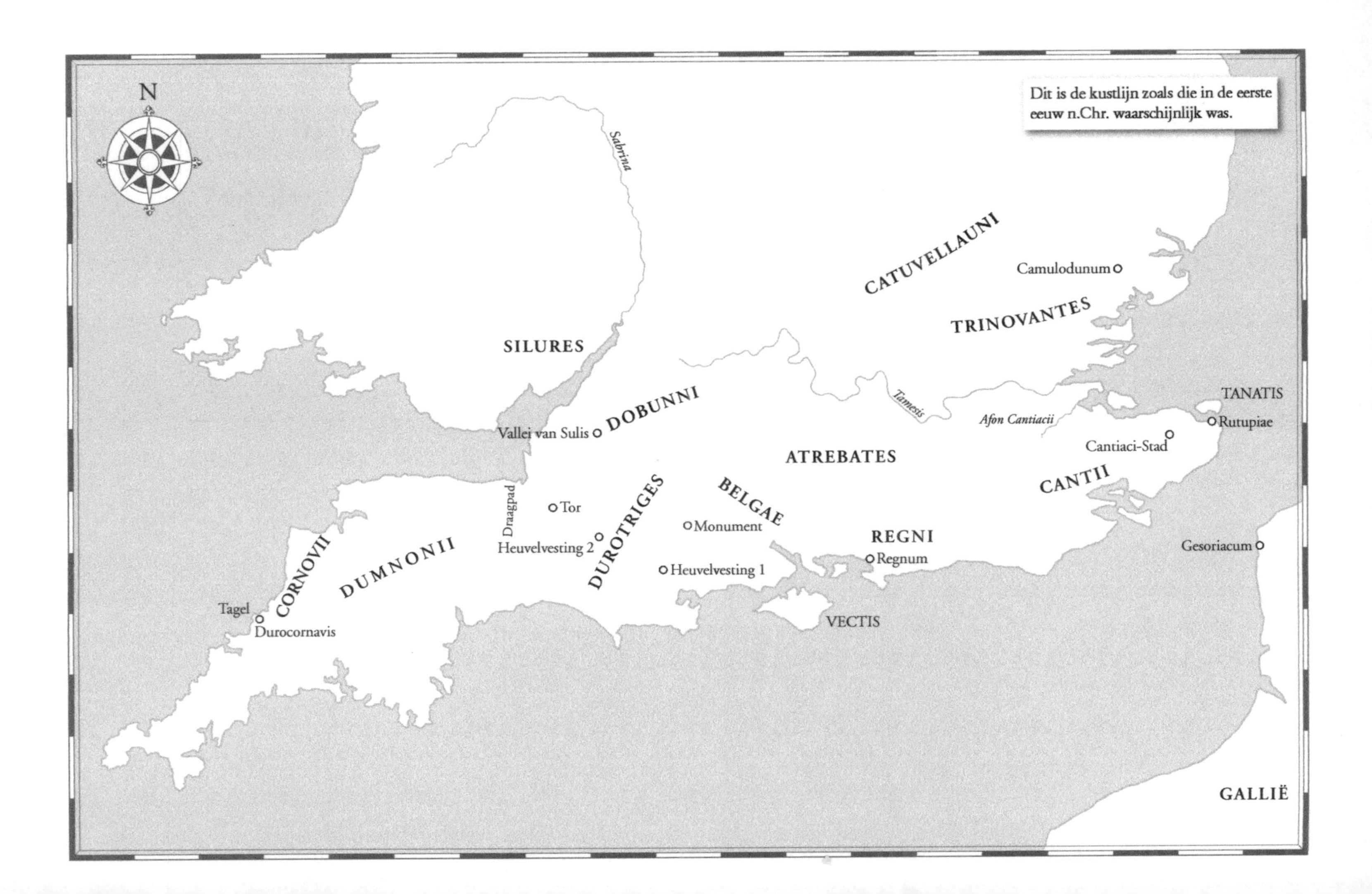
Dit is de kustlijn zoals die in de eerste eeuw n.Chr. waarschijnlijk was.
N
Sabrina
CATUVELLAUNI
Camulodunum
TRINOVANTES
SILURES
Tamesis
TANATIS
Rutupiae
Afon Cantiacii
Vallei van Sulis
DOBUNNI
Cantiaci-Stad
ATREBATES
CANTII
BELGAE
Draagpad
Tor
DUROTRIGES
Monument
REGNI
Gesoriacum
Heuvelvesting 2
Regnum
Heuvelvesting 1
DUMNONII
CORNOVII
Tagel
Durocornavis
VECTIS
GALLIË

PROLOOG

BRITANNIA, MAART, 45 N.C.

De mist was zo dicht dat de *turma* van tweeëndertig ruiters slechts stapvoets kon rijden. Het snuiven van de paarden en het rammelen van de harnassen werden gedempt, alle geluiden werden opgeslokt door de grijze deken die de kleine legereenheid omhulde.

Titus Flavius Sabinus trok zijn vochtige mantel strakker om zijn schouders en vervloekte in stilte het akelige noordelijke klimaat en zijn directe meerdere, generaal Aulus Plautius, bevelhebber van de Romeinse invasiemacht in Britannia, die hem onder zulke omstandigheden had ontboden voor instructies.

De oproep had Sabinus verrast. Toen de bode, een tribuun van Plautius' staf, de voorgaande avond met een plaatselijke gids was aangekomen in het winterkamp van de Veertiende Gemina bij de middenloop van de rivier de Tamesis, had hij verwacht dat die het definitieve bevel voor de veldtocht van het aankomende seizoen bij zich had. Hij vond het vreemd dat Plautius hem had opgedragen bijna tachtig mijl zuidwaarts te reizen voor een bespreking in het winterverblijf van de Tweede Augusta, het legioen van zijn broer Vespasianus, want een maand geleden waren de legaten van alle vier de legioenen in de nieuwe provincie nog bijeengekomen met hun generaal in diens hoofdkwartier in Camulodunum.

Zoals te verwachten was had de tribuun, een jongeman van tegen de twintig die Sabinus in de twee jaar sinds de invasie alleen gezien en niet gesproken had, hem niet kunnen vertellen waarom deze bespreking was ingelast. In de vier jaar die hij als tribuun in Pannonia en Afrika had doorgebracht, had hij zelf ook zelden informatie gekregen van zijn meerderen. Een uit de ridderstand afkomstige krijgstribuun met een smalle streep op zijn tuniek had de laagste officiersrang in het leger en diende geen vragen te stellen maar slechts te gehoorzamen. De rol die de jongeman bij zich had gehad was verzegeld geweest met het persoonlijke zegel van Plautius, en dus had Sabinus weinig anders kunnen doen dan vloekend gehoor geven aan het bevel. Aan ongehoorzaamheid of onwilligheid had Plautius een broertje dood.

Nadat hij met tegenzin het bevel over de Veertiende Gemina had overgedragen aan Gaius Petronius Arbiter, zijn onlangs gearriveerde tribuun met brede streep, was Sabinus met zijn geleide, de krijgstribuun en diens gids die ochtend in zuidelijke richting vertrokken. Het was helder geweest en het beloofde een zonnige maar frisse dag te worden. Pas toen ze in de voormiddag begonnen waren aan de klim naar de vlakte die ze nu overstaken, was de mist opgekomen.

Sabinus keek naar de lokale gids, een blozende man van middelbare leeftijd die rechts van hem op een gedrongen pony reed. Hij leek zich nergens druk om te maken. 'Kun je in deze mist de weg nog wel vinden?'

De gids knikte, zijn lange hangsnor zwaaide heen en weer onder zijn kin. 'Dit is het land van mijn eigen stam, de Dobunni. Ik ging hier al op jacht toen ik net had leren paardrijden. De vlakte is nogal plat en saai, maar als we naar het zuidzuidwesten blijven rijden komen we vanzelf op het grondgebied van de Durotriges, achter de voorste Romeinse linie. Morgen moeten we dan nog een halve dag rijden naar het legerkamp aan de kust.'

De man had geen enkel ontzag voor zijn rang getoond, maar dat liet Sabinus koud en hij keerde zich naar de jonge tribuun die links van hem reed. 'Vertrouw je hem, Alienus?'

Op het jeugdige gezicht van Alienus verscheen een eerbiedige frons. 'Volledig. Hij heeft mij linea recta en zonder enige aarzeling naar uw kamp geleid. Ik snap niet hoe hij het voor elkaar krijgt.'

Sabinus nam de jongeman op en kwam tot de conclusie dat zijn mening er niet toe deed. 'We slaan hier ons bivak op.'

Geschrokken draaide de gids zich naar Sabinus. 'We kunnen vannacht niet hier op de vlakte blijven.'

'Waarom niet? Wat maakt het uit of we hier in een vochtige kuil liggen of een stuk verderop?'

'Niet hier. 's Nachts dwalen hier de geesten van de Dolende Doden, die op zoek zijn naar een lichaam dat hen terug naar onze wereld kan brengen.'

'Lariekoek!' De branie van Sabinus werd lichtelijk getemperd door het feit dat hij bij hun vertrek geen gepast offer had gebracht aan zijn beschermgod Mithras, want in het legerkamp van de Veertiende hadden ze geen goede stier gehad en hij had genoegen moeten nemen met een ram, waardoor hij met een onbehaaglijk gevoel de poort uit was gereden.

De gids hield voet bij stuk. 'Over een uur of twee zijn we bij het einde van de vlakte en steken we de rivier over. Dan achtervolgen de doden ons niet meer, ze kunnen het water niet over.'

'Afgezien daarvan, generaal Plautius was onverbiddelijk, we moeten morgen in de voormiddag bij hem zijn,' merkte Alienus op. 'We moeten dus zo lang mogelijk doorgaan.'

'Die Dolende Doden staan je niet erg aan, tribuun?'

Alienus sloeg zijn ogen neer. 'Dat is zacht uitgedrukt, heer.'

'Misschien dat je wat manhaftiger wordt als je ze een keer ontmoet.'

Alienus reageerde niet.

Sabinus keek achterom. Hij kon nog net de achterhoede van de kleine colonne zien, want de mist was iets minder dicht geworden. 'Goed, dan rijden we door, niet omdat we de doden vrezen, maar omdat we niet te laat bij de generaal willen komen.' De angst van Alienus kwam Sabinus mooi uit, zijn bijgelovige kant was namelijk even bang voor het bovennatuurlijke als zijn nuchtere kant voor Plautius, die laaiend kon worden wanneer hij lang moest wachten, maar nu kon hij zonder gezichtsverlies zijn bevel intrekken. Ze mochten natuurlijk niet denken dat hij enige waarde hechtte aan de talrijke verhalen over de spoken en geesten die dit eigenaardige eiland zouden bevolken, maar het idee van de Dolende Doden stond hem niet aan, en het idee dat hij de nacht in hun rijk moest doorbrengen al helemaal niet. Tijdens zijn verblijf op dit noordelijke eiland had hij aardig wat van zulke verhalen gehoord, in ieder geval genoeg om te denken dat er een kern van waarheid in zat.

Vanaf de val van Camulodunum en de overgave van de stammen in het zuidoosten van Britannia, inmiddels achttien maanden geleden, had Sabinus de Veertiende Gemina en de bijbehorende hulptroepen gestaag laten oprukken naar het oosten en het noorden. Plautius had hem bevolen het centrale laagland stevig in handen te nemen, terwijl de Veertiende Hispana oprukte naar de oostkust en de Tweede Augusta van Vespasianus naar het westen, in de strook tussen de Tamesis en de zee. Het Twintigste Legioen werd achter de hand gehouden, dat moest het veroverde terrein beveiligen en klaarstaan om in actie te komen zodra een ander legioen in moeilijkheden kwam.

Er zat weinig schot in de opmars, want de lokale stammen hadden geleerd van de fout van Caratacus en zijn broer Togodumnus, die kort na de Romeinse invasie massaal in de aanval waren gegaan omdat ze dachten de vijand met hun troepenovermacht te kunnen terugdringen, maar die tactiek had rampzalig uitgepakt. Bij hun poging de Romeinen bij de rivier de Afon Cantiacii een halt toe te roepen verloren ze in twee dagen veertigduizend man, onder wie Togodumnus. In het zuidoosten van het eiland was het moreel gebroken en de meeste Britanniërs gaven zich kort daarna over. Maar Caratacus niet. Hij was met meer dan twintigduizend man naar het westen gevlucht en werkte als een magneet op iedereen die niet voor de Romeinen wilde zwichten.

Vanuit het westen stak een wind op die de mist deed opwervelen, waardoor rechts van Sabinus het zicht tijdelijk verbeterde. Hij rechtte zijn rug, opgelucht dat ze iets verder konden zien, al ging het maar om een paar passen. Hij richtte een gebed tot Mithras en vroeg hem zijn licht te laten stralen in de duisternis van dit in mist gehulde eiland en hem te helpen om... Vanuit zijn ooghoek zag hij iets bewegen, hij draaide zijn hoofd ernaartoe maar het was te laat, de wind had de mist alweer terug gezogen, en twijfel nam bezit van hem: had hij écht iets gezien, of werd zijn verbeelding geprikkeld door de spookverhalen die hij zo moeilijk uit zijn gedachten kon bannen, de verhalen waarnaar je wel móést luisteren?

Gedurende de twee maanden waarin Plautius om politieke redenen een gedwongen pauze inlaste en ten noorden van de Tamesis moest wachten op keizer Claudius, zodat die na de val van Camulodunum met de eer en glorie kon gaan strijken, was de Veertiende Gemina in westelijke richting langs de rivier opgerukt. In die periode hoorde Sabinus de eerste verhalen van zijn officieren over vreemde verschijningen en bovennatuurlijke gebeurtenissen. De legionair die halfdood was aangetroffen, gevild maar nog in uniform gehuld, had vlak voor het uitblazen van zijn laatste adem gesproken van demonen die het vlees van zijn lijf zogen. Een tweede legionair was doodgebloed, ofschoon nergens op zijn lichaam een wond was gevonden waaruit het levenssap liep dat vlak bij de soldaat wegsijpelde. Geregeld werden er spookachtige figuren in lange gewaden waar een onnatuurlijk schijnsel vanaf straalde gesignaleerd, vooral bij de eeuwenoude grafheuvels en talrijke stenen en houten monumenten die samen met de heilige bossen het middelpunt van de barbaarse Britannische godsdienst leken te vormen.

Aanvankelijk weet Sabinus dit aan de sterke fantasie van bijgelovige soldaten, maar toen zijn legioen na het vertrek van Claudius, aan het begin van de laatste maand van het oorlogsseizoen, onder zijn aanvoering verder landinwaarts trok, voelde hij iets waarvan hij zich elders nooit bewust was geweest. Dat – en het tergende huilen en schreeuwen van onzichtbaren in de nacht – had hem ervan overtuigd dat er een macht was die hij niet begreep, een kracht die verbonden was aan het land waar hij, hoezeer hij ook beschermd werd door het licht van zijn god Mithras, een indringer was.

Het jaar daarop trokken zijn troepen langzaam verder landinwaarts, veroverden de ene heuvelvesting na de andere en moesten hun mannetje staan tijdens de gevechten met de krijgers van Caratacus, die aanvallen op hun aanvoerlijnen uitvoerden en hun colonnes in hinderlagen lieten lopen. Hoe dieper ze het land in trokken, hoe sterker werd zijn gevoel van onbehagen, en hij was haast opgelucht toen hij zijn manschappen aan het einde van het seizoen terug kon sturen naar het zuiden, naar hun winterkamp aan de Tamesis. Vorige maand nog had hij de kwestie besproken met Vespasianus, toen de legaten in Camulodunum met Plautius hadden overlegd over de veldtocht van het volgende seizoen, maar zijn broer had zijn angsten afgedaan als soldatenpraat. En toch had Sabinus in de ogen van Vespasianus iets gezien wat hem deed vermoeden dat hij met een soortgelijk onbehagen kampte.

Sabinus probeerde zijn bezorgdheid terzijde te schuiven terwijl de colonne langzaam over de met bosjes taai gras bezaaide vlakte reed. De wind wakkerde aan en blies de mist in flarden alle kanten op, waardoor het zicht zo nu en dan goed genoeg was om een stuk vooruit te kijken, maar een ogenblik later blies een volgende vlaag het gat in de mist alweer dicht.

Om zijn gedachten weg te voeren uit de bijgelovige diepte waar ze door de griezelige omstandigheden in waren verzonken, keek Sabinus opzij naar Alienus en nam hem goed op. Hij zag de licht blozende wangen en de enigszins stompe neus en concludeerde dat hij, in weerwil van zijn vrij smalle gezicht, Keltisch bloed moest hebben. Dat zou meteen zijn familienaam verklaren: Alienus, ofwel vreemdeling. Maar goed, van welke familie uit het noorden kon je dat niet zeggen? En gold dat ook niet voor families uit het midden van Italië? Van zijn eigen volle gezicht en klompneus zouden ook maar weinigen zeggen dat die klassiek Latijns waren. 'Komt jouw familie uit het noorden van Italië, Alienus?'

'Huh?' De jonge tribuun knipperde met zijn ogen alsof hij ontwaakte uit een dagdroom. 'Het spijt me, ik heb u niet gehoord. Wat zei u?'

Sabinus herhaalde zijn vraag.

'Nee. Mijn familie komt uit het zuidelijke kustgebied van Britannia. Ik ben de kleinzoon van Verica, koning van de verenigde stammen van de Atrebates en de Regni. Voor Britanniërs heet ik Verica, net als mijn grootvader.'

Sabinus was verbaasd. 'Je spreek vloeiend Latijn.'

'Dank u. Mijn grootvader vluchtte vijf jaar geleden naar Rome nadat Caratacus hem had beroofd van zijn koninkrijk, en hij nam mij mee. Zoals alle Britannische prinsen in het zuiden had ik goede Latijnse lessen gehad, zodat ik de taal al gauw vloeiend sprak.'

'En Claudius heeft je het burgerschap toegekend?'

'Ja, en het ridderschap. Ik nam de naam Tiberius Claudius aan en voegde daar de familienaam Alienus aan toe omdat ik het leuk vond, en zodoende werd ik een Romein, zoals mijn grootvader wilde. Generaal Plautius verleende hem een gunst door mij op te nemen in zijn staf, zodat ik me omhoog kon werken en misschien zelfs senator kon worden. Dan zou ik de eerste Britanniër zijn die dat lukte.'

Sabinus gaf met een knikje aan dat deze zeer Romeinse ambitie zijn goedkeuring kon wegdragen. 'Het speet me te horen dat Verica is overleden. Een maand geleden, als ik het wel heb?'

'Hij was oud en wist dat hij ging sterven. Hij blikte zonder spijt terug op het leven. Hij had zijn koninkrijk teruggewonnen, was door de Romeinen benoemd tot vazalkoning en had met zijn neef Cogidubnus een sterke opvolger geregeld.'

'Waarom niet zijn kleinzoon?'

Alienus glimlachte. 'Hij zei dat ik te jong was, het volk zou mij niet accepteren, en daar heb ik begrip voor: een negentienjarige die vijf jaar niet door zijn volk gezien is en dan ineens de scepter gaat zwaaien? Bovendien wordt Cogidubnus beschouwd als een man die zich niet door Rome liet knechten, al kreeg het rijk hem ten slotte toch op de knieën. Terwijl ik word gezien als een man die zich vrijwillig aansloot bij het Romeinse leger.'

'Dus je gaat naar Rome als je...' Een verkwikkende windvlaag verdreef even de mist die hen omringde en ontsluierde een grafheuvel op nog geen tien passen links van hen. Sabinus' adem stokte. Een ogenblik later blies de wind de nevel terug en werd het graf weer aan het zicht onttrokken, maar het beeld stond al op zijn netvlies gebrand.

Vanuit de colonne achter hem steeg een benard gemompel en gefluister op – hij was duidelijk niet de enige die het onheilsteken gezien had. Toen hij een blik achterom wierp, zag hij een flink aantal mannen met hun rechtervuist hun duim omklemmen en op de grond spugen om het boze oog te weren. *Decurio* Atilius riep zijn mannen blaffend tot de orde, maar de schade aan het toch al kwetsbare moreel was aangericht en ze wierpen nerveuze blikken in de golvende, dunner wordende mist, beducht voor het volgende dat ontsluierd zou worden. Van de Romeinen leek het alleen Alienus weinig te deren dat ze zo dicht langs de grafheuvel reden, wat Sabinus vreemd vond, omdat hij wel een instinctieve afkeer had gehad van een langdurig verblijf in de nabijheid van de Dolende Doden.

Deze gedachte werd verdreven toen er recht voor hen opnieuw een gat in de mist viel. Zijn hart sloeg over. Op hun pad was het been van een reus verschenen, massief en breed, alsof de kolos een stap in hun richting had gedaan en zijn been daar net had neergezet, hoewel de grond niet had getrild en er geen dreunende voetstap had geklonken. Vervolgens doemde al even geruisloos vanuit de nevel het tweede been op. Geschrokken trokken de mannen aan hun teugels, waardoor veel paarden steigerden en met hun gehinnik de stilte doorbraken. Sabinus keek ontsteld op, het onderste deel van het bovenlichaam werd zichtbaar, maar de reus was nog vanaf zijn middel in mist gehuld. Aan weerszijden van zijn benen doemde nog een been op: tegenover hen stonden minstens drie van zulke kolossen.

Sabinus trok zijn zwaard en keek achterom. 'Atilius, vorm twee linies. Blijf bij elkaar!' bulderde hij naar zijn decurio terwijl de paniek onder de mannen toenam. Toen hij zich weer omdraaide naar het gevaar viel zijn mond open. De wind nam toe in kracht, er werden nog meer benen zichtbaar, die alle vast bleken te zitten aan een lang onderlijf dat niet van vlees en bloed was maar van steen: reusachtige rotsblokken die in menselijke vormen waren gehakt. Het drong tot Sabinus door dat hij naar een monument keek, een stenen monument, het grootste dat hij ooit gezien had.

Hij maande zijn paard tot kalmte en draaide zich naar zijn gids, maar die bleek weg te zijn. 'Verdorie! Alienus?' Ook de jonge tribuun was spoorloos. Achter hem slaagde de decurio erin de orde enigszins te herstellen. Toen zag Sabinus links twee paarden weggalopperen door de mist. Terwijl ze uit zicht verdwenen doemden er lichtgevende figuren op die op hen afkwamen en dan wel, dan niet zichtbaar waren. De rillingen liepen hem over de rug, de beweging die hij eerder had waargenomen was niet de vrucht van een tomeloze fantasie geweest. Hij keek naar de andere kant. Talloze ongrijpbare figuren tekenden zich vaag af in de oplossende mist, ze leken over de omsluierende grond te zweven, recht op hen af.

Ze waren omsingeld.

Toen de eerste slingerstenen van weerszijden de turma troffen, voelde Sabinus een ongerijmde opluchting: ze werden niet belaagd door Dolende Doden, maar door echte, levende mensen die bestreden en gedood konden worden.

Er klonken kreten van pijn, niet van mensen, maar van dieren. De slingeraars richtten laag, op de benen van de paarden. Sabinus besefte dat de aanvallers hen niet wilden vermoorden, ze wilden hen gevangennemen.

'Atilius!' brulde Sabinus en hij richtte zijn zwaard naar het noorden, de richting vanwaaruit ze gekomen waren. 'We moeten gegroepeerd door ze heen rijden, anders lukt het nooit.'

Atilius schreeuwde tegen zijn mannen dat ze moesten draaien. Het kostte de turma grote moeite om in formatie te blijven, want van links en rechts regende het stenen. Er lagen al vijf paarden met een verbrijzeld been op de grond, kronkelend van de pijn. Hun berijders schreeuwden en probeerden achter op het paard van een strijdmakker te klimmen. Er stortten nog twee paarden met zwiepende benen ter aarde, de ene ruiter werd weggeslingerd, de andere werd verpletterd en bleef roerloos liggen, met zijn hoofd in een vreemde hoek. De uit het zadel geworpen man krabbelde overeind maar werd vrijwel meteen weer tegen de grond gesmeten. Hij loeide van pijn en met maaiende armen zakte zijn bovenlijf neer op zijn onderbenen; op de plek van zijn neus was nog slechts een bloederige brij te zien.

Sabinus dreef zijn paard voorwaarts. 'Volg mij!' Hij zette zijn paard aan tot handgalop, wat op dit ruige terrein niet zonder gevaar was. De overgebleven manschappen volgden hem met getrokken *spathae* – hun lange cavaleriezwaarden – zodat ze zich al houwend een weg konden banen door hun belagers, die nu op nog geen vijftig passen bij hen vandaan waren.

Er regende weer een salvo slingerstenen op hen neer, zes paarden stortten voorover ter aarde, hun neuzen ploegden zich door het gras nadat ze door hun verbrijzelde voorbenen waren gezakt. Hun berijders schreeuwden naar hun strijdmakkers dat ze hen niet moesten achterlaten. Maar hun smeekbedes waren vergeefs.

Er zoefde een steen langs Sabinus' knie: de slingeraars richtten nog steeds laag. Hij zette zijn hakken in de flank van zijn paard en sloeg met de platte kant van zijn zwaard op de achterhand, waarna het dier in volle galop ging. De slingeraars draaiden zich om en kozen het hazenpad. Sabinus' hart ging als een gek tekeer, mede door deze hoopgevende ontwikkeling. Maar juist toen hij dacht dat ze hun belagers onder de voet zouden lopen, dook er een nieuw gevaar op: een dubbele linie met speerdragers die zich verborgen hadden gehouden, maar die zich nu oprichtten en op één knie gingen zitten. Ze hadden lange, van essenhout vervaardigde speren die ze normaal gesproken gebruikten voor de zwijnenjacht. Ze drukten de achterkant in de grond en richtten de bladvormige ijzeren punt naar de borst van de paarden.

De mannen hadden geen tijd om te reageren en de turma boorde zich in de stekelige heg van geslepen ijzer. De punten doorkliefden de gespannen paardenspieren, sneden knarsend door beenderen en gleden ten slotte de holte in waarin de vitale organen zaten. Het bloed, dat door de grote, zwoegende harten onder enorme druk was gezet, spoot met volle kracht uit de afschuwelijke borstwonden van de paarden, die werden gespietst en door hun grote snelheid pas tot stilstand kwamen tegen het ijzeren dwarsstuk achter op de schaft, die kromboog onder het gewicht van het trillende beest.

Sabinus werd naar voren geslingerd en landde op de nek van zijn paard. Zijn helm met rode pluim vloog tollend over de vijandelijke linie. Een tel later werd hij teruggeworpen door het gewonde dier, dat gillend van pijn steigerde, de speer losrukte uit de handen van de met bloedspatten besmeurde vijand en, doordat hij zich getergd omdraaide, de schedel van de man naast hem verbrijzelde.

Nadat hij met een smak op zijn rug was geland, had Sabinus nog maar net de tegenwoordigheid van geest om opzij te rollen toen het stervende dier in elkaar zakte en met grabbelende benen achterovertuimelde, alsof het tot het einde aan toe probeerde te galopperen.

Sabinus werkte zich snakkend naar adem op zijn knieën en voelde zijn hoofd kraken. Er scheerde een wit licht door zijn gezichtsveld. Terwijl hij buiten westen raakte, drong tot hem door hoe wrang en ironisch het was dat hij in de val was gelokt door een spion die zichzelf voordeed als een Romein genaamd 'Alienus'.

Het was een kreet die Sabinus weer bij bewustzijn bracht: een angstkreet, geen kreet van pijn. Hij opende zijn ogen maar zag slechts dikke, grove grassprieten. Hij lag op zijn buik, zijn handen waren samengebonden op zijn rug. Zijn hoofd bonkte. De kreet stierf weg en maakte plaats voor een brommend gezang.

Hij probeerde zich op zijn zij te werken, maar voelde dat zijn maag zich omdraaide en vervolgens samentrok. Het waterige braaksel spetterde op het gras, de zure smaak bleef hangen op zijn tong en de geur, die hij opving toen het zijn neusgaten uit liep, werkte op zijn maag en deed hem nogmaals kokhalzen.

Snel en oppervlakkig ademend draaide hij zich op zijn rug en spuugde het laatste beetje van het stinkende overgeefsel uit. De mist was weggetrokken en de zon ging onder. Hij hief zijn hoofd, hij was in het monument. Hij zag vage gestalten rondlopen. Het geschreeuw begon weer, overstemde het gezang. Een van de gestalten hief een arm, hield die een ogenblik in de lucht en zwiepte hem vervolgens neer. Het geschreeuw hield meteen op, maakte plaats voor een langdurig schrapend gegorgel en ten slotte stilte.

Hij voelde het opeens koud worden. Nu zijn ogen zich hadden aangepast, kon hij de gestalten beter zien. Ze waren vies. Hun haar hing in klitterige slierten tot halverwege hun rug. Hun in strengen gedraaide baard was even lang. Hun gewaad, dat misschien ooit wit was geweest maar er nu uitzag alsof de schimmel er jarenlang op had mogen woekeren, reikte tot aan hun enkels, had lange mouwen en werd enigszins in vorm gehouden door een riem.

Sabinus huiverde en liet zijn hoofd kermend op het gras vallen. Als er iets was wat hij meer vreesde dan de geesten van dit land, dan waren het wel hun dienaren: de druïden.

'Ah, u bent wakker, legaat,' klonk het opvallend vrolijk.

Sabinus draaide zijn hoofd en zag Alienus aankomen. 'Gore verrader!'

'Dat zou ik niet willen zeggen. Een verrader is iemand die zijn eigen volk verraadt. Daarvan kunt u mij niet beschuldigen, ik ben een prins van de Atrebates.' Alienus hurkte naast hem neer. 'Niet iedereen heeft het hoofd gebogen voor Rome, zoals mijn lafhartige grootvader of mijn verwaande neef, die mijn eerstgeboorterecht heeft gestolen en nu in mijn plaats heerst. Zij hebben schande gebracht over mijn volk. Caradoc, of Caratacus, zoals jullie hem noemen, mag dan een vijand van mijn volk zijn geweest, hij verzet zich in ieder geval wel tegen de indringers. Hij is onze bloedverwant en wil onze gewoonten en onze god behouden, en daarom verdient hij onze steun wanneer hij jullie probeert terug te drijven naar zee.'

'Zodat jullie je gekibbel op de rand van de wereld kunnen voortzetten?'

'Voor jullie is het misschien de rand van de wereld, voor ons is dit eiland de hele wereld, en vóór jullie komst waren wij vrij om te leven naar onze eigen wetten en gebruiken. Kunnen jullie het ons kwalijk nemen dat we dat zo willen houden?'

'Nee, maar erg praktisch is het niet.' Sabinus huiverde weer, zijn tenen waren ijskoud. 'Rome zal hier niet meer weggaan, en met dat streven zullen jullie veel mensen de dood in jagen.'

'Niet nu wij u hebben.'

'Wat bedoel je?'

'Vandaag is de lentenachtevening. De paar overlevenden van uw geleidetroepen hebben de altaren van onze goden bevochtigd met hun bloed ter ere van deze dag, maar u niet. U was het die wij kwamen halen. We wisten dat we u voor het begin van de veldtocht in handen moesten zien te krijgen. Anders zou u de oproep van Plautius niet geloofd hebben.'

Tandenklapperend voelde Sabinus een rilling door zijn benen omhoogtrekken. 'Hoe heb je zijn zegel vervalst?'

'Als je toegang hebt tot documenten waarop dit zegel nog gaaf is, is dat niet zo moeilijk. U hebt drie maanden om erachter te komen.'

'Waarom zou ik? Waarom doden jullie me niet meteen?'

'O, daarvoor bent u te kostbaar. Dat zou zonde zijn. De druïden hebben besloten dat het meest overtuigende offer aan de goden namens Caratacus, teneinde hem te sterken in zijn strijd, een Romeinse legaat is.' Alienus trok zijn wenkbrauwen op en wees met een scheef glimlachje naar Sabinus. 'En die legaat bent u.' Hij knikte naar de druïden in het oranjegele licht van de ondergaande zon, dat door twee bogen van het monument precies op het altaar viel. 'En Myrddin, de hoofddruïde, die er verstand van heeft, heeft bepaald dat de gunstigste tijd en plaats voor dat offer de zomerzonnewende in het bos van de heilige bronnen is.'

Sabinus keek naar de zingende druïden en besefte dat de zon hun harten niet verwarmde en dat de groep een ijzige, van boosaardigheid vervulde kracht uitstraalde, een kilte die hem als een reeks ijskoude ademtochten bekroop, maar die Alienus blijkbaar niet deerde. Sabinus' gedachten kwamen steeds langzamer, hij was niet meer in staat een vraag te formuleren. Zijn ogen vroren dicht. Met een laatste krachtsinspanning spuugde hij een paar druppels speeksel vermengd met braaksel in het gezicht van de spion. 'Dan ben ik al weg. Mijn broer komt me halen.'

Alienus veegde met de bovenkant van zijn hand zijn wang af en glimlachte stoïcijns. 'Wees gerust, Myrddin wil juist dat ik ervoor zorg dat hij komt en dat hij zijn verdoemde legioen meeneemt. U zult het toch met me eens zijn dat twee legaten veel meer indruk maken dan één, een beter offer dan twee broers is er niet als je wilt dat de goden het leger dat Caratacus nu verzamelt gunstig gestemd zijn. En Myrddin krijgt altijd alles voor elkaar.'

Er trok een wit waas over Sabinus' ogen toen de kilte doordrong tot zijn hart, hij voelde dat een boze tegenwoordigheid hem wegtrok uit zijn bewustzijn en hij schreeuwde tot verdovens toe. Er kwam alleen geen enkel geluid over zijn bevroren lippen.

DEEL I

BRITANNIA, VOORJAAR, 45 N.C.

HOOFDSTUK I

Vespasianus legde een stevige knoop in de leren koordjes van zijn kinriem, zodat de scharnierende wangkleppen tegen zijn gezicht werden gedrukt. Hij schudde zijn hoofd, de helm bleef goed zitten. Tevreden knikte hij naar de slaaf die hem hielp. De man, die voor in de twintig was, stapte naar voren en drapeerde een zware donkerrode wollen mantel om zijn schouders en maakte die vast met een bronzen speld in de vorm van een steenbok, het embleem van de Tweede Augusta. Hoewel er twee draagbare vuurkorven in de tent stonden, hing de ochtendkou nog in de tent, en Vespasianus was blij met de extra warmte die de mantel bood. Hij pakte het gevest van zijn zwaard, trok eraan om te zien of het wapen wel los genoeg in de schede zat en wierp een blik op de slaaf, die een paar stappen achteruit had gedaan omdat zijn werk gedaan was. 'Je kunt gaan, Hormus.'

Na een kleine buiging draaide Hormus zich om en verdween door het gordijn naar het slaapgedeelte achter in het *praetorium*, de tent die het hoofdkwartier was van het legioen en tevens het verblijf van de legaat in het midden van het legerkamp van de Tweede Augusta.

Nadat hij een beker warme wijn van de lage tafel had gepakt liep Vespasianus naar de schrijftafel, waar de houten wastabletten en gebundelde rollen keurig lagen opgestapeld, ging zitten en opende het bericht dat hem een slapeloze nacht had bezorgd. Nippend aan zijn ochtenddrankje herlas hij het een paar keer met een gespannen uitdrukking op zijn gezicht en vervolgens smakte hij het tablet op tafel. 'Hormus!'

'Ja, meester?' antwoordde de slaaf, die door het gordijn kwam aangesneld.

'Schrijf dit op en laat een bode het ogenblikkelijk meenemen.'

Hormus ging aan zijn kleine schrijftafel zitten, pakte een *stylus*, hield die boven een schoon wastablet en gaf zijn eigenaar met een knikje aan dat hij er klaar voor was.

'Aan Gaius Petronius Arbiter, eerste tribuun van de Veertiende Gemina, van Titus Flavius Vespasianus, legaat van de Tweede Augusta, die u groet.

Mijn broer Titus Flavius Sabinus is rond de lentenachtevening niet verschenen in het kamp van de Tweede Augusta, en ook stond hier geen bespreking met generaal Plautius, mijn broer en ondergetekende op de agenda. Ik ben op de hoogte van het feit dat tribuun Alienus de kleinzoon is van wijlen Verica van de Atrebates. Ik kan me vaag herinneren hem in de afgelopen twee jaar enkele malen te hebben gezien toen hij werkte bij de staf van Plautius, en ik heb geen reden om te twijfelen aan zijn integriteit, maar net zomin heb ik reden om te denken dat hij niet loyaal zou zijn aan de opstandelingen. De vraag is waarom hij mijn broer naar een bijeenkomst liet komen die niet bestond. Als u met zekerheid kunt zeggen dat ze daar vijftien dagen geleden naartoe gingen, kan ik slechts concluderen dat Alienus toch niet een van de onzen is, maar een Britannische spion. Dus mijn broer is gevangengenomen óf, moge de goden het verhoeden, hij is...' Vespasianus zweeg, hij wilde het woord niet uitspreken, het woord dat hem had gekweld toen hij de hele nacht met zijn gedachten bij het mogelijke lot van Sabinus was geweest.

Hoewel Vespasianus bijna vijf jaar jonger was dan Sabinus en als kind door zijn grote broer geterroriseerd en als jongeman met veel minachtig door hem bejegend was, was hun relatie de afgelopen jaren geleidelijk veranderd en hadden ze respect voor elkaar gekregen. Door de hulp die Vespasianus zijn broer had geboden bij de zoektocht naar de adelaar van het Zeventiende Legioen was de band tussen de broers dusdanig verbeterd dat ze nu konden praten zonder constant te kibbelen. Sabinus liep gevaar ter dood veroordeeld te worden door Narcissus, de machtige vrijgelaten slaaf van keizer Claudius, als vergelding voor zijn aandeel in de moord op Caligula. Zijn medesamenzweerders waren allen geëxecuteerd. Dankzij ingrijpen van Pallas, een oude bekende van de broers en net als Narcissus een vrijgelatene, kon de rol van Sabinus worden verdoezeld en zijn leven worden gespaard. Voorwaarde was wel dat de broers de adelaar terughaalden die vermist werd sinds de Duitse opstandeling Arminius, in het geboortejaar van Vespasianus, zesendertig jaar geleden, drie legioenen verpletterend had verslagen in het Teutoburgerwoud.

De terugreis van de adelaar naar Rome liep weliswaar niet geheel volgens plan, maar het lukte de broers uiteindelijk wel de adelaar in Rome af te leveren, waardoor ze weer in de gunst kwamen bij de ware machthebbers in Rome: niet de keizer, maar zijn vrijgelaten slaven. Hun missie was geslaagd en Sabinus had moeten toegeven dat hij zijn leven te danken had aan zijn broer, die nu dan ook met zwaar gemoed zijn zin afmaakte: '... dood.'

Vespasianus wuifde zijn slaaf weg, sloeg het laatste beetje wijn achterover en smeekte Mars, zijn beschermgod, Sabinus te redden. Al wist hij niet waarom de Britanniërs hun gevangenen zouden sparen, want ze waren ervan doordrongen dat Plautius de Romeinse gevangenen niet als ruilmiddel wilde gebruiken. In het gunstigste geval werd iemand als slaaf verkocht aan een stam in het noorden of westen en sleet hij zijn bestaan als levende dode. Maar zo iemand kon wel de hoop koesteren ooit teruggevonden te worden.

De twee wachters voor de tent sprongen in de houding en het geluid van iemand die binnenkwam haalde hem uit zijn mijmering. Maximus, de prefect van het legerkamp, de op twee na hoogste officier van het legioen, beende kordaat naar binnen en bracht een onberispelijke groet, waaraan hij dertig jaar had kunnen schaven.

Uit respect voor deze man, die lager in rang was maar veel meer ervaring had, stond Vespasianus op. 'Wat is er, Maximus?'

'Het legioen is opgesteld, legaat! We wachten op uw bevel, mochten de onderhandelingen op niets uitlopen.'

'Is Cogidubnus met hen in gesprek?'

'Ze lieten hem en zijn twee lijfwachten niet toe tot de vesting, dus moest hij staande voor de poort onderhandelen. Ze staan er nog steeds.'

'Goed. Ik kom eraan.'

Vespasianus liep naar de poort van het kamp van de Tweede Augusta, dat was gebouwd op een lage, platte heuvel die geleidelijk afliep naar het beekje aan zijn voet. De poortwachters, die strak voor zich uit keken, presenteerden met een overdreven stamp hun wapen toen hij naar buiten liep.

Tatius, zijn *primus pilus*, de hoogste centurio van het legioen, en Valens, zijn tribuun met brede streep, stonden hem samen met de tribunen met smalle streep op te wachten: het waren er vijf, tieners nog of begin twintig, en voor hen was het kamp een leerschool. Een kwart mijl verderop lag nog een heuvel – rond als een reusachtige molshoop, driehonderd voet hoog en aan de voet een halve mijl in doorsnee – die om onduidelijke reden apart stond van de omringende verhogingen in het landschap: ideaal voor een indrukwekkende vesting. Die stond er dan ook. Op driekwart van de heuvelhelling waren twee grote greppels uitgegraven van elk tien voet diep waarin puntige, in het vuur geharde staken waren gezet. De helling zelf was steil en helemaal kaal, alle bomen en struiken waren weggehaald, alleen niet op de westelijke helling aan de andere kant, zoals Vespasianus had gezien toen hij na zijn aankomst een rondje rond de vesting had gemaakt. Aangezien die helling te steil was voor een aanval liet men het groen daar welig tieren. Achter de greppel was de opgegraven aarde op een hoop gegooid, die nu, nadat hij was aangestampt, de steile wal vormde waarop een palissade van dikke houten palen was gezet, twee keer zo hoog als een mens. Langs de palissade stonden honderden krijgers en achter hen tussen de ontelbare ronde hutjes op de heuveltop stonden er nog meer, samen met vrouwen en kinderen, van wie er velen, zo wist Vespasianus ondertussen – die les had hij door schade en schande geleerd – een dodelijke worp met een slingersteen of werpspeer in hun vingers hadden.

Op het lagere deel van de helling tussen Vespasianus en de heuvelvesting stond de Tweede Augusta opgesteld in twee linies van vijf cohorten. Rijen geharnaste infanteristen naast en achter elkaar, wier glimmende helmen schitterden als goud terwijl ze in de ochtendzon roerloos naast hun vaandels stonden, die wapperden in de kille ochtendbries. Vespasianus had bevel gegeven tot deze vertoning, maar niet omdat hij van plan was zijn voltallige legioen in te zetten, want dat zou met die greppels geen doen zijn en vele soldaten het leven kosten. Nee, de eerste aanval zou worden uitgevoerd door de minder waardevolle Gallische hulptroepen, door mannen die geen Romeins burger waren. Dit machtsvertoon diende louter om de vijand te intimideren en Cogidubnus, de nieuwe koning van de Romeinse bondgenoten, te helpen bij zijn onderhandelingen met het stamhoofd van de Durotriges, die door de bliksemsnelle opmars van Vespasianus naar het noordwesten in de eerste dagen van het nieuwe oorlogsseizoen waren verrast en nu in hun heuvelvesting zaten opgesloten.

De opmars was een reactie geweest op de melding van een Britannische spion op de loonlijst van Cogidubnus, die beweerde dat zich bij de vesting een groot leger verzamelde, mogelijk onder bevel van Caratacus zelf, dat in het oosten zou aanvallen, achter de voorste linie van de Tweede Augusta, met als doel de aanvoerlijnen te verstoren en de Romeinen te dwingen rechtsomkeert te maken en ze te verdedigen, waardoor hun voorjaarsveldtocht aanzienlijke vertraging zou oplopen.

Het legioen was gisteravond opgedoken en had de vesting zó snel omsingeld dat niet één Britanniër had weten te ontsnappen. Degenen die toch over de palissade klommen, waren neergehouwen of opgepakt door de Bataafse hulpcavalerie, die zich rond de vesting had opgesteld om te voorkomen dat er iemand kon ontsnappen en hulp inroepen. De spion schatte dat zich binnen meer dan vierduizend weerbare mannen bevonden, hetgeen was bevestigd door gevangenen die erg zenuwachtig werden van de vervaarlijke messen van hun ondervragers. Maar al die gevangenen hadden ontkend, tot hun dood aan toe, dat Caratacus in de vesting was.

Het plan van Caratacus zal niet werken, dacht Vespasianus en hij glimlachte ingetogen maar zelfgenoegzaam. Hij moest de bezorgdheid om zijn broer terzijde schuiven en zich concentreren op wat er nu speelde. Vier jaar geleden, toen hij het bevel kreeg over de Tweede Augusta, zou dit schouwspel grote indruk op hem hebben gemaakt, maar nu, na twee oorlogsseizoenen in Britannia, was het de gewoonste zaak van de wereld. Hij telde in stilte het aantal belegeringen dat hij gedaan had en kwam uit op negen.

Hoewel de verdedigingswerken in totaal een lengte van bijna een mijl hadden, had de vesting maar één ingang en die bevond zich pal tegenover Vespasianus. Wat niet betekende dat hij daar linea recta naartoe kon lopen. De greppels moesten op verschillende plaatsen worden overgestoken, zodat de aanvallers zich zigzaggend een weg omhoog moesten werken en vanaf de flanken constant beschoten konden worden door de mannen op de muur. Een frontale aanval zou al vóór het bereiken van de poort tal van hulpsoldaten het leven hebben gekost, en daarna zouden er nog heel wat soldaten sneuvelen bij de poging de poort te openen met de ram, waarvan de houten ombouw bekleed was met vochtig leer om het oorlogsinstrument te beschermen tegen de vuurpotten die vast en zeker naar beneden zouden worden gegooid.

Maar Vespasianus hoopte dat het niet zover zou komen toen hij zag dat de drie Britannische ruiters, Cogidubnus en zijn lijfwachten, hun paarden draaiden en terugkeerden. Vrijwel meteen ontstond er commotie op de palissade; er sprong iemand naar beneden, die na zijn landing een stukje doorrolde en vervolgens in één vloeiende beweging opstond en op de drie ruiters af snelde. Een van de ruiters hield in, trotseerde de paar speren die naar de vluchteling werden gegooid en leunde met gestrekte arm achterover naar de man, die met een sprong de uitgestoken hand greep en zijn snelheid gebruikte om zich achter de ruiter op het paard te zwaaien. Het paard steigerde angstig, gooide de mannen bijna af, maar de ruiter wist het dier met een woeste ruk aan de teugel onder controle te krijgen en spoorde het aan de heuvel af te denderen, achter zijn twee strijdmakkers aan, die inmiddels bij de doorgang van de buitenste greppel waren.

Vespasianus en zijn officieren wachtten zwijgend terwijl ze in galop de heuvel af kwamen: allen wisten dat hun verhaal bepalend zou zijn voor het verloop van de dag en misschien ook van hun leven.

Er ontstond tumult onder de legionairs toen de ruiters door hun linie kwamen, maar de centuriones en *optiones* blaften hun mannen toe dat ze stil moesten zijn.

'Ik denk dat de mannen aan de uitdrukking op Cogidubnus' gezicht zien dat hij geen goed nieuws brengt,' mompelde Maximus terwijl de rust wederkeerde in het legioen.

Vespasianus bromde. 'Natuurlijk niet, wie wil er nu vluchten uit een vesting die zich gaat overgeven?' De spanning keerde terug op zijn gezicht toen de ruiters naderden en hun houding het vermoeden van Maximus bevestigde, maar tegelijk besefte hij dat hun weigering om zich over te geven kon betekenen dat er veel op het spel stond.

'Hun hoofd, Drustan, heeft gezworen dat ze zullen vechten tot het laatste kind dood is,' zei Cogidubnus toen hij zijn paard tot stilstand had gebracht. De vluchteling, een jongeman met lang, samengeklit haar, een piekerig baardje en een smal, besmeurd gezicht, liet zich achter een van de ruiters van het paard glijden. 'Ik heb beloofd dat hun leven gespaard zou worden en dat ze officiële bondgenoten van Rome zouden worden, met het recht om wapens te dragen.'

Vespasianus verstrakte. 'Hij is daarbinnen, denkt u ook niet?'

Cogidubnus sprak in zijn eigen taal met de ontsnapte man. Hij knikte toen hij antwoordde. 'Jawel, legaat, hij is binnen. Mijn spion zegt dat hij twee dagen geleden is aangekomen.'

Vespasianus wierp een blik op de spion en vond het wonderlijk dat deze buitengewoon nuttige informatie van zo'n onwaarschijnlijke bron kon komen. De man bleef naar de grond kijken, door zijn aftandse kleding leek hij meer op een slaaf dan op een soldaat. 'En nu hoopt hij weg te kunnen glippen op het moment dat een hele volksstam zich voor hem opoffert.'

'Daar lijkt het wel op.'

Vespasianus keerde zich naar zijn officieren. 'Heren, ik wil dat jullie voor het begin van de aanval de heuvel helemaal omsingelen. Niemand mag door onze linies gaan. Ik heb het idee dat wij Caratacus met onze snelle manoeuvre in het nauw hebben gedreven.'

Het kostte de Tweede Augusta nog geen halfuur om een nieuwe formatie aan te nemen. Elke cohort had zich opgesteld in vier rijen van honderdtwintig man, die zwijgend rond de heuvel stonden en ervoor zorgden dat er niemand kon ontsnappen. Vespasianus keek naar de helling voor hem, over de hoofden van de eerste cohort heen, naar de plek waar drie Gallische hulpcohorten met elk achthonderd man stonden opgesteld, met geheven schilden, want de krijgers op de muur bestookten hen vanaf zo'n honderd passen met langeafstandsslingers. Tussen de voorste gelederen van de middelste cohort tekende zich de ombouw van de ram af, die werd omringd door de centurie die de grote eer had gekregen de aanval te mogen leiden. Links voor hen stonden de achthonderd oosterse boogschutters van de Syrische hulpcohort en rechts van hen de zestig *ballistae* van het legioen, die op grote kruisbogen leken.

Vespasianus bracht zijn paard tot rust en zwaaide zijn rechterarm naar beneden. De *cornicen* naast hem blies een brommende noot op zijn G-vormige hoorn. Naast elke ballista stond een soldaat met een brandende fakkel die hij bij de in olie gedrenkte doeken hield die op de punt van de drie voet lange houten pijl waren gepropt, en de Syrische schutters staken hun pijlen in de kleine vuurtjes die ze hadden gemaakt langs hun linie. De pezen van de handbogen deden massaal 'plong' en het bruusk terugverende hout van de ballistae klapperde: honderden brandende projectielen schoten door de lucht en trokken sporen van zwarte rook: ploegsneden op het hemelgewelf.

De aanval was begonnen.

Het eerste salvo scheerde over de palissade en raakte de uit leem en vlechtwerk opgetrokken muren en, daarachter, de strodaken van de vele ronde hutjes. Het krijsen van de gewonden gaf aan dat er niet alleen gebouwen geraakt werden. Terwijl de Syriërs hun sterke bogen van hout en hoorn, waarvan de uiteinden terugbogen, voor de tweede keer afschoten, zag Vespasianus tot zijn tevredenheid de eerste witte rook kringelen uit de vesting. De Syrische schutters wisten nog zes salvo's te lossen voordat de ballistae hun tweede pijl wegschoten. De rook had zich ondertussen verspreid en hing nu als een dunne grijze sluier over de vesting en vermengde zich met de steeds dikker wordende rook van de vlammen die zich te goed deden aan de strodaken. Het vuur laaide op, wierp van onderaf een donkeroranje gloed op de rookwolken van de zwellende vuurzee. Tussen de verstikkende rookpluimen steeg hier en daar een stoomwolk op, wat erop duidde dat de vestingbewoners de brand probeerden te blussen. Hun kreten galmden over de hoofden van de legionairs terwijl de slingeraars op de muur, die geen hinder ondervonden van de pijlen die over hen heen vlogen, nog altijd pogingen deden de Gallische cohorten pijn te doen, tevergeefs, want die vingen de stenenregen op met hun schilden.

Een jonge tribuun kwam in galop de helling af.

'Zijn de Galliërs er klaar voor, Vibius?' vroeg Vespasianus nadat de jongeman zijn paard tot stilstand had gebracht en zijn legaat had gegroet.

'Jazeker, legaat. De twee steuncohorten zijn uitgerust met stormladders, zoals u bevolen hebt.'

'En de afleidingsaanvallen van Valens?'

'Hij heeft genoeg planken om de eerste greppel over te komen.'

'Rij terug en zeg hem dat hij niet moet wachten tot de Gallische hulptroepen bij de poort zijn. Ik wil dat hij meteen aanvalt, om ervoor te zorgen dat zo min mogelijk Britanniërs zich met de brand kunnen bezighouden. Is dat duidelijk?'

'Jawel, legaat!' Na een plichtmatig saluut draaide Vibius zijn paard om en reed in galop weg, onder het zoveelste vlammende salvo door.

Vespasianus wierp een blik op Maximus, die op een paard naast hem zat, en kon het niet nalaten monter te grijnzen. 'Tijd om de muren vrij te maken voor onze dappere Galliërs.' Hij knikte naar de hoornblazer. 'Tweede doelwit.'

De man blies twee korte noten, met onmiddellijk gevolg: de Syrische schutters lieten hun bogen iets zakken en schoten pijl na pijl op de krijgers op de palissade, en ook de mannen bij de ballistae veranderden van doelwit. Toen de eerste grote pijlen zich in de door rook omsluierde palissade boorden stonden er geen soldaten meer op de muur; ze waren op hun hurken gaan zitten, want ze wilden hun leven pas in de waagschaal stellen wanneer het niet anders kon en wisten maar al te goed dat dat moment niet zo heel ver weg meer was.

Het vrijmaken van de muur was het afgesproken teken voor de prefecten van de Gallische hulptroepen en voor het eerst die dag steeg er geschreeuw op uit de Romeinse linies. De voorste cohort liep de steile helling op naar de plek waar de eerste greppel kon worden overgestoken. De eerste centurie trok de ram mee. Een paar gelukkige zielen ploeterden voort onder de ombouw, de anderen trokken aan de twee touwen aan de voorkant of duwden tegen de achterkant of de balken aan de zijkant. De tweede centurie baande de weg voor de voorste trekkers, terwijl andere hulpsoldaten de duwers en trekkers van opzij beschermden met hun schilden. Maar vooralsnog bleef de stenenregen uit, want de Syrische schutters bestookten nog altijd de muur. De twee steuncohorten renden aan weerszijden van de ram vooruit, staken snel de greppel over en waaierden vervolgens uit over het stuk helling voor de laatste greppel, links en rechts van de poort. Ze hurkten neer onder hun schilden, de stormladders lagen voor hen op de grond, en het wachten was op hun makkers met de ram. Langzaam kroop de ram de heuvel op, er kwam nu iets meer vaart in: de zware houten wielen, die ronddraaiden op met ganzenvet ingesmeerde assen, rolden gestaag voort en naderden het eerste obstakel.

De Britanniërs hadden hierop gewacht: in de greppeldoorgang op slechts veertig passen van de palissade zat een hooguit zes voet brede bocht naar links waar net een wagen doorheen kon. De ombouw van de ram was die nacht aangepast, zodat de wielen niet bleven steken, maar er was nu geen ruimte meer voor de duwers aan de zijkant en, wat belangrijker was, ook niet voor de beschermers en hun schilden. De tweede centurie ging als eerste de doorgang in en stelde zich op in twee rijen, de ene rij knielde neer en de andere bleef staan, waardoor de vijand tegen een muur van schilden aan keek. Toen de ram de doorgang in reed, moesten de mannen aan de zijkant wachten. Het gevaarte verloor snelheid en de duwende en trekkende hulpsoldaten liepen ongedekt door het gat. Plotsklaps verschenen er honderden hoofden boven de palissade, en armen met zwiepende slingers. Velen van hen werden doorboord door gevederde pijlen en vielen achterover in de vlammen erachter, maar het merendeel slaagde erin de slinger drie keer rond te draaien, een steen weg te slingeren en weer weg te duiken om een nieuwe steen in de slinger te doen. Een regen van stenen daalde ongezien neer op de hulpsoldaten. Veel stenen ketsten af op de muur van schilden van de tweede centurie, maar meer dan genoeg projectielen geselden de eerste centurie, verbrijzelden ledematen en sloegen gezichten tot moes terwijl de ongedeerden voortploeterden in het besef dat vluchten onder het toeziend oog van het hele legioen een ondraaglijke schande over hen zou brengen. Enkele mannen van de tweede centurie holden terug om de doden en gewonden voor de zware wielen weg te halen en de lege plekken aan de touwen in te nemen, en toen de hulpsoldaten achter de ram ook hun gewicht in de strijd wierpen, kreeg de ram weer enige vaart.

Sissend vloog er weer een salvo ballistapijlen over de hoofden van de zwoegende centurie, vijandelijke krijgers werden doorboord en, terwijl het bloed uit hun aderen spoot, teruggeworpen toen ze met geladen slingers op de muur verschenen. Toch konden degenen die de voortdurende pijlenregen van de Syriërs trotseerden nogmaals hun slingers boven hun hoofden zwaaien en, verborgen in de dikke rookwolken, al gauw weer de snelheid bereiken voor een volgend dodelijk salvo: de stenen sloegen in, mannen vielen krijsend of in dodelijke stilte neer. De voortgang van de ram werd opnieuw vertraagd, maar even later waren de achterwielen door het gat en konden de schilddragers naar voren komen om de duwers en trekkers bescherming te bieden.

Iedereen die getuige was van dit wapenfeit begon hard te juichen en Vespasianus zoog zijn longen vol nadat zijn adem even was gestokt. Hij keek naar de zuidkant van de heuvel en zag dat Vibius zijn boodschap had afgeleverd. Valens was in actie gekomen met de tweede, derde en vierde cohort van het legioen, die colonnes van acht man breed hadden gevormd. Er waren lange planken over de eerste greppel gegooid en wegbereiders hadden zich langs de steile helling laten zakken en waren nu tussen de staken staanders voor de tijdelijke bruggen aan het zetten.

Zijn plaatsvervanger kweet zich goed van zijn taak en tevredengesteld richtte Vespasianus zich weer op de heuvel, die inmiddels gehuld was in wervelende rookwolken. Hij kon nog net de ram zien, die naar rechts werd verplaatst, waar op twintig passen van de poort het gat in de tweede greppel zat. De tweede centurie was al naar voren gegaan om hun makkers zo goed mogelijk te beschermen tegen de projectielen, de slingerstenen en nu ook de werpsperen, hoewel hun pogingen vanwege de scherpe hoek dicht bij de palissade weinig uithaalden, en Vespasianus zag al twee trekkers sneuvelen. Maar de ram rolde voort, de voorwielen waren al halverwege het gat. De Syrische bogen en ballistae bleven hun pijlen vuren, al was het veelal op puur geluk, want de gestalten op de palissade waren steeds maar heel even zichtbaar. De twee Gallische hulpcohorten bleven aan weerszijden van de poort verscholen achter hun schilden, vanuit hun midden staken de ladders nu loodrecht omhoog.

Vespasianus keek naar de hoornblazer. 'Eerste cohort: oprukken!'

Er galmden drie klimmende tonen uit het bronzen instrument. Vespasianus zag de vaandels van de vijf centuriën van de elitecohort van het legioen, die op dubbele sterkte waren, zakken, waarna de eenheden op bulderend bevel van hun centuriones en optiones een voor een naar de doorgang in de eerste greppel marcheerden. Nu moest alleen nog de poort gesloopt worden en dan konden deze doorgewinterde moordenaars naar binnen.

Maar toen voltrok zich een ramp.

In de kolkende rook was de ram nog net zichtbaar, en hij helde vervaarlijk over naar rechts. Vespasianus verstijfde en kneep zijn ogen tot spleetjes. Een windvlaag zorgde even voor meer zicht, genoeg om te zien dat de grond rechts van de ram wegbrokkelde en het achterwiel over de rand gleed. De ombouw zakte met een knal op de achteras, de ram kwam subiet tot stilstand en kantelde naar rechts, waardoor de rechterkant nog verder wegzakte, tot verbijstering van alle hulpsoldaten die in het gevaarte zaten. Twee of drie adembenemende tellen lang schommelde de ram op de rand, terwijl de mannen naar de linkerkant holden en zich vastklampten aan de ombouw in de hoop dat hun gewicht het onvermijdelijke zou voorkomen.

Maar het lot van de ram was bezegeld.

De ombouw zakte weg, eerst nog langzaam, maar daarna steeds sneller, en viel toen samen met de mannen die erin zaten te pletter op de scherpe, vuurgeharde staken, je kon het kraken en versplinteren van het hout nog net boven het strijdrumoer uit horen. Heel even stond hij rechtop op zijn voorkant, maar toen sloeg hij om en bleef uit het zicht liggen op zijn bovenkant, in de lengterichting van de greppel.

Vespasianus spoorde zijn paard aan. 'Maximus! Blijf hier en geef de bevelen. Hou de vaart erin en zeg tegen de boogschutters en de artillerie dat ze op de muur boven de ram moeten richten.'

Hij wist dat hij het bevel in handen had gegeven van de meest ervaren man in de Romeinse gelederen en stuurde zijn paard in galop de heuvel op. De turma die als zijn lijfwacht fungeerde, volgde hem op de voet. Hij spoedde zich langs de eerste cohort, haalde de mannen tot halverwege de colonne in, stapte van zijn paard en rende verder door de rookslierten, nog steeds met zijn geleide in zijn spoor. Met geheven schild holde hij langs de acht overgebleven centuriën van de Gallische cohort, die waren gestopt omdat ze niet wisten hoe ze verder moesten nu het wapen waarmee de poort geopend kon worden was uitgeschakeld, en kwam bij de tweede greppel vlak onder de poort. 'Waar is jullie prefect?' vroeg Vespasianus aan de centurio van de derde hulpcenturie, die net als zijn mannen achter zijn schild was neergehurkt.

De man knikte met zijn hoofd naar de greppel. 'Hij zit daar, probeert orde in de chaos te krijgen.'

'Kom met de centurie achter mij aan, ik wil dat jullie een *testudo* vormen bij de doorgang en klaarstaan om de ram te trekken.'

'Begrepen!' In de ogen van de door de strijd geharde centurio verscheen een vastberaden blik. Hij was blij in deze chaos een duidelijk bevel te krijgen.

Vespasianus holde ineengedoken verder, zijn schild ving de ene steen na de andere op, want met zijn rode mantel en grote pluim van paardenhaar viel hij enorm op. Achter zich hoorde hij de centurio zijn bevel blaffen. Aangekomen bij de greppel keek hij naar beneden. De ram lag op zijn kop, van de ombouw was weinig over. Over de hele lengte van twintig voet kwamen de staken erdoorheen, op sommige zat geronnen bloed van gespietste lichamen en op één staak zat zelfs een gebroken schedel. Tussen de wrakstukken probeerden de overlevenden van de eerste centurie zich met alle geweld een weg te banen naar de ram en de gewonden te verzorgen, terwijl de tweede centurie zijn best deed om hun strijdmakkers met hun schilden te beschermen, al richtten de boogschutters en de ballistae hun pijlen op de muur, waardoor slechts een enkele Britanniër het aandurfde om een steen weg te slingeren. Desondanks hielden drie man van zijn geleide hun schilden boven Vespasianus.

'Prefect!' riep Vespasianus toen hij de cohortleider te midden van het bloedbad zag staan. 'Snij de ram los en geef hem door aan de mannen in de doorgang.' Hij wees naar de derde centurie, die een testudo vormde, met de voor de hulptroepen kenmerkende schilden boven, naast en voor zich, zodat ze in een redelijk veilige kist van leer en hout zaten. 'Laat die gewonden maar even zitten, we moeten de poort openbreken voordat de aanval aan kracht inboet.'

De prefect bevestigde het bevel en bulderde tegen zijn mannen dat ze de touwen moesten doorhakken waarmee de ram vastzat aan de ombouw.

Vespasianus keerde zich naar twee van zijn lijfwachten, die achter hem waren neergehurkt. 'Ren naar de steuncohorten aan weerszijden van de muur en zeg dat ze de palissade moeten beklimmen zodra ze de ram uit de greppel zien komen.'

Na hun commandant te hebben gegroet en onderling een nerveuze blik te hebben gewisseld, holden de twee mannen op een drafje weg. In de greppel was de ram nu goed te zien, want de leren beschermlaag was grotendeels van het houten raamwerk gescheurd. De laatste paar touwen werden doorgehakt en de prefect had al zijn weerbare mannen langs de grote stam van bijna twee voet dik verzameld, want die moesten ze nu optillen bij de haken waaraan de touwen hadden gezeten of gewoon door hun armen eronder te leggen. Het laatste touw liet men aan de ram zitten, het werd vanuit de ombouw losgemaakt, waarna een hulpsoldaat het losse eind naar de centurio van de derde centurie wierp, die het vervolgens doorgaf aan zijn mannen.

'Tillen, stelletje hoerenkinderen!' brulde de prefect naar zijn mannen.

Vespasianus bedacht dat hij niet moest vergeten de prefect te vermelden in zijn rapport voor Plautius.

De ram kwam van de grond. Er kwamen steeds meer speren naar beneden gezeild nu ook de verdedigers doorhadden wat de bedoeling was. De schilden van de tweede centurie trilden van de inslagen.

De ram werd op schouderhoogte getild en het slappe touw kwam strak te staan toen de mannen midden in de testudo hun schilden omlaag deden en zich schrap zetten. Vespasianus gluurde langs zijn schild omhoog naar de palissade, waar de vijandelijke krijgers nog steeds de Syrische pijlen en ballistaschoten trotseerden om de aanval te verstoren die, als hij zou slagen, voor hen een gewisse dood zou betekenen, even gewis als een pijl tussen hun ogen. Toen hij keek werden twee Britanniërs door gevederde pijlen van de muur geworpen. Twee andere mannen namen meteen hun plaats in, zo wanhopig probeerden de verdedigers de ram een halt toe te roepen.

De hulptroepen tilden de ram boven hun hoofden en, terwijl het speren bleef regenen en drie van hen werden geveld, schoven hem stukje bij beetje de testudo in. De prefect schoot te hulp, zette zijn handen onder de ram en bulderde tegen de mannen dat het sneller moest. Vespasianus hield zijn adem in, hij wist dat hij niets kon doen om het tempo te verhogen, de mannen werkten zo hard als ze konden en zijn getier zou daar geen verandering in brengen. Hij zette zich vast schrap voor wat hij moest doen zodra de ram boven was, want hij wist dat de kans van slagen veel groter was als hij in de voorste gelederen meevocht en het gevaar samen met zijn mannen trotseerde. Had hij nu zijn goede vriend Magnus maar aan zijn zijde, die wist van wanten op het slagveld, die had mooi zijn rechterkant kunnen afschermen als hij niet duizend mijl verderop in Rome had gezeten.

De ram trilde en een gil steeg uit boven het tumult.

'Haal dat kutding uit zijn hand!' brulde de prefect.

Zonder omhaal werd de speer waarmee de hand van een hulpsoldaat op de ram zat vastgeprikt er met een ruk uit getrokken. De man zakte op zijn knieën en bekommerde zich om zijn bloederige wond terwijl zijn strijdmakkers verder ploeterden, het laatste stuk van de ram uit de greppel tilden en in de testudo schoven. De Britanniërs richtten zich vooral op de slechts gedeeltelijk afgeschermde testudo toen de ram door het midden naar voren werd verplaatst.

Vespasianus rende naar de voorkant van de centurie, koos naast de centurio positie bij de kop van de ram en pakte, terwijl hij zijn schild boven zijn hoofd hield, een van de haken. 'Met hun gezicht naar de poort!'

De centurio schreeuwde het bevel. De speren sloegen tegen het houten dak en de centurie draaide negentig graden. Vespasianus keek naar links en naar rechts en zag dat de twee steuncohorten met twee stormladders afdaalden in de tweede greppel en de aandacht van de verdedigers enigszins afleidden van de ram. Hij wisselde een grimmige maar vastberaden blik met de centurio en gaf hem een kort knikje.

'Voorwaarts in looppas!' schreeuwde de centurio.

De hulptroepen tilden de ram op en gingen op een drafje lopen, gevolgd door de rest van de cohort. In een oogwenk hadden ze de laatste twintig passen naar de poort afgelegd en in één vloeiende beweging stootten ze de ram met een daverende klap tegen de houten deuren, die hevig trilden maar op het oog niet beschadigd raakten.

'Terugzwaaien op mijn teken!' schreeuwde Vespasianus. 'Nu!'

Als één man zwaaiden de dragers de ram naar achteren en lieten hem vervolgens zo hard mogelijk tegen de poort knallen, terwijl hun strijdmakkers hen zo goed mogelijk beschermden tegen de constante stenenregen. Wederom trilde de poort en wederom zwaaiden ze de ram naar achteren.

Toen gebeurde waarvoor Vespasianus al bang was geweest, maar wat niet te vermijden was en doorstaan moest worden. Potten met gloeiende houtskool donderden neer op de schilden boven de hoofden van de mannen, vielen in scherpe scherven uiteen en stortten hun verzengende inhoud over de mannen uit. Vespasianus onderdrukte een pijnkreet toen er een gloeiende kool op de bovenkant van zijn hand viel. Hij kon niet anders, hij mocht de haak van de ram niet loslaten, ook niet nu de brandende brok steen op de grond viel en de stank van verbrand vlees opsteeg van zijn geschroeide hand. Uit het gekrijs om hem heen bleek hoe effectief dit verdedigingswapen was, maar toch wisten zijn mannen de ram keer op keer tegen de poort te smakken.

Vespasianus zag een lichtspleet tussen de poortdeuren komen en kreeg nieuwe moed. 'Ga zo door, mannen!'

Na de zoveelste daverende klap weken de deuren nog iets meer, erachter kon je gestalten zien rennen om hun steentje aan de verdediging bij te dragen. Werpsperen vlogen over hun hoofden, de rest van de centuriën gooide hun belangrijkste wapen naar de verdedigers, van wie er velen met zwaaiende armen en rollende ogen gillend in de vlammen achter de palissade vielen. Maar er kwamen nog steeds vuurpotten naar beneden. Toen Vespasianus zich omdraaide om zijn mannen aan te moedigen, gilde een van hen het uit van de pijn omdat zijn wollen tuniek opeens in brand vloog en voelde Vespasianus een stroperige vloeistof door een spleet in het dak van schilden stromen.

'Dat is olie!' riep de centurio angstig terwijl de eerste vlammen uit hun provisorische dekking schoten.

De ram denderde naar voren. De hulpsoldaten, grimassend van angst, zwaaiden hem met alle kracht die de wanhoop in hen naar boven haalde tegen de poort terwijl de olie, in brand gezet door de gloeiende kolen die hun schilden verschroeiden, op hen neerdruppelde. De poort trilde, de grendelbalk kraakte en de deuren weken nog verder uiteen. Een speer werd door de spleet naar buiten gestoten, doorkliefde de mond van de centurio, verbrijzelde zijn tanden, sneed door zacht weefsel en bot en kwam weer tevoorschijn in zijn nek, waar het bloed naar buiten spoot. Vespasianus liet zijn brandende schild zakken om zich te verweren, de mannen lieten de ram nu vallen en duwden met hun schouders tegen de twee poortdeuren om die verder open te krijgen. Er kwamen nog meer speerpunten door de poort, ze boorden zich krakend in de schilden van Vespasianus en zijn hulpsoldaten, die inmiddels aan weerszijden van hem stonden. Maar ze gaven niet toe, aan de poort werd een strijd gevoerd die gewonnen zou worden door degene met de grootste spierkracht en de sterkste wil. Langzaam maar zeker werd de spleet tussen de deuren groter, want de volgende centurie schoot nu hun strijdmakkers te hulp. De spleet werd groter, de muur van schilden breder. Speren floten door de lucht en dreunden tegen hun schilden, waar de brandende olie vanaf drupte. Achter zich hoorde Vespasianus de officieren van de andere centuriën hun mannen toeblaffen dat ze de bres in de verdediging moesten bestormen. Hij voelde hun lichamen achter zich en was opgelucht dat hij eindelijk steun kreeg, al was het niet van Magnus.

De deuren weken nog een voet uiteen en in de wervelende rook daarachter, waar het licht van de brandende hutten doorheen scheen, doemden talloze krijgers op. Ze maakten hun bedoelingen duidelijk door massaal hun scherpe, gestroomlijnde speren te werpen en stormden vervolgens op hen af.

Vespasianus hield zijn schild stevig voor zich en voerde de hulpsoldaten aan: op een drafje legde hij de paar passen tot de vijand af, met wie ze vlak achter de poort contact maakten. Een paar tellen voordat het handgemeen begon deden de soldaten wat ze jarenlang hadden geoefend: ze staken hun schilden naar voren en iets omhoog, plantten hun linkervoet stevig in de grond en stootten hun zwaarden onderhands op kruishoogte tussen de schilden door. De klap dreunde door in het lichaam van Vespasianus, die zijn linkerarm spande om het gewicht van de aanval op te vangen en hurkend achter zijn schild probeerde te ontsnappen aan de wilde houwen van de lange zwaarden en de bovenhands geworpen speren. De hulpsoldaat naast hem, bij wie het bloed al op zijn maliën spatte, schreeuwde in een onbegrijpelijke taal. Gallisch, dacht Vespasianus terwijl hij zijn zwaard furieus naar voren stootte en tegen hout voelde schuren. Het gewicht van de mannen achter hem drukte in zijn rug en iemand stak een schild over zijn hoofd heen om hem te beschermen tegen de projectielen die van weerszijden vanaf de muur werden gegooid. Speren vlogen vanuit de achterhoede over hen heen en troffen de opeengepakte verdedigers, die ingesloten zaten tussen de duwende krijgers achter hen en de Romeinse linie voor hen, die geen duimbreed week. Hij stootte nogmaals zijn zwaard naar voren en hoorde een langgerekte kreun toen het zich door meegevend weefsel boorde. Warme druppels vielen op zijn voeten toen hij zijn zwaard draaide, zijn pols van links naar rechts en weer terug liet rollen, en daarna abrupt terugtrok. Hij voelde een lichaam langs zijn schild glijden, stootte zijn zwaard naar het lichaam van de gevelde vijand en stapte over hem heen. Hopelijk verstond de man achter hem zijn vak en zou hij hem de genadeslag geven.

Er kwam nog een krijger op zijn pad, hij grauwde van onder zijn hangsnor, zijn naakte bovenlijf was beschilderd met blauwgroene krullen en hij zwaaide met een slagzwaard. Het wapen kwam vanaf zijn linkerkant bliksemsnel op hem af. Vespasianus dook onder het zwaard door en op hetzelfde moment kwam de Gallische hulpsoldaat naast hem overeind om bovenhands de keel van zijn eigen tegenstander te doorboren. Het zwaard sneed knarsend en zuigend door de nek van de Galliër, de constante stroom scheldwoorden die over zijn lippen was gekomen hield abrupt op, zijn hoofd kwam los van zijn bovenlijf en verdween tollend en bloed spuwend in het strijdgewoel. Vespasianus houwde zijn zwaard neer en hakte de onderarm van de Britanniër eraf terwijl het hoofdloze lichaam naar de grond zakte en gedurende de paar tellen dat het hart nog klopte veranderde in een bloed spuitende fontein. Ook uit de afgehakte arm van de Britanniër spoot bloed, de krijger krijste en keek vol ongeloof naar zijn ingekorte arm. Het was het laatste wat hij zag, want het zwaard van Vespasianus doorkliefde zijn keel op het moment dat een hulpsoldaat uit het tweede gelid de plaats van zijn onthoofde kameraad innam.

Vespasianus deed nog een stap naar voren. Geleidelijk drongen de hulptroepen dieper de heuvelvesting in. In hoeverre het de steuncohorten lukte om aan weerszijden van de poort met ladders de palissade op te komen wist Vespasianus niet. Hij wist niet eens of hun ladders van vijfentwintig voet wel lang genoeg waren om vanaf de bodem van de greppel boven op de palissade te komen. Stotend met zijn schildknop, stekend met zijn zwaard en stampend met zijn voeten werkte hij zich uit alle macht naar voren terwijl de kakofonie van de strijd net als de rook van de brandende strodaken om hem heen kringelde, hem opsloot in een wereld van wrede beelden en eeuwig gevaar.

Hij wist niet hoe lang het gevecht al duurde, maar een zware vermoeidheid begon zich van hem meester te maken. Hij dwong zijn pijnlijke lichaam in beweging te blijven en wachtte op een gelegenheid om de voorhoede te verversen, wat hij door de constante strijd steeds had moeten uitstellen. Zijn ademhaling werd onregelmatig en hij voelde dat zijn reacties trager werden, op deze manier zou hij het gevecht in de voorste linie niet overleven. Maar hij kon zich als legaat toch niet terugtrekken uit de strijd? Hij stapte over een lichaam heen terwijl de man achter hem de punt van zijn zwaard in de keel van de gevelde man stak en voelde van zuid naar noord een golf door de opeengepakte verdedigers gaan, en opeens veranderden de getergde, tartende strijdkreten van de Britanniërs in uitroepen van verbazing. Houwend met zijn zwaard zag hij vanuit zijn ooghoek een stel Britanniërs verderop zenuwachtig over hun schouder blikken. Ze werden aangevallen in de flank, het was de Romeinen gelukt ergens over de palissade te klauteren. Nu wist hij dat ze binnen waren en dat hij het nog een paar bloedstollende ogenblikken moest zien vol te houden.

De hulptroepen voelden dat de Britanniërs wankelden, en nu de overwinning in zicht kwam drukten ze door, stotend en hakkend met hun bloedige zwaarden, waarbij elke stap makkelijker was dan de vorige, omdat de vijandelijke gelederen net zo snel hun samenhang als hun vastberadenheid verloren. Door een opening in de rook ving Vespasianus links in de verte een glimp van Romeinse helmen op: legionairs, geen hulptroepen. Valens was met zijn drie cohorten, vijftienhonderd man in totaal, over de palissade gekomen. Nu moesten ze alleen nog de weg vrijmaken voor de eerste cohort van Tatius. Die had zich net als de drie hulpcohorten al bij de andere aanvallers gevoegd en dat moest genoeg zijn voor de overwinning. Dan konden de rest van het legioen en de Gallische cohorten en de onlangs opgerichte Britannische cohort van Cogidubnus de vesting omsingelen en elke ontsnappingspoging verijdelen. Caratacus zou hoe dan ook gedood of gevangengenomen worden.

De Britanniërs, ingeklemd tussen de twee groepen aanvallers en de brand achter hen en getuige van steeds meer slachtoffers in eigen gelederen, kozen het hazenpad en renden de rook in.

Vespasianus keek achtereenvolgens naar links en naar rechts en zag de verdedigers van de palissade springen, waarbij ze moesten uitkijken niet ingeklemd te raken tussen de hulptroepen die binnenstroomden door de poort en de mannen van de twee cohorten die massaal over de muur klauterden nu de Syrische bogen en de ballistae niet meer schoten. Hij wist echter heel goed dat het nog geen uitgemaakte zaak was. 'Halt!' riep hij naar de centurie die de aanval had geleid. 'Ga opzij.'

De overlevenden van de centurie – ongeveer de helft, schatte Vespasianus – gehoorzaamden maar al te graag en gingen op wel heel onmilitaire wijze uit de weg, te uitgeput om zich druk te maken over formaliteiten, terwijl de rest van de cohort onder aanvoering van de prefect de vesting binnenstroomde.

'Ze zullen zich achter de brandende huizen hergroeperen, prefect,' riep Vespasianus. 'Hou uw mannen in gelid.'

Met een halve groet leidde de prefect zijn mannen de rook in terwijl de eerste cohort in looppas door de poort kwam. Vespasianus gaf primus pilus Tatius geen bevelen meer, hij werkte ondertussen al vier jaar met de doorgewinterde centurio en wist dat deze zijn vak verstond.

Tot zijn opluchting zag hij dat zijn cavaleriegeleide weer was opgestegen en achter de eerste cohort de vesting binnenkwam. Hij nam zijn paard over van de decurio en trok zich vermoeid in het zadel. 'Dank u, decurio, ik denk niet dat ik nog één stap had kunnen zetten.'

'Dan krijgt u duidelijk niet genoeg beweging,' klonk het achter hem.

Vespasianus draaide zich vliegensvlug en met vuurspuwende ogen om.

'Misschien zou u wat vaker iets moeten bestijgen, als u begrijpt wat ik bedoel.'

Op Vespasianus' gezicht verscheen plots een brede grijns. 'Magnus! Wat doe jij in Mars' naam hier?'

Magnus reed naar Vespasianus en stak zijn arm uit. 'Laten we zeggen dat ik in Rome momenteel niet echt welkom ben, maar dat zal ik u later nog wel uitleggen, legaat, aangezien u kennelijk midden in de bestorming van een heuvelvesting zit.'

Vespasianus greep de gespierde onderarm van zijn vriend. 'Je maakt me nieuwsgierig, maar je hebt gelijk, dat kan wachten tot ik Caratacus gepakt heb.'

Vespasianus reed langs de laatste hutten die nog smeulden. Her en der lagen de lichamen van de doden; krijgers, maar ook vrouwen en kinderen, bebloed, gehavend, met armen en benen die alle kanten op staken. Voor hem stonden, over de hele breedte van de heuvelvesting, van de zuidelijke naar de noordelijke muur, de eerste en tweede cohort van de Tweede Augusta, die ondersteund werden door de derde en vierde. Achter hen stond een schare krijgers met hun gezinnen.

'Zo te zien gaan ze zich overgeven,' merkte Magnus op en hij krabde in zijn grijze haardos. 'Ze verkiezen een leven als slaaf boven een eerbare dood. Ik zal die barbaren nooit begrijpen.'

'Mij komt het wel goed uit. Er worden een hoop Romeinse levens gespaard en ik krijg een aardig deel van de opbrengst van hun verkoop. Anderzijds, als ze zich overgeven, zal Caratacus wel dood zijn.'

'Of hij is ontsnapt.'

'Dat kan niet. De vesting is omsingeld.'

Magnus bromde iets en toen ze afstegen was aan het getekende gezicht van de oud-bokser te zien dat hij daar zo zijn twijfels over had.

Cogidubnus stond naast Tatius op Vespasianus te wachten. 'Ze zijn bereid zich over te geven. Drustan en Caratacus zijn dood.'

‘Waar zijn hun lijken?’

‘Drustan hebben ze bij zich, maar ze zeggen dat het lichaam van Caratacus in vlammen is opgegaan.’

‘Gelul!’

‘Dat vond ik ook, maar als ze zich willen overgeven, zijn ze er kennelijk zeker van dat Caratacus veilig is weggekomen.’

Vespasianus keek nors voor zich uit. ‘Accepteer hun overgave. Hij kan onmogelijk ontsnapt zijn.’ Hij wendde zich tot Tatius. ‘Laat de mannen in elke hut zoeken naar luiken en andere schuilplaatsen en laat de gevangenen onderwijl een voor een door de poort lopen zodat Cogidubnus iedereen goed kan bekijken.’ Hij draaide zich terug naar de Britanniër. ‘Zelfs de vrouwen, wie weet hoe hij zich vermomd heeft.’

Cogidubnus knikte en liep met Tatius weg om de overgave en doorzoeking van de heuvelvesting te regelen.

Vespasianus richtte zich tot Magnus. ‘Er klopt hier iets niet. Kom mee.’

Hij zette zijn hakken in de flank van zijn paard, stuurde het naar de zuidmuur, steeg af en beklom een van de vele ladders naar de weergang die over de hele lengte van de palissade liep. Magnus volgde hem.

Vespasianus liet zijn blik rondom de heuvelvesting gaan en zag wat hij verwachtte: de cohorten hadden de vesting volledig omsingeld, er zaten hooguit vijftig passen tussen de manschappen. ‘Daar komt echt niemand doorheen.’ Ze liepen over de weergang naar het westen en het noorden. Overal was de omsingeling gesloten.

‘Misschien is hij toch verbrand,’ opperde Magnus.

‘Nee, als hij dood is, zouden ze zijn lichaam hebben bewaard als bewijs.’

‘Dan moet hij zich verstopt hebben.’

‘Legaat!’ Tatius stond onder aan de westmuur en riep hem. ‘We hebben iets gevonden.’

Vespasianus en Magnus holden terug en klauterden de trap af naar de primus pilus. Hij hield een paar houten planken vast.

Vespasianus keek naar de grond. Hij zag de ingang van een tunnel, precies groot genoeg voor een volwassen man. ‘Verdomme!’ Hij trok de andere planken weg en zag een ladder staan. Hij klauterde naar beneden.

Hij daalde af in de duisternis, Magnus ging achter hem aan. Zo’n tien voet lager stonden ze in de tunnel, aan het einde ervan was licht te zien. Hij ging sneller lopen, wilde zo kort mogelijk in deze benauwde gang blijven. Even later stak hij zijn hoofd boven de grond. Hij zag staken staan, hij was in de greppel aan de voet van de palissade. Tegenover hem was nog een tunnel, die leidde naar de tweede greppel. Hij manoeuvreerde tussen de staken door en kroop de tweede tunnel in. Tijgerend werkte hij zich de geleidelijk dalende gang door en minstens tien passen verder kwam hij in de tweede greppel. Hij klopte zich af en keek om zich heen. Aan de andere kant van de greppel stonden op de steile westhelling de enige struiken die men rond de verdedigingswerken had laten groeien. De voetafdrukken die hij zag liepen rechtstreeks naar die struiken.

Magnus kwam bij hem staan. 'Dus zo heeft hij kunnen ontsnappen.'

Vespasianus wees naar de voetafdrukken. 'Inderdaad. Zo is hij ontsnapt.' Hij klauterde de greppel uit en tuurde naar de struiken. Hij zag een paadje van ongeveer dertig passen lang dat door de struiken de heuvel af liep. Hij kroop het paadje af en kwam in een soort gleuf in de heuvelhelling die diep genoeg was om hem onzichtbaar te maken voor degenen die op de muur stonden en voor de hulpsoldaten die op hun post aan de voet van de heuvel stonden.

'Hier heeft hij ongezien kunnen komen,' zei Magnus en hij tuurde over de rand van de geul naar de manschappen onder aan de helling, 'maar verder naar beneden is het terrein open, dus onze mannen moeten het gezien hebben als iemand hier tevoorschijn is gekomen.'

'Laten we het hun vragen.'

Vespasianus en Magnus holden op een drafje naar de hulptroepen. Hun prefect kwam hun tegemoet. 'De vesting is veroverd, legaat?'

'Ja, maar we missen een essentieel onderdeel, Galeo. Is er iemand de heuvel af gekomen?'

De prefect keek verward. 'Alleen de man die u zelf stuurde, de optio die de spion moest halen.'

'Welke spion? Welke optio?'

'Een jonge kerel, hij leek erg jong voor een optio, maar het was lastig te zeggen met al dat vuil op zijn gezicht.' Hij trok een rol onder zijn riem vandaan en gaf hem aan Vespasianus. 'Hij had een bevel met het zegel van Plautius erop, hij mocht ons mannetje weghalen voordat de vesting viel, om te voorkomen dat hij in de chaos van de bestorming gedood zou worden.'

Vespasianus wierp een blik op de rol en zag meteen dat die nep was. 'Wanneer was dat?'

'Vlak na het begin van de aanval.'

'Waar zijn ze naartoe gegaan?'

'Ze reden om de vesting heen in de richting van ons kamp.'

'Weet je zeker dat ze niet de andere kant op gingen?'

'Dat weet ik niet. Ik heb verder niet meer op ze gelet.'

Vespasianus balde zijn handen tot vuisten. Hij had zin om de man een oplawaai te verkopen, maar hij wist dat die er niets aan kon doen, hij was in de luren gelegd. 'Die optio, heeft hij gezegd hoe hij heette?'

'Jawel, legaat. Alienus.'

Vespasianus richtte zijn ogen ten hemel. 'Dat had ik wel kunnen raden.'

'Dus hij hoort bij u?'

'Nee, prefect, hij hoort niet bij mij.'

HOOFDSTUK II

'We hebben hun spoor opgepikt, legaat. Ze zijn omgekeerd en naar het westen gereden.' Lucius Junius Caesennius Paetus, de jonge prefect van de Bataafse *ala*, de hulpcavalerie, stond in het praetorium aan de andere kant van de schrijftafel van Vespasianus en bracht met zijn rappe patriciërstong verslag uit. 'Te oordelen naar de sporen hebben ze een voorsprong van ruim twee uur. Na zo'n vijf mijl troffen ze een groep van ten minste dertig ruiters en reden vervolgens in westnoordwestelijke richting verder. Toen het begon te schemeren moesten we terug.'

'Dank u, prefect. Maximus, hebt u de lijst met doden en gewonden?'

'Ik wacht nog op de verslagen van de tweede, derde en vierde cohort. Zij hebben de meeste manschappen verloren toen ze de ladders beklommen. Zodra de lijst compleet is, kom ik hem brengen.'

'Heeft iemand gemeld dat er vlak voor de aanval een optio verdwenen is?'

Maximus keek verbaasd. 'Hoe weet u dat?'

'Een gokje. Nou?'

'De optio van de zesde centurie van de negende cohort verdween vlak voordat de aanval begon, toen de cohort zich opstelde.'

'Dank u, Maximus.' Vespasianus keek naar Cogidubnus, die rechts van hem naast Valens zat. 'Wanneer hebt u uw neef Alienus voor het laatst gezien?'

'De kleinzoon van Verica? Waarom vraagt u dat?'

'Omdat hij volgens mij de zogenaamde optio is die Caratacus door onze linies wist te krijgen.'

De Britannische koning dacht even na. 'Toen hij nog een jongen was, lang voordat hij naar Rome ging, ik denk zes of zeven jaar geleden. Hoezo?'

'Zou u hem herkennen?'

'Dat betwijfel ik, het is zo lang geleden, hij is nu een volwassen man en ik heb hem alleen een paar keer gezien toen hij nog jong was.'

'Jammer.' Vespasianus keek naar de eenvoudige kaart die hij had uitgerold op zijn schrijftafel. Ten zuiden of ten westen van hun huidige locatie stond er weinig op: twee rivieren en de kustlijn van het taps toelopende schiereiland dat in zuidwestelijke richting de zee in stak. 'Welke kant zijn ze volgens u op gegaan?'

De Britanniër stond op en tuurde in het lamplicht naar de kaart. 'Mijn verkenners die naar het westen gingen kwamen vanmiddag terug met de boodschap dat er nog een andere heuvelvesting is. Hier ongeveer.' Hij zette zijn vieze nagel op de kaart, iets ten noorden van hun huidige locatie, bijna halfweg naar de zee aan de noordkust van het schiereiland.

Vespasianus markeerde de plek op de kaart. De meeste markeringen had hij zelf gemaakt, de cartografische kennis van het eiland was op zijn zachtst gezegd karig. 'Hoe groot is die?'

'Groter dan deze, met drie greppels en vier wallen.'

'Zijn er soldaten gelegerd?'

'Volgens mijn mannen is er een kleine strijdmacht, maar die bestaat uit hooguit een paar honderd man. Blijkbaar zijn de meeste krijgers hier verzameld.'

'Ondervraag de gevangenen en probeer zo veel mogelijk over die vesting te weten te komen.'

Cogidubnus knikte.

Vespasianus zette de feiten op een rijtje en streek door zijn haar, dat de laatste jaren dunner was geworden. 'We moeten haar toch innemen als we naar het westen gaan, al kan ik me niet voorstellen dat Caratacus zich nog een keer in het nauw laat drijven. Zit er nog iets tussen deze vesting en die andere?'

'Heuvels en wat vlak land, en een paar nederzettingen die geen van alle versterkt zijn, dus die zullen wel verlaten zijn wanneer wij daar aankomen.'

'Nog nieuws van de verkenners in het noorden?'

'Die zijn nog niet terug, maar als er een vijand zo dichtbij was dat het gevaar opleverde, zouden ze een bode hebben gestuurd.'

'Ik wil wel weten wat die spion van u te vertellen heeft, misschien dat hij meer weet.'

'Zodra ik hem gevonden heb, stuur ik hem naar u toe.'

'Wat is er met hem gebeurd?'

'Ik weet het niet, hij is opeens verdwenen.'

Vespasianus keek fronsend voor zich uit. 'Hoe lang heeft hij voor u gewerkt?'

'Hij kwam vier maanden geleden bij me, toen jullie het winterkamp aan het opzetten waren, en zei dat hij als Atrebas-kind gevangen was genomen door de Durotriges en tien jaar lang als slaaf op een boerderij had gewoond. Hij wist te ontsnappen en bood mij zijn diensten aan in ruil voor wat land om iets op te verbouwen. Hij zei dat hij moeiteloos een heuvelvesting van de Durotriges in en uit kon komen omdat hij geen status had. Dat vond ik aannemelijk, en terecht, denk ik nu, want we hadden Caratacus toch bijna te pakken.'

Vespasianus knikte en concentreerde zich weer op de kaart. Enkele ogenblikken later wees hij op een schiereilandje dat door een smalle landstrook was verbonden aan de zuidkust, ongeveer dertig mijl ten zuiden van de heuvelvesting. 'Dat lijkt een mooie beschutte ankerplaats voor de vloot. Hebben uw verkenners daar al gekeken?

Cogidubnus keek met toegeknepen ogen naar de plek waar hij op wees. 'Die weten weinig van de wereld van de zee. Aan de oostkant van dat uitsteeksel zijn er volgens hen alleen een paar vissersdorpen, maar ongeveer zes of zeven mijl landinwaarts is nog een goed versterkte nederzetting.'

'Die pakken we aan als we naar de kust gaan, maar eerst moeten we deze kwestie afhandelen.' Vespasianus richtte zich tot Valens. 'Stuur de vloot een bericht dat ze ons daar over tien dagen de voorraden voor de volgende maan overhandigen.'

'Bij dageraad stuur ik een bode.'

'Mooi. Maximus, we laten de Gallische cohort die de aanval leidde hier om de vesting te bemannen, ik verwacht dat ze wel wat tijd nodig hebben om hun wonden te likken. Een andere cohort moet de gevangenen terug naar ons winterkamp brengen, daar kunnen de slavenhandelaren hun waarde bepalen. Het legioen zal voor het ochtendgloren het kamp opbreken en in snelmars naar die heuvelvesting gaan, dan kunnen ze daar voor het donker zijn. Paetus, u verzamelt uw Bataven en rijdt zo snel als de gevleugelde Mercurius, maar zonder gezien te worden, naar de westzijde van die vesting. Neem een van Cogidubnus' verkenners mee als gids. Ik wil dat u iedereen aanhoudt die probeert weg te komen, en ik bedoel echt iedereen, ook als het een afstotelijk oud wijf is.' Vespasianus stond op en leunde met zijn handen op de schrijftafel, en ook zijn officieren kwamen uit hun stoel. 'Heren, wederom is snelheid cruciaal. De kans bestaat dat Caratacus in de vroege ochtend uit die vesting vertrekt en naar het westen rijdt. Maar als hij dat niet doet, wil ik dat we hem in het nauw drijven zoals we vandaag hebben gedaan, alleen mag hij dan niet ontsnappen. We nemen die twee vestingen in, halen nieuwe voorraden bij de vloot en trekken verder langs de kust naar deze riviermond, die de grens vormt tussen het grondgebied van de Durotriges en de Dumnonii.' Hij wees op een wijde riviermond op zo'n twintig mijl van de bevoorradingsplaats. 'Dat is dit seizoen ons doel, en volgend jaar trekken we het schiereiland over naar de noordkust om contact te maken met onze bondgenoten in het land van de Dobunni. Nog vragen?'

Alle aanwezigen schudden het hoofd en mompelden instemmend.

'Heren, u weet wat u te doen staat. Ingerukt.'

De officieren salueerden en maakten rechtsomkeert. Cogidubnus liep met hen mee.

'U hebt hun niet de vraag gesteld die zo voor de hand ligt,' zei Magnus, die in een donker hoekje van de tent zat.

'Hoe Caratacus en Alienus contact hebben gemaakt om de ontsnapping te organiseren?'

'Precies.'

Vespasianus glimlachte en trok zijn wenkbrauwen op. 'Omdat ik daar zelf al achter ben gekomen. Ze hoefden helemaal geen contact te maken. Alienus was namelijk al in de vesting.'

'Hoe bedoelt u?'

'Hormus!'

De slaaf kwam vanuit de privévertrekken aangelopen. 'Ja, meester?'

'Haal wat wijn.'

Hormus maakte een buiging en verdween weer.

Vespasianus nam plaats tegenover Magnus en vertelde hem over de verdwijning van Sabinus toen deze naar een verzonnen bijeenkomst werd gelokt en toen over de spion van Cogidubnus die vlak voor de aanval uit de vesting ontsnapte.

'Wilt u zeggen dat het om een en dezelfde man gaat?' vroeg Magnus nadat hij alle informatie verwerkt had.

'Ja.'

'Dat kan niet. De spion van Cogidubnus had lang haar en de tribuun Alienus moet kort haar hebben gehad.'

'Hij droeg een pruik.'

'Ah. Ja, dat zou kunnen.'

'Dat is wel zeker, en door dat vuil op zijn gezicht herkende ik hem niet. We hebben dus te maken met een dubbelspion. Cogidubnus herkende hem ook niet omdat hij hem al zo lang niet gezien heeft en denkt dat het zijn mannetje is. Het verbaasde hem niet dat Alienus had willen te ontsnappen en stond persoonlijk voor hem in. Hij weet niet eens dat die leugenachtige rat Latijn spreekt, ze spraken in hun eigen taal met elkaar. Niemand vond het verdacht dat hij kon ontsnappen uit een vesting vol gewapende soldaten, van wie er slechts een paar probeerden hem met een werpspeer te vellen en zelfs van zo dichtbij misten, omdat hij vervolgens met het bericht kwam dat Caratacus binnen was.'

'En hij was ook degene die van tevoren opperde dat Caratacus misschien wel in de vesting was.'

'Dat weet ik, Caratacus wilde dus dat we de vesting innamen, hij gebruikte zichzelf om ons naar binnen te lokken.'

'Waarom? Wat bereikte hij ermee als er vierduizend van zijn krijgers gedood of tot slaaf gemaakt worden?'

'Dat weet ik niet, maar zo'n offer valt alleen te rechtvaardigen als er een groter plan is. Een doel dat dit middel heiligt.'

Hormus kwam aanlopen met een dienblad en zette dat op de tafel die tussen hen in stond.

Vespasianus wuifde hem weg. 'We schenken zelf wel in, laat ons alleen. Dus toen hij ons eenmaal hiernaartoe had gelokt moest hij blijven, anders zouden de stamleden zich hebben overgegeven, ze waren immers kansloos. Hij moest hen overreden om dit offer te brengen. Maar dat betekende dat hij zelf moest zien te ontsnappen. Hij wist dat hij onmogelijk door onze linies kon komen, tenzij hij deed alsof hij een Romeinse spion was die de vesting uit was gesmokkeld, maar dan moest hij iemand hebben die zich voordeed als een Romein. Alienus was de aangewezen man: hij spreekt vloeiend Latijn. Ze maakten een plannetje en Alienus vertolkte zijn rol perfect: na een ogenschijnlijk gewaagde ontsnapping verdwijnt de dubbelspion op het moment dat ook een optio vermist raakt en vervolgens verschijnt nog geen uur later een optio ten tonele die zichzelf Alienus noemt en een nepbevel bij zich heeft met de opdracht een spion te helpen uit de vesting te ontsnappen via een geheime tunnel waarvan niemand in dit leger wist.'

Magnus pakte de aarden kan en schonk voor hen beiden wijn in. 'Maar waarom juist die naam? Hij had toch elke naam kunnen kiezen?'

'Dat zit mij ook dwars. Iemand die zo listig is, maakt niet zo'n cruciale fout.' Vespasianus nam een slok wijn en genoot peinzend van de smaak. 'Hij wilde blijkbaar dat ik wist dat hij het was. Maar waarom? Daar moet ik over nadenken, maar onderwijl blijf ik achter hem aan zitten, want momenteel kan ik alleen via hem te weten komen wat er met Sabinus gebeurd is.'

Magnus nam een teug wijn. 'Ik moet zeggen dat het er niet goed voor hem uitziet.'

Vespasianus wreef over zijn voorhoofd, hij voelde dat de inspanningen van die dag hun weerslag hadden op zijn gestel. 'Dat kan zijn, maar voordat ik aan het ergste denk, wil ik eerst bewijzen zien.' Hij zette de beker weer aan zijn mond en keek over de tafel naar de man die al bijna twintig jaar zijn vriend was. 'Maar zeg nou eens, wat doe je hier?'

'Ach, er was een klein misverstand over wie nu eigenlijk de eigenaar was van een afgebrand huizenblok in onze wijk. Ik heb namelijk geld van de broederschap in onroerend goed gestoken. Hoe dan ook, de kwestie is opgelost, met minder leuke gevolgen voor sommige mensen, als u begrijpt wat ik bedoel.'

'Je bedoelt dat ze dood zijn?'

'In zekere zin wel, ja. Daarom leek het me beter om uit Rome weg te blijven totdat de rust is weergekeerd.'

'En mijn oom Gaius dekt je?'

'Ik moet toegeven dat senator Pollo zijn invloed aanwendt ten gunste van mij.'

Vespasianus glimlachte en schudde zijn hoofd. Hij was een paar keer getuige geweest van de duistere praktijken van de Zuid-Quirinale Broederschap, waarvan Magnus de *patronus* was, de leider, en hij besloot niet door te vragen. De schimmige onderwereld van Rome was gelukkig heel ver weg. 'En gaat het goed met mijn oom, ook al moet hij jouw rotzooi opruimen?'

'Nou, hij heeft zelf ook problemen; hij doet zijn uiterste best om in de voortdurende vete tussen keizerin Messalina en de vrijgelatenen van Claudius onpartijdig over te komen, terwijl hij eigenlijk beide kampen steunt.'

'Narcissus, Pallas en Callistus willen haar nog steeds weg hebben?'

'Ja, maar Claudius wil daar niets van weten. Ze heeft het gedaan met iedere Romein onder de zeventig van wie het gereedschap nog goed werkt, maar ze kunnen de keizer niet overtuigen van haar ontrouw. Afgelopen winter deed ze nog een wedstrijdje met Scylla. Die kent u toch wel? De meest bedreven en duurste hoer van de stad. Het ging erom wie in een dag en een nacht de meeste mannen kon bevredigen. En dan heb ik het niet over een vluggertje tegen de muur. Nee, het moest voldoen aan de hoogste beroepseisen en zich voltrekken onder toeziend oog van een menigte. Elke techniek moest toegepast worden, de mannen moesten helemaal uitgemolken worden – in de meest letterlijke zin van het woord. Dát bedoelden ze met bevredigen. Maandenlang werd er in Rome over weinig anders gepraat. Iedereen had erover gehoord, maar toen Pallas en Narcissus – Callistus niet, vreemd genoeg – ieder afzonderlijk Claudius op de hoogte brachten, deed hij het volgens uw oom af als de wellustige verzinsels van jaloerse geesten en herinnerde hij hen eraan dat zij de moeder van zijn twee kinderen was en daarom onmogelijk zulk onfatsoenlijk gedrag tentoon kon spreiden. Sommige mensen zien de waarheid liever niet onder ogen.'

'In het geval van Claudius denk ik eerder dat hij zichzelf zo ontzettend goed vindt dat hij niet kan geloven dat iemand de voorkeur geeft aan een ander, al is hij in feite een zeverende ezel.'

Magnus dacht hier even over na. 'Ik vermoed dat hij zijn kwijlerige gebral als een van zijn bijzondere kwaliteiten ziet.'

'Inderdaad, en ik vermoed dat Messalina slim genoeg is om hem niet van dat idee af te brengen. Wie heeft er trouwens gewonnen?'

'Wat? O, Messalina had er één meer. Vijfentwintig in vierentwintig uur, stuk voor stuk uitgewoond.'

'Het houdt haar in ieder geval van de straat en leidt haar enigszins af van haar bezorgdheid om Flavia en de kinderen.'

Vespasianus maakte zich grote zorgen om zijn vrouw en twee kinderen, Titus en Domitilla, sinds Claudius hun had uitgenodigd om in het paleis te komen wonen, zogenaamd omdat Titus dan samen met Britannicus, zijn eigen zoon, onderwezen kon worden. Vespasianus wist evenwel dat de werkelijke reden lang niet zo onschuldig was. Corvinus, de broer van Messalina, had de keizer overgehaald om Flavia dit aanbod te doen. Aangezien Vespasianus en Sabinus al tien jaar terug, nog voor zijn zus keizerin was geworden, Corvinus tot vijand hadden verklaard, hadden zij Narcissus, de machtigste vrijgelaten slaaf van Claudius, geholpen een stokje te steken voor de poging van Corvinus, die louter aan zijn eigen belangen en die van zijn zus dacht, de invasie van Britannia te dwarsbomen. Claudius had niet geloofd dat Corvinus tegen hem samenspande en had hem begenadigd, waardoor Vespasianus voortdurend werd blootgesteld aan diens afkeer. Uit wraak, en om te laten zien wie de machtigste was, overreedde Corvinus de keizer om het gezin van Vespasianus naar het paleis te halen: Corvinus en Messalina konden Flavia en de kinderen uit de weg ruimen wanneer ze wilden. Claudius was maar wat blij geweest het aanbod te kunnen doen, hij verkeerde in de overtuiging dat hij een van zijn zegevierende legaten eer bewees in plaats van hem over te leveren aan de genade van de ambitieuze en gewetenloze Corvinus en zijn ontaarde, op macht beluste zus.

'Ik heb brieven voor u, onder andere van Flavia,' zei Magnus.

Vespasianus trok een scheef gezicht. 'Die schrijft alleen nog maar als ze geld nodig heeft.'

'Ik heb u nog zo gezegd niet te trouwen met een vrouw met een dure smaak. Maar goed, de invasie legt u geen windeieren, u hebt vandaag flink wat gevangenen gemaakt.'

'Ja, maar de slavenhandelaren verlagen constant de prijs, omdat wij volgens hen de markt overspoelen.' Vespasianus trok ongelovig zijn wenkbrauwen op.

'En u denkt dat ze liegen en gewoon meer in eigen zak steken?'

'Zou jij dat niet doen dan?'

'Natuurlijk wel.'

'En waarschijnlijk bieden ze Plautius ook een deel aan, om ervoor te zorgen dat hij niet heel kritisch naar hun handeltje kijkt.'

'Als ze verstandig zijn wel, ja, en als *hij* verstandig is neemt hij het aan. Wat wilt u daaraan doen?'

'Dat weet ik nog niet, het is heel lastig om druk op hen uit te oefenen, omdat ze zo ver achter de linies blijven, lekker veilig, omringd door lijfwachten.'

'Lok ze dan uit hun tent, stuur de gevangenen niet terug, laat ze voor de keuring maar hier komen.'

'Dat had ik zelf ook al bedacht, maar dan bieden ze alleen maar minder per slaaf, omdat ze, zeggen ze dan niet geheel onterecht, langer met hun handelswaar moeten reizen en dus meer kosten maken.'

Magnus krabde aan de ruwe grijze stoppels op zijn kin en zoog tussen zijn tanden door lucht naar binnen. 'Ik snap het. U zit ermee in uw maag.'

'O, maar ik krijg ze nog wel. Hoe dan ook. Reken daar maar op.'

Op het getekende en gehavende gezicht van Magnus verscheen in het flauwe licht van de olielamp een grijns. 'Dat doe ik ook. Ik weet dat u er niet tegen kan als iemand u besteelt; u kunt er al niet tegen om gewoon geld uit te geven. Wat moet het pijn hebben gedaan toen u Hormus kocht.'

'Heel grappig.'

'Ik vind van wel. Maar ik was nog niet klaar. Caenis vroeg me u te vertellen dat ze een heerlijk appartement in het paleis naast dat van Flavia heeft en dat zij en Pallas een oogje in het zeil houden. Ze zegt dat ze Flavia en de kinderen dagelijks ziet.'

'Dat is goed om te horen. Maar wat een bizarre situatie...'

Vespasianus vond het nog altijd moeilijk te bevatten dat Caenis, die al bijna twintig jaar zijn minnares was, in de vier jaar dat hij nu weg was blijkbaar bevriend was geraakt met zijn vrouw Flavia. Caenis was de slavin geweest van zijn beschermvrouw Antonia, die in haar testament had gesteld dat Caenis haar vrijheid moest krijgen. Maar omdat het voor een senator verboden was om met een vrijgelaten slavin te trouwen, moest Vespasianus een andere vrouw kiezen als moeder van zijn kinderen. Flavia was met hem getrouwd in de wetenschap dat zijn minnares geen bedreiging zou vormen voor haar status als echtgenote. De toenadering tussen de twee vrouwen was begonnen na de moord op Caligula, toen de mannen van Narcissus in hun beider huizen hadden gezocht naar Sabinus. De vrouwen hadden de handen ineengeslagen omdat ze beiden kwaad waren op Vespasianus toen hij zijn gewonde broer zonder verdere uitleg mee naar huis had genomen. Caenis had uitgevogeld hoe het zat: Sabinus had in het geheim meegedaan aan de moord uit wraak voor Caligula's brute verkrachting van zijn vrouw Clementina. Beide vrouwen hadden zich gerealiseerd dat dit nooit bekend mocht worden. Ze deelden een geheim, en dat had kennelijk tot een vriendschap geleid.

'... ik wil niet weten waar ze het over hebben.'

'Ja, dat snap ik. Daar kun je beter niet aan denken. Maar het gaat er vooral om dat Caenis en Pallas ervoor zorgen dat Flavia veilig is. Flavia weet nog altijd niet dat zowel Messalina als Corvinus een gevaar vormt voor haar eigen veiligheid en die van haar kinderen en Pallas denkt dat het beter is om dat zo te houden.'

Vespasianus leek dat maar half te geloven. 'Misschien heeft hij gelijk.'

'Natuurlijk heeft hij gelijk. Hij weet als geen ander hoe het hof van Claudius in elkaar zit, hij is ervan overtuigd dat een Flavia die in angst leeft zo dom kan zijn een belangrijk persoon op zijn tenen te trappen. Ze eet af en toe al samen met Messalina, omdat Titus en Britannicus zulke goede vrienden zijn geworden.'

'Ja, dat schreef ze al in haar vorige brief, ze was er helemaal vol van. In mijn antwoord heb ik geprobeerd uit te leggen dat het niet zo goed is voor onze zoon om bevriend te zijn met iemand die later keizer kan worden, ook al is hij nog maar zes. Veel toekomstige keizers maken hun belofte niet waar en daarvan kunnen hun vrienden ook de nadelen ondervinden.'

'Maar daar kunt u nu weinig aan doen, zolang u niet terug bent in Rome zou ik me er maar niet druk over maken.'

'Bij dit tempo kan dat nog wel twee jaar duren.'

'Twee jaar langer om rijk te worden.' Magnus sloeg zijn wijn achterover en rommelde wat in zijn tas. Hij haalde er vijf rollen uit en legde die op tafel. 'Ik ga kijken of er nog een tent voor me is. Dan kunt u ondertussen hiernaar kijken. Brieven van Flavia, Caenis, uw oom, uw moeder en Pallas.'

'Pallas! Wat wil hij van me?'

'Hoe moet ik dat weten? De brief is aan u gericht.'

Vespasianus lag op zijn veldbed en las in het flikkerende licht van de olielamp op het lage tafeltje naast hem de laatste brief nog een keer door. De eerste vier hadden weinig nieuws gebracht: liefdevolle en troostrijke woorden van Caenis, verhalen over feestjes en een verzoek om geld van Flavia, klachten van zijn moeder Vespasia over de manier waarop Flavia hun zoon opvoedde, en adviezen van zijn oom over welke politieke facties hij publiekelijk moest steunen en welke hij feitelijk, binnenskamers, zijn steun moest geven. Maar de laatste brief, de vijfde, die hij nu nog een keer overlas, had hem enigszins verbaasd.

Hij vond het eerst vreemd dat Pallas ervoor gekozen had deze brief aan Magnus mee te geven in plaats van aan de officiële koeriers die dagelijks uit Rome vertrokken voor de lange reis naar de nieuwe provincie, maar toen hij hem gelezen had, besefte hij dat de machtige vrijgelatene van Claudius bang was geweest dat zijn bericht onderschept zou worden. Als oude rot in de Romeinse politiek was Pallas eeuwig en altijd verwikkeld in intriges, en terwijl Vespasianus de brief voor de tweede keer las schudde hij zijn hoofd, beet op zijn onderlip en trok een strak gezicht. Zelfs hier, aan de rand van het rijk, was hij niet buiten het bereik van de listen en kuiperijen van de heersers in Rome.

Hormus sloop met zijn gepoetste borstpantser, helm en scheenplaten het slaapvertrek in en hing ze op de standaard voor zijn wapenrusting. 'Kan ik nog iets voor u doen, meester?'

Vespasianus keek weer naar de brief. 'Ja, Hormus. Vraag Paetus of hij zich een uur voor zonsopkomst bij mij meldt. En zorg ervoor dat ik tegen die tijd wakker ben.'

De slaaf boog en ging doen wat zijn meester hem vroeg. Vespasianus rolde de brief van Pallas op, legde hem bij de andere brieven op tafel en blies de lamp uit. Terwijl bijna tienduizend mannen zich opmaakten voor de nacht en de rook van het smeulende kousje kringelde, deed hij in het duister zijn ogen dicht.

De lamp brandde toen Vespasianus zijn ogen opende. Hij huiverde, hoewel hij onder een dik pak wollen dekens lag. Hij ging rechtop zitten en constateerde dat de moeheid erger was dan gisteravond. De flap waarmee zijn slaapruimte kon worden afgesloten zwaaide heen en weer, alsof er net iemand naar buiten was gegaan. 'Hormus!' Hij wachtte even en gaapte met opengesperde mond. Er kwam geen reactie. 'Hormus?' Hij duwde de dekens van zich af, ging op de rand van het bed zitten en rekte zich uit.

'Ja, meester?' zei zijn slaaf, die de slaap uit zijn ogen wreef toen hij binnenkwam.

'Haal wat brood en warme wijn.'

'Jawel, meester.'

'Is Paetus er al?'

'Pardon, meester?'

'Je hebt me heus wel gehoord.'

De slaaf schudde onthutst zijn hoofd. 'Nee, meester, hij is er nog niet. Ik ben een uur of twee geleden teruggekomen. Het duurt nog minstens vijf uur voor het licht wordt.'

'Waarom heb je me dan wakker gemaakt?'

'Hoe bedoelt u, meester?'

'Toen ik wakker werd zwaaide de flap nog heen en weer. Je was net weggelopen.'

Bij Hormus leek de verwarring alleen maar groter te worden. 'Ik lag vlak naast de ingang te slapen op mijn matje.'

'Wie is er dan hierbinnen geweest?'

'Niemand. Dan hadden ze over mij heen moeten stappen en was ik wakker geworden.'

'Weet je het zeker?'

'Jawel, meester. Er is niemand binnen geweest.'

'Wie heeft de lamp dan aangestoken?'

Hormus keek naar het knisperende vlammetje en schudde zwijgend en met grote ogen zijn hoofd.

Er ging weer een rilling door Vespasianus heen. De haren in zijn nek en op zijn armen stonden rechtovereind.

'De pit moet weer vlam hebben gevat,' merkte Magnus op toen hij vier uur later naar de boosdoener keek.

Vespasianus schudde zijn hoofd, zijn gezicht verstrakte weer. 'Onmogelijk. Het was helemaal uit. Ik voelde de rook prikken in mijn neus.'

'Misschien dat Hormus liegt, misschien heeft hij de lamp stiekem weer aangestoken en houdt hij zich nu van de domme om u bang te maken.'

'Waarom zou hij mij bang willen maken?'

Magnus trok zijn schouders op en spreidde zijn handen. 'Ik weet het niet. Misschien mag hij u niet. Of misschien is hij door de vijand bij u neergepoot om u af te leiden, om u aan andere zaken te laten denken dan aan de veldtocht.'

'Dat zou absurd zijn. Waarom al die moeite doen als je iemand elke nacht in zijn slaap kan vermoorden?'

'Hoe lang hebt u hem al?'

'Ik heb hem gekocht vlak nadat jij naar Rome vertrok, dus vorig jaar mei. Ik heb hem nu bijna een jaar. Hij is rustig, heel precies, discreet en eerlijk, althans, dat denk ik, want ik ben nog nooit iets kwijtgeraakt.'

'Wat is hij?'

'Een slaaf.'

'Ja, dat weet ik. Ik bedoel wat hij eerst was.'

'Hij is als slaaf geboren, daarom heb ik hem ook gekozen. Hij heeft nooit anders geweten, dus ik heb hem ook niet hoeven temmen. Volgens mij heeft hij gezegd dat zijn moeder uit de buurt van Armenia komt. Hij weet niet wie zijn vader is, maar dat zal de meester van zijn moeder zijn. Zijn moeder heeft het hem nooit verteld en toen hij tien was is zij overleden. Meer weet ik niet van hem.'

'Dus u weet zeker dat hij niet heeft gelogen?'

'Ja. Dus wie was het?'

'Ik zou het niet weten, legaat. Maakt het wat uit?'

'Ja, het maakt wat uit. Heel veel zelfs.'

'Hoezo?'

'Omdat iemand gisteren eerst langs de wachters bij de ingang is geglipt, toen langs Hormus, die voor mijn slaapvertrek sliep, en vervolgens om de een of andere eigenaardige reden mijn olielamp heeft aangestoken en weer weg is gegaan.'

'Of het was iets in plaats van iemand.'

'Al weer zo'n absurde gedachte.'

'Meent u dat nou? U weet toch hoe het op dit eiland gaat. U hebt toch ook de verhalen gehoord over rare geesten, spoken, stokoude goden die hier al vóór de Britanniërs waren. Dingen die wij niet begrijpen. Van heel vroeger.'

'Ik geef toe dat het hier vreemd is. Dat idee kreeg ik al van Sabinus toen ik hem sprak tijdens dat overleg met Plautius. Hij vertelde over een legionair die dood was aangetroffen: geen druppel bloed meer in zijn lijf, maar nergens een wond te zien. Een andere legionair was levend gevild, maar had zijn uniform nog aan. Voor hij doodging zou hij iets uitgekraamd hebben over geesten die de huid van zijn lijf zogen. Ik deed alsof ik het niet geloofde, ik zei dat het gewoon van die overdreven soldatenverhalen zijn waarmee ze de nieuwe rekruten de stuipen op het lijf jagen.'

'Maar eigenlijk geloofde u het wel?'

'Ik weet het niet. Er zal een gerust een kern van waarheid in zitten.'

'Dit eiland is behekst, neem dat van mij aan. Ik wil hier liever niet alleen zijn, en al helemaal niet 's nachts buiten het kamp. Ik krijg altijd het gevoel dat ik bekeken word, en niet door mensenogen, als u begrijpt wat ik bedoel.'

Vespasianus begreep het, maar gaf dat liever niet toe.

'Weet u nog dat we in de bossen van Germania Magna zo duidelijk de kracht van de Germaanse goden voelden? Vergeleken met hun kracht voelden onze goden zwak, omdat we zo ver van huis waren. Nu zijn we nog verder van huis en ook nog eens aan de andere kant van een zee. Hoe kunnen onze goden ons beschermen in een land vol vreemde goden en demonen en druïden die uit hun krachten lijken te putten? De vorige keer dat ik hier was, was ik constant mijn duim aan het vastpakken en aan het spugen omdat ik het boze oog op afstand wilde houden, en ik weet zeker dat dat nu niet anders zal zijn.'

'Dat zal gerust. Maar welke krachten er hier ook zijn, en hoezeer de druïden ook hun best doen die te beteugelen en welke offers ze ook brengen om hun mensen voor onheil te behoeden, één ding weet ik zeker: geen god, demon, geest, spook of wat dan ook neemt de moeite om mijn slaapvertrek binnen te sluipen om een olielampje aan te steken.'

Magnus plofte neer op het bed en slaakte een zucht. 'Dan zeg ik het nog maar een keer: het vlammetje is weer gaan branden omdat u het niet goed gedoofd had, óf Hormus liegt.'

'Meester,' zei Hormus, die voor de ingang stond, 'Paetus is er.'

'Onmiddellijk terug naar Rome?' Het was een uur voor zonsopkomst en Paetus stond met een verwarde blik voor de schrijftafel van Vespasianus. 'Ik zou niets liever doen, maar mijn vervanger is er nog niet.'

'Tot die tijd is Ansigar als eerste decurio uitstekend in staat om voor de ala te zorgen.'

'Dat zal wel. Maar waarom zo plotseling?'

'Politiek, prefect,' antwoordde Vespasianus, die zich weer eens bewust werd van het verschil tussen het patricische accent van de jongeman en zijn eigen plattelandse Sabijns. In gesprekken met Paetus' vader had hij altijd geprobeerd zo keurig mogelijk te praten, maar tegenwoordig had hij niet meer de behoefte om zijn achtergrond te verdoezelen.

'Maar ik mag op z'n vroegst pas volgend jaar in de Senaat worden gekozen, ik heb nog niets met de politiek te maken.'

Vespasianus draaide de brief van Pallas om. 'Iedere Romein van jouw stand krijgt vroeg of laat met de politiek te maken, Paetus, en of je het nu leuk vindt of niet, ik vrees dat jouw tijd nu gekomen is. Ga zitten, dan leg ik het uit.'

Paetus ging tegenover Vespasianus zitten.

Vespasianus vouwde de brief van Pallas open en liet zijn blik er nog een keer over gaan alvorens hij zijn jonge ondergeschikte in de ogen keek. 'Deze brief komt van een van de machtigste mannen in Rome, een man die ik gelukkig een vriend mag noemen, maar wiens vriendschap ik niet voor lief mag nemen. Dus als ik een verzoek van hem krijg, kan ik dat maar beter inwilligen, want hoe vriendelijk het ook verwoord is, ik weet donders goed dat het een bevel is.'

'Van wie is die brief dan?'

'Van Marcus Antonius Pallas, vrijgelaten slaaf van wijlen vrouwe Antonia. Na haar zelfmoord is hij, dat spreekt voor zich, trouw gebleven aan haar enige nog levende zoon, keizer Claudius.

Welnu, ik hoef jou niet te vertellen hoe de keizer in elkaar zit. Je hebt hem zelf gezien en zal ongetwijfeld een mening over hem hebben. Ik zal geen kwaad van hem spreken en ik zal je niet in een lastig parket brengen door te vragen wat jij van hem vindt. Kun je mij volgen?'

Paetus knikte langzaam. 'Daar zit geen woord Germaans bij, legaat. Uit de manier waarop u dit zegt, durf ik op te maken dat onze meningen niet sterk verschillen.'

Vespasianus boog als teken van erkenning licht zijn hoofd en deed geen moeite de halve glimlach te onderdrukken. 'We begrijpen elkaar. Mooi. Het zal je dan ook niet verbazen dat Claudius in feite een speelbal is in de handen van vier machtige figuren met, in de meeste gevallen, tegenstrijdige belangen.'

'Ik heb gehoord dat het rijk momenteel op die manier geregeerd wordt, al ben ik niet van alle details op de hoogte, want na de dood van Caligula ben ik niet meer in Rome geweest en het is niet iets wat je in brieven bespreekt of waarover je kletst wanneer je met de andere officieren aan tafel zit.'

'Dat is heel verstandig, maar in de beslotenheid van deze tent niet nodig. Drie van die vier machtige figuren zijn vrijgelatenen van Claudius: Pallas, de schatkistbewaarder; Callistus, die vooral veel invloed heeft op de ordehandhaving en de rechtbanken; en Narcissus, die hem het langst gediend heeft en tijdens het bewind van Caligula en Tiberius verantwoordelijk was voor zijn veiligheid. Narcissus handelt de rijkszaken af, zoals de correspondentie en agenda van Claudius. Daardoor heeft hij niet alleen grote invloed op het binnenlandse en buitenlandse beleid, maar verkeert hij ook constant in de nabijheid van de keizer. Wie de keizer wil spreken, moet bij hem zijn. Niemand is daar blij mee, behalve misschien de keizerin, Messalina. Narcissus noch Messalina is tevreden met de taakverdeling. Beiden hebben het idee dat de ander een te grote invloed heeft op hun plooibare keizer. Callistus en Pallas vechten om de tweede plaats achter Narcissus en steunen hem onderwijl in zijn strijd met de keizerin over de macht over het rijk. Goed, eenieder mag hiervan denken wat hij wil en zich wellicht opwinden over het feit dat de Senaat niets in de melk te brokken heeft, maar jij en ik kunnen daar weinig aan veranderen en daarom kunnen we de situatie maar beter accepteren zoals ze is. Mee eens?'

'We hebben weinig keus.'

'Zeer weinig. De enige keus die de meesten van ons moeten maken, is voor een van deze vier: wie van hen moeten we steunen om een stap verder te komen? Ik vrees echter dat in jouw geval die keus al voor je gemaakt is.'

Paetus fronste. 'Door wie?'

'Door mij, en neem het mij niet kwalijk, Paetus. Ik heb je vader, die een goede vriend van mij was, beloofd dat ik een oogje in het zeil zou houden. Ik heb me niet aan die belofte gehouden en ik heb het nog erger gemaakt door je te betrekken bij de huidige machtsstrijd.'

'Wanneer?'

'Twee jaar geleden, toen je me vertelde dat je verkenners hadden gemeld dat Corvinus zijn Negende Hispana geen halt had toegeroepen op de noordoever van de Tamesis, zoals het bevel luidde, maar verder had laten oprukken. Ik zei toen tegen je dat je het niemand moest vertellen en dat ik Plautius zou inlichten wanneer ik de tijd daar rijp voor achtte. Zodoende werd je medeplichtig aan een complot tegen Messalina en haar broer Corvinus dat was opgezet door Narcissus. Zij weten ongetwijfeld van jouw aandeel hierin en dus ben je nu hun vijand. Pallas weet dat ook en wil het gebruiken om zijn eigen positie te verstevigen. Als je niet meewerkt zal hij een streep zetten door je loopbaan, dus eigenlijk heb je weinig keus: je moet naar Rome gaan en in zijn gareel lopen.'

Her en der in het kamp bliezen *bucinae* de reveille, het begin van een nieuwe dag onder de adelaar van de Tweede Augusta.

Paetus liet de woorden van zijn bevelhebber tot zich doordringen en gaf toen met een klein handgebaar te kennen dat er weinig tegen in te brengen was. 'Wat verlangt hij van mij?'

'Hij wil dat je doet wat iedere man van jouw leeftijd en stand zou doen: teruggaan naar Rome en je laten verkiezen tot quaestor. Hij zal ervoor zorgen dat je niet wordt uitgezonden naar een provincie, maar dat je net als je vader kunt dienen als *quaestor urbanus*, zodat je meteen zitting kan nemen in de Senaat.'

'Dat is precies wat ik na de komst van mijn vervanger wilde doen. Vanwaar die haast?'

'Pallas wil dat je terug bent voor de verkiezingen van dit jaar. Hij wil dat je volgend jaar in de Senaat zit, niet pas het jaar daarop.'

Paetus boog zich naar voren. 'En waarom is dat?'

'Omdat je als getuige moet optreden bij een rechtszaak tegen iemand die hoogverraad zou hebben gepleegd.'

'En wie mag dat dan zijn?'

'Wie anders dan Corvinus, en jij bent de kroongetuige: een senator van de Junii, een van de oudste en bekendste families in Rome, die kan zweren dat de Negende Hispana zonder aanleiding de Tamesis overstak en dat hun legaat op die manier verraad pleegde.'

'Ik kan zweren dat dat waar is.'

'Dat weet ik, en Callistus weet dat ook, daarom denkt Pallas dat het nooit tot een rechtszaak zal komen, dat hij geen stap in de rechtbank zal hoeven zetten.'

'Maar Callistus is de man die over justitie gaat.'

'Ja, en zoals je weet van toen hij vier jaar geleden Sabinus, jou en mij probeerde te laten vermoorden, is hij...'

'En mij,' klonk de stem van Magnus uit het schemerdonker.

'Ja, jou ook... is hij het gemeenste, onbetrouwbaarste onderkruipsel dat ooit in de gangen van de Palatijn heeft gewandeld, en dat zegt toch wel iets.'

Het gezicht van Paetus vertrok bij de gedachte aan het verraad van Callistus toen hij, Paetus, bij de zoektocht naar de verloren adelaar van het Zeventiende Legioen Vespasianus en Sabinus de helpende hand had gereikt.

Buiten zwol het gemurmel van duizenden ontwakende soldaten aan tot een constant gedruis dat af en toe werd overstemd door een brullende centurio die zijn minder voortvarende mannen tot opstaan maande.

Het gezicht van Paetus klaarde op. 'Als dat betekent dat ik wraak op hem kan nemen, wil ik alles doen wat Pallas van mij vraagt.'

'Dat betekent het inderdaad. Callistus heeft er een gewoonte van gemaakt om van kamp te wisselen wanneer het hem uitkomt. Hij was de vrijgelatene van Caligula, maar toen het zeker leek dat het slechts een kwestie van tijd was eer Caligula aan het zwaard van een moordenaar geregen zou worden, besloot hij die tijd te bekorten en deelgenoot te worden van de samenzwering tegen hem door het kamp van Narcissus en Pallas te kiezen.' Vespasianus wierp nogmaals een blik op de brief. 'Volgens Pallas lijkt hij weer een overstap te overwegen en wil hij zich nu achter Messalina scharen, of op zijn minst beide kampen te steunen.

Maar los van het feit dat Callistus vergeet de keizer te melden dat Messalina een ongehoorde daad van ontrouw heeft gepleegd, heeft Pallas geen bewijs in handen. Dat wil zeggen...' Vespasianus wachtte om te zien of de jongeman voldoende politiek inzicht had om zijn zin af te maken, en hij werd niet teleurgesteld.

'Dat wil zeggen dat als de broer van de keizerin wordt aangeklaagd en bij voldoende bewijs ter dood wordt veroordeeld, Callistus verplicht zou zijn het vonnis uit te stellen of stante pede te verwerpen als hij in het geheim Messalina steunt, en zo zou hij zichzelf verraden.'

'Precies. Maar het kan nog mooier, het gaat er namelijk om wannéér je iets doet. Pallas is ervan overtuigd dat Narcissus spoedig in de gelegenheid zal komen om Messalina ten val te brengen, dus de aanklacht moet komen vlak voor hij het belastende bewijs voorlegt aan de keizer, en dan zal Callistus tegelijk met de keizerin ten onder gaan.'

'Dat komt heel mooi uit.'

'Inderdaad. En mij ook.'

'En mij,' voegde Magnus toe.

'Ja, en jou ook. Maar wat nu belangrijk is, is dat het Pallas heel mooi uitkomt, want hij komt stevig in het zadel te zitten als de op één na machtigste man van het rijk.'

Paetus trok zijn wenkbrauwen op. 'Nog één stap van zijn doel verwijderd. Of niet soms?'

Vespasianus liet deze opmerking even bezinken en genoot van de twee geuren die tegelijk de tent binnendreven, die van eten en van brandend hout. 'Dat weet ik zonet nog niet, maar over deze stap heeft hij in ieder geval goed nagedacht.'

'Wie dient de aanklacht in?'

'Ja, daar zit 'm voor jou de kneep. Pallas kan het natuurlijk niet zelf doen, want dan weet Callistus gelijk wie erachter zit, dus hij laat iemand als zijn gemachtigde optreden. Iemand wiens loopbaan in het slop is geraakt na de moord op zijn halfzus en haar man, Caligula.'

'Corbulo?'

'Ja. Hij zit te springen om een provincie. Zes jaar geleden is hij consul geworden en sindsdien is er weinig gebeurd in zijn leven.'

'Maar hij is een opgeklommen snob uit een familie die nooit eerder een consul leverde.'

'Prefect! Mag ik je eraan herinneren dat ik zelf uit een nóg jongere familie kom. Dat de Junii teruggaan tot de tijd vóór de republiek moet je niet beletten samen te werken met mannen van mindere komaf die hogerop willen komen.'

'Het spijt me, legaat. Mijn persoonlijke mening over Gnaeus Domitius Corbulo zal geen rol spelen.'

Dat Paetus de volledige naam van Corbulo gebruikte was een teken dat hij niet geheel oprecht was, maar Vespasianus liet het erbij. 'Goed, laten we hopen dat zijn allesbehalve gunstige mening over jou ook terzijde wordt geschoven.'

'Ik heb nog één vraag.'

'Zeg het maar.'
'Wat levert het mij op, afgezien van de kans om wraak te nemen op Callistus?'
'Ook op de lange termijn zul je er gerust enig garen bij spinnen, maar het gaat toch vooral om de korte termijn: je krijgt de kans je loopbaan te vervolgen, zoals ik al zei, maar dat is dan vooral omdat je in de nabije toekomst niet de pijp uit gaat.'

HOOFDSTUK III

De roodgouden zon zakte achter de wolken aan de westelijke horizon. Het warme avondlicht kleurde de golvende buik van het grijze wolkendek, waaruit het zacht miezerde. De regendruppels werden verlicht door de stervende oranje stralen op een wijze die Vespasianus niet eerder had gezien. Het weer op dit eiland verraste hem keer op keer.

Maar het grillige weer was slechts een bijzaak toen hij vanaf zijn paard naar de contouren van de heuvelvesting keek, een kwart mijl bij hem vandaan, waar zij na een dagmars waren aangekomen en die enigszins los stond van de reeks naar het zuidwesten lopende heuvels. 'Het gaat ons een hoop mannen kosten als we die vesting proberen in te nemen. Al iets gehoord van uw verkenners, Cogidubnus?'

De Britannische koning schudde zijn hoofd. 'Ik denk zo onderhand dat ze niet meer terugkomen. Ze zouden hier twee uur voor ons moeten zijn aangekomen. Het begint erop te lijken dat ze gevangengenomen of gedood zijn.'

'En de verkenners in het noorden, hebt u iets van hen vernomen?'

'Nee. Er had vandaag bericht moeten komen. Ik moet bekennen dat dit mij zorgen baart.'

Vespasianus liet deze informatie tot zich doordringen. In de twee jaar die na de overgave van Cogidubnus verstreken waren, had hij zich keer op keer loyaal getoond en Vespasianus vertrouwde hem. Als hij zich zorgen maakte, was dat niet iets om terzijde te schuiven. 'Hebt u andere verkenners gestuurd?'

'Ja, met de opdracht zich bij zonsopkomst te melden.'

Vespasianus knikte goedkeurend en wierp nog een blik op de drie grote greppels rond de ruige, driehoekige heuveltop, die werden gescheiden door vier concentrische, manshoge aardwallen, waarvan de laatste was afgewerkt met een robuuste palissade. Hij zag een paar hoofden naar de Romeinen turen. 'Het zal nooit lukken om mannen met ladders langs al die obstakels te krijgen.' Hij bestuurde de hoofdpoort in de noordoostelijke hoek en vervolgens zijn kleinere broer in het zuidwesten. 'Als ze onverstandig zijn en zich niet overgeven, moeten we die twee poorten tegelijk aanvallen.'

'Een barbaar met verstand, dat zou de eerste keer zijn,' mompelde Magnus half tegen zichzelf. 'Degenen in ons gezelschap uitgezonderd,' voegde hij er snel aan toe toen Cogidubnus hem dreigend aankeek. 'Niet dat ik denk dat u...' Hij slikte de rest van de zin in, want hij had geen zin om verwikkeld te raken in een erekwestie.

Vespasianus wierp zijn vriend een woedende blik toe.

Cogidubnus snoof en richtte zijn aandacht weer op de vesting. 'Zelfs dan zou het een bloederige dag worden, met een paar honderd man kun je gemakkelijk beide poorten verdedigen als er geen afleidingsaanvallen op de aardwallen zijn.'

Vespasianus nam de situatie in ogenschouw en zag dat de Britanniër gelijk had. 'Dan vallen we aan als het donker is.'

'Als Caratacus daarbinnen zit, zal hij in het donker een goede kans maken om te midden van het strijdgewoel te ontsnappen.'

'Denkt u dat hij daar nog zit?'

'Ik betwijfel het. Hij weet dat we hem op de hielen zitten en zal dus bij dageraad al vertrokken zijn.'

'Dat denk ik ook. Dus als we het kleine risico dat Caratacus ons door de vingers glipt afwegen tegen het verlies van talloze Romeinse levens, kunnen we beter 's nachts ten aanval trekken. Als er een zwakke plek in hun verdediging zit, kunnen we ze verrassen en een of twee cohorten bij de muren krijgen.'

Terwijl ze de verdedigingswerken afspeurden naar die zwakke plek, ging de poort open. Zes krijgers brachten drie mannen naar buiten. De drie werden op hun knieën geduwd en schreeuwden iets, maar de afstand was te groot om hen te verstaan. Hun kreten smoorden in drie gelijktijdige flitsen in de avondzon, hun bovenlichamen vielen voorover en hun hoofden rolden de heuvel af.

Cogidubnus wendde zich met vlammende ogen tot Vespasianus. 'Nu weten we genoeg. Het waren goede soldaten.'

Vespasianus trok aan de teugels van zijn paard en draaide zich om naar de werkende legionairs van de Tweede Augusta, die na de zware dagmars nu het legerkamp opzetten. 'Het wordt een nachtelijke aanval.'

'De mannen is gezegd dat ze wat slaap moeten pakken, het wordt een korte nacht,' meldde Maximus in het volle, door olielampen verlichte praetorium.

Vespasianus liet zijn blik over de beschaduwde gezichten van zijn officieren gaan. 'Als jullie tevreden zijn met het plan en jullie opdracht, heren, stel ik voor dat jullie hetzelfde doen. Het zesde uur zal er een stil weksein worden gegeven. Degenen die onnodig geluid maken, zullen ernstig gestraft worden. Primus pilus, zorg ervoor dat uw centuriones dat begrijpen. Ik weet dat het tegen hun natuur indruist om bevelen zacht in plaats van bulderend te geven, maar vannacht moeten ze het maar proberen.'

'Ze zijn op de hoogte, legaat, en allen zijn bereid om bij het minste gerucht de boosdoener op gepaste wijze te straffen.'

'Mooi. Samengevat: de vier cohorten die deelnemen aan de eerste aanvalsfase en de Syriërs zullen zich meteen na de reveille verzamelen op de Via Principalis. De rest van het legioen en de hulptroepen zullen paraat zijn in het kamp en naar buiten gaan en zich ter ondersteuning opstellen voor het kamp zodra de aanval begonnen is en er geen stilte meer betracht hoeft te worden. De poort zal worden geopend op het zevende uur, nadat de maan is ondergegaan, en alle vijf cohorten zullen een uur nadien hun posities hebben ingenomen, zodat we tot aan zonsopkomst nog vier uur hebben om de vesting in te nemen. Ik wens u een goede nacht, heren.'

De officieren salueerden dreunend, in koor, maakten rechtsomkeert en liepen de tent uit. Vespasianus plofte neer in zijn stoel en wreef in zijn ogen en probeerde niet te denken aan het rapport over de bestorming van de heuvelvesting een dag eerder, dat hij nog moest schrijven voor Plautius.

'Ik heb wat wijn voor u opgewarmd, meester,' zei Hormus, die uit de privévertrekken kwam.

'Wat? O, zet maar op de schrijftafel.' Vespasianus keek naar zijn slaaf, naar zijn terneergeslagen ogen en zijn lichaamshouding, waaruit volledige dienstbaarheid sprak. 'Denk je dat ik jou ervan verdenk mijn lamp te hebben aangestoken?'

'Het doet er niet toe wat ik denk, meester. Dat verandert niets.'

'Maar je wilt toch niet dat ik denk dat je niet te vertrouwen bent?'

Hormus zette de wijn op de schrijftafel. 'Nee, maar wat kan ik eraan doen als u dat wel denkt?'

'Mij de waarheid vertellen.'

'Meester, toen u mij kocht had ik al drie eigenaren gehad. Toen mijn eerste meester, in Lugdunum, in Gallië, me misbruikte was ik nog zo jong dat ik het me niet eens herinner...'

'Maar die man was waarschijnlijk je vader!' onderbrak Vespasianus hem verbijsterd.

Hormus hief zijn ogen zodat hij bijna in die van Vespasianus keek. 'Dat was voor hem in ieder geval geen reden om mij en mijn zus minder wreed te behandelen.'

'Je hebt een zus?'

'Ik had een zus, ik weet niet of ik die nog steeds heb.'

Vespasianus pakte de wijnbeker op en blies erin. 'Vertel mij daar eens over.'

'Nadat mijn moeder overleed, verloor onze meester zijn belangstelling voor ons, want hij misbruikte ons altijd voor de ogen van onze moeder, dan genoot hij er meer van. Toen zij er niet meer was, waren wij voor hem alleen maar twee extra monden om te voeden en dus verkocht hij ons. Ik weet niet waar mijn zuster terechtkwam, ze was twee jaar ouder dan ik en oud genoeg voor een bordeel.'

'En waar kwam jij?'

'Ik werd verkocht aan een bejaarde man. Die misbruikte me ook en dwong me bovendien bij hem hetzelfde te doen, en dan ranselde hij me af als ik het niet kon. Hij is twee jaar geleden doodgegaan en zijn zoons verkochten zijn slaven als één partij aan de slavenhandelaar Theron. Hij sloot me met twintig anderen op in een wagen waar nauwelijks lucht in kwam en bracht ons naar Britannia om ons tegen een mooi prijsje door te verkopen aan officieren van het invasieleger, die natuurlijk liever geen tot slaaf gemaakt Britanniërs bij zich wilden hebben.'

'Het was inderdaad een mooie prijs die hij ons liet betalen, die schurk. Maar wat heeft dit te maken met die lamp?'

Hormus keek Vespasianus voor het eerst sinds hun kennismaking recht aan. 'Dat ik nog nooit zo gelukkig ben geweest als in de maanden waarin ik u heb gediend, meester.' Hij sloeg zijn ogen weer neer. 'U misbruikt me niet en u slaat me niet, u laat me geen honger lijden of op een koude stenen vloer slapen, en het werk is niet zwaar. Waarom zou ik dat geluk op het spel zetten door tegen u te liegen over iets, laat staan over iets onbelangrijks als het al dan niet ontsteken van een olielamp?'

Vespasianus keek naar zijn slaaf en besefte dat hij zijn gelaatstrekken nooit echt goed had opgenomen. Hij kon hem beschrijven, dat wel, maar alleen in algemeenheden. Dat zijn smalle neus aan het eind iets omhoogkwam, dat zijn ogen lichtbruin waren, dat zijn kin wat naar achteren week en verborgen ging onder een plukkerige zwarte baard die zonder enige aandacht voor gelijkmatigheid was geknipt, was tot nu toe niet tot hem doorgedrongen. Het was een onopvallend gezicht, het gezicht van een man zonder aanzien, van een man die zijn geluk hoofdzakelijk in negatieve termen omschreef. 'Ik geloof je, Hormus.'

Hormus keek nogmaals op. Zijn ogen waren vochtig en rond zijn mond trilde een minimale glimlach. 'Dank u, meester.'

Vespasianus wuifde zijn dankbaarheid weg en had meteen spijt van het gebaar toen hij zag dat Hormus' glimlach wegstierf en zijn borst met een onderdrukte snik omhoogkwam. 'Het spijt me, Hormus. Ik begrijp waarom je je dankbaar voelt. Maar genoeg hierover. Als jij de lamp niet hebt ontstoken en zeker weet dat er niemand in mijn slaapvertrek is geweest, hoe verklaar je dan wat er is gebeurd?'

'Dat weet ik ook niet, meester. Ik weet alleen dat mijn moeder altijd zei dat als er iets vreemds gebeurt, het een god is die ons probeert te waarschuwen en dat je bijzondere aandacht moet schenken aan alles wat niet helemaal lijkt te kloppen.'

Vespasianus dacht hier een ogenblik over na en nipte aan zijn wijn. 'Dat klinkt logisch,' zei hij mijmerend. 'Een god, een van mijn goden, misschien mijn beschermgod Mars, heeft de kracht om dat te doen. Het is bekend dat goden zich kunnen laten gelden. Het is wel heel veel moeite als ze me alleen maar bang willen maken, maar het ligt anders als ze me willen waarschuwen. Wat voor tekens heb jij gehad?'

Hormus leek even uit het veld geslagen te zijn. 'Ik, meester? Welke god maakt zich nu druk om mensen zoals ik, welke god weet dat ik besta? Een man zoals u, een machtig man, valt hun veel eerder op, en als u een grove fout zou maken of iets over het hoofd zou zien, dan is het logisch dat zij zich tot u richten. Mijn moeder wist dit omdat ze de dochter van een machtig man was, maar ook van een domme man, want ze vertelde dat hij twee keer gewaarschuwd was door de goden, beide keren na een gesprek met zijn jongere broer. Eerst spatte er een beker uit elkaar toen hij die wilde pakken en de tweede keer was het een fakkel die uit zichzelf ontbrandde, precies zoals bij die olielamp. Zijn vrouw, mijn grootmoeder, zei tegen hem dat een god hem probeerde te waarschuwen, dat hij zijn broer niet kon vertrouwen en dat hij hem moest doden of op z'n minst verbannen. Hij nam haar en de god niet serieus en lachte het weg. Toen zijn broertje weer kwam, had hij een grote groep krijgers bij zich. Hij vermoordde zijn broer en diens vrouw en verkocht hun kinderen als slaven.'

'Dus jij bent de kleinzoon van een stamhoofd?'

'Nee, meester. Ik ben de zoon van een slavin.'

'Wat je wilt.' Vespasianus sloeg de rest van de wijn achterover en stond op. 'Ik ga nu slapen, maak me over drie uur wakker.'

'Jawel, meester.'

'En dank je wel, Hormus. Ik zal nadenken over wat er gisteren gebeurd is, en ik zal nagaan of er iets is waarvoor een god mij zou willen waarschuwen.'

Vespasianus rilde. Zijn adem condenseerde in de koude duisternis terwijl hij de ene rij schimmige figuren na de andere door de poort zag komen. Hoewel de mannen opdracht hadden gekregen om hun uitrusting geluidloos te maken door lappen om hun zwaardschedes en spijkerzolen te wikkelen, klonk er af en toe toch een metalig gekletter of gerammel dat Vespasianus zenuwachtig naar het donkere silhouet van de heuvelvesting deed blikken. De talrijke vuren binnen de nederzetting waren ondertussen gedoofd, nog slechts op twee plekken kringelde er rook omhoog, als zwarte vegen op een hemel die bijna volledig verstoken was van licht.

'Het is er een goede nacht voor,' fluisterde een stem achter hem.

Vespasianus draaide zich om en zag de vage contouren van zijn vriend. 'Wat doe jij hier, Magnus?'

'Ik heb al een paar jaar geen goed gevecht meegemaakt, dus ik dacht maar eens aan deze aanval mee te doen.'

'Je bent gestoord, je leven op het spel zetten terwijl je gewoon op één oor kan liggen.'

'Niet zo gestoord als de mensen in die vesting. Als zij echt met zo weinig zijn als wij denken, dan is het slechts een kwestie van tijd voordat wij binnen en zij dood zijn. Ik begrijp die mensen niet. Ze hebben ons aangezet tot een aanval door die verkenners voor onze ogen te vermoorden.'

'Ja, ze weten nu dat we geen genade zullen hebben.'

'Waarom zouden ze het dan toch gedaan hebben? Ze hadden het ook een paar dagen kunnen uithouden, dan was hun eer gered en hadden ze de onderhandelingen kunnen openen. Het lijkt wel of ze door ons gedood wíllen worden.'

'Hun gedrag heeft iets vreemds, maar ik kan mijn vinger er niet achter krijgen.' Hij vertelde Magnus over de theorie van Hormus met betrekking tot de lamp die vanzelf vlam vatte.

'Een waarschuwing, zegt u? Tja, dat zou kunnen. De vraag is: welke fout maakt u? Gaat het om deze slag in het algemeen? Of omdat we 's nachts aanvallen? Of gaat het om iets heel anders, iets wat met Sabinus te maken heeft, bijvoorbeeld?'

'Ik weet het niet, maar het zit me niet helemaal lekker.'

Het zat Vespasianus nog steeds dwars toen hij met de eerste cohort opmarcheerde naar de voet van de heuvel, onder de noordoostpoort een honderdtal passen hoger. Hij wachtte in het donker en liet alles wat zich de afgelopen dag had afgespeeld door zijn hoofd gaan terwijl ook de andere cohorten geruisloos stelling kozen: Valens met de tweede cohort links van hem bij de zuidwestpoort en Maximus met de twee Gallische hulpcohorten en de Syrische boogschutters tussen hen in. In de vesting bleef het stil, maar de opluchting die Vespasianus voelde nu hij de verdedigers nog steeds leek te kunnen verrassen werd getemperd door zijn onverklaarbare ongerustheid. Hij kon er niet verder over praten met Magnus, die naast hem stond, want ze moesten uiteraard doodstil zijn, en dus maalde het maar door zijn hoofd totdat hij Valens het teken hoorde geven dat ook de verste cohort zijn positie had ingenomen.

Drie keer op rij galmde er een reeks uilenroepen door de nacht. Dit was het teken waarop Vespasianus gewacht had. Hij knikte naar Tatius, die zijn arm hief en langzaam weer liet zakken. Dit teken werd herhaald door zijn collega-centuriones, waarna de eerste cohort met hun stormladders in de aanslag in looppas de heuvel op holde.

De aanval was begonnen.

Hoewel het ze moeite kostte om in de inktzwarte nacht overeind te blijven, versnelden de mannen van de elitecohort hun pas toen ze door de doorgang in de buitenste greppel gingen. Nu was het cruciaal dat ze hun ladders tegen de muur en mannen op de palissade kregen voordat de verdedigers ruw uit hun slaap werden gerukt. Vespasianus holde mee, met de hijgende Magnus aan zijn zijde, toen ze vrijwel geruisloos de heuvel op gingen. Hij hield zijn blik op de vage contouren van de verdedigingswerken gericht, maar er was geen beweging te zien noch een waarschuwingskreet te horen. Hij rende door, zijn hart bonkte, de cohort stroomde door de doorgang in de volgende twee greppels, maar nog altijd was er in de vesting geen alarm geslagen. Toen dacht hij aan de drie gevangenen en hoe zij vlak voor hun executie moord en brand hadden geschreeuwd.

Verdomme.

Hij draaide weg van de cohort en bleef staan.

'Wat is er?' pufte Magnus, die naast hem kwam staan.

'Er is niemand! Daarvoor wilde de mannen van Cogidubnus ons waarschuwen toen ze vermoord werden. Ze smeekten niet om hun leven, ze schreeuwden naar ons.'

'En de mannen die ze vermoord hebben dan?'

'Zij zijn de enigen. Genoeg mensen om al die vuren aan te maken en te doen alsof er een heel leger achter de poorten zit. Ze hebben zichzelf opgeofferd om ons in de val te lokken. Het echte gevaar komt uit het noorden. Ik moet terug. Ga naar Tatius en zeg hem dat hij zo snel mogelijk de cohort moet opstellen op de helling, gericht naar het noorden.'

'Doet hij wat ik zeg?'

'Als hij verstandig is wel, ja. Anders zijn we straks allemaal dood.' Vespasianus wurmde zich door de horde legionairs tot hij de optio van de zesde centurie van de eerste cohort zag, zoals gebruikelijk in de achterhoede van zijn eenheid. 'Optio, geef aan Valens door dat de aanval wordt afgeblazen en dat hij de tweede cohort moet opstellen bij de zuidpoort, gericht naar het westen. Hij krijgt spoedig versterking en nieuwe bevelen.'

De man keek hem aan alsof hij water zag branden.

'Meteen!'

De optio salueerde en vloog weg op het moment dat de cohort halt hield en de ladders tegen de muur gooide.

Toen de eerste mannen aan weerszijden van de poort de palissade beklommen, galmde er uit een *cornu* een lange zware toon de nacht in. De toon werd overgenomen door de cornua van de andere cohorten. Rechts zag Vespasianus de gloed van de draagbare, in olie gedrenkte Syrische vuurkorven en een ogenblik later trokken honderden vuurpijlen een spoor van vonken door de duisternis, dat al gauw achter de muur van de heuvelvesting verdween. De Romeinen lieten hun strijdkreten horen, maar achter de muren bleef het stil.

Vespasianus vervloekte het nu dat hij omwille van de stilte zijn cavalerie in het kamp had achtergelaten en rende terug alsof de demonen hem op de hielen zaten.

Bijna struikelend over zijn eigen voeten vloog hij de heuvel af, dankbaar dat de Syrische schutters met hun herhaaldelijke maar volstrekt zinloze salvo's voor enig licht zorgden. Op het laatste, vlakke deel vanaf de voet van de heuvel rende hij de longen uit zijn lijf en hij kwam aan bij het kamp toen de derde cohort als eerste van de rest van het legioen naar buiten marcheerde.

Hij zag hun primus pilus, hield in, draaide zich om en ging zwaar hijgend naast hem lopen. 'Stel uw mannen zo snel mogelijk op aan de voet van de heuvel, met hun gezicht naar het noorden. De eerste cohort zal op de linkerflank komen en de rest van het legioen stelt zich bij uw mannen op. We nemen een verdedigende stelling aan, snapt u?'

'Wat is er aan de hand, legaat?'

Vespasianus blikte naar rechts en zag ze al aankomen vanuit het noorden. 'Dát is er aan de hand. En nu actie!'

In de verte leken een stuk of tien zwak verlichte figuurtjes hun richting op te glijden. Achter hen was een schaduw die nog zwarter was dan de nacht. De primus pilus wierp een blik, blafte een bevel, een cornu schalde twee keer en de cohort holde met kletterende uitrusting en stampende voeten over de donkere grond weg. De rest van het legioen volgde in hun kielzog, de oranje gloed van de verschillende branden in de vesting flikkerde op hun glanzende ijzeren borstpantsers en helmen.

Vespasianus rende door naar de plek waar de cavalerie en vijf tribunen zich in het zadel hesen nadat ze hun paarden wandelend naar buiten hadden gebracht. Hij duwde de jongste weg van zijn paard. 'Ik heb hem nodig, Marcius.' Hij sprong in het zadel en wierp een blik op de meest ervarene van de jonge tribunen. 'Blassius, luister goed. Rij naar Maximus en zeg dat hij de Syriërs en een Gallische cohort naar de voet van de heuvel moet sturen en dan neem jij de andere Gallische cohort mee naar de zuidpoort om je aan te sluiten bij Valens en de tweede cohort. Als hij daar niet is, moet je hem uit de vesting halen. Zeg dat we vanuit het noorden worden aangevallen en dat hij elke poging tot een omtrekkende beweging moet verijdelen. Begrepen?'

'Jawel, legaat.'

'Als ze geen omtrekkende beweging maken, moet hij om de vesting heen gaan en die schoften vanuit het westen bestoken. Ik stuur de Bataven naar hem toe. Kom je weer melden als je klaar bent. En nu gaan!'

In een oogwenk had Blassius gesalueerd en zijn paard gedraaid, waarna hij wegstoof.

Vespasianus blikte over de hoofden van de legionairs die nog altijd het kamp uit stroomden. Hij huiverde. De spookachtige gestalten waren nog geen tweehonderd passen bij hen vandaan, ze zwaaiden wild met hun geheven armen. Achter hen, in het schemerlicht van de vuurzee op de heuvel, vormden duizenden rennende schimmen een brede golf die links en rechts werd opgeslokt door de duisternis.

Vespasianus draaide zich om naar zijn tribunen. 'Caepio, ga naar de andere twee Gallische cohorten en zeg dat ze moeten verhinderen dat die schoften aan de achterkant van het kamp komen, en zeg tegen Cogidubnus dat hij zo snel mogelijk met zijn Britannische hulptroepen bij mij moet komen.' Zonder te wachten op een reactie keek hij naar de jongeman wiens paard hij had ingepikt. 'Ga naar de Bataafse cavalerie, Marcius, en stuur die achter Blassius aan en regel een paard en leid de Gallische hulpcavalerie naar de voet van de heuvel. Sergius en Vibius, jullie gaan met mij mee.' Hij zette zonder mededogen zijn hakken in de flanken van het paard en stoof weg, en terwijl de overgebleven tribunen en cavaleristen hem volgden, klonk het woedende gebrul van de vijand, die vanuit het duister op hen af kwam gestormd.

De Tweede Augusta koos in allerijl stelling nu de vijand naderde, maar toen hij langs de dravende manschappen reed, zag Vespasianus dat het niet snel genoeg ging. Bij de voorhoede aangekomen blikte hij naar rechts: de Britanniërs waren tot op honderd passen genaderd en leken alleen maar sneller te gaan. Hij zag dat de eerste cohort zijn positie op de helling had bereikt, maar links van hem moesten de Syriërs en Galliërs nog een kwart mijl afleggen. 'Draaien en stelling nemen!' brulde hij naar de primus pilus van de derde cohort.

De centurio herhaalde schreeuwend het bevel en stak zijn arm in de lucht, een cornu schetterde en de standaard van de cohort zwiepte heen en weer. De derde cohort kwam op honderd passen van de rechterflank van de eerste cohort tot stilstand.

Er was geen tijd meer om het gat te dichten.

De krachtige klank van de cornu galmde over de hoofden van de mannen en de andere cohorten hielden halt en draaiden zich naar de vijand op het moment dat de eerste langeafstandssperen neerregenden. De verlichte figuren waren nu herkenbaar als druïden met lange, samengeklitte haren en smoezelige gewaden waarvan sommige stukjes spookachtig oplichtten. Ze zwaaiden met kronkelende slangen. Naast de middelste druïde rende een reusachtige man met een gevleugelde helm die triomfantelijk schreeuwde omdat ze het legioen konden aanvallen terwijl het nog niet was opgesteld: Caratacus. Caratacus, het Britannische stamhoofd dat na zijn nederlaag bij de slag aan de Afon Cantiacii twee jaar geleden door geen enkele Romein was gesignaleerd. Nadien was iedere legionair in de nieuwe provincie als de dood geweest voor zijn meedogenloze, grillige verzet tegen de Romeinse veroveraars. Door alle hinderlagen en bloedige plunderingen van bevoorradingscolonnes, patrouilles en voorposten en de onbarmhartige behandeling van gevangenen en collaborateurs kleefde er meer Romeins bloed aan Caratacus' handen dan aan die van alle andere Britanniërs op dit eiland. En nu stond hij op het punt zijn zwaard in nog meer Romeins bloed te dopen. Vespasianus realiseerde zich dat hij met open ogen in de val van Caratacus was gelopen.

Vespasianus leidde de honderdtwintig cavaleristen van het legioen naar voren om het gat te dichten. De sperenregen verhevigde, roffelde neer op de geheven schilden van de Tweede Augusta.

De Britanniërs waren tot op dertig passen genaderd toen Vespasianus de rechterflank van de eerste cohort bereikte, die zich op het laatste moment nog had opgesteld in rijen van vier. Hij hield zijn paard in.

'Rechtsom en linie vormen!' De *lituus* schetterde en de ruiters lieten hun paarden een kwartslag draaien, zodat ze van een colonne van twee man breed naar een linie van twee man diep gingen. Zonder te wachten op de decuriones, die normaal gesproken de linie nog een keer langsliepen, trok Vespasianus zijn zwaard, hief zijn arm en brulde: 'Ten aanval!'

Als één man stormde de cavalerie naar voren, de ruiters spoorden hun schuimbekkende, woest kijkende paarden aan tot handgalop en versnelden vrijwel direct tot volle galop, zodat de afstand tussen hen en de krijgers die het gemunt hadden op het gat in de Romeinse linie snel werd gedicht en de vijand geen kans kreeg een dodelijke kloof in de Romeinse formatie te slaan. Projectielen regenden op hen neer en een tiental paarden stortte ter aarde alsof ze tegen een onzichtbaar touw waren gelopen dat hun de weg versperde.

'Los!' schreeuwde Vespasianus, wiens stem door de spanning in zijn borst en buik een octaaf hoger was dan normaal. Meer dan honderd dunne werpsperen zoefden redelijk laag over de grond naar het voorste gelid van de aanstormende Britanniërs, van wie velen met wild zwaaiende armen en van pijn vertrokken monden achterovervielen. Honderden *pila* schoten weg uit de Romeinse gelederen. De druïden smeten hun kronkelende slangen met schelle krachttermen naar de legionairs en trokken hun zwaard, maar vervolgens bleven ze staan en lieten zich door hun krijgsmacht onder aanvoering van een loeiende Caratacus opslokken, zodat niet zij maar de krijgers de volle laag kregen van de Romeinse, met lood verzwaarde en met weerhaken uitgeruste speren die door de leegte tussen de twee strijdmachten vlogen. Velen van hen werden geveld, maar de rest denderde nog vrolijk twintig passen voort in navolging van de aanvoerder, die voor het eerst in twee jaar de kans had gecreëerd om een Romeinse moordmachine uit te schakelen.

Vespasianus sloeg onverstaanbare kreten uit en spoorde zijn paard aan terwijl de manschappen hun spathae trokken en hun benen tegen de flanken van hun paard drukten om de eerste klap op te vangen. De vreugde van de aanstormende krijgers veranderde op slag in doodsangst toen ze de schimmige gestalten van de ruiters op zich af zagen komen en ze als voetsoldaten door cavalerie ingesloten en een kopje kleiner gemaakt dreigden te worden. De mannen in het voorste gelid aarzelden en hielden in, maar werden door de massa achter hen naar voren geduwd. Vespasianus liet zijn zwaard zwiepen en hakte hoofden en geheven armen af alsof hij met een zeis rijpe tarwe oogstte. Krijgers werden vertrapt onder de hoeven van zijn paard en bleven met gebroken botten en misvormde lichamen achter. Toen de cavalerie zich op de brekende Britannische linie stortte, kwam de opmars tot een gewelddadig eind. De paarden deinsden terug voor de wanhopig uitgestoken speren en zwaarden, en de voetsoldaten moesten het in groepjes tegen de vijand opnemen, omdat het niet was gelukt om tijdens de uit nood geboren aanval de linies intact te houden. Vespasianus liet zijn paard steigeren en gebruikte de malende voorbenen als wapen terwijl hij met zijn *gladius*, het korte infanteriezwaard, naar de loeiende krijgers om hem heen stootte en zwaaide. Hij sneed borstkassen open en hakte gezichten doormidden en zag onderwijl dat de soldaten links en rechts van hem hun lange cavaleriezwaarden steeds effectiever gebruikten, maar desondanks zakte de eerste aanvalsgolf in, de voetsoldaten wisten nu voordeel te halen uit hun overmacht. De cavaleristen hadden geen schilden en liepen het gevaar overweldigd te worden. Menig ruiter werd van zijn paard getrokken.

Links steeg een massale kreun van inspanning op toen de eerste cohort contact maakte met de vijand en het nietsontziende, mechanische zwaardwerk van de Romeinse oorlogsmachine resulteerde in het gegil van neergemaaide krijgers. Rechts klonk een identiek geluid, maar dan veel harder, want daar botste de rest van het legioen op de krijgers die plots uit de nachtelijke duisternis waren opgedoemd.

Nu begon het bloedbad serieuze vormen aan te nemen.

Vespasianus pareerde een wilde houw van een slagzwaard, waarvan het slechte ijzer kromboog toen de twee wapens in een vonkenregen op elkaar knalden. Hij gaf met zijn rechterbeen een schop en ramde zijn spijkerzool in het gezicht van zijn belager, die met een verbrijzelde neus tegen zijn kameraden viel, die op hun beurt uit hun evenwicht werden gebracht. Dit korte moment zonder directe tegenstander benutte hij om zijn paard terug te trekken en naar een soldaat uit het tweede gelid te gebaren dat hij zijn plaats moest innemen. Hij keek om zich heen en zag dat de Syriërs en Galliërs intussen dichtbij genoeg waren om hen te ondersteunen. Rechts van hem zag hij Sergius, een van de tribunen die hij had meegenomen, schreeuwend van zijn paard getrokken worden. De tijd was rijp om zijn cavalerie terug te trekken, anders zouden er te veel mannen sneuvelen in wat in wezen een infanteriegevecht was. Ze hadden hun doel bereikt, de jongeman was niet voor niets gestorven.

'Terugtrekken!' riep hij naar de *liticen*.

De schelle toon van de lituus steeg boven het oorlogsrumoer uit. Vespasianus dreef zijn paard terug naar de Syriërs terwijl de overgebleven soldaten zich voor zover mogelijk terugtrokken van de aandringende Britanniërs. De krijgers volgden de terugtrekkende cavalerie en maaiden iedereen die verstrikt was geraakt in het gewoel meedogenloos neer, want ze zagen opnieuw een gat in de Romeinse linie.

Maar de prefect van de Syrische boogschutters wist wat er van hem verlangd werd toen hij Vespasianus in galop zag aankomen, roepend en wijzend naar het duidelijke gevaar. Hij riep zijn eenheid meteen een halt toe, op dertig passen van het gat. Terwijl de terugtrekkende manschappen naar links en rechts wegstoven en uit het gezichtsveld van de Syriërs verdwenen, losten de Syrische boogschutters meteen van dichtbij een verwoestend salvo. De voorste twee gelederen schoten op de Britanniërs die door de bres in de Romeinse formatie stormden, hun pijlen boorden zich diep in de voorste krijgers, die tollend naar de grond gingen, met hun lange haren in slierten om hun vertrokken gezichten gedraaid. De achterste twee gelederen richtten hoog: juist toen het tweede salvo van de voorste gelederen insloeg, regenden hun pijlen neer op de aanvallers, die onmiddellijk een halt werd toegeroepen, alsof ze tegen een onzichtbare muur waren gelopen. Bij het derde en vierde salvo, waar nog niet eens vijf hartslagen tussen zaten, leek die muur een stuk naar voren te worden geschoven: de Britanniërs werden teruggedrongen, alleen hun gesneuvelde kameraden bleven liggen. De Britannische krijgers vielen bij bosjes, zowel door de frontale aanval als door de ijzeren hagel uit de lucht, en kozen al snel eieren voor hun geld. Ze sloegen op de vlucht en lieten een strijdtoneel achter dat bezaaid was met hun dode kameraden.

Maar hun vlucht legde een nieuw gevaar bloot, een gevaar dat het bloed deed stollen in de aderen van degenen die het opmerkten. Toen de laatste krijgers een veilig heenkomen hadden gezocht achter de muur van schilden werden er een stuk of tien druïden zichtbaar. Ze stonden roerloos te zingen, al werd hun gezang niet gehoord, want het steeg niet uit boven het zwaardgekletter. Maar het waren niet de druïden die de mannen angstrillingen bezorgden, noch het feit dat deze gestalten, die een zwak licht leken uit te stralen, door niet één pijl geraakt werden terwijl de Syrische schutters onverminderd salvo's losten. Het was een andere aanwezigheid die ze angst aanjoeg, onzichtbaar maar wel degelijk voelbaar, een aanwezigheid die de druïden beschermde en een boosaardigheid uitwasemde waardoor allen die erdoor werden geraakt wanhoop in zich voelden opborrelen.

Deze onbevattelijke aanblik deed Vespasianus happen naar lucht. Hij moest denken aan wat Verica hem bijna twee jaar geleden, tijdens hun boottocht vanaf het eiland Vectis, over de druïden had verteld:

'Toen mijn volk naar dit eiland kwam, volgens de barden ongeveer vijfentwintig generaties terug, verdrongen zij een volk dat verschillende goden vereerde. In een oneindig ver verleden hadden ze grote monumenten voor hun goden opgericht. De druïden droegen deze monumenten op aan onze goden, maar de aanwezigheid en de kracht van enkele van de oude eilandgoden bleven voelbaar en vroegen om eerbied. De druïden namen deze taak op zich en diepten hun duistere geheimen en symbolen op. Zij houden die kennis voor zich en dat is hun goed recht, maar het weinige dat ik weet, boezemt mij angst in.'

Was dit de kracht waarvan de oude koning gesproken had? Die '*kille kracht die niet ten goede kan worden aangewend*'?

De strijd viel even stil toen zowel de Romeinen als de Britanniërs doordrongen raakten van het kwaad dat dit spookachtige gezelschap uitstraalde. Terwijl de druïden naderden, kwamen uit de bogen van de Syrische schutters nauwelijks pijlen meer.

Vespasianus schudde zijn door angst verlamde lichaam wakker. Als iedereen in de ban raakte van de kracht die de druïden opwekten, zouden de linies uit elkaar vallen en de Tweede Augusta in een oogwenk vernietigd zijn. Hij spoorde zijn onwillige paard aan en reed rechtstreeks op de lichtgevende groep priesters af, die langzaam naar voren liepen en beschermd leken te worden door een onzichtbare aura. Achter hen rukten ook de Britanniërs weer op.

Vespasianus onderdrukte de angst die in hem opborrelde en reed woest brullend en zwaaiend met zijn zwaard op de druïden af. Die waren zo geconcentreerd op hun zang dat ze het gevaar niet zagen aankomen. Hij schopte zijn paard in de flank – het dier werd onwilliger – en maakte zich op om de voorste druïde een kopje kleiner te maken, maar toen hij zijn arm naar achteren haalde om de genadeklap uit te delen, voelde hij zichzelf opeens omhoogkomen, alsof hij door een onzichtbare hand uit zijn zadel werd getild. Gillend steigerde zijn paard, het sloeg achterover alsof het een keiharde duw kreeg en wierp Vespasianus uit het zadel. Met krakende botten landde hij op zijn rug tussen de doden, alle lucht werd uit zijn longen geperst en er kwam een waas voor zijn ogen. Toen zijn zicht terugkwam zag hij de druïden naderen in de gloed van hun eigen lichtgevende gewaden en van de hoog oplaaiende vlammen in de heuvelvesting. Oude mannen en jonge mannen, mannen met donkere haren en mannen met grijze haren: alle druïden droegen om hun nek een symbool van de zon en aan hun riem een beeltenis van de maansikkel. Ze zongen in koor en staarden hem met ijzig genoegen aan terwijl hij happend naar lucht op de grond lag. Het stond voor Vespasianus als een paal boven water dat ze het op hem gemunt hadden, ze hadden hem met deze roekeloze aanval naar zich toe gelokt.

De druïden kwamen nader, hij voelde dat zijn voeten door een kilte werden gegrepen toen de kwaadaardigheid die hen omringde over hem heen gleed. Hij staarde hen angstig aan, niet in staat zich te verroeren, al wist hij intuïtief dat hij op deze manier toegaf aan de kracht die hem langzaam bekroop. Hij schreeuwde 'Nee!', telkens weer, verdoofde zichzelf, en toch kwam er geen geluid uit zijn mond. Hij zag slechts de honger van de druïden, hij hoorde niets meer van de strijd die om hem heen nog moest woeden. De kou was nu zo hevig geworden dat zijn tanden klapperden en zijn hart langzamer ging kloppen, terwijl het juist had moeten bonken van angst. Vanaf rechts schoot er een flits door zijn blikveld en hij voelde een schok in de kracht die nu over zijn bovenbenen voer en zijn botten tot op het merg bevroor. Zijn spieren verkrampten van schrik en de pijn deed hem zijn tanden hard op elkaar klemmen. Zijn hoofd sloeg naar achteren en zijn kaken ontspanden. De kou verdween plots uit zijn lijf. Hij kon weer horen, heel dichtbij klonk het gejammer van stervende mannen, en daardoorheen een woord dat telkens geroepen werd: 'Taranis!'

Hij haalde zijn arm voor zijn ogen weg en zag een zwaard heel langzaam, alsof de gevleugelde strijdwagen van de tijd ineens afremde, door de lucht omhooggaan, flikkeren in het licht van de vlammen en een spoor van bloeddruppels trekken door de lucht: een hoofd tolde boven het in een gewaad gehulde lichaam waaraan het toebehoorde en dat als versteend bleef staan. Gebiologeerd volgde hij de boog die het zwaard beschreef en zag het ijzer door de wang van een andere druïde snijden, wiens tanden uit zijn mond vlogen en wiens kaak alleen nog aan een paar bloederige pezen hing die meetrilden met het woeste, dierlijke gebrul dat opsteeg uit de gapende keel. Cogidubnus schopte de gevelde man opzij en stootte de punt van zijn wapen in de borst van de volgende druïde. De andere druïden draaiden zich om en sloegen op de vlucht. Vespasianus kwam weer bij zinnen, greep zijn zwaard, dat naast hem lag, en sprong overeind op het moment dat de Britannische koning de achterste druïde met een woeste, dubbelhandige houw doodde, hij raakte hem vlak boven de heupen, hakte de ruggengraat in tweeën en sneed de nieren doormidden.

Vespasianus blikte langs de vluchtende druïden en zag dat de Britanniërs aarzelden, ze wilden zich niet in de bres storten nu hun vijand niet meer in de ban was van hun priesters. Aan weerszijden van het gat in de linie laaide de strijd weer in alle hevigheid op, de onheilspellende kilte had plaatsgemaakt voor pure bloeddorstigheid. 'Cogidubnus! Volg mij!' Vespasianus greep zijn teugels, sprong in het zadel en stuurde zijn paard over het tapijt van doden en uit het schootsveld van de Syriërs, die uit een bedwelming leken te komen en zich opmaakten voor een volgend salvo.

De koning stoof achter hem aan terwijl de eerste pijlen door de lucht vlogen en de nog overgebleven druïden raakten en veel krijgers velden die dichterbij waren gekomen.

'Dank u, mijn vriend,' zei Vespasianus met schorre stem toen ze veilig waren. 'Ik wil later van u horen wat er precies gebeurd is.'

Cogidubnus trok een scheef gezicht. 'Voor een Romein is dat lastig te begrijpen.'

'Dat zien we dan wel.' Vespasianus wees naar de Britannische hulptroepen die achter de tweede cohort stonden opgesteld, samen met de Gallische cavalerie onder aanvoering van Marcius. Achter hen hadden de laatste drie cohorten van de Tweede Augusta als reservetroepen een tweede linie gevormd. 'Maar zorg er ondertussen voor dat uw mannen paraat blijven, ik heb ze straks nodig.' Vespasianus gaf hem een knikje, spoorde zijn paard aan en reed naar de Syrische schutters, die de vijandelijke schildmuur bij het gat in de Romeinse linie onder een meedogenloos spervuur hadden gelegd. Vespasianus wist echter dat de

Britanniërs niet lang meer tegengehouden konden worden, want op een gegeven moment zouden de pijlen gewoon op zijn.

'Open de gelederen en laat de Galliërs door,' riep hij naar de Syrische prefect toen hij langs hem stoof, 'en stuur uw mannen de palissade op.' Vanuit zijn ooghoek zag hij de man nog haastig salueren en vervolgens reed hij door naar de Gallische infanterie daar meteen achter. Op het moment dat zijn paard naast de commandopost van de cohort half glijdend tot stilstand kwam hoorde hij een cornua schetteren: zijn bevel werd meteen uitgevoerd.

Hij herkende de prefect als de man die twee dagen geleden Caratacus door zijn linie had gelaten en besloot hem te vergeven als hij zich goed van zijn taak zou kwijten. 'Prefect Galeo, leid uw mannen door de Syrische linie en maak contact met de eerste en de tweede cohort.'

'Jawel, legaat! Wilt u dat...'

'Niet praten. Gewoon doen!'

De prefect slikte en gaf een onberispelijk saluut. Hij brulde het bevel tot oprukken en de achthonderd Galliërs liepen in looppas naar voren. Enkele tellen later slingerden ze zich door de Syrische gelederen. De Syrische schutters hielden hun bogen stil tot de Galliërs voorbij waren en draaiden zich naar de vesting toen ze allemaal gepasseerd waren.

Zodra de Galliërs open terrein bereikten, stormden ze op de vijand af om te verhinderen dat de Britanniërs snel oprukten nu de pijlenregen gestopt was. Onder het slaken van de strijdkreet van hun voorvaderen wierpen ze zich met een machtig wapengekletter op de Britannische schildmuur.

Het gat was gedicht, maar toen Vespasianus zijn blik langs de Romeinse linie liet gaan zag hij dat het midden wankelde en de reservecohorten zich terugtrokken.

Hij plantte zijn hakken nog een keer in de beurse flanken van zijn rijdier en dwong het vermoeide beest in beweging te komen. Hij snelde langs de uitgedunde Romeinse cavalerie, die zich nu bij hun Gallische kameraden verzamelde, en zag de prefect van het kamp. 'Maximus! Volg mij!'

De veteraan wendde zijn paard en spoedde zich achter zijn commandant aan.

Nog geen honderd bonkende hartslagen later bereikte Vespasianus de eerste Romeinse cohort, het zwakke punt in de linie dreigde een bres te worden en de strijdkreten van de Britannische vijand werden luider. 'Waarom loopt u in Mars' naam weg van het gevecht?' brulde hij naar de primus pilus. 'Ga met uw cohort onmiddellijk steun bieden in het midden.'

'Maar u hebt net een cavalerist gestuurd met de boodschap dat we ons moeten terugtrekken, legaat.'

'Terugtrekken? Terwijl de linie dreigt te breken? Dat bevel kwam niet van mij. Ga ogenblikkelijk voorwaarts, anders gaan we er allemaal aan.'

De centurio salueerde en bulderde 'Rechtsomkeert!' naar zijn mannen. Vespasianus reed door naar de reservelinie van twee cohorten die zich verder terugtrokken en riep hun een halt toe. 'Jij blijft bij deze cohorten, Maximus. We houden een verdedigende stelling aan. De linie moet koste wat het kost standhouden. Begrepen?'

Maximus knikte en grijnsde. 'Hoe lang denkt u dat we moeten standhouden?'

Vespasianus deed een schietgebedje waarin hij Mars vroeg hem bij te staan in de krijgskunst en draaide zijn paard. 'Tot ik bericht krijg van Valens en me kan beraden op een tegenaanval waarmee ik de Britanniërs op de knieën krijg.'

HOOFDSTUK IV

Vespasianus bracht zijn paard schielijk tot stilstand naast Cogidubnus, die met de jonge tribunen Marcius en Vibius stond te wachten. Achter hen stonden de Britannische hulptroepen met de Gallische cavalerie en de verzamelde overlevenden van de Romeinse cavalerie, in totaal nog geen tachtig man. Even later verscheen ook Blassius.

'Ik heb de andere Gallische hulptroepen op uw bevel achtergelaten bij Valens en de tweede cohort, legaat,' meldde de tribuun, die moest schreeuwen om boven het kabaal uit te komen dat langs het front van een paar honderd passen lang werd gemaakt. 'De Bataven kwamen juist bij hem aan toen ik wegging. Hij zei dat er niemand in de vesting was.'

'Ik weet dat er niemand in de vesting is,' antwoordde Vespasianus, die tevergeefs probeerde kalm te klinken. 'En er was geen aanval over de flank? Geen Britanniërs die probeerden om de vesting heen te trekken?'

'Nee, althans niet toen ik wegging. Valens was begonnen met zijn omtrekkende beweging om de heuvel. Hij vermoedde een kwart uur nodig te hebben om in een goede positie te komen voor een aanval in de flank, als hij tenminste geen vijanden zou tegenkomen.'

Vespasianus streek met een hand door zijn haar, zijn gezicht stond gespannen. 'Ja, dat dacht ik al.' Zijn blik ging naar de Romeinse linie. Het midden had versterking gekregen en vocht zich nu een weg terug, maar de Britannische aanval leek niet af te zwakken. 'We moeten ze verslaan voordat onze mannen uitgeput raken. Zijn uw mannen klaar voor hun vuurdoop, Cogidubnus?'

De koning keek hem recht in de ogen. 'Ze zullen blijk geven van hun trouw aan Rome en wraak nemen op Caratacus voor de jarenlange onderdrukking van de Atrebates en de Regni.'

'Daar twijfel ik niet aan. Laat een paar kerels de ladders halen die zijn achtergelaten bij de poort en neem uw mannen mee naar de buitenste greppel, dan zie ik u daar. Via die greppel kunnen we achter de Britannische linie komen.'

'De linie van de opstandige stam,' verbeterde Cogidubnus hem.

'Ja, de linie van de opstandelingen.' Vespasianus wendde zich weer tot Blassius. 'Ga naar de Syriërs...' Hij zweeg abrupt en keek over de schouder van de tribuun naar de palissade, die zwart afstak tegen het licht van de vuurzee in de vesting: geen boogschutter te zien. 'De Syriërs! Waar bij Hades zijn ze gebleven?'

Cogidubnus wees naar het zuiden, je kon nog net de achterhoede van de Syrische colonne zien, die een paar honderd passen bij hen vandaan in de duisternis verdween. 'Ze maakten rechtsomkeert en marcheerden in zuidelijke richting weg zodra u vertrokken was.'

'Dat bevel kwam niet van mij.'

'Ik zag een cavaleriebode naar hen toe rijden en toen keerden ze om en vertrokken. Ik ging ervan uit dat u hem gestuurd had.'

'Dat is het tweede nepbevel.' Hij zweeg, realiseerde zich opeens wat er gaande was. 'Alienus! Dat moet zijn werk zijn. Welke kant ging hij op?'

'Ik heb er niet op gelet.'

Blassius fronste nadenkend. 'Ik kwam er net nog eentje tegen die langs de vesting naar Valens leek te rijden.'

'Grote goden! Blassius, neem een halve turma Galliërs en ga in de achtervolging, pak hem voordat hij Valens tegenhoudt met zo'n nepbevel. Ik wil hem levend in handen krijgen.'

Blassius salueerde en snelde weg, Vespasianus richtte zich tot Marcius en Vibius. 'Marcius, neem de andere halve turma Galliërs mee en zorg dat die Syriërs zo snel mogelijk terug naar de vesting rennen. En dan bedoel ik ook echt rennen. Ik wil dat ze vanaf die palissade de flank van die langharige horde bestoken! Vibius, we gaan een bres slaan tussen de greppel en de linkerflank van de linie. Als dat gedaan is, ga je er met de rest van de cavalerie doorheen en grijp je die barbaren van achteren.'

De jongeman salueerde vastberaden, maar in zijn ogen was angst te zien. Vespasianus hoopte dat de vastberadenheid het van de angst zou winnen en draaide zich naar Cogidubnus. 'Laten we de klus klaren, zoveel tijd hebben we niet.'

'Het ziet ernaar uit dat we zonder steun van de boogschutters uit die greppel moeten komen,' merkte Cogidubnus op.

'Ik vrees van wel, vriend.'

'Dan is het maar goed dat een kwart van mijn jongens een slinger heeft.'

'Wat doe jij hier?' vroeg Vespasianus toen hij Magnus vanaf de vestingpoort aan zag komen lopen. Achter hem verzamelde een stel Britannische hulptroepen de ladders die bij de afgeblazen aanval waren achtergelaten, terwijl de rest van de cohort afdaalde in de buitenste verdedigingsgreppel, vlak achter de linie van de eerste cohort.

'Tja, om het beschaafd te zeggen: kijken naar de chaos. Wat is er in vredesnaam aan de hand?'

'Alienus rijdt over het slagveld en deelt als mijn zogenaamde bode allerlei nepbevelen uit. Desondanks hebben we het afgelopen kwart uur een nachtelijke verrassingsaanval afgeslagen in wat ik een wanhopige strijd om te overleven zou willen noemen in plaats van een chaos. Als je niets beters te doen hebt dan kritiek leveren, stel ik voor dat je weer in dat stinkhol van je gaat liggen en morgenochtend kijkt of je wakker geworden bent met een Britannische speer in je reet.'

Magnus keek naar het strijdgewoel beneden hen. 'Nee, ik blijf hier. Hoe wist u dat ze eraan kwamen?'

Vespasianus draaide zich naar de greppel. 'Daar heb ik nu geen tijd voor.'

'Wat gaat u doen?'

'Ik ga die greppel in met een horde Britanniërs die me beloofd hebben dat ze liever andere Britanniërs doden dan Romeinen.'

'Dan kan ik maar beter meegaan om in de gaten te houden of ze zich wel aan die belofte houden.'

De kakofonie van kletterend metaal en kreten van pijn, angst en wanhoop werd oorverdovend toen Vespasianus zich een weg baande door de scherpe staken die in de bodem van de greppel waren gestoken. De Britannische hulptroepen volgden hem. Ze liepen ter hoogte van de gevechtslinie, maar de aardwal aan de voorkant van de greppel maakte hen onzichtbaar voor de vechtende manschappen.

Vespasianus stak zijn arm op en de hulptroepen hielden halt. Hij keek links omhoog en zag dat er nog altijd geen boogschutters op de palissade stonden. 'Verdomme!' zei hij binnensmonds en hij keerde zich naar Cogidubnus, die naast hem stond. 'Langer kunnen we niet wachten. We moeten het met uw slingeraars doen. Hoeveel zijn het er?'

'Van elke centurie het voorste gelid, dus bij elkaar tweehonderd.'

'Verspreid ze over de colonne. Hoe regelen we dat ze als eerste voorwaarts gestuurd kunnen worden?'

'Dat heb ik al gedaan, ze staan allemaal vooraan. Ik neem ze mee met vijf ladders tot op vijftig passen achter de linie van de opstandelingen en stel ze daar op. Zodra we daar zijn, laat ik een paar keer een korte toon op de cornu blazen en beginnen we de achterhoede te bekogelen.'

Vespasianus wachtte tot de slingeraars vertrokken waren en gaf toen de primus pilus van de cohort opdracht de overgebleven tien ladders om de zoveel passen tegen de zijkant van de greppel te zetten en de rest van de centuriën paraat te houden. Zelf ging hij bij de eerste ladder staan.

Terwijl hij in het schemerdonker van de greppel zag dat de cohort zich opstelde, probeerde Vespasianus op adem te komen en te herstellen van zijn verwoede poging om het legioen van de ondergang te redden. Nog geen halfuur geleden was hij uit het gelid van de eerste cohort gestapt, in het besef dat er vanuit het noorden gevaar was opgedoken. Alleen al bij de gedachte aan wat er gebeurd zou zijn als hij niet tijdig het verband zou hebben gelegd, ging zijn hart weer sneller kloppen. Hij keek opzij naar Magnus. 'Als we Hormus niet hadden gehad, waren we nu misschien wel dood geweest.'

'Dus zelfs een onaanzienlijke slaaf kan een legioen redden.'

'Indirect wel, ja. Ik besefte opeens wat ik over het hoofd had gezien: dat de verkenners van Cogidubnus in het noorden niets van zich hadden laten horen: ze waren dood. Toen legde ik het verband tussen twee dingen die wij de avond ervoor besproken hadden en besefte ik dat we in de val waren gelokt. Caratacus had zelf als lokaas gefungeerd en die mensen in die vorige heuvelvesting opgeofferd om mij hierheen te lokken. Dat hij zich na zijn ontsnapping aansloot bij al die ruiters, diende enkel en alleen om ons op zijn spoor te zetten. Hij wilde dat ik wist waar hij naartoe ging. Maar om er absoluut zeker van te zijn dat ik achter hem aan zou gaan, gaf Alienus zijn naam door aan de prefect van de hulptroepen, want hij wist dat ik er intussen achter moest zijn gekomen dat híj Sabinus verraden had en dat ik hem nodig had om Sabinus te vinden en dat ik dus weinig keus had: ik moest achter hem aan.'

'Als je het zo vertelt, zit het inderdaad veel te mooi in elkaar.'

'Precies. En toen er geen alarm werd geslagen in de vesting en ik weer voor me zag hoe hard die mannen geschreeuwd hadden, blijkbaar om iets duidelijk te maken, wist ik dat er niemand was. We waren in de val gelokt, ze zouden ons in het donker aanvallen.'

'En die barbaren stonden ons op te wachten in het noorden en namen ons bijna te grazen.'

'Dat kunnen ze nog steeds doen.'

Magnus woog zijn gladius in zijn handen en bestudeerde de geslepen kling. 'Als het aan mij ligt niet.'

Vespasianus blikte de greppel in, de centuriën waren opgesteld. 'Kom op, Cogidubnus, waar blijft die cornu nou?'

Na enkele zenuwslopende ogenblikken die de spanning in zijn toch al zo vermoeide lijf alleen maar deden toenemen, hoorde Vespasianus achter de Britannische linie een cornu schallen. Hij knikte naar de primus pilus en zette de ladder rechtop, zodat de bovenkant boven de aardwal uitstak, en klauterde de twintig voet omhoog met een snelheid die aangaf hoe wanhopig de situatie was. Hij wierp zich op de aardwal en zag dat hij ter hoogte van het derde gelid van de Romeinse verdediging was, die zich met de grootste moeite staande wist te houden op de steile helling, weggedoken achter hun schilden, die ze tegen de ruggen van de mannen voor hen duwden in een wanhopige poging de horde tegen te houden die hen al zo lang onder druk hield. In tegenstelling tot de Romeinen vochten de Britanniërs niet in vaste formaties, ze konden hun lange slagzwaarden het beste gebruiken als ze vrij waren in hun bewegingen. Hakkend en houwend stortten ze zich in golven op de rechthoekige, semicilindrische schilden en ijzeren helmen van het stugge voorste gelid van de elitecohort van de Tweede Augusta en trotseerden de bloedige zwaarden die tussen de schilden door naar buiten staken.

Na een snelle blik naar rechts wist Vespasianus dat Vibius de cavalerie in stelling had gebracht. Hij trok zijn zwaard en holde met Magnus en de primus pilus in zijn voetspoor over de aardwal, terwijl de slingeraars de ongedekte ruggen van de achterste Britannische krijgers bekogelden, die met bosjes tegelijk vielen en bij wie de paniek zich snel door hun onsamenhangende gelederen verspreidde. De verraste Britanniërs zagen boven hen opeens Romeinse soldaten opdoemen, met lange haren die onder hun helmen vandaan golfden en hangsnorren die hun brullende monden omlijstten. De korte verslapping van hun concentratie betekende in veel gevallen dat dit het laatste was wat ze zagen.

'Tweede Augusta! Tweede Augusta!' bulderde Vespasianus om de legionairs onder hem te waarschuwen, en hij stortte zich tussen de vijandelijke krijgers, duwde zijn schildknop in het opkijkende gezicht van een verbijsterde soldaat en smeet hem tegen de grond terwijl overal om hem heen de hulptroepen van Cogidubnus, aan wier handen nog geen bloed kleefde, zich in naam van Rome op hun volksgenoten stortten.

Vespasianus werkte zich op zijn knieën, stootte zijn zwaard in de buik van de versufte man onder zich en hield tegelijkertijd zijn schild boven zijn hoofd om een neerwaartse houw van links te weren. Scheldend en tierend stormde Magnus langs en duwde de belager van Vespasianus weg, terwijl achter hem steeds meer hulpsoldaten zich vanaf de aardwal op de Britannische flank stortten en optimaal gebruikmaakten van de neerwaartse kracht. Ze vielen niet in formatie aan, en hoewel ze van geen enkele kant ondersteund werden, denderden ze voort in een mêlee van man-tegen-mangevechten en wisten diep door te dringen in de inmiddels versplinterde flank van de Britanniërs. Door de opmars van de hulptroepen moesten de slingeraars voortdurend andere doelwitten kiezen, waarbij ze zich wel steeds concentreerden op de achterste krijgers, zodat de opmars schuin verliep. Maar toen hoorde Vespasianus het geluid waarop hij zo gehoopt had: het zuigende ploffen waarmee pijlen insloegen in borstkassen.

Hij gaf een gewonde, knielende krijger met zijn zwaard een klap op de slaap en trok zich vervolgens terug uit de voorste gelederen en riep naar de primus pilus van de hulptroepen: 'Breng wat orde in uw manschappen, laat ze dicht bij elkaar blijven!' De officier knikte en reed langs zijn mannen en brulde hun toe dat ze zich moesten opstellen. Vespasianus bleef staan, haalde diep adem en liet de rest van de cohort langs hem heen gaan. De snelheid van hun opmars nam evenredig toe met de snelheid waarmee de paniek zich door de Britannische linie verspreidde.

Maar Vespasianus wist dat het nog lang niet voorbij was. Toen hij achteromkeek zag hij dat ze twintig passen hadden vrijgemaakt voor de voorhoede van de eerste cohort. Dat was genoeg. 'Trek je mannen terug van de aardwal, Livianus!' beval hij de centurio, die hij tussen de bebloede, uitgeputte soldaten in de voorste gelederen herkende aan de dwarsstaande pluim van paardenhaar op zijn helm. 'Maak ruimte voor de cavalerie.'

Livianus knikte en begon meteen naar zijn uitgeputte mannen te schreeuwen terwijl Vespasianus terug naar de aardwal rende en erop klauterde. Toen hij vanaf zijn hoge standpunt neerkeek op de frontlinie, zonk de moed hem in de schoenen: de linie was holrond en de twee reservecohorten die hij bij Maximus had gelaten waren al ingezet, dus er waren nu geen versterkingen meer. Maar wat nog erger was: er was brand in hun eigen legerkamp en hij kon weinig anders dan hopen dat Caepio met de twee overgebleven Gallische cohorten de indringers kon verdrijven. 'Valens, waar zit je?' mompelde hij toen de eerste cohort eindelijk ruimte maakte tussen hen en de aardwal. De cavalerie onder leiding van Vibius reed meteen de ruimte in, precies zoals Vespasianus had gehoopt. De jonge tribuun kwam naast Vespasianus staan om hem zijn paard terug te geven. Vespasianus besteeg zijn paard en sprak Vibius zacht toe. 'Het midden van onze linie zal het straks begeven als er geen versterking komt. Maak er een zo groot mogelijk bloedbad van, win tijd voor ons met jullie levens, anders gaan we er allemaal aan. Begrepen?'

Vibius slikte en haalde diep adem door zijn neus toen hij besefte wat er van hem en zijn mannen gevraagd werd. 'Jawel, legaat, ik begrijp het. U kunt op mij rekenen.'

Vespasianus boog zich voorover en greep de jongeman bij zijn schouder. 'Dank je. En nu gaan.'

Vibius spoorde met wezenloze blik zijn paard aan terwijl achter hem Gallische en Romeinse ruiters de gecreëerde ruimte in stroomden zonder te beseffen wat er van hen verwacht werd.

'U kijkt alsof u net gehoord hebt dat er een familielid is overleden,' zei Magnus en hij liep naar Vespasianus toe terwijl de laatste cavaleristen door het gat tussen de linie en de aardwal reden. Zijn onderarmen, borst en gezicht zaten onder het bloed.

'Ik niet,' antwoordde Vespasianus, die met een verbeten uitdrukking de mannen de heuvel af en de verte in zag rijden. 'Maar ik heb net een bevel gegeven waardoor vijfhonderd andere families dat binnenkort waarschijnlijk wel te horen krijgen.'

'Welnu, legaat, dat is beter dan achtduizend families.'

'Dat weet ik, dus ik had geen keus.' Vespasianus vermande zich. Hij voelde zich misselijk, maar hij wist dat er geen andere opties waren als hij zijn hoofdmacht, en zijn loopbaan, intact wilde houden. Hij dwong zichzelf te kijken toen Vibius zich samen met zijn ruiters op de middenlinie van de Britanniërs stortte, grijze silhouetten in de verte, maar elk silhouet was een man die hij naar alle waarschijnlijkheid de dood in had gestuurd.

Waar was Valens?

De hulptroepen van Cogidubnus hadden de Britanniërs van de heuvel verdreven, de eerste cohort had geen tegenstander en de Syriërs op de palissaden waren te ver om de vijand schade te kunnen toebrengen. Nu de omtrekkende beweging van Valens op zich liet wachten, schoot Vespasianus te binnen wat Aulus Plautius had gezegd: *Als je strijd levert moet je niet denken aan wat je niet hebt, want dat leidt je af van de meest efficiënte toepassing van hetgeen je wel hebt.* 'Magnus, ren naar de vesting en zeg tegen Marcius dat hij met de Syriërs hier moet komen. Ik wil dat ze de oprukkende manschappen volgen, vlak achter de linkerflank van Cogidubnus, en ervoor zorgen dat die harige schoften hen niet van achteren aanvallen.'

'O, dus ik doe tegenwoordig dienst als boodschappenjongen?'

Vespasianus keek over zijn schouder terwijl hij zijn paard de helling af stuurde. 'Zeur niet!' Hij galoppeerde langs de met lijken bezaaide voorste linie van de eerste cohort en kwam bij Tatius, die uiterst rechts was gepositioneerd, vlak naast de Gallische hulptroepen, die iets minder dan een halfuur geleden met hun tijdige aanval het gat in de Romeinse linie hadden gedicht. 'Ik ben blij dat u nog leeft, primus pilus.'

'Een flink aantal van mijn mannen niet.' Tatius keek naar de wirwar van lichamen, zowel Britannische als Romeinse, en spuugde een bloedrode fluim in het gezicht van een opengereten krijger aan zijn voeten.

Een lichte schok maakte duidelijk dat er nog leven in hem zat. 'Ze bleven goddomme maar komen, we konden maar één keer een nieuw gelid naar voren schuiven.' Tatius plantte zijn voet hard op de keel van de man en verbrijzelde zijn luchtpijp.

'Stuur jouw cohort in looppas naar het midden. Maximus voert daar het bevel en hij heeft hulp nodig.'

De veteraan was uitgeput, maar salueerde desondanks onberispelijk. 'We gaan erheen.'

Vespasianus ging voort, vechtend tegen de vermoeidheid die hij deelde met Tatius, en stuitte op de prefect van de Gallische cohort, die voor de helft verlost was van de strijd nu de hulptroepen van Cogidubnus eindelijk in de juiste formatie, schouder aan schouder, hun volksgenoten uit de weg ruimden. Op hun flanken zorgden de slingeraars voor een voortdurende stenenregen, die hun pad door de doden plaveide.

Hoewel de strijdkreten ten hemel stegen te midden van een hels samenspel van ijzeren wapens die manisch op met leer omwikkelde houten schilden beukten, was Vespasianus intussen ongevoelig geworden voor alle kabaal, met uitzondering van één geluid: het geluid waarvoor hij gebeden had. Het kwam van achter zijn linkerschouder, zwak, maar voor Vespasianus luid en duidelijk: het geschetter van een lituus. Hij draaide zich om in zijn zadel. Van achter de heuvel doken de Bataven op, de vlammen van het inferno boven hen wierpen een vlekkerig licht op hen. Achter hen verschenen, in looppas, twee cohorten; een Romeinse en een hulpcohort. Valens was op het strijdtoneel verschenen. Dit was het moment om het heft in handen te nemen.

'Prefect!' riep Vespasianus toen hij eindelijk de commandant van de Gallische cohort zag. 'Verzamel uw mannen achter de soldaten van Cogidubnus. Ik zal hem bevelen opzij te gaan zodat u zijn plaats kunt innemen en een bredere frontlinie kunt maken. Nog een laatste inspanning van u en we zitten goed.'

De prefect knikte grimmig en richtte zich tot zijn primus pilus, met wie hij de manoeuvre goed doorsprak terwijl Vespasianus doorreed naar Cogidubnus, met een gemoed dat niet zo licht was geweest sinds zijn lamp op geheimzinnige wijze was ontstoken, wat alweer twee nachten geleden was. Het midden zou het met de nieuwe versterking nog wel even volhouden, en nu Valens er was zouden ze de Britanniërs echt kunnen aanvallen in plaats van alleen maar bezig te zijn met overleven. Ze zouden zegevieren.

Terwijl zijn paard langs de manoeuvrerende hulptroepen denderde, voelde Vespasianus zich voor het eerst in zijn leven nauw verbonden met zijn beschermgod Mars, die hem had gewaarschuwd voor zijn onoplettendheid. Mars, de god aan wie zijn vader hem had opgedragen tijdens de naamceremonie die negen dagen na zijn geboorte had plaatsgehad en waarbij de voortekenen, zo was Vespasianus te weten gekomen toen hij toevallig een gesprek tussen zijn ouders had opgevangen, hadden gewezen op een vooraf bepaald lot. Wat zijn bestemming was, wist hij echter niet. Zijn moeder had alle aanwezigen laten zweren dat ze het geheim zouden houden en niemand had er ooit met hem over gepraat. Maar nu hij had ondervonden hoe machtig de god was, kon hij geloven dat Mars hem werkelijk behoedde en naar zijn bestemming zou leiden, wat die ook zijn mocht.

De lituus schetterde weer toen Vespasianus naast Cogidubnus kwam staan en hem snel zijn bevelen gaf. Hij keek op en zag dat de Bataven voor de hoofdmacht van Valens uit galoppeerden. Nu kon hij misschien Vibius laten aflossen, als de jongeman tenminste nog leefde. Na een knikje naar Cogidubnus reed hij weg om de Bataven te onderscheppen, die slechts tweehonderd passen bij hem vandaan waren. Ansigar reed voorop met Blassius naast zich. Vespasianus vloekte binnensmonds: Alienus moest de dans weer ontsprongen zijn.

De afstand tussen Vespasianus en de naderende cavalerie slonk snel, links zag hij de Syrische boogschutters de heuvel af hollen. Hij wendde zijn paard en ging naast Blassius voor de colonne rijden. 'Alienus?'

Blassius schudde zijn hoofd. 'Hij was net vertrokken. We konden hem nog zien toen we om de heuvel heen kwamen, maar hij zag ons ook. Toen we bij Valens kwamen was hij spoorloos verdwenen en niemand had hem gezien.'

'Verdomme! Nou ja, dat komt later wel. Ga terug naar Valens en zeg tegen hem dat zodra hij op gelijke hoogte met Cogidubnus is, hij moet omdraaien en de Britanniërs tegen het legioen moet drukken. Cogidubnus is er klaar voor, maar Valens moet opschieten, anders zien de Britanniërs het aankomen.'

Blassius trok aan zijn teugels en galoppeerde terug naar de naderende infanterie. Vespasianus voelde dat zijn hart sneller ging kloppen, niet doordat hij angstig of zenuwachtig was, maar doordat hij de overwinning kon ruiken, een overwinning die een uur geleden, toen ze in het duister de schrik van hun leven hadden gekregen, nog onmogelijk had geleken. Hij glimlachte en dacht aan Magnus, hoe die zijn duim zou grijpen en zou spugen om het boze oog af te wenden als hij zulke voorbarige gedachten met hem gedeeld had. Hij keek naar Ansigar, de bebaarde, doorgewinterde decurio van de Germaanse Bataafse cavalerie. 'Wij gaan daarheen.' Hij wees naar de plek waar de uitgedunde eenheid van Vibius zich verzamelde en zich opmaakte voor nog een aanval op de stevige Britannische middenlinie, die nu zowel van voren als van achteren werd bestookt.

'En als ze zwichten?'

'Vermorzel er zoveel als je kan, ik wil dat ze de Tweede Augusta nooit meer vergeten.'

'En de Bataafse hulptroepen?'

'Ik wil dat de Britanniërs die met jullie in aanraking komen zich dat niet herinneren. Nooit meer.'

Ansigar grijnsde onder zijn volle, blonde baard. 'Ik hoop dat uw wens ingewilligd zal worden.' Hij schreeuwde in zijn eigen gorgeltaal naar de liticen achter hem en draaide zich ondertussen naar rechts, naar het midden van het slagveld. De trompetten schalden en zijn gedrilde manschappen waaierden uit en zonder vaart te verliezen veranderde de colonne in een linie van vier rijen dik.

Maar de manoeuvre werd verstoord door geroep vanuit de ala. Vespasianus draaide zich naar links en zag een eenzame soldaat naar het noorden afzwaaien. In het schemerlicht zag hij dat de man geen broek droeg zoals de rest van de Bataven, maar een Romeins cavalerie-uniform. 'Alienus!' Vespasianus stuurde zijn paard naar links en wees naar twee soldaten in het voorste gelid. 'Jullie twee! Meekomen! Ansigar, jij rijdt door.' Met de twee Bataven in zijn kielzog snelde hij achter de vluchtende spion aan, het duister in, buiten bereik van de branden die op de heuvel en in het legerkamp woedden. Hij vertrouwde op het instinct van zijn paard, maar bleef zo veel mogelijk in het spoor van Alienus, dan kon hij een hogere snelheid riskeren dan Alienus, die zelf zijn weg moest zoeken door de duisternis. Hij kon hem nog net zien en schatte dat hij ongeveer vijftig passen voorsprong had. Hij wierp een blik op zijn twee metgezellen en telde minstens vijf speren in hun kokers. 'We moeten hem neerschieten. Begrepen?'

De Bataven gromden instemmend en reikten naar achteren voor een pijl terwijl ze hun paarden buitengewoon behendig over een almaar donker wordende grond lieten voortdenderen.

'Geef mij er een,' riep Vespasianus en zonder zijn ogen van zijn prooi te halen stak hij zijn hand naar achteren. Hij voelde dat ze terrein wonnen. Er werd een speer in zijn hand gedrukt. Al frummelend wist hij zijn wijsvinger door de lus te krijgen die halverwege de schacht zat. Ze reden door, de brede borst van hun rijdier ging hevig op en neer. Hoewel het pikdonker was, werd Alienus steeds beter zichtbaar. Ze liepen op hem in.

'We proberen het!' riep Vespasianus en hij klemde zijn kuiten tegen de zweterige flanken van zijn paard voor wat extra houvast. De Bataven deden hetzelfde en slingerden hun rechterarm naar achteren. Met een uiterste inspanning verhieven ze zich alle drie uit hun zadel, gooiden hun arm naar voren en wierpen hun speer de duisternis in. Alienus bleef in het zadel, maar week schielijk uit naar links en zwenkte vervolgens minstens zo schielijk naar rechts.

Vespasianus reikte weer naar achteren. 'Nog een!' Hij kreeg snel een speer in zijn hand gedrukt. Alienus bleef zigzaggen, met als gevolg dat de afstand tot zijn achtervolgers kleiner werd. Opnieuw zette Vespasianus zich schrap op zijn paard en hij schatte de geslonken afstand en de bochtige baan die Alienus beschreef. Met nog een uiterste inspanning wierpen hij en zijn metgezellen hun puntige wapens weg, lager dan de vorige keer. Het paard van Alienus veranderde plots van koers en zwenkte vrijwel even snel maar niet zo soepel als voorheen terug.

Het paard hinnikte steeds scheller en bokte, want het wilde verlost worden van de speer die diep in zijn romp zat. Vespasianus hield in, het getroffen dier schopte weer met zijn achterbenen, nu met zoveel geweld dat het zijn berijder van zich af slingerde. Vespasianus sprong uit zijn zadel, rende naar voren en trok zijn zwaard uit zijn schede terwijl de man ruggelings op de grond smakte. Hij rolde om en was half opgekrabbeld toen Vespasianus hem met de platte kant van zijn zwaard tegen de zijkant van zijn hoofd sloeg en hem bewusteloos in elkaar deed zakken. Vespasianus draaide hem met een schop op zijn rug en keek in het gezicht van de man die zijn broer Sabinus verraden had.

HOOFDSTUK V

Vespasianus en Magnus zochten hun weg door de opgehoopte lichamen, die de frontlinie markeerden zoals wrakhout altijd de vloedlijn aangeeft. In het oosten gloorde de zon, rood, alsof ze de nachtelijke slachtpartij wilde nabootsen. Op het slagveld lagen honderden doden met verwrongen, verbrijzelde en afgehakte ledematen, besmeurd met drab, bloed en uitwerpselen. Af en toe bleek uit een kreun dat er nog leven zat in een door pijn verscheurd lichaam.

Terwijl de zon hoger klom werd duidelijk hoe groot de slachting was. De cohorten van Valens hadden zich aangesloten bij de hulptroepen van Cogidubnus en de Galliërs, en samen hadden ze een omtrekkende beweging gemaakt en veel Britanniërs opgesloten en op een onvermijdelijke reis naar de andere wereld gestuurd. Genade werd noch geschonken, noch verwacht. Caratacus had evenwel gezien dat er vanuit het westen gevaar dreigde en aangezien hij wist dat de kans om een van de gevreesde oorlogsmachines van Rome te vernietigen verkeken was, vluchtte hij met het merendeel van zijn krijgers de nacht in. De Bataven en de overgebleven Gallische en Romeinse cavalerie gingen in de achtervolging, bestookten de verslagen Britanniërs en verhinderden elke poging tot hergroepering. Ze waren nog steeds niet terug, maar de route die ze in noordelijke richting hadden genomen was bezaaid met lichamen, die in de opkomende zon goed afstaken tegen de achtergrond.

'Tegenover iedere gesneuvelde aan onze kant staan er zeker tien van hen,' merkte Magnus op toen ze op een groep Romeinse slachtoffers stuitten die uit elkaar werd getrokken door degenen die het slagveld afzochten naar Romeinse doden en gewonden.

'Volgens de eerste meldingen hebben we meer dan driehonderd man verloren en zijn er twee keer zoveel gewonden,' antwoordde Vespasianus terwijl hij in de levenloze ogen van een jonge legionair keek en zich bukte om ze te sluiten. 'De meeste doden en gewonden vielen in het midden van onze linie, bij de cavalerie of de vierde cohort, maar geen enkele eenheid is ongeschonden uit de strijd gekomen. Een paar eenheden hebben enkele dagen nodig om hun wonden te likken.'

'En de andere?'

'Die laat ik naar het noorden gaan om te verhinderen dat de vijand zich hergroepeert, en ondertussen kan ik op zoek gaan naar Sabinus.'

'Heeft Alienus zijn mond al opengedaan?'

'Nee, hij is nog wat suf, maar dat komt wel. Ieder mens heeft een grens en ik ben vast van plan die van Alienus te vinden.' Vespasianus bleef staan bij een dode hulpsoldaat. 'Hij is van de cohort die het gat heeft gedicht, dus we komen in de buurt.'

Na een poosje tussen de doden te hebben gezocht, zagen ze datgene waarnaar ze op zoek waren: de lichamen van de druïden. Vespasianus knielde neer naast een oude man wiens lange grijze baard en haar waren samengeklit en versierd met iets wat vogelbotjes leken te zijn. Hij keek naar het vieze gewaad, ging er met zijn hand overheen en besefte dat het vuil niet alleen maar het gevolg was van jarenlange verwaarlozing. Een deel was bewust aangebracht. Toen hij zijn hand terugtrok, zag hij dat er allemaal roomkleurige draadjes op zaten. Hij keek nog eens goed en zag dat het hele gewaad met die draadjes was bedekt, elke vlek was in feite een kolonie van duizenden vastgenaaide en verstrengelde draden. 'Het lijken wel de wortels van een paddenstoel,' merkte hij op en hij trok een pluk los en rook eraan.

Magnus trok ook een stukje los, legde het in de kom van zijn hand, maakte met zijn andere hand een dekseltje en zette zijn oog tegen het gaatje tussen zijn duimen. Een ogenblik later keek hij naar Vespasianus en stak zijn handen naar hem uit. 'Kijk eens.'

Toen zijn ogen gewend waren aan het donker drong het tot hem door dat hij een zwak schijnsel zag. 'Dus daarom geeft hun kleding licht in het donker. Het is helemaal geen tovenarij, het zijn gewoon duizenden lichtgevende paddenstoelenwortels.'

'Dat moet u het legioen vertellen, de mannen voelen zich vast een stuk beter als ze weten dat die lichtgevende gewaden gewoon een slimmigheidje zijn en niet het gevolg van een of andere betovering of kracht van een van hun vervloekte goden.'

'Ik zal die gewaden laten weghalen en ze voor het praetorium hangen. Goed voor het moreel.' Vespasianus kwam overeind en riep een stelletje lijkenzoekers. Nadat hun optio instructies had gekregen, gingen Vespasianus en Magnus terug naar het nog smeulende legerkamp en kwamen ze langs de plek waar het lichaam van de jonge Vibius was gevonden. 'Ik stuur de ouders een brief. Ze moeten weten dat hij zijn plicht heeft gedaan terwijl hij wist dat mijn bevel hem het leven zou kosten.'

'Neem het uzelf niet kwalijk. Hij is niet de eerste soldaat die u de dood in stuurt en hij zal ook niet de laatste zijn.'

'Dat weet ik, maar hij was de eerste bij wie ik dat bewust deed, en hij wist het ook. Ik zag aan zijn blik dat hij meteen begreep dat er voor hem geen mooie militaire loopbaan was weggelegd die hem en zijn familie tot eer zou strekken en toch deed hij wat hij moest doen.'

'Als hij dat niet had gedaan, had hij ook geen loopbaan gehad.'

'Ouder dan twintig zal hij niet zijn geweest. Ik vraag me steeds af wat ik zou hebben gedaan op die leeftijd.'

'Precies hetzelfde. Als Fortuna je bij de voorhuid pakt en je een vroegtijdige dood in trekt, kun je daar geen moer aan doen. Zulke dingen gebeuren nu eenmaal en het heeft geen zin om daar lang over na te denken. Geef hem een goed graf, prijs zijn naam tegenover zijn strijdmakkers en vergeet hem, want één ding is zeker: hij zal niet terugkomen over de Styx. Maar door wat hij vannacht heeft gedaan, heeft Charon het vandaag niet zo heel erg druk, want anders had hij het hele legioen over moeten zetten.'

Vespasianus knikte. Zijn gezicht verstrakte bij de gedachte aan hoe het had kunnen aflopen.

'En probeer wat te ontspannen. Het is niet goed als de legaat kijkt alsof hij een harde drol moet leggen.'

'Het scheelde weinig of ik was vannacht het hele legioen kwijtgeraakt omdat ik in een val liep! Vind je het gek dat ik van de wijs ben, als ik het overleefd had, zou mijn loopbaan hier zijn geëindigd en al het werk van de afgelopen jaren voor niets zijn geweest.'

'Maar u hebt niet verloren, toch? U zag de val vlak voordat hij dichtklapte en door uw ingrijpen werd een verpletterende nederlaag omgezet in een soort overwinning. Laat ik u een wijze raad geven, of u die nu wilt of niet. Zet een punt achter vannacht en voel u niet schuldig omdat er een paar mensen dood zijn, richt u op het resultaat: weer een heuvelvesting veroverd, de beste aanval van Caratacus tot nu toe op ontmoedigende en vernederende wijze afgeslagen, waardoor een paar stamhoofden vraagtekens zullen zetten bij zijn leiderschap, en bovendien hebt u weer een zege op uw naam gezet, om nog maar te zwijgen van het feit dat Alienus is gepakt, die wellicht informatie heeft die ons op het spoor van Sabinus zet.'

Vespasianus sloeg een arm om de schouders van zijn vriend. 'Je hebt gelijk, ik ben gewoon nog niet helemaal van de schrik bekomen. Ik moet me concentreren op wat nu belangrijk is. Ik laat Cogidubnus ontbieden; voordat we zijn neef ondervragen moet ik eerst even met hem praten.'

Alienus onderdrukte een gil en schudde telkens zijn hoofd, waardoor de zweetdruppels in een boog door het licht van de vuurkorf vlogen. De geur van zijn verschroeide huid vulde de schemerige tent, waarin alleen de houten stoel stond waar de naakte spion aan vastgesnoerd zat.

'Ik vraag het je nog één keer en dan zet ik het brandijzer wat hoger op je bovenbeen: wie heeft mijn broer en waar houden ze hem vast?'

'Ik heb het al gezegd, hij is dood!'

'Waar is zijn lichaam dan?'

'Dat weet ik niet!'

Vespasianus knikte naar de optio die bij de vuurkorf stond. Met de dikke leren handschoen die hem beschermde tegen de hitte trok de man het brandijzer uit het vuur. De punt was roodgloeiend. 'Aan de bovenkant van zijn been, zodat hij de hitte aan zijn lul en ballen voelt, maar raak ze niet aan. Nu nog niet.'

Dit keer kon Alienus de gil niet onderdrukken toen die tegelijk met de verzengende pijn van de brandwond door zijn lijf golfde, zijn polsen en enkels stonden strak tegen de riemen waarmee hij was vastgezet toen zijn pijnkreet de rook verdreef die opsteeg van de verschroeide huid.

Zowel Magnus als Cogidubnus huiverde, maar Vespasianus vertrok geen spier. 'Bij de volgende gaan je geslachtsdelen in rook op en moet je de rest van je leven als een meisje pissen.'

Alienus hyperventileerde even nadat het brandijzer van zijn been gehaald en in het vuur teruggezet was. Bloed sijpelde onder de riemen vandaan. 'Jullie gaan me toch vermoorden, dus waarom zou ik toegeven?'

'Wie heeft dat gezegd? Ik kan toch niet verwachten dat je de waarheid spreekt als dat voor jou niets oplevert? Ik laat je leven, Cogidubnus staat voor jou in en zal je onder huisarrest plaatsen in zijn koninkrijk. Het is aan jou om te bepalen in welke toestand je zijn gulle aanbod aanneemt: met of zonder enkele cruciale onderdelen.'

Alienus hief zijn hoofd op naar zijn neef. Zijn mond was vertrokken van de pijn, maar de blik in zijn toegeknepen ogen was vervuld van haat. 'Dansen naar het pijpen van die etterbak? De man die samen met mijn grootvader ons volk verraadde en onze vrijheid aan Rome verkocht?'

In een vloeiende beweging stapte Cogidubnus naar voren en gaf Alienus met zijn platte hand een klap in diens gezicht, waardoor zijn hoofd naar rechts werd geslagen en de bloed- en zweetdruppels in het rond vlogen. 'Luister goed en probeer je niet te laten afleiden door die onnozele gedachten van je. De afgelopen twee jaar heb je Caratacus geholpen, de man die jouw grootvader van zijn troon stootte en jouw volk, het verbond van de Atrebates en de Regni, schatting oplegde en dwong soldaten te leveren. Jouw grootvader heeft ze van die schande verlost en ik wil die vrijheid beschermen, terwijl jij ons weer onder de knoet van Caratacus wil brengen.'

'Ik wil ons verlossen van Rome! Nu zijn we schatplichtig aan de keizer en onze mannen vechten bij zijn hulpcohorten, dus wat is het verschil?'

Cogidubnus grijnsde, schudde zijn hoofd en beantwoordde de vraag, langzaam, alsof hij tegen een slim maar misleid kind praatte. 'Het verschil is dat we iets terugkrijgen voor het geld dat we naar Rome sturen: we krijgen vrede en de vrijheid om op onze eigen grond te wonen, volgens onze eigen wetten en met onze eigen koning.'

'Jij!'

'Ik, ja. Maar wat kregen we toen we schatplichtig waren aan Caratacus? Wij werden steeds armer, terwijl zijn stam, de Catuvellauni, steeds rijker werd. We hadden een koning die niet onder ons kwam en niet eens ons dialect sprak, maar hij verwachtte wel dat onze mannen voor hem vochten en hun leven gaven in die eindeloze, zielige oorlogjes in het noorden en westen, die hij slechts voor eigen eer en glorie voerde. Kregen onze mannen betaald omdat ze voor hem vochten? Nee, en toch werden ze ertoe gedwongen. Rome echter geeft hun zilver en belooft burgerschap als ze hun dienst voltooien en ze vechten als vrijwilligers, niet als dienstplichtigen.'

'Maar ze vechten tegen hun volksgenoten.'

'Volksgenoten die twee jaar geleden nog op ze neerkeken omdat ze het voortbrengsel van een verslagen koninkrijk waren en hen weinig beter behandelden dan hun slaven.'

Vespasianus trad weer in het licht van de vuurkorf. 'Rome zal blijven bestaan, Alienus, en het maakt ons niet uit hoe hard de voorwaarden voor overgave zijn voor de verschillende stammen of mensen, dat is iets wat jouw neef hier zich tijdig heeft gerealiseerd. Als jij mij helpt mijn broer terug te vinden, kun je verder leven onder het toeziend oog van Cogidubnus en met een kans op verzoening met Rome. Als je mij tart, zal ik je stukje voor stukje verbranden, voor mijn eigen plezier, niet om je te onderwerpen. Ik zweer je dat ik beide zal doen.'

Alienus keek naar Cogidubnus en toen weer naar Vespasianus. 'Waarom zou ik jullie vertrouwen?'

'Omdat ik liever Sabinus terug heb dan dat ik jou naar de andere wereld help, en als ik jou je leven moet geven om die wens in vervulling te doen gaan, dan moet dat maar. Afgesproken is afgesproken, Mars is mijn getuige. Want als ik me niet aan de afspraak houd, stel ik het leven van Sabinus in de waagschaal.' Hij knikte weer naar de optio, die het gloeiende brandijzer uit het vuur haalde. 'Dus vraag ik het voor de allerlaatste keer, nu alles nog aan je lijf zit: wie heeft mijn broer en waar houden ze hem vast?'

Alienus' ogen schoten van links naar rechts, heen en weer tussen de twee mannen, door besluiteloosheid bevangen.

'Op z'n haar,' fluisterde Vespasianus naar de optio, die glimlachte.

Met een korte stoot duwde hij het brandijzer in de dikke bos schaamhaar. Met een flits vatte het vlam en heel even werd Alienus' geslacht omgeven door een ring van vuur. De jongeman gaf een gil en keek naar zijn brandende kruis. 'De druïden! De druïden hebben hem!'

'Dat is beter. Waar?'

'Dat weet ik niet!'

'Natuurlijk weet je dat wel. Optio.'

Alienus keek naar het brandijzer dat uit de fel brandende houtskool tevoorschijn kwam en langzaam naar zijn verschroeide kruis zweefde. Vervolgens keek hij doodsbang naar Vespasianus, die zijn wenkbrauwen vragend optrok.

Alienus brak. 'Ik heb hem achtergelaten bij de druïden bij het Grote Monument van Steen, op de vlakte in het oosten. Ze willen hem offeren tijdens de zomerzonnewende. Het was de bedoeling dat ik jullie daar naartoe lokte, dan konden we het legioen verpletteren en u gevangennemen, zodat het een dubbeloffer kon worden.'

'Aan welke druïden heb je hem gegeven?' vroeg Cogidubnus terwijl hij een stap naar voren deed.

'De druïden van de heilige bronnen.'

'Zegt dat u iets?' vroeg Vespasianus aan Cogidubnus.

Hij knikte langzaam. 'Ja, ze werken volgens de rituelen van een oude godin die onze voorvaderen al aantroffen toen ze hier aankwamen. Ze verblijft in een vallei in het noorden, ongeveer dertig mijl hiervandaan, en gaat daar nooit weg, want ze moet altijd voor haar vijf warme bronnen en haar heilige bossen zorgen. Ze heeft grote krachten, kan water zo heet maken dat je het niet meer kan aanraken. Ze heet Sulis.'

'Heen en terug kost het ons twee dagen, hooguit drie,' zei Vespasianus en hij spreidde zijn armen zodat Hormus de riempjes van zijn rug- en borstplaat kon losmaken.

'Als we niet stuiten op het restant van hun leger, dat diezelfde kant op is gevlucht,' merkte Magnus op terwijl hij neerplofte op een bank.

Cogidubnus leek te twijfelen. 'De reis is misschien nog te doen, maar de vraag is hoe we uw broer, áls hij daar al is, uit de vallei van Sulis kunnen krijgen. Wie weet met wat voor krachten we te maken krijgen, jullie hebben vannacht zelf de kwaadaardigheid gevoeld waardoor die druïden omringd werden.'

Vespasianus wreef over zijn pijnlijke schouders terwijl Hormus zich bukte om zijn scheenplaten eraf te halen. 'Maar het lukte u wel om die kwaadaardigheid te verslaan.'

Cogidubnus trok een hanger onder zijn tuniek vandaan. 'Dit is het Wiel van Taranis, de god van de donder.' Hij liet een gouden, vierspakig wiel zien dat ongeveer even groot was als zijn handpalm en dat Vespasianus herkende omdat het van Verica was geweest. 'Taranis is een echte Keltische god, hij heerst over de hemelen en maakt donder en bliksem door dit hemelwiel te draaien. Zijn kracht is groot en mijn volk vereert hem al sinds we uit het oosten zijn gekomen, lang voor we vanuit Gallië de oversteek maakten naar Britannia. Mijn oom gaf mij dit op zijn sterfbed, iedere koning van de Atrebates en Regni met dit wiel om zijn nek kan rekenen op bescherming van Taranis, zelfs tegen de duistere goden die de druïden op dit eiland wakker hebben gemaakt. Omdat ik dit droeg, was ik niet bang toen ik die druïden aanviel. De kracht die zij uitoefenen is alleen effectief als iemand verlamd wordt door de kwaadaardigheid ervan en het niet aandurft zich te verzetten.'

'Verlamd? Dat is precies hoe ik me voelde. Ik verstijfde helemaal, werd koud tot op het bot, een kilte bekroop me en ik werd bang, dacht alleen maar aan de kracht die me overweldigde. Ik was hulpeloos. Maar wat ik zou willen weten: is het een foefje, net als die lichtgevende gewaden, of is het echt?'

'Het is echt, dat verzeker ik u, maar welke duistere goden ze in het leven roepen om die kracht te leveren weet ik niet, de druïden geven hun vakgeheimen voor geen goud prijs.'

'De volgende keer dat ik de confrontatie met hen aanga, zal ik een offer brengen aan mijn beschermgod.'

'Dat helpt misschien tegen de kracht waarmee we vannacht te maken hadden, maar of dat ook zo is tegen Sulis in haar eigen vallei... Ik weet het niet.'

Vespasianus ging zitten. Hormus liep weg met zijn spullen, hij ging ze schoonmaken. 'Wat stelt u dan voor, Cogidubnus? Ik heb geen keus, het gaat om mijn broer, ik moet ernaartoe.'

'Ten eerste kunnen we niet met een groot leger gaan. Zodra ze vermoeden dat we Sabinus willen redden, zullen ze hem doden. Hooguit tien man. Ik pik mijn beste hulpsoldaten eruit en laat voor ons allemaal kleren van de doden verzamelen. Ten tweede moeten we onszelf beschermen. Ik heb ooit iets gehoord over een man. Ik heb hem nooit ontmoet, maar hij is ongeveer acht jaar geleden vanuit een provincie in het oosten hierheen gekomen. Hij schijnt een bepaalde verstandhouding te hebben met de druïden. Ze schijnen bang voor hem te zijn. Misschien dat hij ons kan helpen?'

'Hoe dan?'

'Hij verkondigt een nieuw geloof en zou over grote krachten beschikken. Niet de kille kracht van de duistere goden in dit land, maar een ander soort kracht, een kracht die hem helpt in zijn strijd tegen het kwaad.'

'Is hij Joods?' vroeg Magnus.

'Joods? Ik weet niet wat dat is, maar als het iemand is die in één god gelooft zou het kunnen, want dat heb ik gehoord. Hij bidt tot één god en denkt dat een gekruisigde volksgenoot de profeet van die god was.'

Vespasianus keek naar Magnus, op wiens gezicht iets daagde. 'Je denkt toch niet dat hij het is, of wel soms?'

'Ik hoop van wel, want sinds u hem bevrijd hebt uit handen van die slavendrijvers in Cyrenaica, staat hij flink bij u in het krijt.'

'En bij mijn broer, want Sabinus was destijds questor in Judaea en zorgde ervoor dat het lichaam van zijn volksgenoot bij hem in handen kwam en niet bij de Tempelwachters. Hij is het aan zijn eer verplicht ons te helpen. Waar zit hij, Cogidubnus?'

'Ik heb gehoord dat Budoc, de koning der Dobunni, hem een stuk land heeft geschonken op een rotspunt langs de weg naar de vallei van Sulis, zo'n vijftien mijl hiervandaan. Als we na een paar uur slaap rond het middaguur vertrekken, kunnen we er voor de schemering zijn.'

'Weet u hoe die man heet?'

'Nee, ik weet alleen nog dat ik zijn naam nog nooit gehoord had.'

'Josef?'

De koning dacht even na. 'Ja, dat zou heel goed kunnen. Josef.'

Vespasianus liep zijn slaapvertrek in en zag dat Hormus nog steeds probeerde met een vochtige doek het gestolde bloed van zijn harnas te krijgen. 'Laat maar zitten, ik heb het de komende dagen toch niet nodig. Je kunt het doen als ik weg ben.'

De slaaf stond met terneergeslagen blik op. 'Jawel, meester. Zal ik wat eten voor u maken?'

'Ik wil eerst twee uur slapen.'

Met een eerbiedige hoofdbuiging draaide Hormus zich om.

'Hormus,' zei Vespasianus zacht tegen zijn slaaf, die meteen bleef staan. 'Wat is jouw grootste prestatie ooit?'

'Het spijt me, meester, ik begrijp de vraag niet.'

'Die begrijp je heus wel. Zeg het maar gewoon.'

'Mijn enige prestatie is dat ik in leven hebben weten te blijven.'

Vespasianus liet zich op het lage bed zakken en deed zijn riem af. 'En door dat te presteren, heb je vandaag nog veel meer gepresteerd, Hormus. Door jouw waarschuwing zijn er bijna vijfduizend legionairs en bijna evenveel hulpsoldaten aan de dood ontsnapt. Ze weten het niet, maar iedereen in dit kamp dankt zijn leven aan jou. Wat zeg je daarvan?'

Hormus was verbijsterd. 'Als het klopt wat u zegt, weet ik niet wat ik moet zeggen.'

Vespasianus ging glimlachend liggen en deed zijn ogen dicht. 'Je mag er een paar dagen over nadenken. Laat Maximus en Valens weten dat ze zich bij me moeten melden als ik wakker ben.'

Vespasianus wreef over zijn slapen om de hoofdpijn te verlichten waardoor hij sinds zijn ontwaken werd geteisterd toen Maximus en Valens naar zijn schrijftafel gemarcheerd kwamen en een strakke groet brachten. 'Neem plaats, heren. Wijn?' Hij gebaarde dat ze zelf wat wijn konden inschenken uit de aardewerken kan op de schrijftafel. 'Hoe staan we ervoor, Maximus?'

'Je zou kunnen zeggen dat het legioen gevechtsklaar is, met uitzondering van de vierde cohort,' antwoordde de veteraan terwijl hij zijn beker vulde. 'Hoewel, de hulptroepen zijn een ander verhaal. De twee Gallische cohorten die u bij Caepio liet om het kamp te bewaken kregen een pak slaag toen ze een aanval in de flank tegenhielden en moesten vervolgens alles in het werk stellen om een stelletje langharen te verjagen die het kamp waren binnengedrongen. De schade was niet zo groot als zich liet aanzien, het was vooral de palissade die brandde. De Galliërs joegen hen het kamp uit voordat ze bij de tenten waren.'

'Dat doet me deugd. Ik zal Caepio en de twee prefecten persoonlijk prijzen.'

'Die hebben het al druk genoeg, ze hebben bijna een derde van hun centuriones en bijna evenveel optiones en standaarddragers verloren. Als het niet anders kan zullen ze vechten, maar van een goede bevelstructuur kun je niet meer spreken. Van de overige twee Gallische cohorten is alleen die van Valens direct inzetbaar, de andere heeft bijna vijftig doden en tweehonderd gewonden verloren toen ze die bres moesten dichten.'

Vespasianus wist dat er een hoge tol was geëist, maar dit nieuws kwam hard aan. 'En de Britannische hulptroepen van Cogidubnus?'

'Nauwelijks verliezen, en naar mijn idee hebben ze laten zien dat ze willen vechten voor Rome.'

'Dat hebben ze zeker, van Caratacus moeten ze niets hebben. En de Syriërs?'

'Met hen gaat het goed, beter dan met de cavalerie. De Galliërs hebben honderdveertig verse paarden nodig om op de helft van hun oorspronkelijke sterkte te komen en onze eigen cavalerie bestaat feitelijk uit nog slechts twee turmae.'

'Zijn er nog maar vierenzestig over?'

'Ik ben bang van wel. Alleen de Bataven zijn betrekkelijk ongehavend uit de strijd gekomen. Zo'n anderhalf uur geleden kwamen ze terug met de mededeling dat de vijand over een groot gebied verstrooid is geraakt. De meesten van hen schijnen naar het noordwesten te gaan. En Caratacus is nergens te bekennen.'

Vespasianus liet deze informatie even bezinken. 'Goed, het had slechter gekund, heren. Morgenochtend gaan we naar het noordwesten om ervoor te zorgen dat ze zich niet hergroeperen en terugkeren. Daarna gaan we terug naar de kust om ons te laten herbevoorraden door de vloot, zodat we verder westwaarts langs de kust kunnen oprukken naar ons uiteindelijke doel. Blassius blijft hier, hij zal met de zwaar toegetakelde cohorten de vesting bemannen. Valens, jij trekt twee dagen naar het noordwesten met vijf Romeinse cohorten en de Britanniërs en Bataven. Iedere strijdbare man die je tegenkomt moet in de boeien worden geslagen. Maximus, jij trekt noordwaarts met de andere vier fitte Romeinse cohorten, de Syriërs en de Gallische infanterie. Na dertig mijl is er een vallei, Cogidubnus zal je wat verkenners lenen om jullie de weg te wijzen. Als alles goed gaat, zie ik jullie daar overmorgen bij het krieken van de dag.'

'Mag ik vragen waar u naartoe gaat?'

'Ik ga mijn broer uit die vallei halen, en als ik daarmee klaar ben, vernietigen we alles wat daar nog is.'

'Dat moet het zijn,' zei Cogidubnus toen ze boven op een heuvel zicht hadden op een hoge, kale rotspunt die zich ongeveer drie mijl bij hen vandaan aftekende tussen de omringende heuvels. 'Als we opschieten, kunnen we er ruim voor zonsondergang zijn.'

'Als we niet op resten van dat leger stuiten,' bromde Magnus, die zijn pijnlijke achterwerk verplaatste in het zadel van de gedrongen Britannische pony die hem de laatste tien mijl op onverstoorbare wijze vervoerd had.

'Alsof we gevaar lopen met al die verkenners om ons heen!' beet Vespasianus hem toe, want hij was het zat; sinds Magnus vier uur geleden die schurende broek had aangetrokken, had hij weinig anders gedaan dan klagen.

Tijdens de korte reis hadden ze een paar dwalende groepjes soldaten van het vijandelijke leger gezien, maar daar hadden ze weinig aandacht aan besteed, ze hadden ze gewoon vermeden. In hun Britannische kleding konden ze gemakkelijk doorgaan voor een onopvallend stel vluchtelingen dat huiswaarts keerde.

Nadat hij die ochtend zijn officieren had laten inrukken, had Vespasianus zich met een zorgvuldig lamoffer voor Mars voorbereid op de komende strijd. Het dier had zich gewillig, zonder hevig tegenstribbelen, naar de slachtbank laten leiden. Zijn lever was in perfecte staat geweest en op de andere ingewanden waren geen tumoren of lelijke vlekken aangetroffen. Het was een feilloos offer geweest, maar het had zijn ongerustheid over de confrontatie met die vreemde krachten van de druïden niet kunnen wegnemen. Sterker nog, die was toegenomen naarmate ze verder van het legerkamp kwamen, vandaar zijn prikkelbaarheid. Hij keek opzij naar Magnus, die chagrijnig voorovergebogen in zijn zadel hing en zijn blik niet wilde beantwoorden, en hij nam het zichzelf kwalijk dat hij zijn nervositeit had afgereageerd op zijn vriend. Het laatste deel van de reis werd in een naargeestige stilte afgelegd.

Ze beklommen de rotspunt over de minder steile westhelling en kwamen via oude, verlaten verdedigingswerken bij het vierkante houten gebouw op de top. Door een gat in het midden van het strodak kringelde rook omhoog. Toen ze op vijftig passen waren, ging de deur open en kwam er een middelbare man met een grijze baard en zwarte hoofdtooi naar buiten. Hij droeg een lang wit gewaad en had een zwart-witte mantel om zijn schouders geslagen. Bij wijze van groet stak hij de staf in zijn linkerhand omhoog. 'Welkom, legaat Vespasianus, ik verwacht u al enige tijd, maar toen ik vanochtend de vluchtende mannen van Caratacus' verslagen leger zag, wist ik zeker dat u er voor het vallen van de avond zou zijn.'

Stomverbaasd keek Vespasianus in de vriendelijke donkere ogen van Josef. Hoewel hij slechts een paar uur geleden had vernomen dat de man in Britannia was, zat de man al op hem te wachten.

Josef richtte zich tot Cogidubnus. 'En u ook welkom, koning der Atrebates en Regni. Ik heb mij laten vertellen dat u van alle koningen op dit eiland de enige bent voor wie zijn volk op de eerste plaats komt. Ik bid tot God dat het waar is, want de Britanniërs hebben sterke leiders nodig als ze zich onderwerpen aan Rome en niet vertrappeld willen worden.'

'U bewijst mij eer.'

'Niet meer dan u verdient als zijnde de man die Rome het hoofd bood alvorens te buigen voor haar onweerstaanbare kracht.' Josef reikte Vespasianus de hand toen deze van zijn pony kwam. 'Het lijkt u te verbazen dat ik wist dat u kwam, maar ik vraag me af waarom. Ik weet al vanaf de dag dat jullie landden bij Rhudd yr epis, of Rutupiae, zoals jullie zeggen, dat u en Sabinus in Britannia zijn. Ik heb jullie opmars naar het westen met belangstelling gevolgd.'

'Dus u hebt het gehoord van Sabinus?'

'Ja, en ik weet ook waarvoor u gekomen bent en wat u van mij verlangt. En hoewel ik besef dat ik daar wellicht een hoge tol voor moet betalen, zal ik u helpen en de schuld inlossen die ik bij jullie heb.' Josef glimlachte Vespasianus toe, sloeg een arm om zijn schouder alsof hij een goede vriend was en leidde hem door de deur naar binnen. 'Rechtschapen mensen zoals u en uw broer kunnen bij nood altijd rekenen op een helpende hand.'

Het duurde even voordat Vespasianus' ogen gewend waren aan het schemerdonker, binnen brandde in het midden van de kamer een vuurtje in de haard en op de tafel daarnaast, die was gedekt voor vier mensen, een olielamp. Verder stond er weinig: aan de ene kant twee bankjes tegenover iets wat op een altaar leek en aan de andere kant een gordijn waarachter een slaapruimte moest zijn.

Josef gebaarde naar de stoelen bij de tafel toen ook Magnus en Cogidubnus naar binnen liepen. 'Neem plaats, vrienden.' Terwijl zijn gasten op zijn uitnodiging ingingen, liep Josef naar het altaar en pakte twee kannen, een brood en een ondiepe aardewerken kom. 'Als u mij toestaat, zou ik graag willen bidden om de veilige terugkeer van Sabinus.' Josef legde de spullen op tafel, schonk wijn in de kom en vermengde die naar Romeins gebruik met water uit de andere kan. Vervolgens pakte hij het brood en sprak een gebed uit in de taal der Joden, waarna hij het brood in vieren brak en zijn gasten ieder een stuk gaf. Hij haalde een brokje van zijn eigen stuk af en deed dat in zijn mond. 'Eet.'

Vespasianus nam ook een stuk van zijn brood en kauwde daarop terwijl Josef de kom pakte, die hij tijdens het uitspreken van een gebed op ooghoogte hield. Toen hij klaar was met zijn gebed, zette hij de kom aan zijn lippen en nam een slok. 'Deel dit met mij,' zei hij en hij bood Cogidubnus de wijn aan. De koning nam een slok en gaf de kom door aan Vespasianus.

Vespasianus pakte hem aan. Hij voelde ruw aan en in de rand zat een deuk, alsof de pottenbakker per ongeluk iets te hard gedrukt had met zijn duim toen hij de kom in de oven zette. Vespasianus nam een slok en gaf de wijn door aan een verbluft ogende Magnus, die hem in twee machtige teugen opdronk. Over zijn kin liep een druppel, die hij wegveegde met de bovenkant van zijn hand terwijl hij de lege kom teruggaf aan Josef.

Kennelijk was het ritueel naar tevredenheid van Josef verlopen, want hij ging zitten en schonk de bekers in die voor zijn gasten op tafel stonden terwijl die hun brood verder opaten. 'Morgenochtend vroeg zullen we voor ons vertrek een lam offeren. Joshua is er een aan het halen.'

Vespasianus herkende de naam. 'Joshua. Was dat niet die gekruisigde volksgenoot?'

'Ja, u hebt een goed geheugen, zo heette hij inderdaad, maar ik heb het over zijn zoon. Hij heeft de afgelopen twee jaar met zijn moeder en zus bij mij in Britannia gewoond.'

Vespasianus herinnerde zich dat de vrouw, Mariam heette ze, uit dank aan zijn voeten was neergeknield nadat hij haar en haar kinderen in Cyrene had gered uit handen van een plunderende meute die, aangespoord door de opruier Paulus, luidkeels duidelijk had gemaakt op haar bloed uit te zijn. 'Ik dacht dat ze naar Zuid-Gallië zou gaan?'

'Dat klopt, maar zelfs daar werd het voor haar te gevaarlijk. U weet toch dat Paulus van Tarsus van de hogepriester in Jeruzalem opdracht had gekregen om alle bloedverwanten van Joshua te vermoorden?'

'Ja, die manke klootzak zorgde voor aardig wat heibel,' merkte Magnus op van achter zijn wijn.

'Maar toen wij hem vier jaar later in Alexandrië zagen,' zei Vespasianus, 'was hij volgeling van Joshua geworden. Hij verkondigde dat Joshua voor ons de weg bereidt naar verlossing en het hemels koninkrijk en dat wij er goed aan doen zijn lichaam te eten en zijn bloed te drinken. Het leek volstrekte onzin.'

'Het is geen onzin, hij bedoelde het figuurlijk, maar zoals ik jullie in Cyrenaica al vertelde, was Joshua's boodschap alleen voor Joden bestemd. Hij verkondigde dat een Jood in Gods ogen rechtschapen was als hij anderen behandelde zoals hij zelf behandeld wilde worden. Maar Paulus heeft zijn eigen draai aan deze boodschap gegeven, hij beweert dat Joshua de zoon van God was en stierf aan het kruis om de wereld te reinigen van de zonden van alle mensen, zowel de Joden als de niet-Joden, ongeacht of ze leven naar de Torah en hun jongetjes besnijden of niet. Iedereen die Joshua heeft gekend weet dat hij een rechtvaardig man was, een deugdelijke man, een profeet zelfs, maar meer niet. Als hij de Messias was geweest, zou hij zijn rol vervuld hebben. Het is godslastering, uiteraard, maar wel een die veel invloed heeft. Als je Paulus' versie van Joshua aanhangt, worden je zonden je vergeven en krijg je door hem toegang tot God en het door Paulus in het leven geroepen hiernamaals, en dat is natuurlijk iets wat mensen graag horen, en arme mensen helemaal. Degenen die in deze wereld niets hebben, willen maar al te graag geloven dat ze in een volgend leven alles zullen hebben.'

Vespasianus moest denken aan Hormus, die had gezegd dat zijn bestaan door geen enkele god zou worden opgemerkt. 'Ja, dat is een aantrekkelijke gedachte, dat snap ik, zeker voor slaven.'

'Precies. En om het voor de welgestelden aantrekkelijker te maken, en makkelijker te begrijpen, heeft Paulus het een mithraïstisch randje gegeven. Hij kent de godsdienst goed, hij groeide immers op in Tarsus, een van de grootste mithraïstische steden in het rijk. Hij heeft Joshua geboren laten worden uit een maagd – zijn moeder had daar hartelijk om moeten lachen, als ze nog geleefd had – en laat herders getuige zijn van zijn geboorte. Ook staat hij de mithraïstische priesterlijke hiërarchie voor, hoewel Joshua priesters en tempels afkeurde, want bij het begrijpen en vereren van God mocht volgens hem niemand iets te zeggen hebben over een ander. Maar Paulus rekent erop dat gestudeerde mensen zullen worden aangetrokken door de macht die het priesterschap hun verschaft. Paulus weet dat een nieuwe, louter uit gedweeë volgelingen bestaande beweging geen enkele kans maakt. Hij heeft de rijken en machtigen nodig. Maar het ergst vind ik nog zijn idee dat Joshua onbevlekt was, bijna alsof seks een zonde was en alleen in dienst van de voortplanting mocht staan. Dus nu moeten Mariam en haar kinderen niet zozeer vermoord worden omdat hij alle bloedverwanten van Joshua wil uitroeien, maar omdat zij het levende bewijs zijn van het feit dat zijn Joshua in niets op de echte Joshua lijkt. Als zijn volgelingen weet krijgen van Mariam, komen zijn leugens aan het licht en loopt zijn poging om een nieuwe godsdienst van de grond te krijgen op niets uit.'

'Maar iedereen in Judaea die hem kende, moet toch geweten hebben dat hij getrouwd was en kinderen had?'

'Ja, natuurlijk, maar voor hén predikt Paulus niet. De andere discipelen van Joshua verkondigen zijn ware leer aan de Joden om van hen betere Joden te maken, maar Paulus trekt het hele Oosten door en verkondigt zijn leugens aan mensen die Joshua nooit hebben gekend en die daarom van alles wijsgemaakt kan worden. Paulus is bang voor Mariam en noemt haar een hoer. Hij heeft mannen naar Gallië gestuurd om haar, de kleine Joshua en de kleine Mariam te vermoorden. Dat was hem bijna gelukt, maar ze kon ontsnappen en zocht een veilig heenkomen bij mij, hier, buiten het rijk.'

'Maar nu is het rijk naar u toe gekomen.'

'Precies. Waar zijn Mariam en haar kinderen nu nog veilig? Maar over die vraag ga ik nadenken nadat ik jullie heb geholpen Sabinus terug te halen.'

'Cogidubnus zegt dat de druïden bang voor u zijn.'

Josef grinnikte zacht achter zijn baard, rond zijn ogen verschenen rimpeltjes. 'Zo stellig wil ik niet zijn, maar dat ze op hun hoede voor me zijn is wel zeker. De krachten van hun zogenaamde goden raken mij niet, omdat ik weet wat ze zijn: mindere demonen, gevallen engelen die met hun meester Helel, Zoon van de Dageraad, uit de gratie van God zijn geraakt. Deze demonen die zich voordoen als goden zijn bleke afspiegelingen van hun meester. Hun kracht is gelegen in hun kwaadaardigheid, maar daarin ligt tevens hun zwakte, want zij kunnen hun kracht niet ten goede aanwenden. Het vermogen om goed te doen is de grootste kracht op aarde, een kracht die door God geschonken is. Joshua beschikte over deze kracht, en door zijn leer weet ik hoe ik die moet gebruiken.'

Magnus leek niet erg onder de indruk. 'Wat gaat u doen dan? Gaat u naar de vallei om hun een paar gunsten te bewijzen en vriendelijke woorden toe te voegen?'

Vespasianus wierp zijn vriend een dodelijke blik toe. 'Ja, dat helpt.' Toch kon hij zich het cynisme van Magnus voorstellen. 'Maar ik moet toegeven, Josef, dat ik niet begrijp waar u het over hebt.'

Josef maakte een verzoenend gebaar met zijn hand. 'Dat geeft niet, ik weet dat het vreemd klinkt voor iemand die niet in de ene ware God gelooft. Ik kan het niet uitleggen, jullie moeten mij vertrouwen en het zelf ervaren. De demon die zij zullen aanroepen heet Sulis. Ze is vervuld van woede en haar toorn verwarmt de bronnen. Helel, haar meester, heeft haar tegen haar zin meegesleurd in zijn val toen God hem verbood nog langer in Zijn tegenwoordigheid te verkeren. Hij heeft haar opgesloten in de vallei en ze kan niet ontsnappen, hoe graag ze ook zou willen. Daar ligt de sleutel. Ik kan het weten, want ik ben er geweest. Vannacht nemen wij rust en morgen reizen we af naar de vallei. We hebben de meeste kans van slagen als we daar in het holst van de nacht aankomen, wanneer de maan ondergegaan maar de morgenster nog niet opgekomen is; die is immers, zoals zijn naam doet vermoeden, de belichaming van Helel, of zoals je hem in het Latijn zou kunnen noemen: Lucifer.'

Vespasianus keek Josef indringend aan, probeerde te bepalen of hij het meende. Net als toen hij hem jaren geleden voor het eerst ontmoette, zag hij geen valsheid in zijn ogen, hij was overtuigd van zijn eigen geloof. Het was dus aan Vespasianus om al dan niet zijn vertrouwen in deze eigenaardige mysticus te stellen. Hij richtte zich tot Cogidubnus. 'Wat vind jij? Kunnen we de kracht van Sulis echt overwinnen, zoals Josef zegt?'

Cogidubnus pulkte een poosje aan zijn snor en nam ondertussen Josef op, die zijn blik met een serene glimlach beantwoordde. Toen verdween zijn hand in zijn tuniek en kwam weer tevoorschijn met het Wiel van Taranis. 'Als het geloof in dit symbool werkt voor de koning van de Atrebates, dan zie ik geen reden om te denken dat deze man niet kan doen wat hij beweert als zijn geloof in zijn god even groot is.'

Josef knikte. 'U hebt gelijk, heer.' Hij trok aan het leren koord om zijn nek en haalde een hanger tevoorschijn.

Vespasianus zag tot zijn verbazing dat hij net zo'n vierspakig wiel als Cogidubnus had, maar toen viel het hem op dat de onderste spaak langer was, waardoor het eruitzag als een kruis met een cirkel om de bovenkant.

Josef liet het aan Cogidubnus zien. 'U vraagt zich misschien af waarom ik een eigen exemplaar van het Wiel van Taranis heb. Ik heb het aangepast aan mijn geloof, maar het is herkenbaar gebleven voor de mensen in dit land, die ik hoop te bekeren tot de Joodse leer van Joshua en dichter bij de liefde van de ene ware God wil brengen.'

Magnus bromde. 'Ik kan me niet voorstellen dat er hier mensen zijn die graag hun voorhuid eraf laten snijden.'

'Het is een klein offer om dichter bij God te komen.'

'Ik vind het best, die god van u, maar van mijn voorhuid blijft u af.'

Magnus' theologische overpeinzingen werden onderbroken door een deur die openging. Er kwam een knappe vrouw van halverwege de dertig binnen met twee kinderen, een jongen van een jaar of veertien met een lam in zijn armen en een meisje dat een of twee jaar jonger was. Het was meer dan tien jaar geleden dat Vespasianus de vrouw van Joshua voor het laatst gezien had, hij had niet meer aan Mariam gedacht en kon zich haar slechts vaag herinneren.

Mariam herkende hem echter meteen. Ze liep snel de kamer door, knielde neer aan Vespasianus' voeten en omklemde zijn knieën. 'Legaat Vespasianus, elke dag weer kijk ik naar mijn kinderen en denk aan uw barmhartigheid en de manier waarop u hun leven gered hebt, en elke dag bid ik voor u.' Achter haar keken de kinderen vol ontzag naar Vespasianus.

Vespasianus bracht zijn hand naar haar kin en duwde haar gezicht omhoog. 'Ik dank u voor al die gebeden, maar ik verzeker u dat ze niet nodig zijn. Gaat u alstublieft staan.'

Mariam overeind. 'Ik bid altijd voor u, legaat, zoals ik ook altijd zal bidden voor uw broer, die mij het lichaam van mijn man teruggaf. Ik heb hem gezien, weet u dat?'

Vespasianus pakte Mariams hand. 'Wanneer? Waar?'

'Een paar dagen geleden. Josef stuurde me naar de vallei van Sulis toen hij zeker wist dat u binnenkort zou komen. De druïden laten mensen het warme bronwater meenemen als medicijn. Sabinus hangt daar in een houten kooi aan een eik in een van hun heilige bossen bij de warmste van de vijf bronnen van Sulis. Hij is naakt en vies, maar koestert hoop. Ik heb ervoor gezorgd dat hij mij zag en hij herkende me. Hij weet dat iemand hem komt halen.'

'Hij heeft steeds geweten dat iemand hem komt halen, dat ík hem kom halen.'

Magnus, die zijn laatste stuk brood verorberde, fronste zijn wenkbrauwen. 'Laten we hopen dat alleen Sabinus weet dat er iemand voor hem komt en niet alle andere mensen in die vallei.'

Josef stond op en liep naar Joshua. 'Ik vrees dat uw hoop ijdel is, de druïden verwachten ons. Het feit dat ze geen pogingen hebben gedaan om Sabinus te verbergen wijst uit dat ze juist willen dat u komt.' Hij nam het lam van Joshua over en sloot het in zijn armen. 'Morgen bij het gloren van de dag zal ik dit lam offeren en God vragen hen blind te maken voor onze komst en te dwarsbomen in hun poging om u, Vespasianus, gevangen te nemen en samen met uw broer, eveneens een legaat, te offeren. Ze denken daarmee een grote daad te stellen, daarom ook hebben ze steeds gewild dat u komt.'

HOOFDSTUK VI

Vespasianus keek naar beneden vanaf een heuveltop in het zuiden van de vallei van Sulis. Het enige teken van menselijk leven in het lommerrijke dal was een kleine steiger op de noordelijke oever van de slingerende rivier, ongeveer in het midden van een bocht.

'Die rivier wordt de Afon Sulis genoemd,' zei Josef tegen Vespasianus, Magnus en Cogidubnus. 'Het veer dat vanaf de steiger vertrekt, is de enige manier om droog aan de overkant te komen.'

'We gaan dus nat worden,' merkte Vespasianus op. Hij keek naar het ronde roeibootje dat langzaam afstand nam van de steiger.

'Ja, achter deze heuvel buigt de rivier om. We kunnen de paarden buiten het zicht van vijandige ogen naar de noordelijke oever laten zwemmen.'

'Afgezien van de veerman en zijn passagier zie ik nergens ogen, noch van vrienden, noch van vijanden,' zei Magnus, die de dikke groene deken op de valleibodem afspeurde.

'Er zijn er meer dan genoeg, ga daar maar van uit, en stuk voor stuk zeer vijandig. Ze zullen hoofdzakelijk in en rond de vijf heilige bossen bij de bronnen zijn. Die liggen allemaal in de bocht van de rivier.'

Cogidubnus schermde zijn ogen af tegen de lage namiddagzon. 'Naar welke gaan we?'

'Als ze Sabinus nog steeds vasthouden bij de warmste bron, dan is het ongeveer vierhonderd passen van de veerboot en vrijwel precies in het midden van de bocht.'

'Als het donker is, zal ik een paar van mijn mannen daar een kijkje laten nemen.' Cogidubnus draaide zich om en sprak zijn tienkoppige gevolg aan in hun eigen taal, waarbij hij wees naar het stuk bos dat Josef bedoelde.

'We moeten proberen daar op het achtste uur van de nacht te zijn.' Josef wendde zijn paard en stuurde het de heuvel af.

Vespasianus wierp nog een laatste blik in de vallei en ging toen achter hem aan. Alles leek zo vredig, maar het was het toneel van onbeschrijflijke gruwelijkheden – waar hij binnenkort weer mee geconfronteerd zou worden.

'Mijn mannen zullen nu snel terugkeren,' zei Cogidubnus toen hij zag waar de maan aan de hemel stond.

Vespasianus rilde en trok zijn mantel strakker om zijn schouders. De temperatuur was na zonsondergang ver teruggezakt en ze hadden het niet aangedurfd om een vuurtje te maken, hoewel ze nog steeds nat waren van de oversteek. 'Denkt u dat uw god de druïden blind heeft gemaakt voor onze komst, Josef?'

'Het offer van vanochtend is aanvaard en onderweg hebben we geen problemen gehad. Mariam en de kinderen bidden voor ons en helpen mij op die manier aan de kracht die ik nodig heb. Maar alleen als we heel veel geluk hebben, worden we niet ontdekt.'

'Aha, dus het is vooral een kwestie van geluk hebben,' mompelde Magnus, die op zijn zachtst gezegd terughoudend was. 'Ik dacht dat al die godsdienstige dingen waar u het steeds over hebt, die ene ware god en zo, betekenden dat we verzekerd waren van goddelijke bescherming.'

Josef glimlachte minzaam in het flauwe maanlicht. 'God kan niet altijd doen wat wij van Hem vragen.'

'Dat is bij andere goden niet anders, toch? Ze lijken ons vooral een beetje te helpen wanneer ze daar zin in hebben en niet wanneer wij erom vragen. En als die god waar u zo enthousiast over bent inderdaad de enige god is, zou het mij niet verbazen als hij onbetrouwbaar blijkt te zijn, want dan moet hij het ongelofelijk druk hebben.'

'Hij is overal,' beaamde Josef terwijl een zacht bladgeritsel de terugkeer van de twee verkenners aankondigde.

Cogidubnus praatte even met ze en liet ze toen inrukken, waarna ze zich bij de andere wachtenden voegden.

'En?' vroeg Vespasianus.

'Sulis is blijkbaar een machtige godin. Hoe dichter ze bij haar bronnen kwamen, hoe sterker ze haar tegenwoordigheid voelden, zeiden mijn mannen.'

'Maar is Sabinus er nog?'

'Ze zagen een kooi hangen aan een boom, maar konden niet dichtbij genoeg komen om te zien of er iemand in zat. Er waren druïden in de buurt.'

'Hoeveel?'

'Meer dan tien.'

'En krijgers?' vroeg Magnus en hij greep naar zijn zwaardgevest.

'Voor zover ze konden zien niet, maar dat wil niet zeggen dat er geen krijgers zijn. Veel zullen het er echter niet zijn, omdat dit een heilige plek is en geen nederzetting. En over hen hoeven we ons niet druk te maken, mijn mannen rekenen met hen af. Waar we ons wel zorgen om moeten maken, zijn die druïden en die godin.'

'Richten jullie je maar op de druïden en laat Sulis aan mij over,' zei Josef en hij tikte op de leren tas aan zijn schouder, 'en nogmaals: ze is slechts een demon, geen godin.'

'Wat mij betreft is er geen verschil,' merkte Magnus op. 'Ze is een bovennatuurlijk wezen dat verlangt aanbeden te worden. Mensen aanbidden haar, dus is ze een godin. Ze is dan misschien niet zo machtig als Jupiter Optimus Maximus, Donar, of Taranis, maar dat spreekt vanzelf, want goden hebben net als mensen een bepaalde rangorde. Mensen zijn niet allemaal elkaars gelijken en goden ook niet. Wat trouwens een leuke tegenstrijdigheid oplevert, Josef, als u de kracht van uw ene ware god inzet tegen een mindere godin. Want de bewering dat uw god de enige god is wordt dan wel aan het wankelen gebracht, vindt u ook niet?

Josef glimlachte weer minzaam. 'Misschien dat jullie als niet-Joden het woord "god" te snel gebruiken voor krachten die jullie niet begrijpen. Er zijn meer bovennatuurlijke wezens behalve Jahweh. Ik zou ze geen goden noemen, maar jullie wel. Helel of Lucifer bijvoorbeeld: hij beschikt over bepaalde krachten, maar is minder sterk dan Jahweh. Jullie zouden hem een god noemen, een mindere god, zoals Saturnus de mindere is van Jupiter, maar Lucifer is slechts een gevallen engel. Dan hebben we nog Gabriël en Michaël, aartsengelen die aan de zijde van Jahweh leven. Ook hen kun je goden noemen, omdat ze bovennatuurlijke wezens zijn.'

'Aanbidden jullie ze?'

'Nee, maar we eerbiedigen hen wel.'

'Aha!' Magnus wees met opgestoken vinger naar Josef. 'Wat is het verschil?'

'Toen Jahweh zich aan het Joodse volk openbaarde, zei hij dat wij geen andere goden mogen aanbidden, omdat hij zijn glorie niet met andere goden deelt.'

'En toch "eerbiedigen" jullie die aartsengelen. Kijk, als hij heeft gezegd dat jullie geen andere goden mogen aanbidden, wil dat zeggen dat er andere goden zijn, dus zou je het naar mijn idee precies andersom moeten zien: jullie gebruiken het woord "god" te weinig. Jullie hebben allerlei goden, maar doen alsof ze geen goden zijn om die Jahweh tevreden te houden. Terwijl jullie geloof niet veel anders zou zijn dan al die andere wanneer jullie gewoon accepteren dat Lucifer, Gabriël enzovoort goden zijn, en misschien zouden jullie dan ook meer aansluiting krijgen bij anderen, omdat jullie jezelf dan niet zo bijzonder meer vinden.'

Josef grinnikte weer achter zijn baard. 'Magnus, vriend, tegen deze redenering kan ik niets inbrengen, ik kan slechts zeggen dat er geen andere God is.'

'En toch staan wij op het punt er eentje aan te pakken!'

Vespasianus stond op. 'Ik heb er genoeg van. Het maakt niet uit of Sulis een godin of een demon of een engel is, wat dat laatste ook mag zijn. We moeten de druïden verslaan die haar kracht gebruiken om Sabinus te redden en ik hoop bescherming te krijgen van mijn god Mars, zoals Cogidubnus bescherming krijgt van Taranis en Josef van zijn Jahweh. Ik vind het volstrekt onbelangrijk of ze anders zijn of dat ze alleen in naam verschillen, zolang ik maar het gevoel heb dat er een god over mij waakt, want nu ik een keer tegenover die druïden heb gestaan, weet ik dat ik dat nodig heb.'

Cogidubnus krabbelde overeind. 'Over een uur gaat de maan onder, we moeten ons opmaken voor vertrek.'

Magnus stak zijn hand uit om Josef overeind te helpen. 'Wie er dan ook gelijk heeft, we weten één ding zeker en dat is dat wij allemaal goden nodig hebben. Ik ben benieuwd hoe uw god gaat bewijzen dat hij de enige ware is.'

'Dat bewijs zul je nooit krijgen, Magnus. Je moet het gewoon geloven.'

Vespasianus bleef dicht bij Cogidubnus, die vlak voor hem liep en toch maar net zichtbaar was, terwijl de twee verkenners hen naar de bronnen van Sulis leidden. Het bos werd dichter naarmate ze dieper kwamen, en weldra was het groene dak zo dicht dat de sterren aan het zicht werden onttrokken en de duisternis volledig was. Het was drukkend en benauwd, de lucht was een tikje zurig en maakte zijn keel rauw. Zweet druppelde over zijn voorhoofd en hij voelde dat het warmer werd naarmate ze dichter bij het domein van Sulis kwamen. Een laaghangende tak schuurde langs zijn oor en deed hem schrikken. Toen hij hem opzij duwde voelde hij de druppels ervanaf vallen.

'Met de bossen in Germania heb ik geen enkele moeite,' morde Magnus achter hem. 'Daar krijg je in ieder geval niet het gevoel dat je met je kleren aan in het caldarium zit. Met zo'n klotebroek een warm bad in, wie had dat gedacht?'

'Je vergeet erbij te zeggen: "dat is toch niet natuurlijk?".'

'Nee, dat is het ook niet. Maak me maar weer belachelijk.'

'Het spijt me, dat doe ik voor mijn eigen gemoedsrust. Op dit moment zou ik liever ergens anders zijn, maakt niet uit waar.'

'Nou, dat zullen we allemaal wel hebben. Zelfs Josef. En ik vermoed dat Sabinus precies hetzelfde denkt.'

'Ik hoop dat hij nog kán denken.'

'Daar komen we snel genoeg achter.'

Vespasianus botste tegen Cogidubnus op, die plotseling gestopt was. De twee verkenners voor hem waren op een knie gaan zitten.

'Wat is er?' fluisterde Vespasianus.

Een van de verkenners zei op gedempte toon iets tegen de koning en wees vooruit.

'Hij zegt dat we vlakbij zijn, hij merkt het aan de lucht, die is zwanger van Sulis' kracht.' Cogidubnus fluisterde iets in zijn eigen taal naar de rest van zijn mannen achter Josef. Opmerkelijk geruisloos, vrijwel zonder een takje te beroeren, waaierden ze uit door het duister. 'Nu hebben we de hulp van onze goden nodig,' mompelde de koning en hij haalde zijn Wiel van Taranis onder zijn hemd vandaan.

Cogidubnus had zijn handeling nog niet afgemaakt toen rechts van hen een scherpe kreet de bedrukte stilte doorbrak en, de broeierige atmosfeer ten spijt, hun hart verkilde. Dertig passen bij hen vandaan ontbrandden plots talloze fakkels, vlammen sprongen op, de onderkant van het bladerdak baadde in hun flikkerende licht, dat de kooi zichtbaar maakte die aan een hoge tak bungelde. Vespasianus draaide zich naar het licht, zijn handen waren klam en zijn haar plakte van het zweet, maar tot zijn verbijstering zag hij stoom uit zijn mond komen, alsof hij in een sneeuwlandschap stond.

En toen zag hij ze.

Achter elke vuurzuil doemde een gestalte in een lang gewaad op. De druïden deden enkele stappen naar voren en stopten aan de rand van een stomende poel die in het midden borrelde. Opnieuw klonk die scherpe kreet, en Vespasianus zag dat er een naakt meisje van hooguit tien jaar tussen de mannen stond. De twee druïden aan haar zijde hielden haar stevig vast aan haar lange, goudkleurige haar. Tranen stroomden over haar wangen en urine langs haar benen, en weer klonk er een gil die door merg en been ging. Iemand zette een gevaarlijk, krom mes op haar keel, trok haar hoofd naar achteren en propte een soort bal van eten in haar mond. Een hand klemde haar lippen stevig op elkaar zodat ze niet kon spugen en vingers knepen haar neus dicht. Ze kreeg geen lucht meer, moest wel slikken, en begon een ogenblik later te stuiptrekken. Bloed stroomde uit haar ogen en oren en gulpte tussen haar benen vandaan. Ze probeerde een wanhoopskreet uit te stoten, maar die smoorde in het bloed waarmee haar keel was volgelopen, en in plaats van geluid produceerde ze een nevel van rode druppels. Ze dreigde door haar knieën te zakken, maar haar moordenaars hielden haar overeind. De druïden zongen een kort gebed – Vespasianus herkende het woord 'Sulis' –, waarna ze het nog stuiptrekkende lijfje in de poel gooiden en het onschuldige bloed het water rood kleurde.

Naar het idee van Vespasianus, die vol afschuw toekeek, duurde het offer een eeuwigheid, maar in werkelijkheid was het in een stuk of vijftig hartslagen gebeurd. Hij keek omhoog naar de kooi en zag daar een gestalte in zitten, in elkaar gezakt, roerloos, zonder aandacht voor wat er op de grond gebeurde. Hij trok zijn zwaard en hoorde het schrapen van ijzer toen de anderen zijn voorbeeld volgden. Hij kroop voorzichtig naar voren, de angst woelde in zijn buik, maar het verlangen om zijn broer te redden was allesoverheersend.

'Blijf staan!' riep Josef. Hij hief zijn staf ten hemel en rommelde met zijn andere hand in zijn tas.

Het water in de poel borrelde nu heviger, sloeg tegen het lichaam van het meisje, dat op haar buik dreef en nog steeds hevig bloedde. Haar haar, dat ondertussen rood was geworden, spreidde zich als een spookachtige bloem over het water uit.

Josef haalde uit zijn tas de kom die hij had gebruikt om zijn wijn met Vespasianus te delen en liep kalm naar de rand van de poel terwijl hij zijn staf horizontaal voor zich hield, alsof hij de druïden aan de overkant op afstand wilde houden. De druïden zongen nu krachtig en de poel roerde zich nog heviger. Het lichaam deinde op het woelende water en werd, terwijl Josef naast het water neerknielde, naar beneden gezogen. Het woelen hield op en het water werd kalm. Josef doopte zijn kom in de stomende poel en vulde hem. De druïden zongen door en Vespasianus voelde hun priemende ogen. Josef kwam overeind en plantte zijn staf in de zachte grond langs de poel. Hij hield de kom omhoog naar de druïden en haalde zijn versie van het Wiel van Taranis tevoorschijn. Hij sprak luid een gebed uit in zijn eigen taal dat uitsteeg boven het gezang van de druïden, die er nog een schepje bovenop deden, waarop Josef hetzelfde deed.

In het midden van de poel spoot plots water omhoog, Vespasianus voelde de druppels in zijn gezicht. Ze waren heet; hij sloot zijn ogen en veegde ze weg. Toen hij zijn ogen opende, stokte zijn adem in een gesmoorde kreet: het meisje stond recht overeind in het midden van de poel, haar voeten waren verdwenen in het water en haar ogen, die zielloos hadden moeten staren, rolden in hun kassen. Er kwam geluid uit haar mond, donkere keelklanken waarin Vespasianus geen woorden herkende, maar hoewel hij er niets van verstond, begreep hij dat dit de stem van een boosaardige godin was. Zijn knieën werden slap en zweet druppelde over zijn gezicht, zijn adem walmde met korte stootjes uit zijn mond en hij voelde een onstuitbare angst. Hij wilde zich omdraaien en wegrennen, maar de afgrijselijke aanblik verlamde hem, en het kleine kinderlichaam, dat nu de verschijning van Sulis was, gleed onder het uitbrengen van duistere, kwaadaardige klanken door de stoom naar Josef. Deze onmiskenbare manifestatie van de godin sterkte evenwel zijn geloof in alle goden en klappertandend, maar wetende dat hij gehoord zou worden, smeekte hij Mars om Josef te helpen in zijn gevecht met dit gedrocht.

Josef bleef bidden terwijl het wanstaltige schepsel hem naderde. De druïden zongen nog harder, alsof het een tweestrijd was geworden.

Josef liet zijn Wiel van Taranis los en trok zijn staf uit de grond, Sulis was hem tot op nog geen drie passen genaderd. Haar mond vertrok op een onnatuurlijke manier bij het uiten van haar verdorven taal, bloed sijpelde uit haar weg, haar ogen draaiden alle kanten op en haar armen zwaaiden slap langs haar lichaam. Josef richtte zijn staf op haar en raakte met de punt haar bebloede borst. Ze bleef staan.

Vespasianus beefde van angst en kou, hoewel de goddelijke bron een enorme hitte verspreidde. Hij was zich vaag bewust van Magnus, die naast hem gebeden mompelde tot elke god die hij kon verzinnen, zelfs die van Josef. Cogidubnus hield zijn Wiel van Taranis in de lucht en verzocht de goden om deze verschijning met een zuiverende bliksemschicht te vellen.

Sulis duwde tegen de staf. Josef hield zijn arm stijf, maar door de kracht van de godin begon hij te trillen. Langzaam maar zeker werd de arm teruggedrukt en kwam Sulis dichterbij. Hij bleef bidden, schreeuwend haast maar met vaste stem, en hield zijn volle kom voor zich, waarin het water was afgekoeld en niet meer stoomde. Zijn blik bleef strak gericht op die onnatuurlijke ogen, die zonet nog, toen het de laatste keer had moeten zijn, in doodsangst de wereld in hadden gekeken.

De arm van Josef werd nog steeds teruggedrongen door een kracht die niet paste bij het lichaam die hem uitoefende, maar de man wist van geen wijken. Hij bleef schreeuwen naar het spookgezicht. Vespasianus voelde dat hij haar beval te vertrekken, telkens in dezelfde bewoordingen, en telkens gromde de godin haar weigering. Achter haar zongen de druïden door, hun blik gericht op Vespasianus, die nu doorhad dat ze Sulis naar hém probeerden te drijven. Josef versperde haar de weg, maar leek te moeten zwichten voor haar kracht.

Josef deed een stap naar achteren en Sulis volgde hem. Ze was hooguit een voet van de rand van de poel. Terwijl hij nog een stap naar achteren deed, hief Josef zijn kom. Sulis volgde hem, duwde nog steeds tegen de staf, en haar voeten kwamen nu uit de poel. Op het moment dat Sulis de natte grond bij de poel op gleed, liet Josef zijn staf vallen. De monsterlijke godin vloog op hem af, haar stem kreeg een triomfantelijk randje. Josef kantelde de kom en gooide het water in Sulis' gezicht. De godin verstarde, alsof ze niet door water maar door steen was geraakt. Het gezang van de druïden haperde, een enkeling jammerde wanhopig. Het bezeten lichaam begon te stuiptrekken, Josef greep het bij de schouders en schudde het door elkaar. Vespasianus merkte dat het probeerde terug te keren naar de veilige poel, waaruit ze als wangedrocht was verrezen.

'En nu de druïden!' riep Josef tussen de kreten door waarmee hij de godin in zijn eigen taal beval te vertrekken.

Alsof de ban was gebroken snelde Cogidubnus naar voren, zijn mannen holden achter hem aan om de poel heen. Vespasianus bleef waar hij was, hij weigerde van zijn plek te komen zolang Sulis nog zichtbaar was.

Josef had de godin nog bij haar schouders vast, maar haar verzet nam af. Opeens kantelde haar hoofd naar achteren en viel haar mond open: er kwam een luchtstoot uit die meer was dan een diepe uitademing en die Vespasianus' gedachten terugvoerde naar de flapperende vleugels van de feniks, waar hij tien jaar geleden vlak onder had gestaan. Het was warme lucht, niet kil en hatelijk, zoals je bij Sulis zou verwachten, maar eerder kalm en vriendelijk.

'Keer terug naar God!' schreeuwde Josef in het Grieks terwijl de luchtstoot via het groene dak ten hemel steeg. 'Je bent verlost van Helel, keer terug naar God en rust tot het einde der tijden in Zijn boezem.'

Het slappe lichaam van het geofferde meisje viel op de modderige grond, bleek en beroofd van al haar bloed. Josef wierp er een trieste blik op toen hij zijn kom terugdeed in zijn tas.

Vespasianus keek naar Magnus. Ongeloof kwam in hun blik, ze ademden geen stoom meer uit. 'Hoe lang mijn leven nog mag duren, ik denk dat dit het angstigste...' Zijn stem viel weg, hij kon geen woorden vinden voor zijn ontsteltenis.

Magnus knikte en keek wezenloos voor zich uit. 'Dat was hoe dan ook geen natuurlijke verschijning.'

Geschreeuw aan de overkant trok Vespasianus' aandacht: Cogidubnus en zijn mannen stortten zich met zwiepende zwaarden op de druïden, die niet op de vlucht sloegen maar wanhopig jammerend om het verlies van hun godin om hun dood leken te vragen. Enkele ogenblikken later waren ze op hun wenken bediend en lagen ze doorspiest en bebloed onder de zacht schommelende kooi. Vespasianus schudde zijn hoofd en probeerde zijn gedachten te richten op hetgeen waarvoor ze gekomen waren. 'Help mij Sabinus naar beneden te krijgen, Magnus.'

Hij rende om de poel heen, maar niet te dicht bij het water, bang als hij was dat er nog andere wanstaltige wezens in zaten. Aangekomen bij de kooi zag hij dat Cogidubnus, die een bloederig zwaard vasthield, al omhoogkeek.

'Het lijkt erop dat hij omhoog is gehesen,' zei de koning. 'Ik zal een van mijn mannen de boom in sturen.'

Enkele ogenblikken later zat die man al in de boom en was hij onderweg naar de tak waaraan het touw vastzat. Hij ontwarde de knoop en liet de kooi zakken.

Vespasianus hield zijn adem in en keek gespannen naar de in elkaar gezakte gestalte op de bodem van de dalende kooi. Toen de kooi op ooghoogte was, rolde de gestalte plotseling om. Sabinus' uitgemergelde, bebaarde gezicht tuurde in het flikkerende fakkellicht naar Vespasianus. 'Daar heb je wel heel lang over gedaan, ettertje.'

Magnus had niet veel tijd nodig om het slot open te breken en al gauw kon Vespasianus zijn broer uit de kooi halen en overeind helpen. Hij was besmeurd met zijn eigen vuil en zijn botten staken bijna door zijn strakke, dunne huid. Desondanks lukte het hem om te staan. Hij schudde Vespasianus' armen van zich af en strompelde naar het water.

'Wat ga je doen?' vroeg Vespasianus terwijl Sabinus zijn hulppogingen afweerde.

'Die godin is weg, dus nu kan ik in die poel m'n kont wassen.'

'Ik zou maar uit de buurt van dat water blijven als ik jou was, wie weet wat er zich nog schuilhoudt.'

'Helemaal niets, broer. Ik hang daar al ik weet niet hoe lang, vrezend voor het kwaad dat die poel uitwasemde, maar nu dat verdwenen is, is het gewoon een poel met warm water waarin ik kan baden.'

'Ik stop m'n kont nog liever in een tobbe met kokendhete olie,' verkondigde Magnus, en hij keek argwanend naar het stomende, min of meer roze water. 'Minder kans dat er een onwelkome gast voor je deur staat, als je begrijpt wat ik bedoel.'

'Dank je, Magnus, als ik ooit nog eens advies nodig heb op het gebied van persoonlijke hygiëne zal ik aan je denken.'

Vespasianus liet Sabinus zijn gang gaan en liep naar Josef, bij wie de vermoeidheid op het gezicht te lezen was.

'Het scheelde weinig of ze had van me gewonnen,' zei Josef, die zwaar op zijn staf leunde.

'Hoe hebt u haar verslagen?'

'Ik heb haar niet verslagen, ik heb haar geholpen. Ik heb haar verlost van de betovering van Helel waardoor ze opgesloten zat in deze vallei. Ik nam water uit de poel dat was verwarmd door haar woede om het feit dat ze gevangenzat en ik zegende dat in Gods naam. Toen ze uit de poel stapte, bracht het gezegende water dat ik in haar gezicht gooide haar weer in verbinding met God en werd de vloek verbroken waartegen ze al duizenden jaren vocht. Ze wilde weg en was nu eindelijk vrij om te vertrekken. Of zoals Joshua het zei: door goed te doen kon ik sterker zijn dan de druïden, die hun kracht slechts ontleenden aan Sulis' boosaardigheid. Ze konden haar niet terugtrekken naar de poel, al probeerden ze dat wel. Maar ik hield haar lang genoeg vast om haar uit haar verschijningsvorm te laten treden en te doen terugkeren naar God.'

'Uw god heeft zijn kracht bewezen, maar hij kreeg hulp van onze goden, want wij vroegen hun om u te helpen. En de verschijning van Sulis toont aan dat ze bestaan.'

Josef grinnikte. 'Ieder is vrij te geloven wat hij wil, alle geloof is goed. Mijn God hoeft Zijn kracht niet te bewijzen.' Hij klopte op zijn tas. 'Maar Joshua wel. De kom die ik gebruikte, was van hem. Hij heeft hem gebruikt om op zijn laatste avond wijn te drinken met zijn volgelingen. Ik bewaar hem als aandenken. Hij lijkt op de een of andere manier bezield met zijn goedheid. Toen ik God vroeg het water te zegenen, gloeide Joshua's beeltenis in mijn hoofd en wist ik dat hij de gebeden van zijn vrouw en kinderen beantwoordde en mij kracht gaf. Deze kom is zeer krachtig en heeft het vermogen om grote en goede werken te doen.'

'Dood iedere man die je daar tegenkomt, Maximus,' beval Vespasianus de prefect van het legerkamp toen hij kort na zonsopgang over zijn schouder de vallei in keek.

Maximus salueerde. 'En de vrouwen en kinderen?'

Vespasianus dacht even na. 'Die niet. Die verkopen we als slaven.'

'En daarna zou je eigenlijk alle bomen in de vallei moeten omhakken,' opperde Josef. 'Als je de druïden berooft van hun heilige bossen, verzwak je hen enorm.'

Cogidubnus knikte. 'Daar ben ik het mee eens. We moeten geen boom laten staan. We moeten de druïden naar het westen en noorden verdrijven, dan pas kunnen we misschien onderhandelen met de stamhoofden die zich nog verzetten tegen Rome.'

'Ik zou er graag een paar levend in handen krijgen,' zei Sabinus en hij trok zijn enige kledingstuk, een mantel, strakker om zijn naakte lijf. 'Ik hang ze op in een kooi en geef ze net genoeg eten om te blijven leven en laat ze jarenlang hangen. Maar ik zou vooral Alienus graag willen hebben, eens kijken hoe die schoft eruitziet als hij vijf jaar in een kooi heeft gezeten.'

Vespasianus keek zijn broer verontschuldigend aan. 'Dat zal niet lukken, ben ik bang.'

'Hoezo? Heb je hem gedood?'

'Nee, we hebben hem gevangengenomen.'

Sabinus' gezichte klaarde op. 'Dan kan ik hem toch opsluiten in een kooi en aan een boom hangen?'

'Ik ben bang van niet. Ik heb hem gespaard in ruil voor informatie over jouw verblijfplaats. Ik heb hem mijn woord gegeven.'

'Daar moet je dan maar op terugkomen. Ik wil wraak nemen op die vuile verrader. Hoe dan ook.'

'Dat kan niet, Sabinus, ik...'

'Ik ben bang dat de situatie nu anders is, legaat,' merkte Maximus op.

'Hoezo? Wat bedoel je?'

'Voor ons vertrek vonden we een van zijn bewakers: zijn nek was gebroken en hij had geen uniform meer aan. Ik denk dat Alienus als Gallische hulpsoldaat het kamp uit is gelopen.'

Vespasianus wilde tegen de oudgediende uitvaren, maar hij slikte zijn woorden in en draaide zich glimlachend naar zijn broer. 'Het lijkt erop dat je geluk hebt, Sabinus. Alienus is heel dom bezig. Met zijn ontsnapping is onze afspraak ongedaan gemaakt zonder dat ik op mijn belofte heb hoeven terugkomen.'

'Dat stemt mij zeer tevreden, broer. Ik zal een kooi laten maken. Dan hoeven we hem alleen nog maar op te sporen.'

'O, dat zal niet nodig zijn, hij komt vast en zeker onze kant op. Hij haat ons te zeer om lang weg te blijven.'

DEEL II

BRITANNIA, SEPTEMBER, 46 N.C.

HOOFDSTUK VII

Met het klappen van de zweep op de met modder besmeurde schouders van de talrijke gekluisterde slaven rolde de bireem nog een stukje door, zodat er aan de achtersteven weer vier of vijf gladde ronde balken vrijkwamen. Slavenjongens die te jong waren om aan de vier lange touwen te trekken waarmee het schip het land op werd getrokken tilden die balken meteen op en renden ermee naar de boeg, waarbij ze af en toe een veeg met de zweep kregen van de Romeinse voormannen. Ze legden de balken voor het schip, zodat het weer een stukje door kon rollen bij de volgende krachtsinspanning van de menselijke lastdieren, die niet beter werden behandeld dan de loeiende, aan grote jukken vastgemaakte ossen in hun midden.

De eens zo trotse krijgers van de Durotriges moesten hun spierkracht, die vooral was ingesteld op de krijgskunst, aanwenden om Romeinse schepen naar de riviermond op nog geen scheepslengte bij hen vandaan te trekken. Als de slaven nog fut hadden gehad om aandacht te hebben voor iets anders dan hun pijn en ellende, zouden ze de zilte lucht hebben geroken en de krijsende, rondcirkelende meeuwen hebben gezien boven de vier schepen die al te water waren gelaten en nu op een rijtje in het midden van de honderd passen brede riviermond lagen. Ter voorbereiding op de aanstaande zeereis voeren lange, lage, breedbuikige roeiboten vanaf de twee houten steigers op de oostoever af en aan met zeesoldaten en hun proviand.

Ten noorden van de steigers lagen langs de oever vier grote ribbenkasten: vier triremen in verschillende bouwstadia, omringd door weer andere Britanniërs, die onder toezicht van Romeinse scheepsbouwers aan de schepen werkten en werden bewaakt door twee centuriën van

Cogidubnus' hulptroepen. Deze scheepswerkers moesten hameren, zagen, beitelen of sjouwen en waren niet gekluisterd, het waren vrije mannen die zich in de loop van de twee afgelopen oorlogsseizoenen eervol hadden overgegeven aan de Tweede Augusta tijdens de westwaartse opmars door het land van de Durotriges. Als vrije onderdanen van Rome kregen ze nu de kans om het burgerschap te verdienen door de schepen te bouwen waarop ze de komende zesentwintig jaar als roeiers zouden dienen.

Vespasianus stond met Magnus en Sabinus buiten bij de poort van het legerkamp, vanwaar je goed uitzicht had op alle bedrijvigheid, en zag de acht biremen die nog te water moesten worden gelaten. Ze waren in een gigantisch konvooi over het draagpad hiernaartoe gesleept, van een rivier aan de zuidkust van Britannia naar een riviermond aan de noordkust van het schiereiland dat in zuidwestelijke richting de oceaan in stak. Langs het dertig mijl lange pad stonden kruisen waarop de slaven waren genageld die van uitputting in elkaar waren gezakt. Hun afschuwelijke doodsstrijd diende als waarschuwing voor de anderen: omdat hun benen niet gebroken waren, probeerden ze uit pure overlevingsdrift zich vanaf de nagel in hun voet omhoog te duwen om goed adem te kunnen halen en hun dood uit te stellen. De afstand tussen de kruisen was kleiner geworden naarmate de dagen vorderden, en hoewel Vespasianus het financiële verlies betreurde, had hij de executies door de vingers gezien om de hele operatie zo snel mogelijk te laten verlopen.

'In slechts acht dagen,' zei een tevreden Vespasianus tegen Magnus, die naast hem stond, 'zo zie je maar wat je kunt bewerkstelligen als je iets écht wilt.'

'En als je de slaven hebt om het werk te doen,' merkte Magnus op. Hij zag een wat oudere slaaf in elkaar zakken en een afranseling krijgen die waarschijnlijk zijn einde zou betekenen. 'Misschien is hij wel beter af dan de anderen.'

'Wat?' Vespasianus keek naar de arme man; de constante arbeid had hem zodanig afgemat dat hij geen kik meer gaf. 'O, ja, dat zal gerust. Toch zou het anders voor hen gelopen zijn als ze zo verstandig waren geweest om zich over te geven, zoals de mannen die aan de triremen werken, in plaats van door te vechten en krijgsgevangen gemaakt te worden.'

'Wees maar blij dat ze niet verstandig waren, als ze dat wel waren geweest had u niet de mankracht gehad om dit eskader over land te verplaatsen, en wat had u dan gemoeten? Dan had u nog meer schepen verloren, omdat u honderden mijlen om dit door stormen geteisterde eiland heen had moeten varen in plaats van ze dertig mijl te verslepen naar de noordkust.'

'Nee, dan had ik ze net als de triremen hier laten bouwen. Maar je hebt gelijk, het is veel minder werk om ze over land te verplaatsen, om maar te zwijgen van de tijd die je daarmee bespaart.'

'En de levens,' merkte Sabinus. Hij wees op het betrekkelijk kleine schip waarmee hij een dag eerder was aangekomen, een *liburna* die nu dicht bij de kust voor anker lag te dobberen. Hij was op bevel van generaal Plautius vanaf het basiskamp van de Veertiende Gemina in zuidelijke richting vertrokken om het commando op zich te nemen van de helft van de twaalf biremen, waarvan de zware reis over land nu tot een einde kwam, en voelde zich eigenlijk vanochtend pas weer een beetje hersteld van de zeereis, die een aanslag op zijn maag was geweest. 'De *trierarchus* van mijn schip zei dat hij als enige van zes schepen het schiereiland had kunnen ronden. Het tij en de wind zijn blijkbaar zelden gunstig. Drie schepen zijn vergaan en twee zijn omgekeerd.'

Magnus spuugde. 'Het tij. Dat is zéker niet natuurlijk.'

Vespasianus grinnikte. 'Ik ben bang van wel, Magnus. Maar goed, hoewel het tij tegenzat, liggen onze schepen nu aan beide kanten van het schiereiland, zodat we volgend seizoen dieper westwaarts het land van de Dumnonii in kunnen trekken.'

De opzieners lieten hun zwepen spreken, de kakofonie van geschreeuw en gebrul, zowel van mens als van dier, zwol aan toen de volgende bireem het water in rolde, waarbij de boeg met zoveel geweld het water in gleed dat de slaven die in de rivier aan de touwen hadden getrokken overspoeld werden. Sierlijk veerde het schip weer op, en het kwam volledig horizontaal op het water te drijven. De ontstane golf sleurde de gevangenen naar het midden van de rivier, waar ze spartelend naar beneden werden getrokken door het gewicht van hun kluisters.

'Wat een ezels!' tierde Vespasianus, die woedend naar een van de centuriones beende die bevel voerden over de Romeinse opzichters. 'Waar zijn jullie in godsnaam mee bezig? Jullie laten levende have verdrinken!'

De centurio sprong meteen in de houding toen hij de boze legaat zag. 'We hebben de ossen losgekoppeld, legaat!'

'Ik heb het niet over de ossen, ik heb het over de slaven!'

De man was even van zijn stuk gebracht. 'Dat is niet te voorkomen, legaat.'

'Niet te voorkomen! Heb je enig idee hoeveel zo'n man waard is? We hebben het over een jaar soldij.' Vespasianus gebaarde naar de robuuste omheining waarachter de slaven werden gezet als ze klaar waren met hun werk. 'En ik regel het zo dat iedere legionair en hulpsoldaat een redelijk deel van de verkoopopbrengst krijgt, dus jullie gooien niet alleen mijn geld weg, maar ook dat van jullie. Ik zou er maar heel snel voor zorgen dat het wél te voorkomen is dat die slaven verdrinken, centurio.'

'Jawel, legaat!' blafte de centurio, die onberispelijk salueerde alvorens hij wegbeende om zijn mannen een veeg uit de pan te geven omdat ze hem onder de aandacht van de legaat hadden gebracht.

'Een zeer prijzenswaardig en lonend advies, als ik het mag zeggen, legaat,' klonk het strelend achter hem.

Vespasianus draaide zich schielijk om. Hij was niet in de stemming voor brutale opmerkingen. 'Theron!' riep hij uit toen hij de donkere ogen zag van de Macedonische slavenhandelaar van wie hij zijn persoonlijke slaaf Hormus had gekocht. 'Wat doet u zo dicht bij het strijdtoneel?'

Theron, een dertiger die al een buikje aan het ontwikkelen was, legde zijn onderarm op zijn brede borst en maakte een buiging. Een lichte bries deed zijn wijde, oranjegele mantel wapperen. Naast zijn geknipte en geoliede baard, die zijn beginnende onderkin niet kon verhullen, glinsterden een paar gouden oorhangers. Achter hem stond zijn gevolg: een stuk of tien potige kerels die gezien hun leeftijd, littekens en spierbundels ongetwijfeld oud-gladiatoren waren. Hoewel de zon niet scheen en het droog was, hield een oosterse jongen met een opvallend gladde huid een parasol met kwastjes van gouddraad omhoog. Vespasianus bedacht dat hij bijna een parodie was van de figuur die hij probeerde te zijn: een man die zijn rijkdom dankte aan het zweet van anderen.

'Gegroet, legaat,' zei Theron op uiterst eerbiedige toon, 'sta mij toe u een compliment te geven voor de schitterende overwinningen die u sinds onze vorige ontmoeting hebt behaald.'

'Wat wilt u?'

'Een heel kleine gunst.'

'Dat betwijfel ik.'

'In ruil waarvoor ik uw rijkdom aanzienlijk zal vergroten.'

De ervaring die Vespasianus met de man had opgedaan – de vorige keer had hij Hormus van hem gekocht – was precies tegenovergesteld. 'Ook dat acht ik zeer onwaarschijnlijk.'

'Luister eerst maar naar wat ik te vertellen heb, legaat.'

Vespasianus nam de Macedoniër een poosje op, de mogelijkheid tot zelfverrijking leverde slag met zijn natuurlijke neiging om de man weg te sturen. 'Laat maar horen dan.'

'Mag ik voorstellen om voor het gemak naar uw tent te gaan?'

'Nee, dat mag u niet. Misschien dat u het overdag rustig aan kunt doen, maar als je mensen moet aansturen in plaats van verkopen, heb je andere prioriteiten. U zult uw verhaal hier moeten vertellen.'

'Uw deugdzaamheid spreekt voor u. Ik respecteer uw standpunt.'

Door de gemeenplaatsen van de Macedoniër kreeg Vespasianus alsnog zin om de man weg te sturen, maar in de wetenschap dat zijn tijd, en dus zijn kans op zelfverrijking, in de nieuwe provincie beperkt was, zette hij zijn weerzin opzij. 'Voor de dag ermee.'

Theron keek met een vragende blik naar Sabinus en Magnus.

'Zij blijven erbij als mijn getuigen.'

'Zoals u wilt, legaat.' Theron schraapte zijn keel, alsof hij op het punt stond een zorgvuldig ingestudeerde toespraak te beginnen. 'Als de man die deze enorm inspanning in gang heeft gezet...' Hij maakte een weids gebaar naar de schepen, die werden omringd door slaven en opzichters. Roeiers van de zojuist te water gelaten bireem klommen vanaf de steiger in de roeiboten die hen naar de bireem zouden brengen. 'Als de man die deze enorme inspanning in gang heeft gezet en, vooral dankzij zijn eigen onmetelijke verdienste, het glorieuze einde in zicht heeft, zult u beseffen dat de levende have die nu als mankracht wordt ingezet grotendeels overtallig is. Ik geloof dat u ze nu achter die omheining laat zetten om ze later terug naar de slavenmarkten in het oosten van Britannia te brengen. Wilt u mij corrigeren als ik het fout heb, excellentie?'

Vespasianus bromde zijn instemming.

'Dat is mij een genoegen. U weet dat ik een eerlijk zakenman ben met veel ervaring in de handel die ik drijf. Het zal u dan ook niet verbazen dat ik onlangs met drie gladiatorscholen in Rome en met nog twee in Capua afspraken heb gemaakt voor de levering van levende have uit Britannia.'

Vespasianus vertrok geen spier.

'Ze hebben een consortium gevormd om tegen schappelijke prijzen grote partijen te kunnen inslaan en vragen nu om ieder vijfenzeventig man, wat neerkomt op...'

'Driehonderdvijfenzeventig mannen. Ja, ik kan vermenigvuldigen!'

Theron maakte een diepe buiging. 'Mijn nederige excuses, edele heer.'

'En hou op met die gemeenplaatsen!'

'Natuurlijk, excel... Natuurlijk, legaat.' Hij schraapte nogmaals zijn keel. 'De heren achter mij zijn allen voormalige vertegenwoordigers van die nobele beroepsgroep en weten wanneer een slaaf geschikt is voor het gladiatorenleven.'

'Aha. Dus u wilt de beste slaven er vast uit halen voordat ze worden aangeboden op de officiële slavenmarkt.'

'Ik zou het willen omschrijven als een eerste selectieronde. Als braaf burger wil ik natuurlijk geen aankopen doen buiten de wetten en belastingen van de slavenmarkt om.'

Vespasianus gaf het niet graag toe, maar hij voelde enige bewondering voor de man. 'Maar als u vast mocht kiezen en zogezegd de beste paarden eruit pikt, zou u die met liefde begeleiden, op uw eigen kosten uiteraard, naar...'

Theron maakte een buiging om zijn instemming te laten blijken.

'Naar de slavenmarkt, alwaar u dan onmiddellijk tot aankoop overgaat, zodat uw concurrenten geen hogere biedingen kunnen doen. En alles onder toezicht van de juiste autoriteiten, die de juiste belasting zullen heffen.'

'Uw inzicht is bewonderenswaardig.'

'En daarna brengt u ze...' Vespasianus zweeg en trok zijn wenkbrauwen op.

Theron hield zijn hoofd schuin en sloot zijn ogen. 'Wederom op mijn kosten.'

'Uiteraard. Daarna brengt u ze naar Italië en verdeelt ze over de vijf scholen.'

'U hebt aan een half woord genoeg.'

'Dat kun je wel zeggen, Theron. Ik weet namelijk dat die scholen u aanzienlijke bedragen betalen om ervoor te zorgen dat ze de beste mannen krijgen, wat uw winst nog eens flink opdrijft.'

Theron haalde zijn schouders op, alsof hij wilde zeggen: 'wie doet zoiets nou?'

'En waarom zou ik u dit voordeel ten opzichte van uw concurrenten gunnen?'

'Ten eerste omdat ik helemaal hiernaartoe ben gekomen om met u te praten en mijzelf aan dezelfde gevaren blootstel als u, terwijl mijn collega's veilig in het oosten blijven. En ten tweede omdat ik u vijf procent bied van de prijs waarvoor ik de levende have in Italië doorverkoop.'

'Wat wil zeggen dat u zich vijftien procent kun veroorloven.'

'Acht.'

'Voor tien doe ik het.'

'Maar het geld dat mij wordt aangeboden om de have op een bepaalde manier te verdelen, waarop u zojuist zinspeelde, kan ik dan in eigen zak steken.'

'Die bedragen zult u vast en zeker voor mij verzwijgen, zelfs als ik een deel ervan zou opeisen.'

Theron maakte een overdreven diepe buiging. 'In dat geval houden we het op tien procent. Dit is een mondelinge overeenkomst die wij beiden voor ons houden.'

'U vergist zich, Theron. U krijgt pas toegang tot dat omheinde terrein als ik een uitgeschreven en ondertekend contract van u heb.'

'Maar is dat wel verstandig? Wat wij hebben afgesproken valt niet geheel binnen de grenzen van de wet.'

'U vergist zich opnieuw. Ik ben verplicht deze slaven te verkopen zodra ik ze niet meer nodig heb. De keizer krijgt zijn deel van de opbrengst via de belasting die op de markt wordt geheven, de rest wordt verdeeld over mijn legioen en hulptroepen. De keizer krijgt nogmaals een deel via de belasting die wordt geheven bij de doorverkoop in Italië. Dat ik ook een deel van de opbrengst krijg, van zowel de verkoop als de doorverkoop, is niet van belang, omdat de keizer zijn portie heeft gekregen en dus tevreden is. Ik gebruik mijn positie om iets extra's te verdienen zoals iedere verstandige bevelhebber zou doen, en ik wil een contract van u hebben om te voorkomen dat u mij oplicht en mijn rechtmatige deel in eigen zak steekt. Ik weet namelijk zeker dat u dat zou doen, als u de kans kreeg.'

'Dat zou ik nooit doen, edele heer,' zei de slavenhandelaar zacht, en hij boog nog dieper.

'Hou op met die hielenlikkerij en ga dat contract maken.'

Theron rechtte zijn rug. 'U krijgt het vanavond, edele legaat.' Met deze kruiperige woorden nam hij afscheid en vertrok.

Magnus was bepaald niet onder de indruk. 'Ik zou voor alle hoeren op de Via Patricius nog geen zaken doen met iemand zoals hij.'

'Soms is een mooie winst aantrekkelijker dan een hoop hoeren,' merkte Sabinus op terwijl hij de slavenhandelaar met zijn gevolg zag vertrekken. 'Helemaal wanneer je niet eerst hoeft te investeren.'

Vespasianus richtte zich weer op de biremen, waarvan de volgende bijna bij het water was. 'Precies. Ik heb niets te verliezen en alleen maar te winnen.'

Magnus fronste het voorhoofd. 'Dat snap ik. Tien procent van de doorverkoopprijs is veel meer dan wat u anders zou krijgen, en het is waarschijnlijk uw laatste kans om wat bij te verdienen voordat u wordt teruggeroepen.'

'En na vijf jaar legaat te zijn geweest van de Tweede Augusta, zal dat niet lang meer duren. Dus waarom doe je zo moeilijk?'

'Hij zal u oplichten, ook al hebt u een contract.'

'Ik weet het, en hij rekent erop dat ik hem niet voor de rechter sleep, omdat het contract mij in een minder gunstig daglicht zal stellen bij mijn collega's. Al zouden die allemaal hetzelfde doen, het is alleen beter om dat in het duister te laten, helemaal als je van plan bent consul te worden.'

'Precies. Dat risico wil u toch niet nemen?'

'Natuurlijk niet.'

'Waarom geeft u hem dan de ruimte om u een loer te draaien?'

'Nee, Magnus, ik geef hem de ruimte om zichzelf een loer te draaien.'

'Nou, dan wens ik u veel sterkte, want ik kan u zeggen dat iemand als Theron zich niet zo eenvoudig in de luren laat leggen.'

De scherpe toon van een cavaleriehoorn vanuit het kamp maakte een einde aan de discussie. Vespasianus draaide zich naar het geluid en zag op de Via Principalis een turma afstijgen bij het praetorium. Zelfs op die afstand herkende hij het imposante lichaam en uniform van zijn directe meerdere. 'Aulus Plautius! Bij alle stenen van Saturnus, wat doet hij hier?'

'We hebben slechts een maand, heren!' donderde Aulus Plautius tegen Vespasianus en Sabinus. De kreten en zweepslagen werden overstemd. 'Over een maand komen onze vervangers, en de winter voor onze terugkeer naar Rome hebben we nodig om ze bij te praten en rond te leiden. En als we binnengehaald willen worden als echte triomfators, zullen we een geketende Caratacus bij ons moeten hebben.' De rood aangelopen Plautius keek de twee broers aan de andere kant van de schrijftafel gebelgd aan.

Vespasianus schoof ongemakkelijk in zijn stoel toen hij de aderen in de stierennek van zijn bevelhebber zag kloppen. Sinds zijn aankomst in het kamp van de Tweede Augusta was Plautius in een niet al te best humeur geweest.

Plautius pakte een rol en zwaaide ermee naar de broers. 'Narcissus schrijft dat Caratacus na drieënhalf jaar nog altijd op vrije voeten is, onze bevoorradingslijnen aanvalt, colonnes overvalt en gewoon een luis in onze pels is, en daarom denkt hij dat de tijd rijp is om mij en jullie twee te laten vervangen door mannen met enige mate van militaire bekwaamheid. Militaire bekwaamheid! Uit de mond van dat omhooggevallen Griekse mormel! Alsof hij weet wat dat is.' Plautius zweeg even en ademde diep in door zijn trillende neusgaten. 'Het probleem is, heren,' vervolgde hij met iets meer kalmte in zijn stem, 'dat die in weldaad levende rotvent nog gelijk heeft ook: waarom staat het hoofd van Caratacus nog op zijn schouders, verdomme, in plaats van op een staak? Hoe kan ik zeggen dat de zuidelijke helft van deze door water omringde mesthoop onder Romeinse controle is als onze mannen met z'n achten tegelijk naar de latrines gaan zodat ze elkaars handje kunnen vasthouden omdat ze bang zijn een Britannische speer in hun kont te krijgen in plaats van een fatsoenlijke Romeinse spons?'

Vespasianus wees er maar niet op dat dit sterk overdreven was; hij begreep waarom Plautius kwaad was want hoewel alle stammen in het zuiden van Britannia zich hadden overgegeven – afgezien van de Dumnonii in het uiterste zuidwesten – liep Caratacus nog vrij rond en was hij in staat om met een aanzienlijke strijdmacht op te duiken en ontluisterende schade toe te brengen. Los van alle andere nadelige gevolgen was dat niet goed voor de handel, en in de bezette delen van het eiland krioelde het ondertussen van de dikke handelaren die de provincie zo veel mogelijk wilden uitzuigen, zoals Theron, door allerhande artikelen te verkopen: tin, lood, slaven, jachthonden, parels, noem maar op.

Vespasianus keek opzij naar zijn broer en begreep nu waarom Plautius hem opdracht had gegeven zelf zijn schepen op te halen, hoewel die zich op grote afstand bevonden van het kamp van de Veertiende Gemina op de oostoever van de Sabrina: hij wilde met hen beiden praten over een gezamenlijk offensief van de twee legioenen. Het schrapen van hout op hout, gevolgd door een grote plons en een hoop geschreeuw, gaf aan dat er weer een bireem te water was gelaten.

'We moeten samen ten aanval trekken naar het westen,' zei Sabinus, die blijkbaar tot dezelfde conclusie was gekomen als Vespasianus, 'en Caratacus tussen onze legers vermorzelen.'

'Nee!' Plautius sloeg met zijn vuist op de schrijftafel. 'Dat is precies wat we níét moeten doen, Sabinus. Dat is precies wat hij wil dat wij doen. Hij ziet niets liever dan jouw legioenen in de woeste heuvels aan de andere kant van de Sabrina. We weten niet eens waar hij uithangt en dan is hij degene die aan de touwtjes trekt en ons laat aanmodderen. We moeten hem naar ons toe lokken.'

Opgelucht dat hij niet het voorstel had gedaan dat zo voor de hand leek te liggen, hoopte de zwijgende Vespasianus te kunnen profiteren van de militaire wijsheid van Plautius. Het onmiskenbare gegil van een man die aan een kruis werd genageld schalde door het kamp.

Na lang genoeg naar Sabinus te hebben gestaard om zijn serieuze ongenoegen en teleurstelling over te brengen, vestigde Plautius zijn aandacht op Vespasianus. 'Nou?'

Vespasianus deed zijn mond open en vervolgens weer dicht.

'Kom op, legaat, u moet toch iets zinnigs te zeggen hebben, ook al doet uw broer er het zwijgen toe!'

'Over Caratacus?'

'Natuurlijk. Over wie hebben we het dan? Hoe lokken we Caratacus uit zijn tent zonder in navolging van Varus een stel legioenen een onherbergzaam gebied in te sturen, een streek vol valleien zo vochtig als een hoerenkut, bij uitstek een plek voor een hinderlaag?'

'Door iets aan te vallen waar hij waarde aan hecht.'

'Dank u. In ieder geval heeft een van jullie hier nog wat soldatenkennis opgedaan.'

Vespasianus voelde dat Sabinus bijna uit zijn vel sprong. Het gegil van de gekruisigde was plotseling opgehouden, maar het onregelmatige rumoer van de zwoegende meute duurde voort.

'Waaraan hecht hij zoveel waarde dat hij zich ervoor uit zijn vervloekte hol aan de andere kant van de Sabrina waagt?'

Vespasianus keek naar zijn broer om hem duidelijk te maken dat hij nu de kans had om zijn fout goed te maken.

'We denken dat hij zijn vrouw en kinderen bij zich heeft, dus dat is geen optie,' probeerde Sabinus. 'De rest van zijn familie is dood of heeft zich overgegeven, zijn land in het oosten is bezet en zijn rijkdommen zijn door ons ingepikt. Er blijft dus weinig over.'

'Er blijft wél iets over, sufkop! Juist datgene waaraan hij de meeste waarde hecht: zijn aanhang. Die is het enige wat voor hem telt, het enige zelfs waar hij niet zonder kan. Als hij geen steun heeft, doet hij er niet meer toe en verandert hij van een koning die vecht tegen een bezettingsmacht in een ordinaire bandiet.'

'De druïden!' flapte Vespasianus eruit.

'Precies. De druïden steunen zijn verzet omdat het ook in hun belang is, en hun voortdurende hulp verschaft hem een legitimiteit die bij iedere barbaar op dit eiland de trouw aan hun stam overstijgt. In de bezette gebieden heeft het kappen van hun bossen heel goed gewerkt en er zijn nog maar weinig van die smerige langharige heksenzonen over, en als we er nog eentje tegenkomen, nagelen we hem meteen aan een kruis. Er zijn evenwel nog enkele nesten met dit addergebroed, en als we een van die nesten aanvallen, zal Caratacus naar mijn idee te hulp schieten. En we hebben daar nog een maand voor, zodat we tegen Narcissus kunnen zeggen dat hij die militaire bekwaamheid in zijn reet kan steken – zo vriendelijk mogelijk, uiteraard – als we terugkeren in Rome.' Plautius wees op de uitgerolde kaart op zijn schrijftafel. 'Goed, dat druïdengespuis heeft twee broeinesten.' Hij wees op een eilandje voor de westkust dat buiten bereik van de arm van Rome lag. 'Dat is Mona. Het schijnt daar te krioelen van de druïden. Voor ons ideaal dus, maar te ver achter hun linies.'

'Niet als we over zee gaan,' merkte Vespasianus op.

'Het is een flink stuk, en volgens het enige verkenningsschip dat van daar is teruggekeerd, is de zee er verraderlijk en de kust erg rotsig. Nu we het toch over schepen hebben: hoe staan we ervoor, Vespasianus?'

'Voor de avond valt liggen ze in het water.'

'Mooi, want je zult ze nodig hebben.' Plautius verschoof zijn vinger naar het zuiden en hield hem stil bij de noordkust van het grote schiereiland in het zuidwesten. 'Hier ergens ligt Durocornavis, de belangrijkste vesting van de Cornovii. Zij vormen een onderstam van de Dumnonii en zijn mogelijk verwant aan de Cornovii in het noorden van het eiland, die een buffer vormen tussen ons en de Brigantes. Vlak bij de vesting is een gigantische rots, een eiland bijna, die uitsteekt in de zee. Ik heb me laten vertellen dat dit voor de druïden een zeer mystieke plek is. Er zijn veel legendes aan verbonden en het is heel belangrijk voor hen.

Maar goed, het ligt te diep in vijandelijk territorium om in slechts een maand een aanval over land te doen, maar als we Caratacus kunnen laten denken dat we daar gek genoeg voor zijn, zal hij de Cornovii en de druïden te hulp schieten, anders verliest hij zijn geloofwaardigheid. En hij zal de kans om een heel legioen te verpletteren niet aan zich voorbij laten gaan.

Hij zal de Sabrina oversteken of eromheen varen, of misschien gaat hij wel over land. Hij zal hoe dan ook geen grote strijdmacht kunnen meenemen, alleen een klein gevolg. Maar dat zal hem een zorg zijn, want er zullen daar genoeg van die langharen zijn die vanwege zijn reputatie voor hem willen vechten. Zodra hij daar naartoe gaat, en meer hoeft hij niet te doen, kunnen we hem gevangennemen.'

Vespasianus keek naar de kaart. Hij was erg vaag, niet meer dan een grove schets van de kustlijn van het schiereiland met bij de punt een teken waar de Cornovii zaten. Meer naar het noorden, aan de overkant van de steeds breder wordende Sabrina, was ook zo'n grove kustlijn getekend, waar schijnbaar willekeurig stond aangegeven dat daar de Silures leefden. 'We hebben geen flauw idee van de afstand, als ik het zo zie?'

'Inderdaad. De inham bij de monding kan twintig mijl breed zijn maar op sommige punten wel honderd mijl. We weten het gewoon niet. Zoals ik al zei, er is maar één verkenningsschip teruggekomen. Wat we wel weten, is dat het zeer verraderlijke wateren zijn en we al te veel schepen hebben verloren bij pogingen om het schiereiland te ronden. Vandaar dat we de kleinere schepen over land verplaatsen en grote nieuwe bouwen.'

'Dus we hebben geen idee wanneer het nieuws van onze zogenaamde aanval op die druïden Caratacus zal bereiken, en misschien denkt hij tegen die tijd dat het toch allemaal al voorbij is en dat het de moeite niet meer waard is.'

Plautius glimlachte voor het eerst sinds zijn aankomst en trok zijn wenkbrauwen op. 'Daarom heb ik de moeite genomen om hem van tevoren op de hoogte te brengen van onze zogenaamde bedoelingen door een van zijn wapens tégen hem te gebruiken: Alienus.'

'Alienus!' riepen Vespasianus en Sabinus tegelijk uit.

'Wie anders? Vorig jaar verdween hij spoorloos nadat hij uit uw kamp was ontsnapt, Vespasianus, waarschijnlijk omdat hij meende dat zijn gezicht iets te bekend was om die kunstjes van hem uit te halen, en terecht. Twee maanden geleden is hij toch weer opgedoken, hij deed zich voor als een Britannische parelhandelaar. Hij heeft zijn haar laten groeien en een snor laten staan, maar een van mijn slaven herkende hem op de markt van Camulodunum. Ik besloot hem niet op te pakken maar te laten volgen. Hij bleek niet altijd geld of goederen voor zijn parels te krijgen, een deel ervan ruilde hij tegen informatie van een van de schrijvers die mijn bevelen overschrijft. Toen hij klaar was, voer hij westwaarts de Tamesis af en trok het vijandelijk gebied in. Ik trok de bevelen in die hij had gezien en gaf opdracht hem te laten lopen, in de hoop dat hij terug zou komen. En inderdaad, vijf dagen geleden – ik had juist die beledigende brief van Narcissus gekregen – kwam hij terug met een nieuwe lading parels. Ik schreef onmiddellijk een bevel voor u, Vespasianus, om met de Tweede Augusta de vesting Durocornavis te verwoesten en alle druïden te doden die u op de rots aantreft. En u, Sabinus, beval ik niet verder op te rukken naar het westen en alleen nog verdedigingswerken op te richten. Ik hoef natuurlijk niet te zeggen dat ik die bevelen niet verstuurde, maar ik bood Alienus wel de gelegenheid ze van de schrijver te kopen.'

Vespasianus keek zijn bevelhebber met bewondering aan en bedacht dat hij nooit genoeg kreeg van zijn wijze lessen, hoe humeurig hij ook kon zijn. 'Dus Caratacus denkt dat hij de druïden te hulp kan schieten?'

'Nog niet, maar morgen of overmorgen wel. Ik ben opzettelijk vóór Alienus vertrokken, en met veel bombarie. Hij zit achter mij en denkt zeker te weten dat hij cruciale informatie voor zijn meester heeft, dus hij vliegt.'

'Dan kunnen we maar beter meteen vertrekken.'

'Dat hoeft ook weer niet, als jullie maar morgen uitvaren met die zes biremen. Zoek die rots en sluit hem af van de zee, onderschep elk vaartuig dat jullie zien en patrouilleer verder naar het westen langs de kust om te voorkomen dat Caratacus daar landt. Gebruik de zeesoldaten voor wat plundertochten, dood wat mensen, zaai onrust.' Plautius richtte zich tot Sabinus. 'Onderwijl vaart u langs de kust terug naar het noorden en controleert elke inham en baai. Ik blijf hier met het legioen om het binnenland in de gaten te houden. Op die manier moeten we hem kunnen insluiten. Zodra we Caratacus te pakken hebben, gaat u terug naar uw legioen en wacht tot ik u beveel de Sabrina over te steken en het gebied langzaam maar zeker te veroveren. Neem geen risico, het gaat hier niet om een snelle overwinning, we willen een flink deel van de stamhoofden van de Silures duidelijk maken dat een nederlaag onvermijdelijk is als Caratacus, hun bindende factor, er niet meer is en dat het slechts de vraag is hoeveel krijgers er nog zullen leven in hun nederzettingen onder Romeinse overheersing. Begrijpt u?'

'Ja, dat begrijp ik. En stel dat ik Alienus vind? Ik heb nog een rekening met hem te vereffenen en weet al vrij goed hoe ik dat ga doen.'

'Voor mijn part nagel je hem aan een kruis. Ik laat zo'n waardevolle spion niet achter voor mijn vervanger, want die zal hem vast en zeker gebruiken om te laten zien dat hij over meer militaire bekwaamheid beschikt dan ik.' Plautius liep weer rood aan toen hij die verfoeide en beledigende woorden uitsprak.

'Dank u. Het is mij een waar genoegen u te mogen helpen uw naam hoog te houden.'

Vespasianus likte zijn vingers af en maakte ze vervolgens schoon aan het servet dat hij voor zich op de bank had liggen alvorens nog een van de heerlijke verse oesters te pakken. Hormus vulde de beker die Sabinus in de lucht hield en trok zich toen weer terug.

'En wie mij gaat vervangen,' vervolgde Aulus Plautius terwijl hij een eendenpoot in tweeën brak en dikke, bruine saus op zijn servet morste, 'weet ik niet en het kan me ook niets schelen. Wat mij betreft is hij welkom in deze provincie, met alle militaire bekwaamheid die hij in zich heeft.' Hij sloeg zijn wijn achterover – de vijfde beker tijdens deze maaltijd – en botvierde zijn woede op de eendenpoot, waar hij luidruchtig op knaagde en waarmee hij vervolgens naar Vespasianus wees. 'Maar let wel, volgens de brieven van mijn vrouw keer ik niet terug naar het Rome dat ik aan het begin van Claudius' bewind verlaten heb. De machtsstrijd tussen Claudius' vrijgelaten slaven en de keizerin woedt voort terwijl de keizer, die als triomfator is bejubeld voor zijn zogenaamde glorieuze overwinning in Britannia en onlangs nog het vazalkoninkrijk Thracië inlijfde om zijn militaire bekwaamheid te onderstrepen, zich op de openbare ruimte en rechtbanken stort omdat hij het rijk iets wil nalaten. Hij bouwt een nieuwe haven in Ostia en twee nieuwe aquaducten – en herstelt de Aqua Virgo – en wil het meer van Fucine droogleggen. Het rijksbestuur is volkomen gecentraliseerd en als je een bepaalde functie wilt, moet je een verzoek indienen bij een van de drie voormalige slaven of een wreed serpent met een geslachtsdrift waarvan zelfs Cleopatra gaat blozen.' Hij stak zijn beker uit naar Hormus en weigerde het aangeboden water.

Vespasianus wierp een bezorgde blik naar Sabinus, links van hem op de bank, op een moment dat hun bevelhebber slechts oog had voor de inhoud van zijn volle beker. Sabinus deed een hand voor zijn mond om hem duidelijk te maken dat hij niet moest meedoen aan een gesprek dat op verraderlijk terrein kwam.

'De Senaat bestuurt nog altijd de provincies,' vervolgde Plautius en hij trok met zijn tanden nog wat vlees van de poot, 'maar de leden benoemen steeds vaker de versleten minnaars van de keizerin, waardoor degenen die níét het genot hebben mogen proeven van een van de keizerlijke lichaamsopeningen nu een minderheid vormen in dat zogenaamd verheven bestuursorgaan. Erger nog: de provincies van de keizer lijken tegenwoordig het persoonlijke leengoed van Narcissus en zijn maten te zijn, en om daar een functie te krijgen moet je een aanhanger van Messalina publiekelijk zwartmaken.' Hij sloeg het laatste beetje wijn achterover en gebaarde dat hij nog een beker wilde. 'En iedereen die zo dom is om te klagen over de situatie wordt meteen beschuldigd van verraad, zowel door de factie van Messalina als door de aanhangers van die gestoorde vrijgelatenen van de kei...' Plautius slikte het laatste woord in en keek geschrokken naar de twee broers. Hij zette zijn volle beker op de tafel, voorzichtig, om niets te morsen. 'Vergeef me mijn onnozelheid, heren, ik ben te lang met u op oorlogspad en mijn tong is steeds losser gaan zitten.' Hij keek naar Hormus, die zich weer had teruggetrokken.

'Mijn slaaf is te vertrouwen,' verzekerde Vespasianus hem. Hij was opgelucht dat Plautius was gestopt met zijn tirade voor hij met de oplossing op de proppen was gekomen, want hij praatte hard genoeg om ook buiten de tent te worden gehoord. 'Ook ik weet uit brieven hoe de situatie thuis is.'

'Inderdaad, en laten we daar niet te lang bij stilstaan. Het is altijd lastig om het leven van politicus weer op te pakken wanneer je er als soldaat een paar jaar lang geen doekjes om hebt hoeven te winden.'

Dat was precies de gedachte die de afgelopen twee maanden door Vespasianus' hoofd was gegaan nu zijn onvermijdelijke terugkeer naar Rome naderde: zou hij zich weer kunnen voegen naar de benepen politieke wereld in Rome, zou hij zijn mening voor zich kunnen houden en ondertussen overgeleverd zijn aan de wil van anderen? Hou zou hij het ervan afbrengen na zo lang bevel te hebben gegeven aan zijn eigen legioen en hulptroepen? Dat hij na zijn terugkeer zou worden terug gezogen in de intriges van Claudius' vrijgelaten slaven, die streden om de heerschappij over Rome, stond buiten kijf. Hun gekonkel had hem vorig jaar via de brief van Pallas zelfs achtervolgd tot aan de grens van het rijk: Pallas wilde – al formuleerde hij het als een beleefd verzoek – dat hij Paetus terug naar Rome stuurde. Dit keer zou hij evenwel niet alleen het belang van anderen dienen, hij zou een eigen doel hebben. Dit keer zou hij zelf een eis stellen, namelijk dat Flavia en de kinderen uit het keizerlijk paleis zouden worden gehaald en naar een plek zouden worden gebracht waar ze veilig waren voor keizerin Messalina en haar broer Corvinus. Maar hij wist dat de overgang van leger naar politiek een moeilijke was en knikte langzaam om Plautius zijn medeleven te betuigen. 'Ik kan me voorstellen dat het een grote uitdaging zal zijn om uw politieke opvattingen voor u te houden nadat u vier jaar lang uw onverbloemde mening hebt kunnen geven over militaire zaken.'

'Bedankt voor uw begrip, Vespasianus.' Plautius keek naar Sabinus. 'En ik hoop dat u er ook begrip voor heeft, Sabinus.'

Sabinus kon niet meteen reageren omdat er op de lederen deur werd gekrabd; Vespasianus gebaarde naar Hormus dat hij aan de wachters moest vragen wie hem wilde spreken.

'De eerlijkheid gebiedt mij te zeggen dat het schijnheilig zou zijn als mijn broer en ik de door u uitgesproken mening zouden veroordelen, generaal,' merkte Sabinus op terwijl Hormus zijn hoofd om de deur stak.

Plautius schaterde het uit. 'En sinds wanneer houdt dat mensen tegen?'

Vespasianus wierp een opgeluchte blik naar Sabinus om hem te bedanken voor de symbolische hand die hij Plautius had gereikt en gaf Hormus een teken dat hij mocht spreken.

'Theron, de slavenhandelaar,' zei Hormus met voelbare spanning in zijn stem.

'Laat hem binnen.'

Hormus trok de deur opzij en gebaarde zijn voormalige eigenaar dat hij binnen mocht komen.

'Gegroet, edele Vespasianus,' zei de Macedoniër met fluwelen stem en hij maakte een overdreven diepe buiging terwijl hij zijn opwaarts gerichte blik langs de andere aanwezigen liet gaan. Toen zijn ogen bleven hangen bij Plautius werden ze groot van schrik en verstarde zijn nog gebogen lichaam.

'Goedenavond, Theron,' zei Vespasianus. Hij kon een lach ternauwernood onderdrukken. 'Hebt u het contract?'

Theron rechtte zijn rug en deed zijn best om niet te laten blijken dat het hem benauwd om het hart was nu de gouverneur, de vertegenwoordiger van de keizer in de provincie, meeluisterde. 'Eh, jawel, edele...'

'Spreekt u mij toch gewoon aan als "legaat"!'

'J-J-Jawel, legaat. En u ook gegroet, hooggeëerde gouverneur Plautius. Wat een eer om u weer te mogen ontmoeten, als ik zo vrij mag zijn.'

Plautius keek vol walging naar de slavenhandelaar en nam niet de moeite om te reageren op diens opmerking.

'Geef het maar aan Hormus, dan kijk ik er straks naar. Kom bij zonsopkomst terug.'

Theron gaf de rol aan Hormus, die zichtbaar trilde. 'Ik hoop dat u... eh... genot haalt uit dit fraaie exemplaar, dat ik voor zo'n zacht prijsje aan u verkocht, legaat?' zei hij met een veelbetekenende glimlach.

Vespasianus sprong op en smeet zijn halfvolle wijnbeker naar de slavenhandelaar, op wiens oranjegele mantel rode vlekken verschenen. 'Rot op, viezerik! En neem dat contract mee. Als je wilt dat ik er een handtekening onder zet, zorg dan dat die tien morgenochtend twaalf is geworden.'

Theron keek Vespasianus ontzet aan. 'Mijn nederige excuses, edele legaat, ik wilde u niet beledigen, ik wilde slechts beleefd zijn.'

'Hormus, je hebt toestemming om die man een rotschop te verkopen.'

Hormus blikte met een timide onzekerheid van zijn meester naar zijn voormalige eigenaar. Theron griste het contract uit de verstijfde hand van de slaaf en liep buigend en onder het uiten van talrijke verontschuldigingen achterwaarts de tent uit.

'U zult er spijt van krijgen, Vespasianus, dat u zaken met die man doet,' zei Plautius. 'Ik moest hem overreden, en dan druk ik me zacht uit, om te krijgen wat hij mij schuldig was voor de vrijheid die ik de slavenhandelaren gaf om als kartel een vaste prijs in te stellen voor nieuwe have. Alle anderen betaalden vrij snel. Uiteindelijk heb ik hem uit de provincie gezet nadat ik mijn geld had gekregen. Ik wist niet dat hij terug was.'

'Hij dook vanmorgen op en deed mij een zakelijk voorstel, waarop ik ben ingegaan.'

'Zeer verstandig. Vier jaar in dienst van Rome met als enige beloning de bevrediging die de plichtbetrachting biedt – het gebrek aan militaire kundigheid ten spijt – is een fikse aanslag op de geldkist en er rest ons niet veel tijd om die weer aan te vullen. Maar hou hem wel in de gaten.'

'O, dat zal ik zeker doen, sterker nog, ik...'

Hij werd onderbroken door het geschal van een bucina. Plotseling werd de deur opengeduwd en Maximus, de prefect van het kamp, stormde binnen. 'U moet snel komen, legaat. Er zijn minstens twintig bootjes in de inham verschenen. Ze proberen de biremen in brand te steken.'

HOOFDSTUK VIII

'Stuur Glaucius en zijn Syrische schutters onmiddellijk naar de rivier, Maximus!' schreeuwde Vespasianus, en hij wierp zijn zwaardriem over zijn schouder en vloog de tent uit. 'En zeg tegen Ansigar dat hij met drie van zijn turmae Bataven op mij moet wachten bij de poort.'

Tussen de tenten worstelden legionairs en hulpsoldaten, van wie een enkeling de laatste hap van zijn avondmaaltijd nog moest wegwerken, met hun *lorica segmentata* of maliënhemd, drukten hun helm op hun hoofd, gespten hun riem vast en grepen ten slotte hun wapen en schild, waarna ze zich met hun centurie opstelden bij hun cohort, in de honderd voet brede ruimte tussen de palissade en de tenten. Gepolijst ijzer glinsterde in het fakkellicht, stoom walmde omhoog waar slaven water op kookvuurtjes gooiden. Centuriones en optiones, eveneens in verschillende stadia van ontkleding en worstelend met hun uniform, maanden hun mannen tot spoed terwijl de hoornblazers ten overvloede nogmaals een waarschuwingssignaal door het kamp lieten schetteren.

Vespasianus rende de Via Principalis over, passeerde de twee centuriën die wachtdienst hadden en zich achter de poort opstelden, en vloekte hartgrondig toen hij de goudkleurige, flikkerende gloed zag van een bireem die midden in de riviermond in lichterlaaie stond, alsof het een vuurbaken was. Tegen de vlammen in de achtergrond tekenden zich de silhouetten af van talloze mannen die spartelend het hoofd boven water probeerden te houden of, als ze konden, wegzwommen van het schip waarin ze roeiden en sliepen en dat nu een gloeiende graftombe was geworden.

Kleine roeiboten met een lengte van vijftien à twintig voet cirkelden om de volgende twee biremen in de rij. Hun bemanningen wierpen brandende fakkels op het scheepsdek en door de riemgaten en gooiden vuursperen in de romp. De zeelieden probeerden met emmers water te voorkomen dat het droge hout en het met pek ingesmeerde paardenhaar, waarmee de schepen gebreeuwd werden, vlam vatten. Anderen wierpen speren, in allerijl uit de wapenkisten aan de voet van de grote mast gehaald, naar de aanvallers, die terug werden gedreven, maar pas nadat hun brandende wapens doel hadden getroffen.

Terwijl Vespasianus het tafereel opnam, schoten er vlammen uit de boeg van de tweede bireem in de rij. De bangeriken sprongen meteen in het water, maar hun kalmere kameraden gingen het gevecht aan met de vlammen, zo te zien met weinig succes.

'Centuriones, volg mij!' brulde Vespasianus naar de officieren van de twee centuriën met wachtdienst. Hij liep de helling af naar de in aanbouw zijnde triremen op de oever, op slechts honderd passen van het kamp. Met gemak liep hij de mannen eruit die achter hem aan holden, en in een ommezien was hij bij de houtskeletten van de grote schepen, waar inmiddels een stuk of tien aanvalsboten op afkwamen. Met vijf of zes halen verhoogden ze hun snelheid en ze naderden rap hun doelwit. Bij de boeg en achtersteven stonden op elke boot fakkeldragers, die hun roeiende strijdmakkers brullend aanmoedigden, gretig als ze waren om verwoesting te zaaien in de provisorische scheepswerf.

Vespasianus keek achterom, de centuriën kwamen er al aan. 'Opstellen op de oever. Ze mogen niet aan land komen!'

De legionairs stroomden door de openingen tussen de half voltooide rompen en waaierden vervolgens uit langs de rivier om een linie van twee man dik te vormen.

'Klaar om te werpen!' riep Vespasianus toen de linie stond. De aanvalsbootjes waren tot op nog geen tien passen genaderd.

Honderdzestig legionairs slingerden hun arm naar achteren, voelden het gewicht van hun pilum en schatten de afstand in.

'Werp!'

De dunne, verzwaarde wapens, zwarte strepen tegen de roodgloeiende achtergrond, vlogen naar de naderende boten en doorboorden het bovenlichaam van de mannen die erin zaten of de met huiden bedekte rompen en de benen van de bemanningsleden daarachter. Krijgers sloegen achterover en overboord en roeiers werden tegen de ruggen van de mannen voor hen geworpen. De plotselinge verplaatsing van al dat gewicht deed veel boten hevig schommelen. Vier of vijf kapseisden meteen en gooiden hun schreeuwende bemanning in het water. Maar de andere richtten zich weer op en voeren overmoedig door, want de krijgers wilden koste wat het kost de schepen in brand steken die namens Rome wilden heersen over deze wateren.

'Hou ze tegen, Placidus,' beval Vespasianus de centurio die het dichtst bij hem stond, wiens gezicht hij in de sterker wordende gloed kon herkennen, want in de riviermond kwamen nu bij de derde bireem op rij vlammen uit de riemgaten. 'Ik stuur versterking zodra ze beschikbaar zijn, voor het geval er meer boten komen.'

Placidus nam niet eens de tijd om het bevel te bevestigen en brulde naar zijn mannen dat ze de aanvallers moesten opvangen, terwijl Vespasianus zich omdraaide, in het volste vertrouwen dat de twee centuriën het konden winnen van een tegenstander die half zo sterk was.

'Ik heb een paard voor u meegenomen,' riep Magnus en hij bracht zijn paard tot stilstand, 'maar ik had geen tijd om het te zadelen, ik heb het alleen een hoofdstel omgedaan.'

'Dank je, Magnus,' zei Vespasianus. Hij moest bijna schreeuwen om boven het vertrouwde rumoer van het gevecht op leven en dood achter hem uit te komen. 'Rij langs de kust naar de steigers en maak de boten los.' Hij sprong op de blote paardenrug, liet het dier met een ruk aan de teugels draaien, zette zijn hakken in de flank en reed terug de heuvel op terwijl Magnus zijn weg vervolgde langs de oever.

De Syrische schutters stroomden in een acht man brede colonne de poort uit toen Vespasianus het kamp naderde. Hij stuurde zijn paard naar rechts en galoppeerde langs de formatie hulptroepen naar de prefect die vooropreed. 'Stuur een centurie van uw mannen naar de steigers en laat in elke boot acht man stappen. U weet wel wat u daarna moet doen, Glaucius.'

'Zo dicht mogelijk bij die schoften komen en dan doen waar mijn jongens goed in zijn, legaat.'

'Precies, en zet er vaart achter.' Hij draaide zijn paard en reed terug naar de poort. Ansigar wachtte hem op met negentig soldaten. 'Ik hoop dat deze jongens kunnen roeien, Ansigar.'

'Het zijn Bataven, legaat,' antwoordde Ansigar grijnzend. 'Ze kunnen zwemmen, roeien, paardrijden en Britanniërs afmaken.'

'Hopelijk hebben ze dat eerste talent vannacht niet nodig. Volg mij.'

Magnus en de Syrische centurio keken toe terwijl de boogschutters in de tien boten stapten toen Vespasianus met de Bataven bij de steiger kwam. Ansigar had geen verdere bevelen nodig: in zijn gorgeltaal droeg hij zijn mannen op met zijn achten in een boot plaats te nemen, de rest moest op de paarden letten. Langs de oever loste de Syrische hoofdmacht salvo na salvo op de vijandelijke boten die wegvoeren van de biremen. Honderden pijlen vlogen naar de roeibootjes, schakelden in één klap hele bemanningen uit en woelden het vuurrode water rond de boten om; het leek soms alsof het keihard hagelde.

Vespasianus sprong in de voorste boot toen de acht schutters erin zaten en greep de stuurriem. Hij keek naar Magnus. 'Kom je?'

'Wát? In een boot stappen als het niet per se hoeft? Ik dacht het niet!'

Vespasianus haalde zijn schouders op en gooide los.

De Bataven aan de linkerkant duwden hun riemen tegen de steiger, en toen er ruimte genoeg was, haalden ze zonder een woord of bevel als één man hun riemen door het water en maakte de boot vaart.

In de riviermond zochten de overgebleven Britannische schepen een veilig heenkomen in de luwte van de brandende biremen, uit het zicht van de Syrische schutters. Op de oever hadden Placidus' mannen de aanval op de scheepswerf afgeslagen: her en der langs hun linie dobberden lege boten tussen de donkere gestalten van de bemanningsleden in het ondiepe water. Slechts drie van de aanvalsboten hadden nog genoeg mannen aan boord om de wijk te nemen naar de riviermond. De Syrische schutters gebruikten hen als oefendoelwitten en hielden op met schieten toen de laatste boot omsloeg.

Vespasianus stuurde zijn boot naar de drie brandende schepen, die nu waren opgeslokt door vlammen en rook. Achter hem hielden de andere bemanningen met krachtige halen de vaart erin. Toen ze dichter bij de razende vlammenzee kwamen, verzengde de hitte zijn huid. Zweet parelde over de gezichten van de roeiers en hun baarden, en schadelijke dampen teisterden hun naar adem snakkende kelen.

'Ansigar,' riep Vespasianus over zijn schouder, 'ga met vijf boten achter de brandende schepen langs, zodat we de overlevenden de pas afsnijden. Ik wil gevangenen hebben.'

Ansigar zwaaide ten teken dat hij het begrepen had, stuurde zijn boot naar links en nam vier andere mee.

Toen Vespasianus langs de fel brandende boeg van de als eerste getroffen bireem voer, kon hij tussen dit schip en het volgende door kijken. Door de walmende rook zag hij geen spoor van de vijand, hij ontwaarde slechts drijvende lichamen. Hij bleef recht vooruit varen langs het volgende schip, totdat hij met prikkende ogen een blik kon werpen in de dertig passen brede spleet tussen de tweede bireem en het schip dat als laatste in brand gevlogen was. Wederom geen spoor van de vijand. Door de rook zag hij nog net de vage contouren van Ansigars boot, die aan de andere kant voorbijsnelde.

De bemanning van Vespasianus roeide door, knipperend met de ogen tegen de rook en het zweet, langs het laatste brandende schip, dat vervaarlijk overhelde. Daarachter was open water. Vespasianus duwde de stuurriem naar rechts zodat zijn boot de andere kant op zwenkte, om het tot zinken gedoemde schip heen, net zo lang tot aan de andere kant van de achtersteven Ansigar opdoemde. Ze werden gescheiden door rook, wrakhout en zeeworp.

'Verdomme!' vloekte Vespasianus toen hij zijn boot terugstuurde naar zijn oorspronkelijke koers. Ansigar volgde zijn voorbeeld en kwam langszij. De roeiers hielden de vaart erin, kreunend van inspanning bij elke haal, en even later waren ze uit de rook. En toen zag hij ze. Het waren slechts silhouetten, ongeveer honderd passen bij hem vandaan, maar onmiskenbaar boten, zes stuks, onderweg naar open zee. 'We moeten er hard tegenaan, jongens, dan kunnen we ze pakken. Zij zijn eerder moe dan jullie.'

De Bataven deden er prompt nog een schepje bovenop, terwijl de boogschutters, die voor hen zaten, een pijl op hun boog legden en probeerden in het donker de afstand te bepalen. Toen zij zicht op hun prooi kregen, verhoogde ook het smaldeel achter hen de snelheid.

Opeens drong een onbekend geluid, schril en ritmisch, door het gekreun van de mannen en het geknars en gespetter van de riemen heen. Vespasianus keek achterom. Uit de muur van rook doemde een schip op waarvan de bladen op de fluittonen van de slagmeester in het water verdwenen: de liburna van Sabinus. Aan beide kanten van het schip staken achttien riemen uit de gestroomlijnde romp en elke riem werd bemand door twee roeiers, waardoor de bronzen ramkop aan de boeg door het schuimende water ploegde met een snelheid die de boot van Vespasianus nooit ofte nimmer kon halen. Maar de Britanniërs ook niet. Een paar halen later lagen ze al op gelijke hoogte. Sabinus stond op de achtersteven, naast de trierarchus, de kapitein van het schip, en spoorde de roeiers op het open roeidek aan tot een nog grotere inspanning. Op het voordek was een groepje zeesoldaten bezig een *carroballista* te laden: ze trokken de armen van het schietwapen naar achter, legden een houten pijl met een lengte van drie voet en een ijzeren punt in de schietgleuf en richtten het wapen. De Britanniërs hadden het nieuwe gevaar ondertussen ook uit het duister zien opduiken en hun wanhoopskreten schalden over het water. Maar hun snelheid nam niet toe, ze zaten al op hun tandvlees.

'We hebben gevangenen nodig!' riep Vespasianus naar zijn broer toen hij langsvoer. Sabinus gaf met een armzwaai te kennen dat hij hem gehoord had toen de pijl met een schrille ploink de carroballista verliet en het duister in vloog en de twee armen met een doffe klap terugveerden tegen de stootkussens. Aan het snorren van de leren pijlstaart konden de mannen horen dat hij overscheerde. De zeesoldaten herlaadden snel hun wapen, de liburna ploegde door het water, haalde het smaldeel van Vespasianus in en liep met elke haal in op de zes vluchtende boten.

'Waar wachten jullie op?' riep Vespasianus naar zijn boogschutters. De acht Syriërs op de boeg, die met moeite hun evenwicht konden bewaren, losten op de gok een salvo vanaf de schommelende boot. Hun kameraden in de andere boten volgden hun voorbeeld en werden beloond, meer door geluk dan door wijsheid, met enkele pijnkreten en een schim die overboord viel. De carroballista loste een tweede schot en nog geen hartslag later galmde het gegil door de lucht en werd een boot opgeslokt door het schuimende water. De salvo's van de Syriërs volgden elkaar snel op, de Britanniërs werden bestookt en verloren snelheid, waardoor er flink op hen kon worden ingelopen. Een derde pijl uit de ballista, nu van heel dichtbij, onthoofde eerst een krijger, doorkliefde de borst van een volgende en nagelde ten slotte een derde met zijn buik aan de romp. Nu ze de vijand zo dicht genaderd waren dat het beperkte zicht geen belemmering meer vormde, kregen de Syriërs de smaak te pakken en vielen de vijanden bij bosjes. Naarmate er meer roeiers sneuvelden en meer riemen in het water bleven hangen, gingen de boten zwenken, zodat de genadeloze ram van de liburna zich vrijwel van opzij in de dichtstbijzijnde boot boorde en de mannen als poppetjes omver werden gekegeld, onder de romp van de liburna werden gezogen of door de zware houten riemen onder water werden gebeukt.

De liburna voer gestaag door naar zijn volgende slachtoffer en kwam in het schootsveld van de Syrische schutters. Vespasianus stuurde zijn boot door het woelige kielzog, speurend naar overlevenden. Terwijl de boeg van de liburna zich door een andere vluchtboot ploegde, kwam een krijger onder de achtersteven vandaan, hoestend en proestend en wild zwaaiend met zijn armen om zijn hoofd boven water te houden.

Vespasianus stuurde de boot naar de spartelende man en bracht de boot langszij. Terwijl de Syrische schutters hun pijlen op zijn hoofd richten, greep de man een riem en werd hij aan boord gehesen. Hij hapte naar lucht en uit een snee op zijn voorhoofd stroomde bloed. Vespasianus trok zijn zwaard en liet de platte kant van de kling met een wijde boog op de mans hoofd landen. Hij zakte bewusteloos in elkaar en bleef liggen in het klotsende laagje water op de bodem van de boot, terwijl de kreten van zijn laatst overgebleven kameraden door de romp van de liburna werden gesmoord.

'Hij zegt dat hij uit Durocornavis komt,' zei Cogidubnus tegen Vespasianus, Sabinus en Plautius, 'en ik geloof hem. Hij heeft hetzelfde lompe accent als die Cornovii uit het zuidwesten.'

Vespasianus keek naar de doodsbange krijger die gestrekt op een kruis op de grond lag en wiens armen en benen in bedwang werden gehouden door legionairs met houten hamers in hun hand en lange spijkers tussen hun tanden. 'Ik zou niet weten waarom hij op een moment als dit zou liegen.'

'Vraag hem of dit het idee van Caratacus was,' beval Plautius, 'of dat ze zelf hadden bedacht om onze schepen in de hens te steken.'

Nadat hem de vraag gesteld was, begon de krijger snel te praten, zijn ogen schoten heen en weer tussen de spijkers die weldra door zijn polsen en voeten zouden worden geslagen.

Cogidubnus luisterde aandachtig, de gloed van de drie uitdovende branden in de riviermond speelde op zijn gezicht. Kennelijk stelde het antwoord hem tevreden, want hij knikte alvorens het antwoord te vertalen. 'Het was hun stamhoofd Judoc die bevel gaf tot de aanval nadat hij van Arvirargus, de koning van de Dumnonii, had gehoord dat er schepen over het draagpad werden gesleept. De druïden hadden hem verteld dat ze in de ingewanden van een Romeinse schipbreukeling hadden gelezen dat de goden hun gunstig gezind waren.'

'Dat hadden ze dan mis,' merkte Sabinus ten overvloede op.

Vespasianus trok een wenkbrauw op. 'Daaruit blijkt maar weer dat je niet alles moet geloven wat je leest.'

'Dank u, legaat!' snauwde Plautius. 'Wie grappig wil zijn, moet maar in een ander leger gaan dienen. Vraag hem wat hij over Caratacus weet.'

Cogidubnus stelde de vraag, en dit keer was er een kleine aarzeling voordat de man antwoordde. 'Hij beweert dat ze geen contact met Caratacus hebben gehad.'

'Gelul. Hij liegt.'

'Dat ben ik met u eens. Caratacus zou een boodschap hebben laten uitgaan naar elke stam en onderstam die nog niet onder Romeinse heerschappij valt.'

Plautius keek naar de legionair die de rechterarm van de gevangene vasthield. 'Soldaat, zet de spijker zo neer dat u hem erin kunt rammen.'

De legionair haalde de forse spijker uit zijn mond, zette hem op de pols van de krijger, vlak onder de muis van diens hand, trok zijn hamer uit zijn riem en hield hem in de aanslag. De borst van de gevangene ging snel op en neer van angst. Hijgend sprak hij enkele smekende woorden.

Cogidubnus glimlachte, zijn ogen glinsterden in de gloed van de vlammen. 'Dat lijkt er meer op. Hij bedoelt dat ze geen direct contact met Caratacus hebben gehad. Hij is niet zelf het water overgestoken voor een beraad met zijn stamhoofd, maar zijn vertegenwoordiger wel, afgelopen zomer, en die heeft Arvirargus en alle hoofden van de onderstammen gesproken.'

Plautius spitste zijn oren. 'Wanneer is die man bij hen geweest?'

'Een maand na de zomerzonnewende,' luidde het vertaalde antwoord.

'Eind juli, nog geen twee maanden geleden. Dat klopt als je kijkt naar Alienus' eerste vertrek uit Camulodunum met het bevel dat hij bij Caratacus bezorgde en dat later door mij werd ingetrokken. Wat werd er besproken?'

'Hij weet niet alles,' vertaalde Cogidubnus nadat hij het antwoord had aangehoord. 'Hij is een gewone krijger en is niet bij de beraadslagingen van de leiders. Maar toen de man vertrokken was, verklaarde Arvirargus dat de Dumnonii zouden worden opgeroepen bij de eerste volle maan na de oogst. Ook beval hij de Cornovii meer *currachs* te bouwen, de boten die ze vannacht gebruikten. Ze moesten ze langer en breder maken, zodat er meer mannen in konden.'

Vespasianus keek naar zijn meerdere. 'Wat stond er in het bevel dat Alienus van uw schrijver kreeg, generaal?'

Plautius dacht even na. 'Voor u: ik overwoog al een tijdje niet verder zuidwaarts op te rukken, aangezien er behalve wat tin zeer weinig van waarde is. De Dumnonii hebben niet eens een eigen munt. Dus gaf ik u het bevel om een fatsoenlijke overeenkomst te sluiten met Arvirargus waarbij hij zijn koningschap en onafhankelijkheid behoudt, maar ons toegang biedt tot zijn tinmijnen. Als dat in kannen en kruiken was, moest u met hulptroepen de linie vasthouden waarop we nu zitten, terwijl het legioen verder zou trekken om de Veertiende Gemina af te lossen. Daarna zouden ze met de helft van het Twintigste Legioen, dat in reserve was gehouden, noordwaarts oprukken naar het noordelijke grondgebied van de Cornovii om de Brigantes te bedreigen, zodat Cartimandua, dat kreng dat zich hun koningin noemt, een keuze moest maken en niet Caratacus én mij het idee kan geven dat ze ons volledig steunt en met alle liefde kinderen van ons zou krijgen.

Dus Caratacus wilde profiteren van onze plaatselijke zwakte en stuurde het leger van de Dumnonii op ons af en vertelde Arvirargus niet dat jullie wilden onderhandelen.

En dat is precies wat ik zou hebben gedaan als ik hem was. Hij zou mij hebben gedwongen mijn aanval op de Brigantes af te blazen en kon dan tegen Cartimandua zeggen, niet helemaal onterecht, dat hij haar volk tegen de indringers had beschermd, en dan zou hij haar voor zich hebben gewonnen. Alleen gebeurde dat niet, omdat ik de bevelen introk.' Plautius richtte zich blik weer op de gevangene. 'Cogidubnus, vraag hem wat er is gebeurd met het leger dat werd opgeroepen.'

De koning vertaalde het korte antwoord. 'Het is na de halve maan ontbonden.'

'Omdat de Tweede Augusta niet noordwaarts trok, wat betekent dat de Dumnonii de kracht noch de wil hebben om de strijd aan te gaan met een heel legioen en dus bereid zijn tot onderhandelen. Desondanks haalden de druïden een van de onderstammen over om ons aan te vallen, wat zonder enige twijfel tot een vergelding zou leiden, en wellicht zelfs tot de verovering van hun waardeloze grondgebied, dat we tot nu toe links hebben laten liggen.'

Sabinus streek een hand door zijn haar en schudde ongelovig zijn hoofd. 'Ze willen dat wij ze aanvallen?'

'Nee, broer,' zei Vespasianus zacht, 'Caratacus wil dat wij ze aanvallen. Hij is bereid de Dumnonii op te offeren omdat hij weet dat het een heel legioen minstens een jaar of twee kost om hen op de knieën te krijgen. En waarvoor? Een paar tinmijnen op een verder nutteloos schiereiland. Strategisch volkomen onbelangrijk, en dat weet hij ook. De druïden hadden ook baat bij de aanval, daarom hielpen ze hem uit te lokken. Vergeet niet dat zij niet verbonden zijn aan een stam, ze zijn de Dumnonii of Cornovii niets verplicht, ze zijn enkel hun goden iets verplicht en beschouwen Caratacus als de man die hun tradities en dus hun krachten beschermt.'

'Judoc zal niet erg blij zijn met de druïden of Caratacus als hij daarachter komt,' merkte Cogidubnus op. Zijn ogen glinsterden van pret bij het vooruitzicht.

Plautius keek er al even vrolijk bij. 'Inderdaad. En dat geldt ook voor Arvirargus. Volgens mij moet jij het hem vertellen. Vespasianus, ik denk dat we jouw deel van het plan een beetje moeten aanpassen: Cogidubnus gaat nu met jou mee, en laat de Cornovii met rust wanneer ze wachten op Caratacus. Cogidubnus zal aan land gaan en Judoc uitleggen dat ik zijn aanval op onze schepen door de vingers zal zien, omdat hij daar op slinkse wijze toe is overgehaald door priesters die alleen maar aan hun eigen belangen denken. Als we de Cornovii tegen de druïden kunnen opzetten, kunnen zij ons werk opknappen.'

'Dat zou mooi zijn, generaal. En wat doen we met Arvirargus?'

'Dat komt later. Zodra we de druïden uit de weg geruimd en Caratacus gevangengenomen hebben, trekken we met het legioen een paar mijl het grondgebied van de Dumnonii in, branden wat nederzettingen plat en ontbieden vervolgens de koning. Dan stel ik hem één vraag: wil hij zijn kroon en land houden? En omdat hij niet meer zal worden ingefluisterd door opportunistische druïden en de huichelaar Caratacus, kan ik wel raden wat zijn antwoord zal zijn.'

'Daar zegt u nogal wat, generaal.'

'Dat valt wel mee. Jullie rekenen af met de druïden als de Cornovii dat niet doen. De vorige keer handelde Caratacus op grond van de onjuiste informatie die Alienus hem gaf, dus dat zal hij nu weer doen. Hij zal komen. Jullie varen bij gunstig tij weg, op het derde uur van de dag. Het lijkt me een goed idee om wat te gaan slapen. Zijn er nog vragen?'

Vespasianus keek naar de gevangene, die nog steeds op het kruis lag. 'Wat doen we met hem?'

'Wat?' Plautius keek naar de man. 'O, die. Kruisig hem.'

'Ik neem hem liever mee. Hij kan nog van pas komen. Hij weet waar die druïden zich schuilhouden, om maar iets te noemen.'

'Zijn we klaar als het tij keert, Maximus?' vroeg Vespasianus. Hij onderdrukte een geeuw toen ze door de poort wandelden en naar de boten keken die met de laatste bemanningsleden en voorraden heen en weer voeren tussen de oever en de negen overgebleven biremen. De resten van de drie uitgebrande biremen staken boven het water uit, het stijgende tij had de schepen geleidelijk opgeslokt.

'Bij zonsopkomst een uur geleden heb ik de trierarchi gesproken en zij hadden er alle vertrouwen in, legaat. De roeiers zijn aan boord en nu worden de laatste zeesoldaten en voorraden geladen.'

Vespasianus bromde instemmend en onderdrukte nog een geeuw. 'Hoeveel van die currachs hebben we kunnen redden?'

'Currachs?'

'Zo noemen de Britanniërs die bootjes van ze.'

'O, dat wist ik niet. Tot nu toe acht, maar we hebben riemen voor slechts vijf boten.'

'Dat moet genoeg zijn. Maak ze vast aan mijn biremen, ik wil ze meenemen.'

'Wie gaat er dan op varen? Ze zijn totaal anders dan onze bootjes.'

'Zeg tegen Cogidubnus dat hij mannen moet meenemen die goed kunnen roeien. Dat was het.'

Maximus salueerde. Hij kon nauwelijks verhullen dat hij alles wantrouwde wat niet Romeins was. Vespasianus keek hem na en vroeg zich af of het plan van Plautius wel zou werken.

'U kijkt weer alsof er iets uit geperst moet worden,' zei Magnus tegen hem terwijl hij met een stomende kom door de poort liep. 'Maakt u zich zorgen om iets, of hebt u echt een verstopping? In het laatste geval helpt dit.' Hij gaf de kom en een lepel aan Vespasianus. 'Linzen met varkensvlees en lavas. Hormus krijgt de slag te pakken. Dat werd tijd ook. U hebt het eindelijk aangedurfd om een eigen slaaf te kopen, dus nu moet het volgens mij ook lukken om een eigen kok aan te schaffen. Misschien dat zijn uitmuntende gerechten ervoor kunnen zorgen dat u niet meer kijkt alsof er een ballistapijl uit moet, als u begrijpt wat ik bedoel.'

Vespasianus pakte de kom aan en nam een hap. 'Het zijn niet zozeer de brouwsels van Hormus als wel de plannen van Plautius die ik lastig te verteren vind.'

'Hoezo?'

Vespasianus ging op de grond zitten en deed tijdens het ontbijt Plautius' plan uit de doeken.

'Het lijkt mij,' zei Magnus nadat hij de informatie had laten bezinken, 'dat alles afhangt van hoe Caratacus reageert op de informatie die hij van Alienus krijgt, terwijl hij weet dat die informatie de vorige keer niet klopte.'

'Precies. Dat heb ik me gistermiddag niet gerealiseerd toen Plautius mij en Sabinus vertelde wat hij van plan was, maar toen hij ons gisteravond vertelde dat Caratacus gereageerd had op de ingetrokken bevelen van Plautius, ging ik ernstig twijfelen aan de veronderstelling dat Caratacus twee keer in dezelfde val zou trappen.'

'Maakt het wat uit? Misschien moet u het zo zien: als hij denkt dat zijn geloofwaardigheid op het spel staat, zal hij komen, ook al wantrouwt hij de informatie. Dan heeft hij in feite geen andere keus en is het aan ons om hem te grijpen, en Plautius vertrouwt erop dat wij dat doen. Maar als hij denkt dat wij hem uit zijn tent willen lokken, en dat durf ik haast te wedden, wat gebeurt er dan? Dan mislukt het faliekant. Dan blijft hij zitten waar hij zit, jullie varen een tijdje langs de kust op en neer terwijl Cogidubnus Judoc probeert over te halen de druïden voor ons te vermoorden, en als hem dat niet lukt mogen jullie het doen. Maar die druïden gaan er hoe dan ook aan, er komt een smet op Caratacus' blazoen als grote beschermer van alles wat Britannisch is en Arvirargus wordt er door niemand van weerhouden een overeenkomst te sluiten met Plautius.'

Vespasianus schraapte de laatste linzen uit zijn kom en vermaalde ze peinzend tussen zijn kiezen. 'Misschien heb je gelijk. Wat er ook gebeurt, dat plan werkt. Alleen bestaat de kans dat we Caratacus niet te pakken krijgen en met lege handen afreizen naar Rome.'

'Aha! Dus daarom ziet u eruit alsof u hoog nodig een paar uurtjes tekeer moet gaan in de latrines: u bent bang dat onze meesters in Rome u niet de eer zullen geven die u naar uw eigen idee verdient, omdat u uw zaakjes op dit vervloekte eiland niet goed hebt afgehandeld.'

'Zou jij dat niet zijn dan?'

'Natuurlijk niet. Of u nu terugkomt met of zonder Caratacus, de vrijgelatenen van Claudius zorgen gerust voor een huldiging. Ze zullen wel moeten. Voor hen is het cruciaal dat de grote overwinningen van Claudius stevig verankerd blijven in het bewustzijn van de Senaat en het volk. Claudius zal in het openbaar met u weglopen, want hoe meer hij u met roem overlaadt, des te beter komt hij in beeld als de man die het initiatief nam tot deze heldhaftige veldtocht. U zult worden rondgereden in een triomfwagen, en misschien dat Plautius een *ovatio* krijgt, zodat de keizer kan meedoen en het volk er weer aan kan herinneren hoe hij zelf drie jaar geleden als triomfator werd binnengehaald nadat hij Plautius' ingesloten legioenen zogenaamd gered had. Sabinus wordt volgend jaar als hij tweeënveertig is tot consul benoemd, en u als u over vijf jaar die leeftijd bereikt, en niemand zal nog stilstaan bij het feit dat Caratacus dan nog steeds vrij rondloopt en Romeinse hoofden afhakt als hij even de kans krijgt.'

Vespasianus glimlachte triest om deze ongezouten kijk op de schone schijn binnen het rijk en gaf zijn kom terug. 'Daar zit wat in. Het is vanaf het begin de opzet geweest om met deze invasie Claudius en zijn vrijgelatenen in het zadel te houden.'

'Precies, en als mensen niet zien dat u beloond wordt, zal in alle lagen van de bevolking het praatje gaan dat de keizer een ondankbare hinkebeen is die weigert mannen te loven die hem in een goed daglicht stellen. Dat geldt voor mij als leider van de kruispuntbroeders net zo goed: als een van de jongens iets doet wat goed is voor de gemeenschap die wij onder onze hoede hebben en daarmee mij in een gunstig daglicht stelt...'

'Een hardnekkige dief neersteken in een donker steegje, om maar iets te noemen?'

'Waarom drijft u er de spot mee? Ik wil alleen maar zeggen dat mijn positie niet anders is dan die van de keizer, maar dan op kleinere schaal.

Maar u hebt gelijk, als een van de jongens zoiets zou doen, zou ik hem publiekelijk prijzen en dan zou iedereen vergeten dat hij een...'

'Neemt u mij niet kwalijk, zeer geëerde legaat,' klonk het opeens onderdanig.

Vespasianus keek op, maar bleef zitten. 'Wat is er, Theron?'

De slavenhandelaar maakte een kruiperige buiging, alsof hij zich voorstelde aan een oosterse potentaat. 'Uw contract, excellentie.' Hij reikte Vespasianus een rol aan. 'Met de, eh, aanpassing die u voorstelde, plus een extra halve procent om dat onbenullige misverstand van gisteravond uit de weg te ruimen.'

Vespasianus pakte het contract aan en rolde het open. 'Het was geen onbenullig misverstand, Theron. Ik begreep heel goed wat u bedoelde. U mag zich graag vermaken met uw mannelijke slaven, maar dat betekent niet dat ik dat ook doe. En ik laat me ook niet door hen afzuigen.'

'Uiteraard niet, edele legaat. Daarmee zou u uzelf in gevaar brengen.'

'Ik walg van u. Verdwijn uit mijn ogen.'

'Nu meteen, zeer...?'

'Scheer u weg!'

'En onze afspraak dan?'

Vespasianus' blik ging van het contract naar Theron. 'Goed dan, wacht bij het slavenverblijf. Ik lees dit door en als ik ermee akkoord ga, laat ik de slavenmeester weten dat u er driehonderdvijftig mag kiezen.'

Theron probeerde tevergeefs een schraapzuchtig lachje te onderdrukken terwijl hij buigend achteruitliep. 'Mijn dank is groot, edele legaat, mijn eeuwige...'

'Theron!'

'Jawel, uwe...'

'Ik wil u niet meer horen!'

'Natuurlijk, uwe...'

De woedende blik van Vespasianus legde de slavenhandelaar het zwijgen op. 'Ik ben volgend voorjaar weer in Rome. Ik verwacht dat u mij dan opzoekt en mij het geld geeft.'

'Met het grootste plezier, excellentie.'

'Die ziet u nooit meer terug,' zei Magnus, die opstond toen Theron zich omdraaide en wegliep.

‘Nee hoor, we worden beste vrienden,’ antwoordde Vespasianus terwijl hij het contract bekeek. ‘Twaalfenhalf procent van de doorverkoopwaarde. Hoe gul. Hij mag mij kennelijk erg graag.’

‘Het is heel gemakkelijk om gul te zijn voor vrienden als je niet van plan bent ze te betalen.’

HOOFDSTUK IX

De golven waren zo hoog geworden dat de riemen niet altijd diep genoeg in het deinende water konden worden gestoken. Gelukkig deed een stevige noordenwind de leren zeilen van het smaldeel bol staan en joegen de vijf biremen, waarvan de stuurlieden uit alle macht aan hun riem moesten trekken, met hoge snelheid langs de kust, die twee mijl aan bakboord lag.

Vespasianus klampte zich vast aan de reling aan loefzijde, genoot van de zeelucht en de druppels die de bokkende ram in zijn gezicht spetterde. Voor hem op het dek zaten de halve centurie zeesoldaten en de dertig koppen tellende aanhang van Cogidubnus sip naar de zee te kijken. Van veel Britannische gezichten was af te zien dat ze niet geschikt waren voor een bestaan als zeesoldaat.

'Sabinus zal wel niet zo vrolijk kijken als u,' zei Magnus toen hij wankelend en enigszins bleek bij de reling kwam.

Vespasianus grinnikte. 'Die ligt gestrekt in zijn hut. Hij is de slechtste zeeman die ik ken. De moed moet hem in de schoenen zijn gezonken toen Plautius hem vroeg mee te gaan en zelf het bevel over zijn biremen te voeren: drie dagen op zee en dan nog een keer terug. Hij is ervan overtuigd dat Plautius hem wil straffen omdat hij zich vorig jaar gevangen heeft laten nemen. De wind zet 'm zijn stommiteit in ieder geval goed betaald.'

Vespasianus grinnikte weer bij de gedachte aan het ongemak van zijn broer en bedankte Neptunus voor de wind, die ervoor zorgde dat ze eindelijk een beetje opschoten. Ze waren twee dagen geleden de riviermond uit gevaren en hadden aanvankelijk nauwelijks enige voortgang gemaakt, omdat ze tegen een stevige bries in hadden moeten roeien. De tweede dag was het iets beter gegaan, ze waren langs steile rotswanden en om een punt gevaren en hadden toen hun koers verlegd van west naar zuidwest.

Na een nacht in een beschutte riviermond te hebben gelegen, waar de Britannische gevangene hen naartoe had geleid, waren ze 's ochtends bij gunstig tij uitgevaren en hadden ze goede voortgang gemaakt. De gevangene had Vespasianus en Cogidubnus verzekerd dat ze bij het invallen van de duisternis hun bestemming zouden hebben bereikt. Gedurende de hele reis hadden ze geen andere boten gezien, noch andere mensen op de klippen of stranden. De enige tekens van leven waren de nederzettingen in de inhammen die ze af en toe hadden gezien en, gisteravond, het kleine vissersdorp in de riviermond. Vespasianus had de inwoners verzameld om te voorkomen dat ze er 's nachts met een bootje vandoor zouden gaan om anderen te waarschuwen. Overeenkomstig het bevel van Plautius om de Cornovii niet van streek te brengen, waren de dorpelingen die ochtend ongedeerd vrijgelaten.

Vespasianus keek naar de verlaten kustlijn en de beboste heuvels daarachter en kon goed begrijpen waarom Plautius liever geen aanval op het schiereiland wilde doen. Een kleine krijgsmacht – want een grote was voor zo'n armetierig deel van het eiland niet te rechtvaardigen – zou zich daar heel moeilijk kunnen handhaven.

Een schreeuw van de trierarchus rukte Vespasianus uit zijn mijmeringen. Zeelui holden blootsvoets over het dek, klauterden de grote mast in en haalden ingewikkelde scheepskunstjes uit met touwen. Cogidubnus kwam met stevige tred, alsof hij gewoon op een weg liep, op hem af gelopen. 'De gevangene zegt dat we ons dichter onder de kust moeten wagen, omdat we anders ontdekt worden door de uitkijkposten rond Durocornavis, dat volgens hem drie baaien verderop ligt.'

'Vertrouwt u hem?'

De koning haalde zijn schouders op. 'Als wij verdrinken, verdrinkt hij ook.'

'Dat laatste kan me weinig schelen.'

'Kijk, óf we volgen zijn advies op, óf we kondigen onszelf aan.'

Daar had Vespasianus niets tegen in te brengen.

'Hij zegt dat de baai waar we naartoe gaan een natuurlijke haven heeft waar de currachs kunnen landen. De baai ligt op ongeveer tweeenhalve mijl van Durocornavis en is de enige veilige landingsplek binnen een straal van zeven mijl vanaf de nederzetting. De bewoners hebben daar hun boten liggen. Er zijn wat hutjes, maar iedereen brengt de nacht door binnen de muren van de nederzetting.'

'Hij kan ons daar in het donker naartoe brengen?'

'Hij zegt van wel. Waarom hebt u het over "ons"?'

'Ja, dat ving ik ook op,' mompelde Magnus.

'Omdat ik aan land ga om een kijkje bij die rots te nemen. Als je er alleen over land kunt komen, heeft het weinig zin om hem vanaf het water te bekijken.'

'U hoeft helemaal niets te bekijken als Cogidubnus de Cornovii weet over te halen om al het gespuis van die rots te halen.'

'Dat klopt, maar als hem dat niet lukt, zullen wij dat moeten doen en liefst zo snel mogelijk. Dus ik wil enig idee hebben hoe we het kunnen aanpakken. Morgen stuur ik drie schepen op verkenning langs de kust om te speuren naar Caratacus en dan weten ze dus dat we er zijn. Ik kan alleen nog vanavond stiekem aan land gaan. Ik zorg dat ik voor zonsopgang weer terug ben.'

'Als ik iets níét wil, dan is het een stelletje druïden besluipen.'

'Daarom neem ik jou ook niet mee. Dat gejammer de hele tijd, ik moet er niet aan denken.'

Vespasianus hield zijn handen voor zijn mond en probeerde ze blazend warm te krijgen terwijl de roeiers van Cogidubnus aan de riemen van de currach trokken, die door de gevangene naar de natuurlijke haven tussen ruige rotsen werd geloodst. De golven beukten tegen de boot, het water spetterde in het maanlicht als glinsterende parelsalvo's omhoog en loste in een zilverachtige nevel op.

Naarmate hij dichter bij het nest van de druïden kwam en bij de verschrikkingen die hij daar zeker zou aantreffen, werd Vespasianus steeds onrustiger, maar hij troostte zich met de gedachte dat hun aanwezigheid hier nog niet was opgemerkt, althans, daar hoopte hij op. Hij zocht afleiding bij Cogidubnus, die naast hem achter in het smalle vaartuig zat. 'Hoe denkt u bij Judoc te komen?'

'We gaan vannacht naar de nederzetting, wachten tot het licht wordt en de poort opengaat en wandelen dan met een vredestak naar binnen. Hij is het aan zijn eer verplicht dat te respecteren. Je doodt een onderhandelaar niet voordat je gehoord hebt wat hij te vertellen heeft.'

'En dan?'

'Dan kan hij doen wat hij wil, maar ik denk niet dat we veel gevaar lopen, want hij weet heel goed dat hij zijn eigen doodvonnis tekent als hij mij doodt of aan de druïden uitlevert.'

'Ik hoop dat u gelijk heeft.'

'Dat heb ik, Vespasianus, wees gerust. Zorgt u maar dat u voor zonsopgang weer in de haven bent, zodat mijn mannen u terug naar het schip kunnen brengen. Met een beetje geluk zit ik op ze te wachten als ze 's avonds terugvaren naar de haven.'

Vespasianus zag de logica hiervan in en grimaste toen hij zich realiseerde dat hij waarschijnlijk meer gevaar zou lopen dan de koning. Hij greep naar zijn gladius, controleerde of het wapen soepel uit de schede gleed en probeerde ondertussen zijn toenemende angst te sussen. Hij keek naar de twee zeesoldaten die met de mannen die Cogidubnus gingen vergezellen in de boeg zaten en hoopte vurig dat hij betrouwbare en sterke mannen als zijn metgezellen had gekozen.

De gevangene sprak in zijn eigen taal met de roeiers en wees naar de kust, waar de rotsen plaatsmaakten voor een in het maanlicht glinsterende, landinwaarts buigende zee. Terwijl de currach naar bakboord draaide, voelde hij de deining aanzienlijk verminderen en zag rechts in de verte de vage contouren van een eilandje dat pal voor de monding van de inham lag en die beschermde tegen de verwoestende werking van de zee. De roeiers maakten krachtige halen, de riemen hapten gretig in het kalme water en de boot slingerde zich tussen de rotsen door, die achtereenvolgens links en rechts van de bochtige inham verrezen. Na een bocht naar rechts kwamen ze in een lange, smalle haven die geen uitzicht bood op zee. Een rotswand schermde de haven af van het niet-aflatende geraas van de beukende golven en zorgde voor een eigenaardige stilte waarin het gepiep van de riemen ineens veel harder leek te klinken. In deze spookachtige stilte voelde Vespasianus een kilte toen hij opkeek naar de omringende heuvels, die naar de rand van het water leken te tuimelen. Het was dezelfde kilte die hij had gevoeld bij de Vallei van Sulis. De kracht van de druïden was niet ver weg.

De roeiers hielden hun riemen uit het water en lieten de currach op het kiezelstrand in de kop van de haven lopen. De gevangene sprong eruit en hield de boot vast terwijl Vespasianus, Cogidubnus en hun metgezellen in het ondiepe water sprongen.

'Blijf in het midden van de haven liggen als jullie op mij wachten,' beval Vespasianus de roeiers terwijl de currach terug in het water werd geduwd.

Ze liepen over de knerpende kiezelstenen tussen de currachs door die op het strand waren getrokken en staken de brede maar ondiepe rivier over die uitmondde in de baai. Toen ze op vaste grond kwamen en zich vrijwel geruisloos konden verplaatsen, wisselde Cogidubnus een paar woorden met de gevangene uit alvorens hij naar Vespasianus liep. 'Hij zegt dat onze route deze paar mijl hetzelfde is en dat we vlak voor de rots die zijn mensen Tagell noemen, wat "keel" betekent, afbuigen naar de nederzetting.'

Vespasianus glimlachte moeizaam. 'Dan hoop ik maar dat ik niet opgeslokt word.'

'Ik heb liever niet dat je daar grappen over maakt. Dat was namelijk precies mijn gedachte.'

Vespasianus keek naar de gevangene en gebaarde dat hij kon gaan lopen, waarna ze langs de rivier landinwaarts trokken. Hij sloeg zijn donkere mantel om zijn schouder en snelde achter de man aan, maar bleef plotseling staan en greep vliegensvlug naar zijn zwaard toen hij tal van kreten uit het duister hoorde komen en rennende schimmen zag.

Hij draaide zich om, zocht naar de boot, maar die dreef al in het midden van de haven en kon niet meer op tijd bereikt worden. 'Ga terug!' riep hij naar de roeiers. 'Het is een val. Ga terug naar...' Hij voelde een steek door zijn hoofd gaan en een verblindend licht flitste over zijn netvlies. Toen werd het zwart.

Vespasianus ontwaakte en zag de halvemaan aan een hemel vol twinkelende sterren staan. Hij voelde dat hij licht schommelde. Hij probeerde zijn armen te bewegen, maar merkte dat ze strak tegen zijn lichaam waren vastgebonden. Hij zag dat hij op een provisorische draagbaar lag, een deken of mantel die tussen twee speren was gespannen. Hij tilde zijn hoofd iets op, grimaste van de pijn en zag de rijzige gestalte van Cogidubnus lopen, met zijn handen op zijn rug, die waarschijnlijk zaten vastgebonden. Hij vloekte binnensmonds en vroeg zich af hoe de Cornovii hadden geweten van hun komst. Maar die vraag was zinloos, en hij sloot zijn ogen en gaf zich weer over aan de duisternis.

Hij werd wakker van geschreeuw, het knarsen van ijzeren scharnieren en het kraken van hout en zag dat hij een poort door werd gedragen. De stank van drek en de zoetige geur van brandend hout teisterde zijn neus. Na een paar passen bleven zijn dragers staan en hij hoorde een zware grendel verschoven worden en een deur schrapend opengaan, waarna hij een schemerige hut met dierenhuiden aan de wanden werd binnengedragen. Ze lieten hem hardhandig op de grond zakken. Er stonden vijf krijgers om hem heen, de punten van hun speren hingen vlak boven zijn gezicht. Een van hen riep iets onbegrijpelijks en wees naar de grond. Vespasianus ging zitten, keek waar de man naar wees en zag een gapende kuil en het ijzeren traliewerk met een touw dat ernaast lag. Hij kon weinig anders dan gehoorzamen en schuifelde naar voren, greep het touw en liet zichzelf tien voet diep zakken. Toen hij op de bodem stond, keek hij omhoog. De krijgers stonden op de rand van de kuil, maar toen twee van hen opzijgingen schoof Cogidubnus in beeld en werden zijn handen losgesneden. Scheldend en tierend liet de koning zichzelf zakken. Ze trokken het touw weer op, legden het traliewerk op de kuil en rolden er twee enorme houtblokken op die het op zijn plek moesten houden.

'Waar zijn onze mannen?' vroeg Vespasianus.

'Ik weet het niet. Maar ze leven nog wel. Ze werden weggevoerd toen we de nederzetting binnengingen.'

'Hoe wisten ze dat wij kwamen?'

'Ook dat weet ik niet.'

'Laten we hopen dat Judoc naar u luistert voordat hij tot een of andere onbezonnen actie overgaat.'

'Hij hoeft nu niet met ons te onderhandelen, want we zijn niet met een vredestak binnengekomen en ik heb ook nog eens een vijand bij me. Hij heeft alle recht om mijn ingewanden eruit te halen, mijn tong en ogen uit te rukken en me voor dood achter te laten.'

Vespasianus huiverde bij de gedachte toen er boven hen stemmen klonken en iemand de hut binnenkwam. 'Misschien is dat hem wel, dan kunnen we zien hoe graag hij wil onderhandelen.'

Hij keek op. Iemand knielde neer bij het traliewerk en verlichtte de kuil met een fakkel.

Vespasianus' hart sloeg over toen hij in de triomfantelijke, kwaadaardige ogen van Alienus keek.

'Het doet me deugd dat u zo verbaasd bent mij te zien, legaat,' zei de spion met een brede grijns. 'U dacht ongetwijfeld dat ik me terug zou spoeden naar Caratacus met mijn kopieën van Plautius' bevel?'

'In die veronderstelling verkeerde ik, ja.'

'Aha, een veronderstelling. Die vormen altijd een risico, vindt u ook niet, legaat? Kijk maar naar de hachelijke situatie waarin u nu beland bent. Dacht Plautius echt dat hij de bevelen kon herroepen die ik ontvreemd had en dat ik niet doorhad dat hij wist dat ik ze had, dat ik me niet zou realiseren dat hij juist wilde dat ik ze kreeg?'

'Dat is door mijn hoofd gegaan.'

'En toch bent u gekomen, zoals ik al verwachtte nadat ik Plautius' opzichtige poging om Caratacus uit zijn tent te lokken had gelezen. Ik was erg benieuwd wat hij zou proberen als ik terug zou komen voor nog meer van die valse informatie, en hij stelde me niet teleur. Je zou het zelfs slim kunnen noemen, mits hij een minder intelligent slachtoffer had gekozen. Helaas voor hem, en voor u, heb ik me niet de moeite getroost die rommel naar Caratacus te brengen en ben ik meteen hierheen gekomen om u op te wachten. En u bent zo vriendelijk geweest aan mijn verwachting te voldoen. Sterker nog, u hebt zelfs mijn neef de usurpator meegenomen. Ik moet toegeven dat ik dat niet verwacht had. Het is bijna te mooi om waar te zijn.'

Cogidubnus keek zijn neef strak en kil aan. 'Laat je niet zodanig meeslepen door je plezier dat het je beoordelingsvermogen ondermijnt, Alienus. Als ik jou was, zou ik heel goed nadenken voor je iets met ons doet. Judoc zal het niet fijn vinden als je ons doodt en de Romeinen zich op hem en zijn volk wreken.'

'Judoc!' zei Alienus spottend. 'Wat weet hij nou? Hij denkt dat je bent gestuurd om hem te vermoorden.'

'Dat is wat jij tegen hem gezegd hebt?'

'Natuurlijk. En uit jouw snelle komst hiernaartoe blijkt dat ik gelijk heb, en hij heeft geen enkele reden om te twijfelen aan mijn bewering dat hij niet de enige leider is op wie jullie het gemunt hebben. Bij zonsopkomst stuurt hij een bericht aan Arvirargus om hem te waarschuwen voor de huurmoordenaars in dienst van Rome die onderweg zijn om hem te doden. Op dit moment wordt het hoofd van jouw kameraden gescheiden van hun lichaam, zodat ze als bewijs kunnen dienen voor de aanslag op Judoc. Arvirargus en Judoc zullen nu de strijd aangaan, omdat het in hun ogen de enige manier is om in leven te blijven. Dus als Rome geen zwak punt in haar zuidwestelijke flank wil, zal ze een legioen moeten sturen om dat gebied te bezetten.

Hoe kun je met maar drie legioenen naar het noorden en westen oprukken als je tegelijk het veroverde gebied moet bezetten en die stammen onder de duim moet houden terwijl jullie roofzuchtige belastingpachters daar zijn uitgezet? Nog meer troepen bij de Rhenus weghalen en Gallië nog kwetsbaarder maken voor al die akelige Germanen? Dat lijkt me een slecht plan.' Alienus stond op en keek hen met gespeelde onschuld aan. 'Of zie ik dat helemaal verkeerd? Ik spreek u later nog, heren, nadat ik Judoc heb laten weten dat hij zijn koning moet sturen omdat wij vrezen voor moordaanslagen van Rome. Ik heb nog een rekening te vereffenen met de legaat voordat Judoc jullie overhandigt aan de druïden en Myrddin kan bepalen wat hij met jullie doet. Ik weet niet hoe het met jullie zit, maar ergens heb ik het gevoel dat Myrddin alsnog zijn gewenste offer krijgt.' Hij trok zijn wenkbrauwen op en tuitte zijn lippen. 'Ach ja, uiteindelijk krijgt Myrddin altijd zijn zin.'

Vespasianus zat de rest van de nacht op zijn hurken tegen de wand van de kuil en zakte zo nu en dan weg, terwijl Cogidubnus voortdurend heen en weer liep. Hun pogingen om de houtblokken op het traliewerk te verschuiven hadden niets opgeleverd: hun bewakers hadden gelachen en niet eens de moeite genomen om met de schacht van hun speren op Vespasianus' vingers te slaan toen hij op de schouders van Cogidubnus zat.

De dageraad werd aangekondigd door sporadische vogelzang en een jonge haan die vlakbij hardnekkig kraaide. Boven de kuil flikkerde een fakkel en iemand liet een oud brood en wat vlees van onbekende oorsprong door het traliewerk vallen.

'Hoe groot acht u de kans dat ze vannacht aan land zijn gegaan om ons te redden?' vroeg Cogidubnus terwijl hij worstelde met een stuk kraakbeen.

Vespasianus schudde zijn hoofd. 'Ze hebben vijf currachs en nog wat sloepen op de biremen, maar waar moeten ze landen? Alienus laat de haven natuurlijk bewaken, en het dichtstbijzijnde strand dat geschikt is voor een landing was volgens mij minstens twintig mijl terug.'

Cogidubnus gaf het op en spuugde een half vermalen brij uit. 'Ja, dat had ik ook al bedacht. En als ze daar aan land zijn gegaan, zullen ze nooit hier zijn voordat we worden overgeleverd aan de druïden. En zonder gids kunnen ze verder naar het zuidwesten in het donker geen veilige landing maken. Ik ben bang dat we dit op eigen houtje moeten opknappen. En ik heb weinig zin in die druïden: Myrddin zal ondertussen hebben gehoord dat ik zijn broeders in de Vallei van Sulis heb gedood en hij wil vast en zeker wraak nemen.'

Vespasianus nam niet de moeite instemmend te reageren. 'Wie is Myrddin?'

Het was de eerste keer dat Vespasianus angst zag op het gezicht van Cogidubnus. 'Hij is de hoofddruïde van Britannia. Hij kent alle geheimen van hun kracht en zal die samen met zijn naam doorgeven aan zijn opvolger wanneer die gevonden wordt.'

'Gevonden?'

'Ja, de druïden geloven dat ze na hun dood terugkeren in een ander lichaam. Daarom zijn ze niet bang om dood te gaan. Er wordt dus steeds een nieuwe Myrddin geboren. Het is de plicht van de huidige Myrddin om tussen alle nieuwe ingewijden een oude Myrddin te herkennen, zodat hij die kan opleiden en zijn kennis aan hem kan doorgeven. Op die manier is Myrddin in alle opzichten onsterfelijk. De huidige Myrddin is waarschijnlijk hier om de nieuwelingen te bekijken.'

'Onsterfelijk als een god.'

'Ja, min of meer als een god.'

'Hebben die druïden nog andere goden zoals Sulis?'

'Ik zou het niet weten, maar er moet iets zijn waardoor ze daar blijven, anders zouden ze niet met z'n allen op die rots gaan zitten.'

Vespasianus' maag keerde zich om en hij wist dat het niet door het slechte eten kwam. Maar toen werd hij afgeleid door een geluid van boven.

'U zult er wel spijt van hebben dat u zich aan uw woord hebt gehouden en mij hebt laten leven, legaat,' mijmerde Alienus terwijl hij de kuil in keek. Hij had een leren handschoen aan waarin een brandijzer lag dat gloeide als de ochtendzon die weldra aan de horizon zou verschijnen.

Vespasianus vocht tegen de vier mannen die zijn schouders en benen op de houten tafel drukten, zoals hij had gevochten tegen alles wat er met hem gebeurd was sinds hij onder bedreiging van speerpunten uit de kuil was gehaald. Hij had gevochten tegen de krijgers die er ten slotte toch in geslaagd waren zijn handen achter zijn rug te binden; hij had geschopt naar de mannen die zijn benen met leren banden aan elkaar hadden geknoopt. Bloed sijpelde over zijn voorhoofd, want hij had de eerste man die probeerde zijn tuniek van zijn lijf te rukken een kopstoot verkocht. De tweede man was het gelukt, bij hem stonden slechts wat tanden in zijn hand. De krijger die zijn lendendoek had weggetrokken, liep nu rond met een gebroken kaak als gevolg van een kniestoot die zowel hem als Vespasianus op de grond had doen belanden. Maar nu werd hij kronkelend en spartelend op de tafel gelegd en drong het tot hem door dat hij kansloos was. Hij stribbelde niet meer tegen en lag hijgend op de tafel, naakt, op zijn sandalen na, en keek naar Alienus en het gloeiende gevaar in zijn hand.

'Nou, legaat, u wekt de indruk nóg liever aan het brandijzer te willen ontkomen dan ik,' merkte Alienus op en hij duwde het ijzer weer diep in de vuurkorf. 'Misschien maken we het makkelijker voor u als u wat vragen moet beantwoorden, zoals ik ook moest doen. Dan is het niet zo'n zinloze onderneming. Ja, die vragen maken het enigszins waardevol, of eervol, als u dat liever heeft, en bieden ons een doel: ik moet erachter komen wat u weet en u moet die informatie juist voor zich houden, zoals het een soldaat betaamt.'

Vespasianus spuugde naar de spion, maar miste.

'U kunt mij beter niet boos maken, misschien dat ik dan ineens weer weet welk deel van mijn lichaam u dreigde weg te branden. Goed, waar waren we? O ja, de vragen. Wat zal ik u vragen? Het probleem is dat ik eigenlijk maar weinig van u wil weten.' Hij trok het ijzer uit het vuur, waarvan de punt zo geel was als de middagzon, en hield het zo dicht bij Vespasianus' rechterbeen dat de haren verschroeiden. 'Ik weet al wat ik van u wil horen: die ochtend dat u de riviermond uit voer,' hij boog zich naar voren, 'wat hebt u toen gegeten?'

Vespasianus keek naar zijn beul en vroeg zich af of dit een strikvraag was toen een verzengende hitte door zijn lijf schoot. Het gloeiende ijzer brandde zich door zijn huid en raakte de spier in zijn dijbeen. Een onvoorstelbare pijn deed hem ineenkrimpen.

'Nou?' brulde Alienus in zijn oor. 'Wat hebt u toen gegeten?' Hij trok het ijzer van het verschroeide vlees, rook kringelde omhoog vanaf de brandwond, en hij herhaalde zijn vraag op aangename, vriendelijke toon: 'Wat hebt u gegeten op de ochtend dat u uitvoer?'

Hyperventilerend probeerde Vespasianus erachter te komen of hij het wel goed had verstaan, maar toen de vraag nog een keer werd gesteld, wist hij het zeker. Het ijzer siste op zijn huid en opnieuw schoot de pijn door zijn lichaam. 'Linzen,' murmelde hij tandenknarsend.

Alienus glimlachte spijtig. 'Linzen? U stelt me teleur, legaat. Ik had verwacht dat een man van uw stand en *dignitas* zulke informatie veel langer had achtergehouden. Ik begrijp dat ik wat moeilijker vragen moet stellen.'

'Bespaar me die spelletjes van je, Alienus. Verbrand me maar, als je dat zo graag wil, maar doe niet alsof het om iets anders gaat dan wraak voor de vernedering die ik jou heb toegebracht door je aan het praten te krijgen.'

'Ik kon niet anders!' Alienus' kaak en mond verstrakten en hij liet het brandijzer langzaam langs de binnenkant van Vespasianus' dij glijden.

Dit keer verzette Vespasianus zich tegen de pijn, en er ging van alles door zijn hoofd toen hij zich realiseerde dat hij onbedoeld de spijker op z'n kop had geslagen. Door de tranen in zijn samengeknepen ogen keek hij de spion aan. 'Jij hebt mij verteld waar Sabinus was, weet je nog?'

Het ijzer bleef hangen en Alienus drukte het hard tegen het zachte vlees.

'Weet Myrddin het?' brulde Vespasianus, en hij wist de pijnkreet die in hem opborrelde om te zetten in woorden: 'Weet hij dat Sabinus dankzij jou is gevonden en bevrijd?'

Alienus duwde het ijzer terug in het vuur. 'En wat heeft dat met u te maken?'

Vespasianus zoog lucht door zijn trillende neusgaten naar binnen terwijl de pijn wegzakte. De stank van verbrand vlees plakte aan de binnenkant van zijn neusvleugels. Hij deed zijn ogen dicht. 'Mij laat het koud. Maar als Myrddin erachter komt dat jij hem de kans op het offeren van een legaat door de neus hebt geboord door mij in ruil voor je leven te vertellen waar hij was, denk ik niet dat hij erg blij zal zijn.

En als je mij vermoordt om te voorkomen dat ik het vertel, dan beroof je hem nog een keer van een mooi offer.'

De vuist van Alienus knalde tegen Vespasianus' kaak en deed zijn hoofd opzij slaan.

Vespasianus proefde bloed in zijn mond. Hij draaide zijn hoofd terug en grinnikte vreugdeloos. 'Lastig hè? Zelfs voor een intelligente man als jij.'

Alienus greep het ijzer en hield het vlak bij Vespasianus' bloedende mond. 'Ik brand uw tong eruit en wat zal ik dan genieten als u probeert Myrddin uw verhaal te vertellen.'

'Ik denk niet dat je dat doet, Alienus, want dan moet je hetzelfde doen bij Cogidubnus, en dat zal Myrddin niet op prijs stellen. Hij weet dat Cogidubnus de dood van de druïden in de Vallei van Sulis op zijn geweten heeft en hij wil de koning die hem uitgedaagd heeft liever levend in handen krijgen, zoals hij mij ook levend wilde hebben. Welk nut hebben wij als offers wanneer we lichaamsdelen missen?' De gloeiende punt beefde, er kroop onzekerheid in Alienus' ogen. 'Jij kunt en mag helemaal niets met ons doen zolang Myrddin denkt dat wij vrij rondlopen en dat weet jij heel goed, of niet soms?'

'Ik zou u gewoon moeten vermoorden!'

'Ik weet het, maar dat kun je niet, je kunt me niet eens ernstig verwonden. Dat realiseerde ik me zonet, toen je je alleen maar richtte op mijn bovenbenen. Maar ik kan jou wel pijn doen voordat ik doodga en dat zal ik doen ook. Myrddin zal weten dat jij hem verraden hebt. Hij zal wraak willen nemen. En zoals je zelf al zei: Myrddin krijgt altijd zijn zin.'

Alienus' ogen werden klein van haat. Hij drukte het ijzer hard op Vespasianus' schouder en rook kringelde omhoog van het dichtschroeiende vlees.

Vespasianus verbeet de pijn en wist grommend wat uit te brengen: 'Ik zou 'm smeren als ik jou was. Op zoek gaan naar een plek waar de toorn van Myrddin je niet kan treffen, want zijn woede is mijn afscheidsgeschenk aan jou.'

Alienus drukte harder. Vespasianus zette zijn kiezen op elkaar en perste er een venijnige glimlach uit. 'Waar ben jij nog veilig, voor Rome en voor de druïden?'

Alienus smeet zijn brandijzer op de grond, schreeuwde iets in zijn eigen taal naar de mannen die Vespasianus vasthielden en beende de hut uit.

Vespasianus werd van de tafel getild en terug in de kuil geworpen: de harde landing dreunde door in zijn ruggengraat.

Cogidubnus draaide hem om en maakte zijn handen los terwijl het traliewerk werd teruggelegd. 'U had volkomen gelijk. Hoe wist u dat?'

'Toen hij deed alsof hij teleurgesteld in mij was omdat ik hem zo snel vertelde wat ik gegeten had.' Vespasianus trok zijn handen los, spuugde erin en legde ze vervolgens zacht op de brandwonden op zijn been. Hij ademde diep in en uit, probeerde de pijn te verdrijven. 'Ik besefte dat wat ik hem verteld had onbelangrijk was in vergelijking met de informatie die hij ons gegeven had.'

Cogidubnus begon aan de leren band om zijn enkels. 'En u vermoedde dat hij daar niet mee te koop had gelopen.'

'Inderdaad. Ik denk dat hij niemand heeft verteld dat hij gevangengenomen en ontsnapt is.'

Niet ver bij hen vandaan klonk twee keer achter elkaar een ijzige gil, gevolgd door een kakofonie van schreeuwen en kreten.

'Het lijkt erop dat onze vriend zojuist de nederzetting heeft verlaten,' merkte Vespasianus op, en hij duwde zijn voeten iets uit elkaar en verbeet de pijn die de beweging veroorzaakte, 'en ik denk niet dat zijn gastheren blij zijn met zijn onaangekondigde vertrek.'

Cogidubnus tilde zijn hoofd op en luisterde even. Het rumoer nam toe. 'Dit klinkt niet alsof er iemand ontsnapt is. Ze roepen "brand". Iemand steekt de nederzetting in brand.'

'Onze mensen?'

'Wat doet het ertoe?'

Het tumult nam toe en Vespasianus voelde dat zijn pijn werd verdrongen door een vlaag van hoop, en toen hij opkeek zag hij de bewakers wegrennen. Een van de houtblokken lag aan de rand van het traliewerk. Een veelzeggende vuurgloed sijpelde door de spleten tussen de muren en het strodak. 'Dit is onze kans. Ik ga op uw schouders staan.'

Cogidubnus ging door zijn knieën en Vespasianus gooide een been over zijn schouder. Grommend kwam de koning omhoog, waarna Vespasianus de rand van het traliewerk pakte en begon te duwen. Er zat een beetje beweging in. Hij duwde harder, negeerde de stekende pijn van de brandwond aan de binnenkant van zijn dij, die langs de ongeschoren kin van Cogidubnus schuurde. Het traliewerk kwam een paar centimeter omhoog en het ene houtblok dat er nog op lag rolde een paar duim weg. Met een uiterste inspanning drukte Vespasianus het traliewerk verder omhoog, zodat het blok er helemaal vanaf rolde. Ondertussen maakten degenen die de brand bestreden steeds meer kabaal. Hij schoof het traliewerk opzij en klauterde de kuil uit. Hij keek om zich heen, zag het touw liggen en gooide het de kuil in. Cogidubnus klom snel omhoog, rolde het touw op en gooide het over zijn schouder. Ze liepen naar de deur en duwden die iets open. Een stuk of vijf krijgers holden door de smalle straat, allemaal dezelfde kant op.

Vespasianus trok de deur dicht. 'We moeten hier weg zien te komen en op zoek gaan naar Judoc.'

'Zo kunt u niet zich vertonen,' merkte Cogidubnus op, en zijn blik gleed langs Vespasianus naar beneden.

Vespasianus ging op zoek naar zijn tuniek en vond die, samen met zijn riem en zwaard, onder de tafel, aan flarden. Maar zijn mantel zat nog aan de twee speren waarmee ze een draagbaar hadden gemaakt. Met zijn zwaard sneed hij er twee armgaten uit, waarna hij hem over zijn schouders sloeg en bij zijn nek vastmaakte, zijn weggesmeten lendendoek ombond en zijn riem om zijn middel gespte. 'Zo moet het maar.' Hij gooide een van de speren naar Cogidubnus en schopte de vuurkorf om. De gloeiende kolen vlogen tegen de wand en de dierenhuiden begonnen te smeulen. 'Hoe meer de Cornovii te doen hebben, hoe groter onze kansen, denk ik.'

'Dat ben ik met u eens. Wilt u mij die tuniek geven?'

Vespasianus gooide het gescheurde kledingstuk naar Cogidubnus toen de eerste huid vlam vatte.

Cogidubnus hield de tuniek in de vlammen. Toen die ook vlam vatte, zette hij de deur op een kier en gooide het kledingstuk onderhands op het droge strodak van de tegenovergelegen hut. De frisse lucht die door de deuropening naar binnen stroomde wakkerde het vuur aan: de vlammen kropen langs de dierenhuiden omhoog en de hut vulde zich met rook. Cogidubnus wachtte even tot de rook dikker werd en gooide toen de deur helemaal open, zodat de rook kon ontsnappen. 'Wegwezen!'

Vespasianus volgde de koning naar buiten, aan het zicht onttrokken door de dikke rookwolken die de hut uitspuwde en de vlammen die nu aan weerszijden van de straat oplaaiden. Hij rende achter Cogidubnus aan langs andere ronde hutten die in brand stonden en waar mannen met wateremmers de vlammen bestreden, en daarna door een web van donkere steegjes. Door het samentrekken van de spieren gingen de brandwonden op zijn dijbeen en schouder steken en zijn kloppende aderen bonkten in zijn hoofd. Het tumult van de brandbestrijders nam toe en de smalle straten stroomden vol met krijgers die wilden helpen. Cogidubnus dook links een spleet tussen twee hutten in en volgde het pad, dat weinig meer dan een afvoerkanaal was, zo snel als op de glibberige, stinkende bodem mogelijk was. Toen ze bij het einde kwamen, waar een groepje kippen geschrokken uit elkaar vloog, zagen ze op dertig passen de palissade: een zwarte schaduw tegen een blauwige lucht. Met een blik van verstandhouding liepen ze ernaartoe, waarbij ze slechts een paar vrouwen tegenkwamen die dolende kinderen verzamelden en naar de betrekkelijk veilige hutten stuurden. Achter de laatste woning zagen ze een ladder die naar de weergang leidde, die minder dan een manshoogte onder de bovenkant van de palissade zat. In een mum van tijd stonden ze boven en keken in de richting vanwaar het geschreeuw kwam, maar op dat moment werd hun aandacht getrokken door een geluid uit een andere richting.

'Bij de kont van Mars!' riep Vespasianus uit. 'Die brand is niet het enige waar de Cornovii zich zo druk over maken. Hoe zijn ze zo snel hier gekomen?'

Vijftig passen bij hen vandaan, net zichtbaar in het zwakke ochtendlicht, naderden de centuriën – tweeënhalf, om precies te zijn – van het smaldeel de openstaande poort. Acht man breed en beschermd door een dak van schilden rukten ze op, hun zwaarden flikkerden tussen de schilden, gereed om de strijd aan te gaan met de krijgers die zich verzameld hadden bij de poort.

Vespasianus sloeg zijn vuist tegen de palissade. 'Stelletje idioten! Welke onbenul heeft de leiding? Zodra ze binnen zijn worden ze omsingeld en in de pan gehakt. We moeten ze tegenhouden.'

Cogidubnus rolde het touw af en bond het vast aan de bovenkant van de palissade. 'Het is niet lang genoeg, maar het zal een sprong van niet meer dan zes à acht voet zijn. Kijk uit voor de staken in de greppel.'

Hij klauterde over de palissade en liet zich zakken. Het tumult zwol aan nu de zeesoldaten contact hadden gemaakt met de vijand. Ongeveer een mijl achter hen stak de rots van Tagell als een inktzwarte schaduw in de schemering de zee in.

Alvorens zelf af te dalen blikte Vespasianus achterom. Door de stevige zeewind verspreidden de vlammen zich snel. Het touw kwam tot vlak boven de plek waar de palen van de omheining in de aardwal naast de greppel waren ingegraven. Hij liet los en gleed langs de steile greppelwand naar beneden. Cogidubnus greep hem toen hij op de bodem was, om te voorkomen dat hij voorover zou duikelen. Zonder een woord te zeggen liepen ze tussen de staken door, klauterden aan de andere kant omhoog en gleden de tweede en tevens laatste greppel van de verdedigingswerken in. Ze maakten zich zo klein mogelijk, want met het licht nam ook hun zichtbaarheid toe, en holden door tot ze op nog geen tien passen van de Romeinse achterhoede waren. Terwijl de slingerstenen afketsten van hun gebutste schilden, rukten de zeesoldaten gestaag op naar de poort.

Vespasianus trok zich op aan een jonge boom op de rand van de greppel. Cogidubnus volgde zijn voorbeeld, maar de wortels van de jonge boom waren niet sterk genoeg en hij viel terug. Vespasianus ging op zijn buik liggen en stak zijn arm uit. Op het moment dat de koning zijn arm pakte, sloeg vlak naast hem een speer in, snel gevolgd door enkele slingerstenen.

'Weg daar!' riep Cogidubnus en hij wierp zichzelf tegen de andere kant van de greppel, uit het zicht van de krijgers op de palissade. 'Ik kom er zelf wel uit.'

Vespasianus voelde een steen langs zijn hoofd zoeven, krabbelde overeind, schoot naar de Romeinse achterhoede en wurmde zich tussen de zeesoldaten in het achterste gelid.

'Laat me erdoor! Laat me erdoor!' beval hij en hij baande zich duwend een weg door het tweede en derde gelid. De verbijsterde soldaten maakten precies genoeg ruimte om hem door te kunnen laten zonder dat er gaten in het dak van schilden vielen.

'Opgelet, we trekken ons zo terug!'

Hij drong door tot het hart van de gesloten formatie en herhaalde steeds zijn waarschuwing, schreeuwend nu, om niet overstemd te worden door het gebonk van de slingerstenen op de schilden en het tumult van de strijd, dat sterker werd naarmate hij dichter bij de voorste linie kwam.

'Op mijn teken terugtrekken!' riep hij toen hij bij de hoornblazer kwam die weggedoken zat achter de voorste gelederen. De soldaat keek naar hem, herkende zijn bevelhebber en zette het mondstuk aan zijn lippen.

'Nu!'

De drie dalende noten van het signaal galmden over de gelederen en de formatie deed een stap achteruit.

'Hou een langzaam maar gestaag ritme aan,' beval Vespasianus.

De soldaat blies één enkele noot en de mannen deden opnieuw een stap achteruit, en bij de volgende noot weer. Zo liepen ze langzaam achterwaarts de poort door, nog altijd onder een regen van slingerstenen, die weinig schade aanrichtte, en in de voorhoede aan drie kanten vechtend met de vijand. Maar toen de voorste linie op het pad kwam dat wegliep van de poort, zorgden de steile hellingen aan weerszijden ervoor dat er alleen nog aan de voorkant gestreden hoefde te worden, en de superieure vechtkunst van de zeesoldaten begon haar vruchten af te werpen. Steeds minder krijgers waren bereid zich tegen de schildmuur te werpen, waar de zwaarden fonkelend van het bloed uit staken, en tegen de tijd dat de soldaten zich hadden teruggetrokken tot de tweede greppel, werd er niet meer man tegen man gevochten en beval Vespasianus onder luid gejuich van de verdedigers het tempo te verhogen.

'In linie!' beval Vespasianus toen ze op het open terrein achter de tweede greppel kwamen.

De achterste gelederen stroomden meteen naar voren en waaierden uit, zodat er een formatie van zestig man breed en vier man diep ontstond. De verdedigers trokken zich terug naar de poort en het hield op met stenen regenen. Strijd gestaakt.

In de nederzetting laaiden de vlammen hoog op.

Vespasianus drong zich door de gelederen naar voren en keek woedend om zich heen. 'Wie heeft bevel tot deze gestoorde actie gegeven?'

Een gewone soldaat stapte naar voren en sprong keurig in de houding. Zijn arm was besmeurd met bloed. 'Ik, legaat.'

Vespasianus zuchtte. 'Ik had het kunnen weten. Op wiens gezag deed je dat, Magnus?'

'Nou, de jongens waren het met me eens. Toen de bemanningsleden terugkwamen en zeiden dat jullie gevangen waren genomen, wisten we dat we niet op diezelfde plek aan land konden gaan. Maar ik had gehoord dat Cogidubnus zei dat de gevangene had gezegd dat dit binnen een straal van zeven mijl de veiligste landingsplek was, dus bedacht ik dat er zeven mijl verderop een andere moest zijn. Dus voeren we langs de kust zonder ons druk te maken over de vijand, want die had ons toch al gezien, en vonden de inham waarover de gevangene het tegen Cogidubnus moest hebben gehad. Toen roeiden we naar de kust en holden zo snel mogelijk de zeven mijl terug, zodat we de nederzetting in het donker konden naderen en dan, zodra het licht werd en de poorten opengingen, konden bestormen. De rest van Cogidubnus' mannen is doorgelopen naar de kust om de haven veilig te stellen voor als de schepen terugkeren en we in allerijl moeten vertrekken.'

'Wat waarschijnlijk ook wel nodig is nu jij de Cornovii tegen ons in het harnas hebt gejaagd door hun nederzetting in de hens te steken en vervolgens een poging te doen hun de nek om te draaien.'

'Wij hebben die brand niet gesticht. Dat was puur geluk.'

'Geluk? Dat is wel heel toevallig dan.'

'Dat is het ook. Hoe dan ook, u kon daardoor makkelijker ontsnappen. Wat stelt u nu voor?'

'Met ze praten,' zei Cogidubnus, die naar voren kwam met het ontwortelde boompje, 'want dat was eigenlijk de bedoeling.' Hij liep met de vredestak langs Vespasianus het pad op en schreeuwde: 'Judoc!'

Dit veroorzaakte enige reuring onder de Cornovii, en een gedrongen, gespierde man met een reusachtige rode hangsnor en een al even rode dikke haardos drong zich naar voren. Hij riep iets in zijn eigen taal, legde opzichtig zijn zwaard op de grond en liep naar Cogidubnus toe, die hij tussen de eerste en tweede greppel ontmoette. De meute achter Judoc werd kleiner omdat veel mensen teruggingen om de brand te bestrijden, maar er bleef een aanzienlijk aantal krijgers achter om de poort te bewaken.

Terwijl de twee mannen aan hun gesprek begonnen, keerde Vespasianus zich tot Magnus en zei: 'En jij dacht dat het een goed idee was om door hun voordeur binnen te vallen terwijl je zwaar in de minderheid was?'

Magnus haalde zijn schouders op en leek tevreden met zijn eigen handelen. 'We kwamen u halen en nu staat u naast me, dus het lijkt er wel op.'

'Maar nu weten ze hoe sterk wij zijn en gaan we de onderhandelingen zwak in. Terwijl een paar mannen van Cogidubnus misschien onopgemerkt door de branden hadden kunnen komen.'

'Maar misschien ook niet, en dan zouden we een paar uur verder zijn en op klaarlichte dag is een verrassingsaanval uitgesloten. Dus in het donker door de voordeur was de enige optie.'

Vespasianus had geen zin om erop door te gaan en sloeg zijn vriend op de rug. 'Dan moeten we er maar het beste van maken.'

'Legaat!' riep Cogidubnus over zijn schouder. 'Judoc wil u spreken.'

'Ik zou maar snel poolshoogte gaan nemen, alleen zou ik wel iets aan mijn kleding doen,' opperde Magnus vriendelijk.

'Ja, komt voor elkaar! Zeg tegen de centuriones Glaubus en Balbus dat hun mannen paraat moeten zijn en richt je daarna weer op je plichten als burger.'

'Dat was het?'

'Ja. Dank je wel, Magnus.'

'Ah! Ik vroeg me al af wanneer het zou komen.'

Vespasianus trok de mantel strakker en liep naar de twee Britanniërs toe in het besef dat zijn voorkomen niet was wat men verwachtte van de legaat van een Romeinse legioen.

'Legaat Titus Flavius Vespasianus,' zei Cogidubnus formeel. Hij hield nog steeds het boompje omhoog. 'Dit is Judoc, hoofd van de Cornovii, een onderstam van de Dumnonii.'

Vespasianus rechtte zijn rug en keek de man strak aan. 'Fijn om eindelijk kennis met u te maken, na zo gastvrij door u te zijn ontvangen.'

'Het genoegen is wederzijds,' antwoordde Judoc en hij veegde de haren weg die de wind in zijn ogen blies, 'temeer daar uw gezichtsuitdrukking verraadt dat u niet verwacht had dat ik Latijn zou spreken en dus zou aanvoelen dat uw groet sarcastisch bedoeld was.'

Vespasianus wist een spontane verontschuldiging te onderdrukken en bleef Judoc strak aankijken.

'Het was niet mijn idee om u op deze manier te onthalen en ik keur het ook niet goed, maar vooralsnog zal ik mij er niet voor verontschuldigen, tenzij u kunt ontkrachten wat men beweert: dat u mij komt vermoorden. Ik bied u het voorrecht om onder de vredestak uw woord te doen, uit eerbied voor Cogidubnus, koning van de Atrebates en Regni, ook al beschouw ik hem als een verrader van ons volk.'

Vespasianus zette zijn gedachten op een rijtje in het besef dat hij heel weinig tijd had om indruk te maken op de man in wiens handen zijn lot lag, en dat van zijn mannen. 'Laat mij u bedanken, Judoc, en tegelijk waarschuwen.'

'Waarschuwen? Waarvoor?'

'Omdat u groot gevaar loopt.'

Het stamhoofd barstte in lachen uit. Zijn lach klonk kil en hees. 'Ik had al gehoord dat de Romeinen hooghartig kunnen zijn. U vertelt mij, terwijl u zelf halfnaakt bent en op de rand van de dood staat, dat *ík* groot gevaar loop?'

'Ik bedoel niet nu, maar in de zeer nabije toekomst. Natuurlijk, u kunt uw krijgers op ons afsturen en die zullen ongetwijfeld al mijn mannen binnen een uur gevangennemen of doden, maar tegen die tijd zullen zij twee keer zoveel slachtoffers te betreuren hebben en zal uw nederzetting tot de grond toe zijn afgebrand. En met welk gevolg? Rome zal u vogelvrij verklaren en ze zullen pas tevreden zijn wanneer alle Cornovii dood zijn of geketend hun werk doen in uw eigen tinmijnen, ter verrijking van Rome.' Hij zweeg even om Judoc de gelegenheid te geven de dreiging goed tot zich te laten doordringen. 'Wij zijn hier niet om u te vermoorden, dat was een leugen die u is voorgehouden door een man die ik ken als Alienus maar die bij u waarschijnlijk bekend is als Verica, kleinzoon van zijn naamgenoot, de vorige koning van de Atrebates en Regni. Hij wil dat u de wapens opneemt tegen Rome en alles kwijtraakt. Hij, Caratacus en de druïden zijn bereid de Cornovii en alle Dumnonii op te offeren om uit te stellen wat onvermijdelijk is. Het zal een jaar, misschien twee jaar duren voordat jullie door de knieën gaan, maar uiteindelijk zullen jullie vermorzeld worden en zal u, Judoc, sterven.

Maar zo hoeft het niet te gaan. Rome biedt u de mogelijkheid om uw vrijheid te behouden in ruil voor twee dingen: een jaarlijkse tribuut in de vorm van tin en de verwijdering van alle druïden op Tagell. De aanval op onze schepen zal door de vingers worden gezien, omdat u daartoe bent aangezet door de valse adviezen van uw verachtelijke priesters, die uitsluitend zichzelf dienen. Er zullen hier geen belastingpachters komen, maar u zult handel kunnen drijven in de Romeinse gebieden en uw mannen mogen zich aansluiten bij de Britannische hulptroepen en het burgerschap verdienen. Voor u heeft het alleen maar voordelen, Judoc. U plukt de vruchten van het Romeinse Rijk zonder het scherpe zwaard van Rome te voelen. Dat wil Cogidubnus u aanbieden, en ik ben hier om de druïden te doden als u weigert dat zelf te doen. Wij zijn hier niet om u te vermoorden, maar juist om vrienden te worden. Wat vindt u daarvan?'

Judoc bleef een tijdje stil en keerde zich toen naar Cogidubnus. 'Ik heb gehoord dat u eerst tegen Rome vocht en zich toen pas onderwierp, zodat de andere stammen zouden zeggen dat de voorwaarden van uw overgaven in Romeins bloed waren geschreven. Klopt dat?'

'De Atrebates hadden mij nooit geaccepteerd als opvolger van Verica als ik niet had laten zien dat ik de indringers wilde bestrijden.'

'En als ik me zonder enig verzet laat onderwerpen, hoe lang denkt u dat ik dan nog hoofd van de Cornovii ben?'

'Uw eer is al gered, uw mannen hebben drie Romeinse biremen vernietigd. Er is geen stam die kan zeggen dat ze een van onze schepen tot zinken hebben gebracht.'

'Drie, zegt u? Dus het was waar wat die ene man die terugkeerde van de aanval zei vlak voordat ik hem liet doden omdat hij u hierheen had geleid, en nu wil Rome vrienden met mij worden omdat ze bang voor me zijn?'

Vespasianus probeerde zo serieus mogelijk over te komen als in die uitdossing kon. 'Rome is niet bang voor een man die verwoesting kan zaaien onder haar schepen, Rome respecteert zo'n man. Wij kunnen u verpletteren, maar we weten dat het een lange strijd zou worden, dus worden we liever vrienden. Wij prijzen een man die zo dapper tegen ons strijdt en belonen hem met zijn vrijheid en onafhankelijkheid en beschouwen hem als een vriend en bondgenoot van Rome.'

Judoc zwol van trots. 'Rome smeekt om mijn vriendschap? Dan moet het zo zijn, legaat.' Hij draaide zich om en sprak zijn krijgers toe op een toon die Vespasianus opgeblazen vond klinken.

'Hij verkondigt de zege op Rome,' mompelde Cogidubnus.

'Hij mag verkondigen wat hij wil, zolang hij ons maar laat leven.'

'Hij vertelt zijn mensen nu dat ze een keus hebben: doorgaan met de dappere strijd waarvoor de krijgers van de aanval op onze schepen hun leven hebben gegeven, óf voldoen aan het verzoek van Rome om een einde te maken aan de vijandelijkheden in ruil voor een gegarandeerde onafhankelijkheid.'

Vespasianus onderdrukte een grijns. 'Het is overal hetzelfde: welke leider vertelt zijn mensen ooit de waarheid?'

'Voor wie macht heeft, wordt de waarheid een luxe, en net als alle luxes moet je ook deze spaarzaam gebruiken.'

Vespasianus zuchtte en zijn gedachten gingen naar de Romeinse politiek. 'Dat weet ik inmiddels maar al te goed.'

Gejuich steeg op en Judoc gooide als teken van erkenning twee vuisten in de lucht.

'Ik denk dat de Cornovii zo aardig zijn het Romeinse Rijk niet meer te bedreigen,' merkte Cogidubnus op.

Vespasianus voelde een enorme opluchting, maar liet daar niets van blijken. 'De goden zij dank dat mensen het altijd weer voor elkaar krijgen hun eigen belangen te dienen zonder gezichtsverlies te lijden.'

Judoc draaide zich breed grijzend om en spreidde zijn armen, en Vespasianus wist dat hij weinig anders kon dan de omhelzing van het stamhoofd te aanvaarden. 'Mijn vriend, de Cornovii zullen niet meer vechten tegen Rome. Op één voorwaarde: ik kan geen verantwoording dragen voor de dood van de druïden op Tagell, maar ik zou het op prijs stellen wanneer zij verdwijnen, want ze bemoeien zich met mijn volk.'

En doen afbreuk aan uw macht, dacht Vespasianus. 'Dus u loopt ons niet meer voor de voeten?'

'Vrienden loopt men niet voor de voeten.' Judoc gebaarde naar achteren. 'En om te bewijzen wat een goede vriend ik ben, zal ik u een geschenk aanbieden wanneer de druïden dood zijn.' Vanuit de menigte stapten twee krijgers naar voren met in hun midden Alienus, vastgebonden en gekneveld, maar uit zijn houding sprak trots. 'Ik hoop dat dit een genoegdoening mag zijn voor de executie, op zijn aanraden, van de mannen die u meenam. Hun hoofden zullen niet naar Arvirargus worden gestuurd. Mijn boodschap aan hem zal zijn dat ik de vriendschap van Rome heb aanvaard, en ik zal hem de voorwaarden uitleggen en hem aanraden hetzelfde te doen. Hij is een praktisch denkend mens en houdt erg van zijn paarden. Ik weet zeker dat hij die niet wil kwijtraken.'

'Dat denk ik ook.' Vespasianus keek naar Alienus. Zijn ogen spoten vuur, maar hij hield zich gedeisd. 'Dank u zeer voor dit geschenk, Judoc.

Ik zal het bij terugkomst meenemen. Mijn broer weet precies waar hij hem wil opbergen, er zal de komende jaren goed voor hem gezorgd worden. Wie weet haalt hij de dertig wel.' Hij wees over zijn schouder naar de rotsige bult van Tagell. 'Hij zal in ieder geval langer leven dan het gespuis daar.'

'Ik moet u waarschuwen, legaat. De druïden op Tagell hebben hun eigen bescherming, die de ziel kan doen bevriezen. Maar bovenal dient u er rekening mee te houden dat Myrddin een paar dagen geleden gearriveerd is, en hij beschikt over uitzonderlijke gaven. Hij ziet dingen aankomen en volgens mij is hij gekomen omdat hij u verwachtte.' Judoc wees in de richting van Tagell. 'Kijk.'

Vespasianus draaide zich om en wat hij zag deed hem verstenen van schrik: tussen de paar hutten op de rots van Tagell, in het zachtrode licht van de opkomende zon, stond een reus die vijf of zes keer zo groot was als een volwassen man, met het hoofd van een stier en enorme hoorns.

'Dat hebben ze speciaal voor u gebouwd.'

Vespasianus staarde vol ontzag naar de rieten reus.

HOOFDSTUK X

'Hier zijn ze een stuk groter dan in Germania,' bromde Magnus en hij keek naar de kolos op Tagell, het schiereiland aan de overkant van de kale, rotsige engte die het verbond met het vasteland. 'Ik betwijfel of de mannen in de buurt durven komen.'

'Laten we eerst maar eens kijken hóé we er moeten komen,' merkte Vespasianus op terwijl hij naar de steile klifwand aan het einde van de landengte keek. 'Zo te zien is er geen pad. Dat wordt klauteren.'

'Ik zie helemaal niemand. Waar zitten ze?'

Cogidubnus schermde met zijn handen zijn ogen af voor de steeds fellere zon. 'Ze hebben ons aan zien komen, en als Judoc gelijk heeft en ze ons inderdaad verwachten, dan komen ze vast en zeker met een paar onaangename verrassingen.'

Het zat Vespasianus niet lekker dat de druïden zich ogenschijnlijk niet druk maakten om de ophanden zijnde komst van op z'n minst nog eens tweehonderd manschappen. Hoewel er rook kringelde uit de vijf hutten bij de rieten reus, waren de paar grazende schapen op het grove gras aan zijn voeten het enige teken van leven. Hij richtte zich tot de twee centuriones die achter hem op nadere orders stonden te wachten. 'Glaubus, ga met uw mannen naar de overkant en kijk of u langs de zuidkant kunt komen. Cogidubnus gaat mee. Iedereen die u tegenkomt maakt u een kopje kleiner. Balbus, u komt met uw mannen met mij mee. Wij gaan de noordkant bekijken.'

De centuriones salueerden voorbeeldig, maar de angstige blik die ze wisselden toen ze inrukten gaf Vespasianus te denken. 'Ik denk dat je gelijk hebt, Magnus: als de centuriones al peentjes zweten bij de gedachte dat ze daar naartoe moeten, hoe kan ik er dan op rekenen dat hun mannen hen zullen volgen?'

'Laten we dan gewoon teruggaan naar de schepen. We moeten de feiten onder ogen zien, heer: Caratacus komt niet, omdat Alienus hem niet verteld heeft dat we hier zijn. U bent erin geslaagd de Cornovii in ons kamp te krijgen, wat het enige andere was wat u hier moest bewerkstelligen, dus waarom varen we niet gewoon weg en laten de druïden aan hun lot over?'

'Ik zou niets liever doen, ik heb al twee keer tegenover die druïden gestaan en doe dat niet graag nog een keer. Maar binnen een dag of twee na ons vertrek hebben ze Judoc tegen ons opgezet of vermoord en vervangen door iemand die iets gezeglijker is.'

Cogidubnus knikte instemmend. 'Ze moeten allemaal sterven, anders zal er nooit vrede komen op dit eiland. Misschien lukt het zelfs om Myrddin te doden voordat zijn opvolger gevonden is, en die kans moeten we niet laten schieten.'

Magnus fronste en wierp weer een blik op de rieten man. 'Volgens mij denken de druïden dat zíj iemand gaan vermoorden in plaats van iemand hen.'

Vespasianus leidde Balbus en zijn mannen over de landengte, waar de door de aanwakkerende wind meegevoerde waterdruppels voor drijfnatte haren en spekgladde rotsen zorgden. Tien passen links van hem staken ook Cogidubnus en Glaubus' centurie stapje voor stapje de landengte over. De berg van Tagell torende hoog boven hen uit, een duistere, onheilspellende plek waarvan het ze benauwd om het hart werd.

Het gebulder van de beukende golven werd sterker toen ze bij het laagste punt van de landengte kwamen. Grote golven kwamen razend aangerold, kastijdden het smalle strand rechts van Vespasianus en trokken aan de currach die op zijn kop boven aan het strand lag.

Er was geen duidelijk pad, Vespasianus zocht een weg over keien en drijfhout en hield zich met zijn handen in evenwicht. De zeesoldaten liepen verspreid achter hem en worstelden met hun schilden en pila. Toen ze begonnen aan de afgebrokkelde hellingen van het schiereiland zelf en een weg om de klifwand heen zochten trok de wind aan: hij gierde door de spleten, rukte aan hun kleding en joeg de golven hoog op. Magnus had het zwaar, hij liep naast Vespasianus en mompelde zowel schietgebedjes als vloeken, maar ondertussen wonnen ze langzaam hoogte en kwam het hoofd van de rieten man weer in zicht, en even later ook zijn schouders en borst. Vespasianus klauterde door, trapte stenen los die naar de zeesoldaten achter hem rolden, en onderwijl wakkerde de wind verder aan, zijn geloei vermengde zich met het opstijgende geraas van de beukende golven en werd ineens versterkt door een ander, angstaanjagend geluid: een hoog, dierlijk huilen. Hij keek geschrokken naar Magnus. 'Wolven?'

'Ik hoop van wel. Ik ken geen ander beest dat zo'n geluid maakt, en mocht dat bestaan, denk ik niet dat ik het wil tegenkomen.'

'Ik ook niet, ik tref liever een wolf dan iets wat ik niet ken.' Vespasianus keek achterom naar de mannen die hem volgden. Heel enthousiast leken die niet, en Balbus en zijn optio moesten hen flink aansporen, al blikten ze zelf ook telkens angstig omhoog wanneer dat gehuil klonk. Het werd luider toen ze de rotsen achter zich lieten en op een steile grashelling kwamen. De rieten man, waarvan nu alleen de benen nog niet zichtbaar waren, schommelde heen en weer in de wind, de vier touwen aan zijn nek hielden hem staande. De grond was steviger en beter begaanbaar, maar Vespasianus voelde de weerstand toenemen bij iedere stap in de richting van het gehuil. Hij trok zijn zwaard en liep door, overwon de sterke neiging om rechtsomkeert te maken. Balbus en zijn optio bevalen de mannen een colonne te vormen, maar hun kreten gingen vrijwel verloren in de wind. Om het minder zwaar te maken liep Vespasianus zigzaggend naar boven, maar desondanks kwam hij hijgend en met bonkend hart bij het laatste steile stuk onder de top. De hutten werden nog steeds aan het zicht onttrokken maar de rieten man torende boven hen uit en was nu zichtbaar vanaf zijn onderbenen: een dreigende, boosaardige kolos.

Vespasianus bleef staan en keek achterom naar Balbus. 'Laat je mannen een linie vormen, centurio!'

Even later had de colonne zich verspreid over vier rijen van twintig man. Veel zeesoldaten keken zenuwachtig naar de afgrond achter hen en naar de heuveltop, waarachter het onbekende loerde. Vespasianus wilde de mannen niet te veel tijd geven om te tobben en beklom daarom het laatste stuk van de heuvel, waarbij zijn spijkersandalen steeds weggleden op de losse, kale grond. Toen zijn handen de top raakten maakte het gehuil plaats voor een rommelend gegrom. Hij zette zich af met zijn benen en duwde zijn bovenlichaam omhoog, zodat zijn hoofd boven de top uit kwam. Een lichte gestalte vloog recht op hem af. Hij kon op tijd wegduiken, maar links en rechts van hem schoten soortgelijke gestalten langs hem heen. Achter Vespasianus begon subiet het geschreeuw, dat zich vermengde met het gruwelijke gegrom van wilde dieren die een prooi verscheuren. Hij gooide een been over de rand en trok zichzelf op. Magnus kwam naast hem zitten, samen met Balbus en een paar anderen die met wat geluk hadden kunnen wegduiken voor de springende wolven, witte wolven. Maar onder hen voltrok zich een bloederige strijd tussen mens en dier, tussen ijzer, tanden, vuisten en klauwen. Veel zeesoldaten waren op de vlucht geslagen en holden half tuimelend de helling af. Enkelen dreigden te pletter te slaan tegen de rotsen. Anderen gingen de strijd aan, wat in een arena een lust voor het oog zou zijn geweest, want minstens twintig wolven baanden zich vechtend een weg door de overgebleven, doodsbange zeesoldaten, zetten hun bebloede tanden in zwaardarmen, kelen en bovenbenen, verscheurden huid en spieren terwijl de wind hun roomwitte vacht deed golven en wreedheid en schoonheid in één beeld vatte. Vespasianus rukte zijn ogen los van de slachting en zocht naar de wolvendrijvers of druïden die deze afschuwelijke aanval in gang hadden gezet. Maar boven op de berg was niets of niemand te zien, behalve de schapen, die op de een of andere manier aan de aandacht van de wolven ontsnapt waren. Ze graasden vredig aan de voeten van de kolos, die, zo zagen ze nu pas echt goed, werkelijk ontzaglijk groot was. Vespasianus leidde de stuk of tien overlevenden naar de hutten in het besef dat niemand bestand zou zijn tegen de woede van deze wolven, die weliswaar in aantal waren afgenomen maar de enkele moedige zeesoldaten die nog met ze wilden vechten aan stukken scheurden. Een paar mannen waren door hun kameraden naar een veilige plek gesleept, de anderen waren te verspreid geraakt om nog gered te kunnen worden.

Ze doorzochten de vijf hutten met strodaken maar dat leverde niets op, behalve dat er in het midden van elke hut nog een vuur brandde. Aan de wanden hingen dierenhuiden, berentanden en geweien en op de grond stonden potten en kommen met vreemde ingrediënten keurig naast elkaar. In elke hut waren vier bedden, waarvan sommige niet beslapen leken.

'Waar bij Hades zijn ze gebleven?' riep Vespasianus tegen de wind nadat hij de laatste hut had gecontroleerd op valluiken.

Magnus wierp een nerveuze blik over zijn schouder in de richting van de wolven. 'In ieder geval niet hier, dus ik stel voor dat we proberen terug te komen voordat we als wolvenvoer eindigen.'

'Inderdaad, legaat, we kunnen beter weggaan,' beaamde Balbus, in wiens ogen de schrik van het grote verlies nog te zien was.

Vespasianus keek naar de rieten man. Hij was vastgezet met touwen, en dertig voet boven de grond schommelden het stierachtige hoofd en het gigantische houten gewei in de loeiende wind, waardoor het leek alsof hij een aangelijnd beest was dat zich probeerde los te rukken. Vespasianus wilde overal maar niet hier zijn, weg van deze kolos en van alles op deze winderige kale rots wat vreemd en onnatuurlijk was. 'Goed, dan gaan we.' Hij draaide zich om en liep naar beneden in de richting vanwaaruit de wolven gekomen waren, toen hij als aan de grond genageld bleef staan. Cogidubnus, Glaubus en een paar zeesoldaten kwamen in ongeregeld verband aangerend, alsof ze door wraakgodinnen achterna werden gezeten.

Magnus spuugde. 'Er zijn blijkbaar aardig wat wolven op deze rots.'

'Waar zijn de andere mannen, Glaubus?' vroeg Vespasianus toen de centurio snakkend naar adem voor hem stond.

Glaubus had de paar zeesoldaten die over waren van Balbus' centurie in zijn centurie opgenomen. 'Verdwenen, net als die van u. Ik weet alleen niet hoe. Het was alsof ze door onzichtbare handen van de rots werden geplukt.'

'Myrddin,' hijgde Cogidubnus. 'Ik heb gehoord, hoewel ik het nooit geloofd heb, dat hij de kracht heeft om de geesten van de Dolende Doden op te roepen.'

Vespasianus keek zenuwachtig over de schouder van de koning. 'De Dolende Doden. En wie in Hades' naam mogen dat zijn?'

'Dat is precies de vraag: ze zijn niet in Hades of in een ander dodenrijk. De druïden denken dat ze als doden de kans hebben gemist om in een ander lichaam herboren te worden en dus veroordeeld zijn om eeuwig te zwerven. Ze haten alles wat leeft. Ze verzamelen zich op onherbergzame oorden, zoals het Grote Monument van Steen en, dat moge duidelijk zijn, hier. Als Myrddin inderdaad de baas over hen kan spelen, moeten we onmiddellijk vertrekken. Dan verkeren we in groot gevaar.'

'Ik denk niet dat Plautius wist waarmee hij ons opzadelde toen hij ons vroeg hiernaartoe te gaan.'

Cogidubnus' ogen schoten van links naar rechts. 'Hoe had hij het kunnen weten? Ik wist het niet eens.'

Magnus omklemde zijn duim en spuugde om het boze oog op afstand te houden. 'Ik weet genoeg. Laten we teruggaan naar de schepen.'

'Ik ben het met je eens,' zei Vespasianus, 'maar hoe? Via de wolven in het noorden, de Dolende Doden in het zuiden, of de rotswand in het oosten?'

Cogidubnus' ogen werden groot van angst toen hij langs Vespasianus in de richting van de wolven keek. 'In ieder geval niet via het noorden.'

Vespasianus draaide zich om en versteende. Niet omdat hij wolven zag, maar druïden. Druïden van wie de gewaden, haren en baarden onder het bloed zaten, alsof ze rechtstreeks van het slagveld kwamen.

'Blijf staan, Romeinen!' riep een druïde in het Grieks. 'Jullie zijn omsingeld.'

Er klonken korte, door de wind afgekapte kreten, en toen Vespasianus zich naar de bron draaide, zag hij dat het waar was: ze waren omsingeld. Acht zeesoldaten zakten in elkaar, het bloed gutste uit hun keel, en achter hen doemden evenveel druïden op met vervaarlijke, kromme zwaarden. Ze keken hen met hun donkere ogen ijzig aan. 'Waar in Mars' naam komen die vandaan?'

'En waar zijn die schapen gebleven?' vroeg Magnus. De woorden kwamen als dikke, stroperige druppels uit zijn keel en hij keek verbouwereerd naar de verlaten vlakte rond de benen van de rieten man.

Vespasianus probeerde zich te herinneren hoeveel schapen er waren geweest, maar hij leek versuft te raken. Hij voelde een hand op zijn schouder maar zag die niet, een kilte drukte op zijn rug en ijzige vingers knepen zijn hart samen. Het lukte hem zich te concentreren op de acht druïden, maar ondertussen zakte hij door zijn knieën en langzaam daagde hem toen het beeld van hetzelfde aantal schapen dat bij de rieten man had staan grazen. 'Dat kan niet,' mompelde hij, terwijl het platgewaaide gras heel snel dichterbij kwam.

De mist in Vespasianus' ogen maakte langzaam plaats voor stukjes blauwe lucht, die zichtbaar waren door de talloze spleten in het dichte web van takken dat hem omringde. Zijn handen waren achter zijn rug gebonden. Hij drukte zijn vingers naar beneden en vond een gat in het vlechtwerk van hout. Hij stak er een vinger door en voelde gras. Hij tilde zijn hoofd op en zag dat hij samen met Magnus en Cogidubnus opgesloten zat in een ruimte die net lang genoeg was om languit in te liggen. Pal boven hem liep door het midden van de kooi een dikke paal.

'De legaat wordt wakker,' zei iemand buiten de kooi in het Grieks. 'We kunnen zo beginnen.'

Als hij zijn ogen toekneep, kon Vespasianus zien dat er iemand door de takken naar hem keek. Zijn gezicht was vaag, maar door een spleet tuurde een donker oog, ijzig als een midwinternacht en even duister. 'Myrddin?'

'Dus u weet hoe wij heten. Waarom bent u dan toch uit vrije wil gekomen?'

'Om jullie te doden.'

'Om ons te doden? Maar weet u dan niet dat wij niet dood kunnen gaan? Myrddin zal op dit eiland eeuwig leven. Wij zullen hier nog zijn als jullie vertrokken zijn en de nieuwe indringers in hun brede schepen de koude noordelijke zee oversteken, en ook dan zullen wij lachen wanneer zij ons Verloren Land moeten prijsgeven aan een leger dat kleiner is dan een legioen.

Wij zullen hier ook nog zijn als jullie dood niet kan verhinderen dat een macht die groter is dan jullie legioenen en die opkomt in het hart van jullie rijk tot volle wasdom komt. Ook als een ander de plaats inneemt die voor u was weggelegd en hij toestaat dat deze boze macht zodanig kan woekeren dat hij alles opslokt wat oud en waarachtig is, op een wijze waarvan Rome zich enkel kan voorstellen dat *zíj* het met haar legioenen doet, zullen wij hier nog zijn. Ook als de tijd aanbreekt waarin kennis verboden is en wij ons moeten verschuilen in het bos om onze ware godsdienst te beoefenen, zullen wij hier nog zijn. Gelooft u nu werkelijk dat u ons kunt doden, terwijl wij dit allemaal weten?'

Vespasianus werkte zich met enige moeite op zijn knieën. 'U bent gewoon een mens.'

'O ja? Als wij "gewoon een mens" zijn, denkt u dan dat wij hadden kunnen verhullen wat jullie zagen? Jullie hoorden wolven, jullie rekenden op wolven, sterker nog, jullie *wílden* wolven omdat jullie erger vreesden, dus toen onze druïden op jullie afkwamen was het een koud kunstje om jullie simpele geesten te doen denken dat jullie wolven zagen, witte wolven, de kleur van onze gewaden. En hetzelfde met de schapen: jullie hadden van ver echte schapen gezien en rekenden op echte schapen. Maar ga eens na: als die wolven en schapen echt in elkaars buurt waren geweest, had de natuur toch haar beloop genomen?'

'Dus die schapen veranderden niet in druïden? We konden ze alleen niet in hun ware vorm zien?'

'Precies,' zei Myrddin hees, alsof er een hoonlach in zijn keel bleef steken. 'Wij kunnen niet van gedaante veranderen, maar we kunnen jullie wel witte schapen laten zien in plaats van druïden in witte gewaden. Onze kracht bestaat niet in hetgeen we met onszelf kunnen doen, maar in hetgeen we anderen kunnen laten denken dat we doen. Uw mannen dachten dat ze door tanden en klauwen verscheurd zouden worden, maar als u nu naar hun lichamen zou kijken, ziet u dat het sneden en steken van messen zijn. Maar daar hebben we geen tijd voor, Titus Flavius Vespasianus, want zodra die zogenaamde koning die naast u ligt bij zinnen is, zullen wij het offer brengen dat u ons eerder afnam. Bovendien zult u sterven in de vlammen van onze goden, in weerwil van wat er voor u voorspeld is, omdat u hier uit eigen beweging naartoe bent gekomen.'

Vespasianus spitste zijn oren. 'Wat bedoelt u?'

'Van weinig mensen is het leven voorbestemd, maar van degenen bij wie dat wel zo is, kan de bestemming veranderen wanneer hij vrijwillig een vroegtijdige dood aanvaardt. Wij kunnen het lot zien dat uw beschermgod Mars voor u in petto had, maar dat zal niet vervuld worden, aangezien Judoc zijn rol goed gespeeld heeft.'

'Judoc was een bedrieger?'

'Natuurlijk. Toen de man die u kent als Alienus ons vertelde dat u onderweg was, moesten we bedenken hoe u zichzelf het beste aan ons kon uitleveren. Alienus konden we niet vertrouwen, omdat we zeker weten dat hij ons eerder verraden heeft.'

'Dat klopt. In ruil voor zijn leven.'

'Dan nemen wij dat alsnog. Jullie zouden hem niet krijgen, dat beloofde Judoc alleen om jullie vertrouwen te winnen. Judoc respecteert de goden en wil zijn leven en dat van zijn volk voor hen geven. Hij stak zijn nederzetting in brand om jullie te laten ontsnappen. Het was een geluk, maar geen volslagen verrassing, dat u hulp kreeg van uw mannen, zodat u niet zou beseffen hoe gemakkelijk u eigenlijk kon weg-komen. Als u namelijk geketend aan ons was overgedragen, zou u niet uit eigen beweging uw dood tegemoet zijn getreden. In dat geval zou de voorspelling die bij uw geboorte is gedaan sterker zijn geweest dan onze wil en zou u het overleefd hebben, hoe dan ook. Judoc deed zich daarom voor als een vriend, maar weigerde te helpen in uw strijd tegen ons. Hij zei tegen u dat wij u verwachtten, hij zei dat er een rieten man voor u was gebouwd en hij waarschuwde u voor onze krachten, en toch kwam u uit vrije wil hiernaartoe.'

Cogidubnus kreunde.

'Ah, kijk, de koning roert zich. U bent ten dode opgeschreven, legaat, en een waardig offer aan onze goden.'

'U vergist zich, Myrddin.'

'Wij vergissen ons nooit.' Myrddin draaide zich om en liep weg, schreeuwend naar zijn volgelingen.

Vespasianus riep hem na: 'Dit keer wel, Myrddin. Ik ben hier niet uit eigen beweging gekomen. Ik ben hier omdat ik het Rome verplicht ben, maar na elke stap in uw richting moest ik mezelf dwingen tot de volgende, begrijpt u? Elke stap was tegen mijn zin, alles in mij ver-zette zich tegen mijn gang hiernaartoe, behalve mijn plichtsbesef. Ik ben hier niet uit vrije wil, Myrddin!'

Opeens werd hij uit zijn evenwicht gebracht door een schok en viel hij languit over Magnus heen.

'Dat was een eigenaardig gesprek.'

'Heb je het gehoord?'

'Het meeste wel, en volgens mij hebt u gelijk met die laatste op-merking.' Weer zo'n schok, en nu voelden ze dat ze iets van de grond kwamen. Vlakbij klonken angstkreten, en blatende schapen. 'Al zie ik daar op dit moment het nut niet van in.'

Opeens drong het tot Vespasianus door waar hij was. 'Kut! We zit-ten in de rieten man!'

'Tja, waar anders?'

'Ik dacht in een of andere kooi.'

'En waarom zouden ze ons in een kooi stoppen als ze een schitterende rieten man voor ons klaar hebben staan?'

Ze voelden dat de rieten man weer een stukje omhoogkwam. De kre-ten werden talrijker en luider en de wind floot door de spleten in het riet. 'Natuurlijk! Dat is het! Ik ben hier zonder mijn medeweten naartoe gestuurd en dat kun je toch onmogelijk vrijwillig noemen. Laten we hopen dat Myrddin gelijk heeft over die voorspelling en dat ik het overleef omdat hij er onterecht van uitgaat dat ik hier uit eigen beweging naartoe ben gekomen.'

'Ik heb liever dat u het over "wij" heeft in plaats van "ik". Maar nu moet u achter mij komen, zodat we die knopen eruit kunnen halen.'

Vespasianus kroop naar Magnus' rug en Magnus begon te frummelen aan het touw. Met een schok werden ze nog iets hoger getild. Gestalten in witte gewaden kwamen onder hen staan en hielpen hun collega's die aan de vier touwen trokken door de rieten man met hun handen en ruggen omhoog te duwen. Ze gingen nu gelijkmatiger en soepeler omhoog.

Cogidubnus opende zijn ogen. Hij kreunde toen hij zag waar hij was en probeerde zijn handen uit de touwen om zijn polsen te wringen. 'U had niet moeten zeggen dat we opgeslokt zouden worden, Vespasianus.'

'Hoezo?'

'Kijk dan waar we zitten: boven in de borst, vlak onder de keel.'

Terwijl Magnus achter zijn rug bezig was, leunde Vespasianus tegen de paal in het midden en zette zijn oog tegen een spleet in wat weldra hun vloer zou zijn. In de afgesloten ruimte in de buik van de rieten man zaten Glaubus en Balbus met hun ruggen tegen elkaar te frummelen aan elkaars polsen, omringd door blatende schapen. Achter hen splitste de paal zich, waardoor er een Y ontstond. De twee poten gingen de benen in, vanwaar de kreten kwamen. Door de afscheiding kon hij nog net een paar gestalten ontwaren: de laatste paar zeesoldaten. Hij zat inderdaad vlak onder de keel, terwijl het voelde alsof die van hem dichtgeknepen werd.

Ineens voelde hij een vlaag van hoop. 'Die vier touwen kwamen uit de keel, ze moeten boven ons aan de paal vastzitten. Als we daarbij kunnen komen, zouden we ze los kunnen maken; bij deze wind valt de man zeker om.'

'En breken wij onze nek,' klaagde Magnus, die nog steeds aan de knoop frummelde.

'Beter dan levend verbrand worden. Maar misschien valt het mee als we onszelf schrap zetten tegen de wand en op onze voeten proberen te landen.'

'Ik heb zelf geen beter idee,' zei Cogidubnus. 'En we hebben nog even de tijd, want voordat ze de man in brand steken, wijden ze hem in met enkele gebeden.'

Magnus draaide zijn hoofd en keek naar de knoop. 'Maar dan moet er wel eerst iets anders gebeuren: ik moet deze rotknoop los zien te krijgen. Zeggen jullie het als ik aan het verkeerde uiteinde trek?'

De rieten man steeg nog steeds, hij hing nu boven de hoofden van de druïden, die hem met lange stokken omhoogduwden.

Hoe hoger ze kwamen, hoe harder het ging waaien; de wind gierde door alle grote en kleine spleten en bracht uiteenlopende fluittonen voort, alsof er talrijke panfluiten tegelijk klonken. Ze hingen steeds schuiner en Vespasianus' gezicht werd tegen de wand gedrukt die weldra de vloer van het borstdeel zou zijn, maar hij bleef waar hij was en bad tot Mars dat hij op deze manier zou overleven en alsnog de voorspelling zou waarmaken die bij zijn geboorte was gedaan.

'Bijna,' gromde Magnus tussen zijn tanden door, waarmee hij het touw vastklemde. 'Maak u langzaam van ons los.'

Vespasianus kromde zijn rug en trok zijn polsen weg van Magnus en Cogidubnus. Het touw trok strak om zijn polsen, maar ineens voelde hij dat er wat ruimte kwam.

'Stop,' beval Magnus. Hij opende zijn mond en liet het touw eruit vallen. 'Ik heb een lus gemaakt. Leg uw vingers op mijn kin, Cogidubnus, dan leid ik u ernaartoe.'

De koning volgde de aanwijzingen op en Vespasianus voelde naast zijn pols een vinger drukken.

'Hebbes!' riep Magnus. 'Goed, nog een keer trekken.'

Nu voelde hij het touw meegeven. Magnus leunde naar voren en rukte met zijn hoofd en nek aan het touw. Vespasianus voelde ruimte komen tussen zijn polsen en trok ze uit elkaar. Opeens schoot zijn rechterhand los en viel het touw op het riet.

Terwijl Vespasianus opkrabbelde, kwam de rieten man verder overeind. Magnus en Cogidubnus konden nergens steun vinden en rolden spartelend naar voren. Vespasianus trok Magnus naar zich toe en wurmde zijn knoop in een oogwenk los. De rieten man stond nu bijna rechtop. Door de spleten zag hij dat twee van de vier touwen naar de andere kant werden gebracht, om te voorkomen dat hij zou omvallen zodra hij loodrecht overeind stond. De polsen van Cogidubnus kwamen los toen de reus rechtop stond en heen en weer schommelde, waardoor Vespasianus misselijk werd toen hij vanuit zijn gevangenis naar beneden keek.

Cogidubnus begon te peuteren aan de zwakke plek in het riet, daar waar de paal door het plafond ging. Hij kon er net bij. 'Er zit beweging in.' Hij stak zijn vingers door de gaten en trok zich op, zodat hij met zijn volle gewicht aan het plafond hing. Nadat hij zo even was blijven hangen, begon hij aan het riet te schudden. 'Ga aan mij hangen!'

Vespasianus en Magnus grepen ieder een schouder van de koning en trokken hem naar beneden. Het gevlochten riet begon te kraken en te piepen. Onder hen hadden de druïden de vier touwen vastgezet en ze gingen nu in een kring rond de voeten staan.

De wind gierde, Cogidubnus schudde aan het plafond en het extra gewicht van Vespasianus en Magnus resulteerde slechts in het kraken van het buigzame hout. Ze rukten nu als bezetenen aan het riet en elkaar, want de druïden hadden hun armen geheven en waren begonnen aan de wijding van hun offer.

Cogidubnus liet zich nog een keer vallen, en nu ontstond er wat ruimte tussen het plafond en de paal. Met zijn ene hand duwde hij de andere met enig geweld – zijn knokkels schuurden langs de paal – door de spleet. Toen hij het riet goed kon pakken wurmde hij ook zijn andere hand door de spleet, waarna hij zich uit alle macht optrok terwijl Vespasianus en Magnus hem uit alle macht naar beneden trokken. Het riet kraakte hard en hun hoop laaide op.

'Nog een keer!' riep Cogidubnus terwijl de angstkreten onder hen een nieuw hoogtepunt leken te bereiken.

Ze trokken hard aan het riet, dat nogmaals hard kraakte en losser kwam te zitten. Vespasianus blikte naar beneden en zag de oorzaak van alle tumult: uit een van de hutten was een vuurkolf met brandende kolen gehaald. Zijn hart bonkte in zijn keel terwijl ze nog een ruk gaven. Er was nu genoeg ruimte voor een hoofd.

'Nog een paar keer!' schreeuwde Cogidubnus. Bloed sijpelde langs zijn armen.

Vespasianus sloot zijn ogen en trok met lijf en ziel Cogidubnus naar beneden. Magnus brulde als een in het nauw gedreven dier. Met een paar harde knallen viel Cogidubnus naar beneden en ze kletterden alle drie neer, met als gevolg dat de rieten man heen en weer zwaaide en aan de touwen rukte.

Het gaatje was nu een serieus gat, en door dat gat kon je de knopen van het touw zien zitten.

'Help me omhoog,' zei Magnus en hij krabbelde overeind en klom de paal in. 'Ik maak die twee aan de kant van de zee los, dan vallen we naar het land.'

Onder hen bleven de wanhoopskreten klinken, maar het tumult ging nu gepaard met iets anders: de geur van brandend stro. Vespasianus en Cogidubnus duwden Magnus ruw omhoog terwijl er vingers door de gaten in de vloer werden gestoken.

'Maak het stuk!' bulderde Balbus en hij trok met Glaubus aan het riet. Onder hen liepen de schapen angstig blatend in kringetjes rond.

Vespasianus en Cogidubnus begonnen vlak naast de paal te stampen en te springen terwijl de rook samen met de doodskreten vanuit de benen opsteeg.

Vespasianus wierp een blik op de zee. De biremen voeren noordwaarts, op de roeiriemen en over hoge golven. 'We gaan naar de haven, als we het halen.' Cogidubnus gezicht verraadde dat de kans daarop erg klein was. De geur van brandend mensenvlees die werd meegevoerd door de wind bevestigde zijn twijfel.

'Vang!' riep Magnus van boven en hij gooide het eerste touw naar beneden. De rieten man schommelde even vervaarlijk voordat Vespasianus het touw strak kon trekken. 'Ik maak er nog eentje los. Dat moet genoeg zijn.'

Vespasianus moest hoesten. De rook prikte in zijn keel. Hij hield het touw vast en probeerde ondertussen een gat in de wijkende vloer te stampen. Dierlijke angstkreten stegen uit boven het menselijke gegil toen de schapen onder Balbus en Glaubus vlam vatten en onder in de buik als vierpotige fakkels rondrenden.

'En nog een keer!' riep Magnus en hij smeet het tweede touw naar beneden, waar Cogidubnus het moest vangen. Magnus liet zich ook zakken en op dat moment ging de voet van Vespasianus eindelijk door de vloer. 'Hij gaat om!' riep Vespasianus naar de twee centuriones, die verwoede pogingen deden het gat groter te maken. Hij keek naar beneden. Door de rooksluiers zag hij vage gestalten heen en weer rennen, en het scheen hem toe dat er een ander menselijk geluid bij was gekomen, en niet een dat werd veroorzaakt door pijn. Hij voelde de verzengende hitte aan zijn benen. Hij, Cogidubnus en Magnus keken elkaar een ogenblik aan alsof ze wilden zeggen: 'wat moeten we anders?' en lieten toen de touwen los, wierpen zich op hun rug op de vloer en pakten de wand die zometeen het plafond zou zijn.

De rieten man zwaaide en viel toen om. Onder hen moesten Balbus en Glaubus vechten voor hun leven, want de schapen, inmiddels veranderd in vuurballen, werden gek van de pijn en wierpen zichzelf tegen de wanden.

Het bouwsel slingerde en wankelde even, alsof het overeind werd gehouden door een van de goden aan wie het offer was gewijd, en kantelde krakend een klein stukje naar voren. Maar toen het over het zwaartepunt heen was, stortte het met een misselijkmakende onvermijdelijkheid, even hard als woest, ter aarde en werd Vespasianus verblind door de rook die door het riet omhoog stroomde.

'Knieën buigen!' riep Magnus toen ze een hoek van vijfenveertig graden maakten. Een ogenblik later stortte de rieten man met oorverdovend geraas en gedonder in en werd Vespasianus met zijn hoofd tegen het gescheurde rietvlechtwerk gesmeten dat hen scheidde van de keel.

Van heel ver drong het kletteren van ijzer op ijzer door tot de versufte Vespasianus. Hij opende zijn ogen, maar de prikkende rook ontnam hem zijn zicht. Hard gekreun naast hem deed hem draaien. Magnus zat op zijn knieën met zijn handen voor zijn gezicht, bloed sijpelde door zijn vingers. 'Gaat het?'

'Ik kan rennen.' Zijn gezicht vertrok van de pijn toen hij het bloed van zijn gezicht veegde en er een bloederige brij zichtbaar werd op de plek van zijn linkeroog, dat doorspiest door een grote splinter in het rieten vlechtwerk hing.

Cogidubnus was ongedeerd en krabbelde op met een sprankje hoop op zijn gezicht. 'Het hoofd is door de klap afgebroken, we kunnen weg!' Hij klauterde door het gat, waarbij het oog van Magnus op de grond viel.

Vespasianus leidde Magnus door het gat terwijl Balbus en Glaubus met smeulende tunieken en schroeiplekken op hun benen uit hun kooi strompelden. Achter hen brandden en knetterden de schapen.

Vespasianus had slechts oog voor Cogidubnus en Magnus en kroop achter hen aan via de keel de groeiende vuurzee uit. De mannen die hij door de dwarrelende rook aan zag komen rennen, over het met druïdenlijken bezaaide gras, stieten oorlogskreten uit.

'Cogidubnus!' bulderde de koning. De mannen hielden in en Vespasianus zakte bijna door zijn knieën vanwege de plotse opluchting toen hij Cogidubnus' volgelingen herkende, die van Magnus de opdracht hadden gekregen de haven veilig te stellen.

Na een korte woordenwisseling met zijn mannen keerde Cogidubnus zich naar Vespasianus. 'We moeten ons haasten.' Hij rende weg in de richting waaruit ze gekomen waren. Vespasianus volgde en hielp Magnus, die een stuk van zijn tuniek had gescheurd en dat tegen zijn bloedende oogkas hield. De mannen van Cogidubnus droegen de twee centuriones en twee van hun gewonde makkers en vormden de achterhoede terwijl ze wegrenden van de rieten man. Het vuur laaide hoog op en verteerde de lijken van de zeesoldaten en de schapen in het omgevallen bouwsel. Enkel het grote, stierachtige hoofd was buiten bereik van de vlammen gebleven en keek omhoog naar de goden, die beroofd waren van het krachtigste deel van hun offer.

'Hoe wisten uw mannen hoe ze hier moesten komen?' vroeg Vespasianus toen ze afdaalden over de steile helling waar de wolven in de aanval waren gegaan.

'Een paar zeesoldaten wisten de haven te bereiken en vertelden wat er gebeurd was en dat ze dachten dat wij dood waren. Omdat mijn mannen hebben gezworen mij tot in de dood trouw te blijven, was het hun plicht mijn lichaam te halen en mijn dood te wreken. Ze zeggen dat de weg terug veilig is en dat de haven in handen is van de zeesoldaten.'

'En de druïden?'

'Dood of gevlucht. Mijn mannen konden ze overrompelden omdat de rook ze aan het zicht onttrok. We moeten het schiereiland snel verlaten, voor ze zich hergroeperen.'

'Ik ben voor,' zei Magnus schor. Het kostte hem moeite om zijn evenwicht te bewaren toen ze tussen de lichamen van dode zeesoldaten door liepen. Hun wonden waren duidelijk veroorzaakt door zwaarden. 'Ik heb mijn buik vol van ze.'

'Ik heb het idee dat dat niet wederzijds is,' merkte Vespasianus op en ter ondersteuning sloeg hij een arm om zijn schouder toen ze diagonaal afdaalden, zo snel als op de steile helling van Tagell mogelijk was.

Aan de voet van de rots klauterden ze over de keien terug naar de landengte. Op de verraderlijk gladde stenen voelde Vespasianus opeens de behoefte opkomen nog een blik op het klif achter hem te werpen. Toen hij Myrddin zag staan, besefte hij dat deze die behoefte in hem geplant had.

'Vespasianus!' schreeuwde de druïde. 'We laten u gaan. Uw beschermgod is te sterk voor ons gebleken en wij zijn niet tegen hem bestand. Dit keer niet, althans. Ga heen! Verlaat dit eiland en keer terug naar Rome om invulling te geven aan uw lotsbestemming. Maar onthoud dit goed: niets is absoluut. Een mens kan zijn dood op vele manieren aanvaarden zonder het te beseffen. Wij zijn er niet geslaagd die van u te verwezenlijken, omdat we u al voor uw komst onze ware kracht hebben getoond. U vreesde ons. We zien onze fout in. Alienus zal moeten boeten, want hij leidde u naar Sulis. Wij bidden dat iemand anders onze fout goed zal maken en dat uw dood, die wij nog steeds verlangen, een vroegtijdig einde maakt aan de gruwel die ons aller vrijheid bedreigt en, ook op dit moment, gedijt in de boezem van Rome. De gruwel die u, ook al hebt u de macht daartoe, niet zal tenietdoen.' Myrddin stak zijn rechterarm uit en hief zijn handpalm even naar Vespasianus, om vervolgens achterwaarts lopend achter de rand van het klif te verdwijnen.

'Wat was dat nou weer?' vroeg Magnus.

'Ik weet ook niet wat hij zei. Ik kon er geen touw aan vastknopen.'

'Aan wat hij zei? Maar hij zei niets, jullie staarden elkaar alleen maar aan. En wij konden geen vin verroeren.'

Vespasianus keek in het ene oog dat Magnus nog had en zag dat hij het meende. 'Ik ben het zat. We gaan hier weg.'

Met een benauwd gevoel kwam Vespasianus bij de haven aan. Ze hadden de beek gevolgd die uitmondde in de inham. Een optio wachtte zenuwachtig op zijn commandant, die hij voor dood had achtergelaten.

'Het is al goed, optio,' stelde Vespasianus hem gerust. 'Ik kan u niet kwalijk nemen dat u wegvluchtte van die afschuwelijke situatie.' Achter de optio waren zijn mannen bezig de currachs van de Cornovii te water te laten. 'Hebt u de schepen gezien?'

Bij de opgeluchte optio gleed alle spanning van zijn gezicht. 'Jawel, legaat. Ze zijn ongeveer een kwart mijl uit de kust.'

Vier volgelingen van Cogidubnus duwden een currach naar hen toe en hielden die stil zodat Vespasianus erin kon klimmen. 'Mooi. Hoeveel mannen hebt u hier?'

'Vierenzeventig maar.'

'Vierenzeventig! Veel minder dan ik verwacht had!'

'Het zijn er eigenlijk zesenzeventig.' De optio knikte naar de mannen die de boot vasthielden en Magnus stapte met enige tegenzin aan boord. 'Maar twee man zijn ongeveer een halfuur geleden met een roeiboot vertrokken om een van Cogidubnus' mensen met uw boodschap naar de hoofdtrierarchus te brengen.'

'Ik heb geen boodschap verstuurd.' Vespasianus draaide zich naar Cogidubnus. 'U?'

'Nee.' De koning schudde zijn hoofd en trok vol bewondering zijn wenkbrauwen op terwijl hij zijn been over de rand van de currach zwaaide. 'Maar u moet het de man nageven: hij heeft wel lef.'

'Ik denk niet dat uw gedachte wordt gedeeld door de twee jongens die nu met doorgesneden keel op zee drijven,' merkte Magnus op en hij plofte voor in de boot neer.

'We kunnen de achtervolging inzetten.'

Vespasianus zuchtte gelaten terwijl de mannen van Cogidubnus de boot afduwden, erin sprongen en de riemen pakten. 'Nee, hij is naar het zuidwesten gegaan. Tegen de tijd dat wij allemaal aan boord zijn, heeft hij al twee uur voorsprong en halen we hem nooit meer in. Ik zou alleen wel willen weten hoe hij uit handen van Judoc heeft kunnen blijven.'

Cogidubnus pakte de stuurriem. 'Hij lijkt zich door niets en niemand te laten tegenhouden. Het lijkt mij het beste als u hem doodt zodra u hem hebt.'

'Nou, het is nu aan u, Cogidubnus. Als u Alienus vindt, dood hem dan. Al weet ik niet waar hij naartoe moet nu hij gezocht wordt door Rome, u en Myrddin.'

Op het blozende, ronde gezicht van de koning verscheen een glimlach. Zijn mannen trokken hard aan de riemen en de boot schoot door de inham. 'Hij duikt wel ergens op. Zoals alle mannen die op wraak uit zijn.'

'Inderdaad,' mompelde Magnus, 'en meestal wanneer niemand het verwacht.'

'O, ik zal er elke dag op rekenen. Het zal mij een groot plezier doen als ik u zijn hoofd kan sturen.'

Vespasianus klopte de koning op zijn schouder. 'Cogidubnus, vriend, als ik terug ben in Rome is een aandenken aan dit eiland wel het laatste wat ik wil krijgen, hoe mooi het ook is.'

DEEL III

ROME, JUNI, 47 N.C.

HOOFDSTUK XI

In de kalme deining van de azuurblauwe zee schitterden talloze zonnetjes. Vespasianus kneep zijn ogen toe en trok zijn gezicht in een grimas die verkrampter was dan tijdens de afgelopen zes jaar onder de adelaar van de Tweede Augusta normaal was geworden. De bron van al die goudkleurige fonkelingen op het water scheen bijna recht boven hem op zijn onbedekte, uitgedunde haar: deze blakende zon was na al die jaren in de noordelijke regionen nog slechts een herinnering. Hij zag de pakhuizen, kranen en woningen rond de drukke haven van Ostia op slechts een mijl van de zuidoever van de monding van de Tiber met elke schrille fluittoon en krachtige haal van de honderdtwintig riemen op de trireem dichterbij komen en voelde zijn lichaam én hart opwarmen door de krachtige zonnestralen.

De schaduwen van de meeuwen schoten heen en weer over het houten dek, door zon en zout gebleekt en door eeltige zeemansvoeten glad gesleten. Met hun treurige gekrijs bezongen ze het schip op het laatste stuk van de zesdaagse reis, die vanaf Massalia via Corsica was gelopen. Vespasianus draaide zijn hoofd naar links, schermde zijn ogen af voor de zon en probeerde het enorme bouwwerk op een paar mijl ten noorden van de Tiber scherp in het vizier te krijgen: twee grote, kromme havendammen omsloten de reusachtige haven, waar in het midden, op een rechthoekig kunstmatig eiland, een begin was gemaakt met de bouw van een vuurtoren.

De trierarchus stond naast hem en zag in welke richting hij keek. 'Claudius heeft een van de grote schepen die Caligula liet bouwen om loodzware obelisken uit Egypte te halen laten afzinken als fundering voor de vuurtoren.'

Vespasianus floot zacht toen hij de duizenden zwoegende slaven zag die aan de nieuwe haven en de omringende gebouwen werkten. 'Dit is een gigantische onderneming.'

'Groter nog dan wat u nu ziet. Claudius heeft opdracht gegeven een kanaal te graven om de haven te verbinden met de Tiber in het zuidoosten. Dan hoeven de boten die tussen de rivier en Ostia heen en weer gaan niet meer de zee op, waar ze komend vanuit de riviermond of de haven meestal tegenwind hebben.

'Maar dan loopt de haven van Ostia leeg.'

'Dat denk ik niet. Rome is zo groot geworden dat ze twee monden nodig heeft om genoeg eten binnen te krijgen.' De trierachus lachte om zijn eigen gevatheid en deelde onbegrijpelijke nautische bevelen uit, waarna matrozen blootsvoets over het dek vlogen.

Vespasianus trok zijn toga recht en liep naar Magnus, die leunend op de bakboordreling het omvangrijke bouwproject bewonderde. 'Weet je nog toen we Alexandrië naderden en de Pharos zagen, en dat ik toen zei dat je op die manier nooit vergeten zult worden: door iets te bouwen waar het volk baat bij heeft?'

'Hoezo?' vroeg Magnus zonder de moeite te nemen zijn blinde oog naar Vespasianus te draaien.

'Jij vroeg toen wie het Circus Maximus had gebouwd, en toen ik dat niet wist, zei je: "Kijk, het werkt dus niet altijd." Maar in dit geval wel: Claudius zal herinnerd worden als de keizer die de grote haven van Rome bouwde en niet als de kwijlende idioot die een onbeduidend eiland veroverde om een overwinning voor te wenden die nooit volledig zal en kan zijn, omdat de stammen in het binnenland er niet het nut van inzien om deel te worden van het Romeinse Rijk.'

'Dat ziet u verkeerd, heer. Hij zal er altijd om herinnerd worden, maar eerder omdat toekomstige keizers hem zullen vervloeken, want hij heeft een doorn in hun oog gestoken die ze niet kunnen weghalen zonder gezichtsverlies te lijden en hun eigen positie in gevaar te brengen. En Claudius heeft het verkeerde project gekozen om onsterfelijk te worden: de Pharos is af, groter dan hij is kan hij niet worden. Maar aan deze haven kan eindeloos worden doorgewerkt. Wat u ook zegt, ik durf te wedden dat de eerstvolgende keizers de haven uitbreiden of, puur uit woede, alleen de naam veranderen en ondertussen hun handen vol hebben aan de zoveelste kostbare opstand in Britannia.'

'Alleen om de nalatenschap van Claudius teniet te doen?' Vespasianus dacht er even over na. 'Waarschijnlijk wel, ja. Zelf zou ik dat in ieder geval doen. Na vier jaar in Britannia weet ik dat het veel meer geld kost om de veroverde gebieden vast te houden en ook de rest van het eiland onder het Romeinse vaandel te krijgen dan er via de belasting aan geld binnenstroomt. Je hebt gelijk, Magnus. Als Claudius de aandacht van die dwaasheid wil afleiden, had hij iets anders moeten kiezen, want die dwaasheid is te groot om hiermee te verhullen.'

Vespasianus viel stil toen hij nadacht over het gigantische onvoltooide karwei dat hij, Sabinus en Plautius in Britannia hadden achtergelaten. Na teruggekeerd te zijn in de Romeinse invloedssfeer – de druïden waren uitgedund maar niet uitgeroeid – was Vespasianus met een grote troepenmacht het grondgebied van de Dumnonii binnengetrokken, waar hij een maand lang, tot de komst van zijn vervanger, dood en verderf zaaide, totdat Arvirargus begreep dat als hij zijn koninkrijk en geliefde paarden wilde houden, hij het op een akkoordje met Rome moest gooien. De prijs die hij daarvoor moest betalen was vele malen hoger dan twee maanden geleden: niet alleen dwong Plautius hem tot het betalen van een hogere jaarlijkse tribuut in tin dan normaal gesproken rechtvaardig zou zijn geweest, maar hij werd bovendien gedwongen, op verzoek van Vespasianus en Cogidubnus, honderd volgelingen van Judoc de rest van hun leven te laten zwoegen in de tinmijnen. Judoc moest zelf ook in een tinmijn werken, totdat hij op transport zou worden gezet naar Rome voor de ovatio van Plautius, die de Senaat hem onlangs op verzoek van Claudius, of liever gezegd van Narcissus, had toegezegd.

Dat Plautius er bij Arvirargus op had aangedrongen de overgebleven druïden van Tagell te verdrijven en niemand, de Dolende Doden uitgezonderd, uiteraard, op de rots te laten wonen, had Vespasianus nog het meest goedgedaan. Hij huiverde bij de gedachte aan de ijzige greep van een onzichtbare hand en hoe een andere hand zijn hart fijnkneep. De Dolende Doden mochten wat hem betrof op die vervloekte landtong blijven.

Met de komst van de nieuwe legaten en, in november, van Publius Ostorius Scapula, de nieuwe gouverneur van de kersverse provincie, was het werk van Vespasianus gedaan en hoefde hij enkel nog zijn vervanger Titus Curtius Ciltus bij te praten over het land, het volk en de politieke verwikkelingen waarmee de Tweede Augusta te maken had. Ciltus had op Vespasianus een nietszeggende indruk gemaakt, het leek hem een man die niet zelfstandig kon denken, en nadat hij Plautius had horen zeggen dat Scapula een rustige man was die echter roekeloze beslissingen nam, had hij het gevoel gehad een onoplosbaar probleem achter te laten waarmee hij niets meer te maken wilde hebben. Hij moest denken aan het verhaal over de doos van Pandora, maar dan zonder de hoop die op het eind uit de doos vliegt die nooit geopend had mogen worden.

Caratacus was nog op vrije voeten en de belastingpachters ter plaatse ondervonden toenemende weerstand tegen Rome, dus al met al kon Britannia moeilijk een vredige provincie worden genoemd. Onderweg naar huis, tijdens zijn tijdelijke verblijf in Aventicum, waar hij de verkoop van het landgoed van zijn ouders moest afronden, was Vespasianus ter ore gekomen dat de Iceni, die tot nu toe een onafhankelijk vazalkoninkrijk onder koning Prasutagus hadden gevormd, in opstand waren gekomen nadat Scapula hen had willen ontwapenen. Deze stommiteit, een vreedzame bondgenoot onnodig aanzetten tot een opstand, stond wat Vespasianus betreft symbool voor alles wat fout was aan de manier waarop Rome de weerspannige provincie aanpakte: vrienden en bondgenoten werden te hard aangepakt in een poging ze onder het juk te houden en de invasie te bekostigen met belastinggeld, en de vijand was niet verslagen omdat ze simpelweg over te weinig troepen beschikten om een agressieve veldtocht te voeren en tegelijkertijd de orde te handhaven in de bezette gebieden.

De diverse geuren die 's zomers in een haven hingen, drongen door de zilte zeelucht heen en de geur van muf, warm hout, pek en hennep haalde Vespasianus uit zijn mijmeringen toen de trireem de havenmond naderde en de roeiriemen langzaam maar gestaag door het water werden gehaald. Hij was bijna thuis na zijn langste reis ooit en bovendien nog op tijd voor de ovatio van Aulus Plautius en, een dag later, de eerste van de maand juli, de inwijding van zijn broer als *consul suffectus* voor de laatste zes maanden van het jaar.

Terwijl het schip de haven binnenvoer en de trierarchus schreeuwend de aanmering voorbereidde, liep Hormus met Vespasianus' bepakking het dek op. De meeste van zijn spullen waren dat voorjaar al over land naar Rome gebracht.

'Nadat we zijn aangemeerd moet je meteen op zoek gaan naar vervoer, Hormus,' beval Vespasianus.

Hormus maakte een buiging en liep naar de loopplank die straks neergelaten zou worden. Op de kade verzamelde zich ondertussen een menigte van handelaren en hoeren, die hun waar wilden verkopen aan de moegereisde zeelui.

'Ik denk dat ik eerst naar mijn oom ga,' zei Vespasianus tegen Magnus, 'en dan pas naar het paleis om Flavia en de kinderen te zien.'

'Heel verstandig. Hij kan u waarschijnlijk vertellen hoe momenteel de relatie is tussen uw familie en die van de keizer.'

Vespasianus zocht steun bij de reling toen de trireem tegen de kade botste. 'En wat belangrijker is: hoe ik ontvangen zal worden door de echte heersers van Rome.'

'Daar zou ik me geen zorgen om maken. Sabinus is aangesteld als consul en ik weet zeker dat Claudius dat niet heeft gedaan zonder instemming van zijn vrijgelatenen. Dus ik denk dat zij u gunstig gezind zijn.'

'Jij denkt van wel? Maar ik wil ook graag weten of Messalina en Corvinus bezwaren hadden tegen de benoeming van Sabinus, want ik moet er bovenal voor zorgen dat Corvinus op de een of andere manier bij mij in het krijt staat. Alleen dan krijg ik misschien de kans om Flavia en de kinderen uit het paleis en in mijn betrekkelijk veilige huis te krijgen.'

'O, dus u hebt eindelijk een huis kunnen regelen?'

Vespasianus zag dat de loopplank werd neergelaten, waarna Hormus zich een weg baande door de meute van verkopers. 'Ik weet het niet. In Aventicum heb ik Gaius per brief gevraagd om een geschikt huis voor mij te vinden op de Quirinaal.'

'En dicht bij Caenis.'

'Ach ja, dat zou het leven een stuk eenvoudiger maken.'

'Je vrouw in een huis te zetten dat je genomen hebt omdat het dicht bij je minnares is, zou ik zelf niet zo snel omschrijven als "het leven een stuk eenvoudiger maken".'

'Hoe zou jij het dan omschrijven?'

'Als precies het tegenovergestelde, en als een actie van een idioot, helemaal als je bedenkt dat uw moeder bij uw oom inwoont. Wilt u echt alle vrouwen in uw leven zo dicht bij elkaar zetten dat ze elke dag ruzie kunnen schoppen?'

'Maar Caenis en Flavia kunnen het goed met elkaar vinden.'

'In uw afwezigheid, ja. Maar nu zullen ze vechten om uw aandacht, en uw moeder ook. En als er sprake is van zo'n wedijver, zullen de verliezers jaloers zijn op de winnaar. Totdat ze het gevecht op een gegeven moment zat zijn, beseffen dat het allemaal door u komt en zich tegen u keren, hun gemeenschappelijke vijand, wat waarschijnlijk een maandelijks terugkerend fenomeen zal zijn.'

De grimas van Vespasianus werd nog verkrampter dan hij al was. 'Zo had ik het nog niet bekeken. Maar goed, nu is het te laat.' Hij probeerde er luchtig over te doen. 'Ik zal gewoon hard moeten gaan werken om meer opbrengst uit de landgoederen te halen.'

'Wat? En de vrouwen aan hun lot overlaten? Zonder dat u ze aandacht geeft? Dat zou pas echt dom zijn.'

'En sinds wanneer weet jij alles van vrouwen? Je hebt er zelf niet eens een.'

'Omdat ik alles weet van een onderwerp waarmee ik me slechts wens in te laten op een tijdelijke basis die volledig in het teken staat van de uitwisseling van munten en lichaamssappen.'

'Heel romantisch!'

'Misschien niet romantisch, maar wel een stuk gemakkelijker.'

Vespasianus werd afgeleid van zijn ingewikkelde huiselijke situatie door Hormus, die weer op de kade was verschenen, naast een open wagen met vier wielen die werd voortgetrokken door twee paarden. Hij nam afscheid van de trierarchus, die iets mompelde over vrekkige senatoren die geen fooi gaven, en liep de loopplank af achter Magnus, die zich een pad baande door de zwetende handelaren en mierzoet ruikende hoeren zonder enige rekening te houden met hun eventuele onvermogen om zich staande te houden. Hormus volgde hen zo goed en zo kwaad als het ging met de bepakking door de inmiddels ziedende menigte, die in hem een gemakkelijk doelwit voor haar toorn zag: met een paar nieuwe beurse plekken op zijn armen en benen legde hij de spullen in de wagen en klauterde er vervolgens zelf op.

Vespasianus leunde achterover en strekte zijn benen terwijl de menner zijn onwillige trekdieren met zijn zweep in beweging zette, waarbij ook hij geen rekening hield met de omstanders, die soms slechts ternauwernood uit de weg konden komen. De wagen maakte rechtsomkeert en reed de kade af, die vol was gestroomd met havenslaven die goederen uit alle delen van het rijk aan het laden en lossen waren. Aan het einde draaide de wagen langs de waterkant naar links, in de richting van de verkeersslagader die hen naar de hoofdpoort en vervolgens de Via Ostiensis zou leiden, juist toen van de andere kant een door bijldragers aangevoerde groep de hoek om kwam.

'Wie zou dat zijn?' mijmerde Vespasianus en hij telde de fasces, de in stokken gebundelde bijlen waarvan het aantal symbool stond voor de macht van de magistraat in kwestie. 'Elf lictoren. Een proconsul onderweg naar zijn provincie.'

'De arme kerel zal wel naar een of ander afschuwelijk oord zijn gestuurd,' zei Magnus met een grijns, 'maar dit is wel erg overdreven, hij denkt zeker dat het een eer is.'

'Het is ook een eer, ongeacht waar je naartoe wordt gestuurd.'

Magnus ging steeds verbaasder kijken naarmate ze dichterbij kwamen en hij meer details kon zien. 'Maar deze doet wel enorm gewichtig. Als hij gouverneur van Hades zou worden, maakte hij er waarschijnlijk net zo'n opgeblazen toestand van.'

'Germania Inferior,' antwoordde Gnaeus Domitius Corbulo op de vraag van Vespasianus. 'Een grote eer én een uitdaging. Ik werd speciaal gekozen vanwege mijn militaire capaciteiten.' Hij snoof zelfvoldaan en wierp een hooghartige blik op Vespasianus, met wie hij onder een haastig opgetrokken luifel aan de waterkant zat en aan de mooie falerner nipte die uit het omvangrijke reisgoed was opgediept.

Vespasianus moest een glimlach onderdrukken toen hij het hooghartige, paardachtige gezicht van de oude bekende bestudeerde. Dat had al middelbaar geoogd bij hun eerste kennismaking in Thracië, toen ze allebei tribuun waren in de Vierde Scythica. Nu, twintig jaar later, leek zijn uiterlijk eindelijk te passen bij zijn leeftijd. 'Denk je dat er veel gevochten gaat worden?'

'Zonder enige twijfel. Nu onze invloed langs de Rhenus is verzwakt door het...' Hij ging zachter praten en keek samenzweerderig naar Vespasianus. 'Kan ik spreken van "het slechte idee" om Britannia aan te vallen?'

Vespasianus boog het hoofd. 'Onder vier ogen zou je het zo kunnen noemen, ja.'

'Zeker, Vespasianus. Zoals je ook kan zeggen, eveneens onder vier ogen, dat de verminderde invloed langs de Rhenus voor een paar stammen aldaar kennelijk reden is om hun jaarlijkse tribuut niet meer te betalen.'

'Ik snap het. Je hebt bevel gekregen hen op andere gedachten te brengen?'

'Een grote eer, vind je ook niet?' Hij zweeg even en snoof nogmaals zelfvoldaan. 'Nu de smet die mijn losbandige halfzus met haar seksuele uitspanningen als echtgenote van Caligula op mijn blazoen wierp verwijderd is, kan ik eindelijk mijn loopbaan vervolgen.'

'Ik heb gehoord dat het niet vanzelf is gegaan.'

'Wát? Is er ook wel eens iets wat je níét hoort? Maar je hebt gelijk: ik heb moet dreigen met een aanklacht.'

'Tegen Corvinus?'

'Je bent goed op de hoogte, zeker als je bedenkt dat het op niets is uitgelopen.'

'Hoe bedoel je?'

'Nou, vorig jaar vroeg Pallas mij een aanklacht voor te bereiden tegen Corvinus, in het geheim. Hij zou tijdens de uitvoering van dat "slechte idee" verraad hebben gepleegd. Ik deed wat van mij gevraagd werd, hoewel ik moest samenwerken met dat arrogante groentje Lucius Paetus, die zou namelijk als kroongetuige aantonen dat Corvinus zijn bevel negeerde door verder dan nodig noordwaarts over de Tamesis te trekken. Pallas wist te regelen dat Paetus de verkiezingen voor quaestor won, en dus werd die snotaap net als zijn vader stadsquaestor, wat extra gewicht zou geven aan zijn getuigenis.'

'Maar hij heeft niet moeten getuigen.'

'Nee, dat was het rare.' Corbulo ging nog zachter praten en boog zich naar Vespasianus toe. 'Kijk, ik probeer me niet te veel bezig te houden met de politiek op dat niveau en ik roddel hoe dan ook nooit over haar, maar ik ben niet geheel onwetend als het om de keizerin gaat, omdat ik... Nou goed, dat weet je.'

'Ik weet helemaal niks, Corbulo.'

'Nou ja, omdat ik in haar kring werd gezogen, als het ware.' Hij blaatte een paar keer schril, als een ram in nood, en snoof toen nogmaals, waaruit Vespasianus, die de tekenen herkende, opmaakte dat Corbulo het grappig bedoelde.

'Ik hoop dat je me voor de gek houdt, Corbulo?'

'Erg veel keus heb je niet. Als de keizerin je ontbiedt, moet je haar natuurlijk gehoorzamen. Als ze vervolgens eist dat je bepaalde handelingen verricht, weiger je dat alleen als je zelfmoordneigingen hebt. Het is sowieso moeilijk haar iets te weigeren. Haar aantrekkingskracht is zo groot dat je haar moeilijk kan weerstaan, ook als je leven niet op het spel staat. Mijn vrouw was er niet erg blij mee.'

'Je hebt het haar toch zeker niet verteld?'

'Natuurlijk wel. Een Romeinse senator moet alles met zijn vrouw delen.'

'Dat zie ik toch anders.'

'Maar jij bent van een nieuwe lichting, Vespasianus, van jou verwacht niemand dat je handelt naar de erecode van de oude families.'

Vespasianus negeerde deze belediging, hij wist dat Corbulo het niet zo bedoelde, het was veeleer een vanzelfsprekend gevolg van diens patricische wereldbeeld. 'Dus de keizerin is inderdaad zo promiscue als de geruchten doen vermoeden?'

'Geloof me: erger dan dat. Ik moest van haar… Ach, het doet er ook niet toe. Laat ik zeggen dat ik meer dan eens tranen in mijn ogen kreeg. Hoe dan ook, de vrijgelatenen van Claudius proberen haar van de troon te stoten en deze rechtszaak zou een eerste stap in de goede richting zijn, want die zou haar broer een slechte naam bezorgen. Eind vorig jaar had ik al het bewijsmateriaal verzameld en kon ik de zaak eindelijk voorleggen aan Narcissus, Pallas en Callistus, en zowel Narcissus als Pallas was onder de indruk.'

'Maar in zijn hoedanigheid als secretaris van het gerechtshof vond Callistus het niet overtuigend genoeg.'

'Hoe weet jij dat?'

'Ik doe maar een gok, Corbulo.'

'Nou, dat doe je heel goed dan. Dat is precies wat er gebeurde: hij verscheurde de aanklacht en vertrok met de opmerking dat er om die harpij aan de kant te zetten wel meer nodig was dan een halfhartige poging van een… Laat ik niet zeggen hoe hij mij noemde, want eigenlijk wil ik de belediging van dat miezerige ventje volledig negeren. Ik verwachtte dat Narcissus en Pallas woedend op me waren, al is het beneden mijn stand om me druk te maken over de gevoelens van voormalige slaven, maar het tegendeel was waar, ze waren zeer tevreden en beloofden ervoor te zorgen dat de keizer mij aanstelde als gouverneur van Germania Inferior, want daar was ik duidelijk de juiste man voor.'

'En niemand probeerde daar een stokje voor te steken?'

'Voor zover ik weet niet.'

'Kijk, dat vind ik nou interessant.'

'Vind je? Hoe dan ook, ik vertel jou dit in vertrouwen, als een oude... eh... als iemand die ik al heel lang ken, om je te laten zien hoe ingewikkeld de verhoudingen soms liggen in het Rome van Claudius. Ik raad je aan pas weer contact te hebben met de keizerin en Claudius' vrijgelatenen als hun vete op de een of andere manier is opgelost, want tot die tijd zal het heel lastig zijn om te bepalen bij wie je moet aankloppen om hogerop te komen.'

'Bedankt voor het advies, Corbulo, maar ik denk dat ik na jouw verhaal wel weet wie de touwtjes in handen hebben.' Vespasianus dronk zijn beker leeg en Corbulo gebaarde naar een slaaf dat hij moest bijschenken, maar Vespasianus stak zijn hand op en kwam overeind. 'Ik moet er weer vandoor, ik wil voor het donker in de stad zijn.'

'Je hebt gelijk. Fijn dat ik je heb gesproken, al was het maar even. Je broer wordt volgende maand consul, als ik het goed begrijp?'

'Dat klopt.'

'Ongelofelijk, vind je ook niet? Iemand uit zo'n jonge familie die consul wordt. Waar gaat dit heen?'

'Naar blaaskaken die gouverneurs worden,' mompelde Magnus niet geheel in zichzelf toen hij naar voren stapte om de vouwstoel van Vespasianus te pakken. 'O nee, dat is dom van me, dat doen ze natuurlijk al eeuwen.'

Corbulo's haren gingen overeind staan, maar hij wilde niet ingaan op de woorden van iemand die zo ver beneden hem stond. Hij kwam ook uit zijn stoel en zei: 'Het allerbeste, Vespasianus. Het is een rare tijd, maar je zult ongetwijfeld benoemd worden tot consul.'

Vespasianus grijnsde en pakte Corbulo's uitgestoken arm. 'Dat is wel mijn bedoeling, al is het alleen maar voor de blik op jouw gezicht als je mij op straat voor moet laten gaan.'

Corbulo schudde meewarig het hoofd. 'Schuldig aan vrijgelatenen, de wet voorgeschreven krijgen door verdorven vrouwen en overtroffen worden door een nieuwe lichting. Ik ben blij dat ik weer terugga naar een legerkamp, daar weet je tenminste waar je aan toe bent.'

'En uw mannen zullen blij met u zijn, want zij snakken naar strenge tucht.'

Corbulo keek weemoedig voor zich uit. 'In het leger weten ze tenminste nog wat de oude Romeinse waarden en normen zijn.'

Rome lag voor hem, het rommelige silhouet van de stad gloeide op in de warme avondzon en daarboven troonde een dunne, bruine nevel: de rook van talloze huishaarden, smidsen, looierijen en bakkers.

Vespasianus wierp een hunkerende blik op de meesteres van de wereld, die lusteloos op haar zeven heuvels lag en iedereen toegang bood die, in ruil voor voldoende eerbied, een graantje wilde meepikken van haar geneugten, rijkdommen en macht. 'Zes jaar is te lang.'

Magnus schudde zichzelf wakker uit de sluimering waarin hij gedurende de tocht van twintig mijl vanaf Ostia zo nu en dan was weggezakt. 'Hm? O ja, dat zal wel. Zes jaar is inderdaad lang. Anderzijds, ik ben ruim twee jaar weg en ik vraag me af of dat wel genoeg is.'

'Ik weet zeker dat mijn oom zijn uiterste best heeft gedaan om het misverstand over die uitgebrande huizen uit de wereld te helpen.'

'Ik hoop het, maar dat zal hem flink wat denarii aan bloedgeld en steekpenningen hebben gekost en hij wil natuurlijk dat die investering wat opbrengt. Ik vermoed dat ik het heel druk ga krijgen.'

'Ik vermoed dat je gelijk hebt. Met Sabinus als consul kan de familie een paar heel goede maanden krijgen.'

'Het is altijd handig om een meegaande consul te hebben.'

Vespasianus keek naar de lange rij graanschuren aan de Via Ostiensis die hem het zicht op de Tiber, links van hem, ontnamen. 'En naar verluidt zal de oogst goed zijn, wat goed is voor de rust en de handel. Daar wil ik munt uit slaan.'

De wagen remde vaart toen bedelaars eromheen kwamen staan en hun bekers uitstaken, die ze tussen hun vieze vingers of stompjes hielden, want de brede paarse senatorenstreep op Vespasianus' toga trok hun aandacht. Met een paar zweepslagen maakte de menner de weg vrij, waarna ze in de schaduw van de Aventijn, die rechts van hen opdoemde, aan de andere kant van de Muur van Servius, verder reden naar de Porta Trigemina.

Vespasianus betaalde de menner; hij wilde hem een fooi geven voor het afhouden van de bedelaars maar bedacht zich. Hij stapte uit, want het was verboden om overdag met een wagen de stad in te gaan, en betrad te voet door de open poort de stad Rome. Magnus volgde hem nadat hij zijn eigen tas over zijn schouder had gegooid en Hormus worstelde achteraan met het reisgoed van Vespasianus: hij keek zijn ogen uit en bewonderde de talrijke bouwkundige wonderen die deze stad te bieden had.

Vespasianus en Magnus keken verrast op toen rechts van hen, achter de hoge façade van het Circus Maximus, een luid gebrul opsteeg van een opgewonden menigte, en sloegen de hoek om naar het Forum Boarium, waar het wemelde van de strijdwagens, paarden en mannen in de kleuren van de vier strijdende facties.

'Zijn er wedstrijden?' vroeg Magnus. 'Dat is bijzonder, een paar dagen voor het feest van Apollo.'

'En lastig,' merkte Vespasianus op en hij keek naar het afgesloten forum, waar de ploegen zich voorbereidden op de wedstrijd of zweten-de paarden afveegden die de beproeving hadden overleefd. 'Hoe komen wij erlangs?'

'Wacht hier. Geheid dat ik een bekende tegenkom die ons erdoor kan loodsen. Een senator laat zich door niemand tegenhouden.' Hij liep langs de omheining en zocht naar een bekende in zijn favoriete ploeg, de Groenen, en liet Vespasianus en de zichtbaar overrompelde Hormus achter tussen de menigte die de wedstrijdpaarden bekeek.

'Heb je ooit wagenrennen gezien, Hormus?' vroeg Vespasianus tamelijk plichtmatig.

Hormus keek verbaasd op, want in het openbaar sprak Vespasianus hem zelden direct aan. 'Nog nooit, meester.'

'Dat moet je begin juli, tijdens het feest van Apollo, beslist eens doen.'

'Moet ik ernaartoe, meester? Hoe dan?'

'Je loopt gewoon naar het Circus Maximus.'

'Maar ik ben uw slaaf, ik kan niet zomaar het huis verlaten.'

'Natuurlijk kan dat wel, als ik het zeg. Hier in Rome geven we onze lijfslaven de ruimte: als hun meester hen niet nodig heeft, kunnen ze gaan en staan waar ze willen. Je kunt naar het circus, het theater of de arena gaan wanneer je wilt, zolang je maar toestemming van mij hebt. Vergeet niet, Hormus, dat wij onze slaven hun vrijheid schenken, zodat ze ons als vrijgelatenen eeuwig trouw blijven. Een vrijgelatene kan van pas komen wanneer je als senator een handeltje wilt opzetten, want door de vrijgelatene te machtigen omzeil je de wet die het senatoren verbiedt om iets bij te verdienen. Als jij je werk goed doet, geef ik je op een dag je vrijheid terug. Maar wat heb ik dan aan je als je geen stap buiten de deur hebt gezet, geen connecties hebt en niets van de stad weet?'

Hormus richtte zijn blik iets hoger en keek zijn meester bijna aan. 'Bedoelt u, meester, dat ik niet altijd slaaf zal blijven?'

'Natuurlijk blijf je niet altijd slaaf.'

'Maar hoe kom ik dan aan mijn brood?'

'Daar hebben we het wel over als het zover is. Ondertussen moet je als je er de tijd voor hebt de stad leren kennen.' Hormus trok met zijn mondhoeken en in zijn ogen flikkerde angst. Vespasianus had met hem te doen, maar hij drukte het mededogen weg en vervolgde zijn verhaal: 'Als je mij van enig nut wilt zijn, moet je je angst negeren en mijn advies opvolgen.'

'Jawel, meester.' Hormus klonk verre van overtuigd.

'U raadt nooit wie ik heb gezien, heer,' kondigde Magnus aan terwijl hij zich een weg door de menigte drong.

'Dat zal gerust, Magnus.'

'Volg mij.' Magnus liep in de richting van de Tiber. 'Kent u mijn vriend Lucius nog? U hebt hem in Thracië gered van de doodstraf en daarna hielp hij ons met een paar vrienden om die walgelijke, gluiperige priester uit die vesting in Sagadava in Moesia te krijgen.'

'Ik weet nog dat we dat deden, maar die Lucius kan ik me niet herinneren.'

'Zijn vader was stalmeester bij de Groenen, Lucius was zelf staljongen voordat hij in het leger ging.'

'Ik weet nog dat je heel enthousiast vertelde dat je iemand kende die jou goede gokadviezen kon geven.'

'Precies, en vijftien jaar geleden hielp hij me toen ik in een lastige situatie met een geslepen gokbaas en een monsterlijke consul verzeild was geraakt en het uw broer niet lukte als consul gekozen te worden. We hadden toen echt veel aan hem. Maar goed, zijn tijd bij de Vierde Scythica zat erop en nu werkt hij weer voor de Groenen als... eh... Laat ik het zo zeggen: spierbundel van de factiemeester, als u begrijpt wat ik bedoel.'

'Ik begrijp het. Het zal vast belangrijk werk zijn.'

'Maak het maar weer belachelijk. Hoe dan ook, hij wacht op ons bij de poort naast de Brug van Aurelius en zal ons door de drukte loodsen.'

'Klinkt als muziek in mijn oren.'

Vespasianus had geen beeld van de man en herkende hem ook niet toen hij, onder het toeziend oog van het acht man sterke *contubernium* dat namens de stadscohort de wacht hield bij de poort, Magnus in de armen vloog.

'Het is een eer u weer te zien, legaat,' zei Lucius nadat hij hen door de poort had geleid. Vespasianus knikte hem toe. 'Ik zal nooit vergeten dat ik mijn leven aan u te danken heb.'

'Dan stel ik voor dat je elke ochtend naar mijn *salutio* komt en mij begroet als jouw beschermheer.'

'Met groot plezier, en dan zal ik me zo nuttig mogelijk maken.'

'Begin maar met te vertellen waarom er vandaag wedstrijden zijn, want het is geen feestdag.'

'Dat is het wel. Claudius viert de Seculiere Spelen.'

'De Seculiere Spelen? Maar die zijn één keer in de honderd jaar. En Augustus heeft ze zestig jaar geleden nog gehouden.'

Lucius haalde zijn schouders op en leidde hen door de drukte rond de wedstrijd. 'Dat kan best, maar ze zijn nu bezig.'

Magnus keek naar Vespasianus en grinnikte: 'De dwaas kan blijkbaar niet tellen.'

'Of hij doet er alles aan om een nalatenschap te creëren. Ik vraag me af wat mijn oom ervan vindt.'

Vespasianus klopte op de vertrouwde deur van het huis van zijn oom op de Quirinaal en was niet verbaasd toen deze werd geopend door een uitzonderlijk knappe tienerjongen met lang vlasblond haar en ranke benen die nauwelijks werden bedekt door het niemendalletje dat hij aanhad. 'Laat je meester weten dat ik er ben. Ik ben zijn neef Vespasianus.'

De jongen holde weg en Vespasianus liep achter hem door de hal naar het atrium, waar een hoofdrol was weggelegd voor een groot homo-erotische mozaïek van een naakte Achilles die Hector met zijn reebruine ogen de genadeslag gaf.

'Beste jongen!' bulderde senator Gaius Vespasius Pollo toen hij met wapperende, zwartgeverfde pijpenkrullen en schuddende kwabben aan kwam gewaggeld. 'Sabinus zei dat je zou komen voor zijn inwijding. Ik was bang dat je het niet zou halen.' Hij drukte Vespasianus tegen zijn vetrollen aan en plantte een natte kus op zijn beide wangen. 'Het is al over acht dagen, snap je. Ben je al bij Flavia geweest?'

'Nog niet, nee. Eerst wilde ik u spreken. Waar is mijn moeder?'

Er trok een zweem van ergernis over Gaius' gezicht. 'Die is naar Flavia en de kinderen en gaat daarna naar Aquae Cutillae, waar ze jou binnenkort verwacht. De eigenaar van een van de belendende landgoederen is ziek geworden en heeft naar verwachting niet lang meer te gaan. Je moeder maakt zich zorgen over wie het land zal erven.'

Vespasianus schudde zuchtend zijn hoofd. 'Typisch moeder om zich druk te maken over zaken van de buren. Ik ga me daar niet mee bemoeien. Laat haar haar gang maar gaan, ik zie haar wel als ze weer in Rome is. Hoe gaat het met Flavia?'

'Je moeder is bij haar geweest, dus ze zal slechtgehumeurd zijn. Er is altijd wel iets waar ze woorden over hebben, van die vrouwendingen, denk ik. Als je verstandig bent ga je er pas morgen naartoe, dan zal ze hersteld zijn van jouw moeders bezoek.'

'Is het zo erg?'

Gaius rolde met zijn ogen en trok een gezicht dat tegelijk berusting en wrevel verraadde, waarna hij zich tot Magnus keerde en hem bij zijn onderarm pakte. 'Wat is er met je oog gebeurd, Magnus?'

'Dat heb ik moeten achterlaten in Britannia toen ik een rieten man van iets te dichtbij bekeek.'

'Nou, ik hoop dat ik nog evenveel aan je heb als vroeger. Ik heb je gemist, mijn vriend, en ik ben blij dat je terug bent.'

'Ik vind het fijn om terug te zijn, senator. Ik vraag me alleen wel af of ik hier veilig ben, als u begrijpt wat ik bedoel.'

'Natuurlijk begrijp ik dat, en het antwoord is ja.'

'Dat is een hele opluchting. Ik hoop dat het u niet te veel geld heeft gekost.'

'Dat viel ontzettend mee. Vorig jaar was jouw vriend Paetus stadsquaestor en in die hoedanigheid heb ik hem kunnen overhalen om alle verwijzingen naar het voorval uit de ambtelijke documenten te verwijderen. Hij wilde dat met alle liefde doen en hoefde er niet veel voor te hebben, wat mooi is, want hij zal weldra tot onze familie toetreden.'

'Ik ben zeer dankbaar, heer.'

'Ik weet zeker dat je dat in de nabije toekomst zult laten blijken.'

'Jazeker. Maar nu ga ik eerst naar de kruispuntbroeders om het goede nieuws te brengen. Ik ben terug als de zon opkomt.'

'Wordt Paetus familie?' vroeg Vespasianus toen Magnus wegliep.

'Ja. Sabinus heeft hem een paar dagen geleden zijn dochter, juffrouw Flavia, ten huwelijk aangeboden. Ze is vijftien en dus oud genoeg. Paetus heeft het aanbod aangenomen, het is voor alle betrokkenen een gunstige verbintenis. Wij krijgen een relatie met de Junii en Paetus mag trouwen met de dochter van een zittende consul, waardoor hij direct geassocieerd zal worden met het ambt, wat hem in de toekomst van pas zal komen. Maar kom, jongen, laten we in de tuin gaan zitten en alvast een kleine versnapering nemen. Ik ben uitgenodigd om bij Valerius Asiaticus te komen eten. Ik zal hem vragen of ik jou mag meenemen. Ik weet zeker dat het geen probleem is, hij is tegenwoordig stinkend rijk. Wist je dat hij zo'n vijf jaar terug de Tuinen van Lucullus heeft gekocht?'

'Ja, dat weet ik. Ik hoorde het van Narcissus toen hij naar het noorden kwam voor de invasie.'

'Dat een Galliër senator wordt en vervolgens ook de consulverkiezingen wint, is tot daaraan toe, maar moet hij dan ook meteen de mooiste tuinen van Rome hebben? Dat heeft tot veel jaloezie geleid.' Gaius klapte in zijn handen en meteen kwam er een jongen aanlopen. Iets ouder dan de jongen bij de deur, maar even mooi. 'Ortwin, haal wat wijn en honingkoekjes.' Nu pas viel Gaius' oog op Hormus, die in de gang naar de vestibule stond. 'Wie is dat?'

'Hormus, mijn slaaf.'

Gaius trok zijn geëpileerde wenkbrauwen op. 'Dus je hebt eindelijk de moeite genomen een eigen slaaf te kopen? Goed zo, jongen. Nu je een eigen huis hebt, moet je gewend raken aan dat soort uitgaven. Ik zal Ortwin vragen hem te laten zien waar hij jouw spullen kan zetten en een bed in het slavenverblijf voor hem te regelen. Dan kunnen jullie morgen naar het huis gaan dat ik voor jullie gevonden heb.'

'Natuurlijk, ze konden niet onder Sabinus uit,' zei Gaius en hij likte wat kruimels van zijn vingers. 'Hij is tweeënveertig, een leeftijd waarop je een held van de Britannische veldtocht haast wel móét belonen met die eer, en helemaal als hij Narcissus, Pallas en Callistus van nut kan zijn door het op te nemen tegen een hogergeplaatste collega die, zo wil het toeval, technisch gezien te jong is voor het ambt.'

Vespasianus gaf de schaal met koekjes door aan zijn oom. 'Wie bedoelt u?'

'Gnaeus Hosidius Geta.'

'Geta! Die is minstens een jaar jonger dan ik.'

'Maar hij heeft de voorkeur van Messalina, en Claudius zal haar niets weigeren. Sabinus zal het dus nog zwaar krijgen: hij moet het opnemen tegen Geta en tegelijk voorkomen dat Messalina bepaalt wat er op de agenda van de Senaat staat. Maar als hij het handig aanpakt, zal hij in een goed blaadje komen bij de drie vrijgelatenen, wat alleen maar in ons voordeel kan uitpakken.'

'De twee vrijgelatenen, oom.'

'Twee? Hoezo dat?'

Vespasianus vertelde hoe Pallas op listige wijze, en met goed gevolg, als hij Corbulo mocht geloven, Callistus had weten te ontmaskeren.

'Dus Callistus beschermt Corvinus,' mompelde Gaius met een mond vol koek toen Vespasianus zijn verhaal had afgerond. 'Dat is vreemd.'

'Nee, dat is het niet. Als Callistus inderdaad Messalina steunt in de strijd tegen zijn collega's, is het alleen maar logisch dat hij tracht te voorkomen dat haar broer vervolgd wordt.'

'Dat ben ik met je eens, ware het niet dat Corvinus en Messalina ruzie hebben gekregen.'

'Waarover?'

'Macht. Wat anders? Zij wil alle macht naar zich toe trekken, ze haat het om die te moeten delen, zelfs met haar eigen familie. Maar omdat ze alleen via anderen invloed kan uitoefenen op de Senaat, is het voor haar van wezenlijk belang dat een van de consuls aan haar leiband loopt.'

Opeens werd het Vespasianus duidelijk. 'Aha. Corvinus is technisch gezien nog te jong om consul te worden, maar ondertussen geeft zijn zus wel haar steun aan Geta, die zij door Claudius laat benoemen terwijl hij nog veel te jong is.'

'Precies, beste jongen. Messalina wilde niet dat haar lieve broer consul werd, omdat ze vreesde dat hij grote invloed zou krijgen op Claudius en niet zozeer haar belang zou dienen als wel zijn eigen. Naar haar idee is het al erg genoeg dat Narcissus de keizer in zijn net heeft; ze wil er niet nog een concurrent bij als het om Claudius' aandacht gaat.'

'Corvinus moet zich diep gekrenkt voelen.'

'Voor hem is het uitermate pijnlijk, beste jongen, en niet alleen omdat hij gekleineerd is. Messalina heeft een verhouding gehad met een edelman genaamd Gaius Silius en heeft Claudius zover gekregen dat hij hem toelaat tot de Senaat, wat die oude dwaas in zijn hoedanigheid als censor met veel plezier voor zijn lieftallige vrouw heeft gedaan. En nu gaat het gerucht dat ze Claudius probeert over te halen hem volgend jaar tot consul suffectus te benoemen.'

'Zo snel al? Terwijl hij nog maar net in de Senaat zit?'

'Jij houdt dat voor onmogelijk, maar het precedent is geschapen door Claudius zelf, weet je nog, hij was slechts een edelman toen Caligula hem tot senator benoemde, zodat ze samen het consulschap konden vervullen. Voor Caligula was het een grap, natuurlijk, en hij wilde de Senaat laten zien wat hij eigenlijk van ons soort vond. Maar Claudius realiseert zich niet dat hij een slecht figuur slaat als hij de minnaar van zijn vrouw zoveel eer geeft.'

'Dus Corvinus is voorbijgestreefd door iemand die te jong is om consul te worden en wordt mogelijk nog een keer voorbijgestreefd door een minnaar van zijn zus, die vorig jaar rond deze tijd niet eens bevoegd was om consul te worden.'

Gaius' glimlachte triest, maar zijn mededogen was gespeeld. 'Ik weet het, voor Corvinus is het heel naar. Zijn zus moet hem enorm gekwetst hebben. Maar zo zit ze in elkaar: ze weet de mensen in haar omgeving van zich te vervreemden door haar hooghartigheid én door haar overtuiging dat ze zó machtig is dat ze niemand nodig heeft. Neem Asiaticus, bij wie we straks gaan eten: zoals je weet kon hij het altijd heel goed vinden met Claudius, mede doordat hij in de gunst stond bij diens moeder Antonia – mogen de goden hoeden over haar geest –, hetgeen hij bewees door in zijn tijd van consul zo goed te zijn om de suggestie te wekken dat hij Poppaeus dood tussen zijn afval had gevonden.'

'Daar word ik liever niet aan herinnerd, oom.' De moord op Poppaeus die hij twaalf jaar terug, op verzoek van Antonia, met hulp van Corbulo en Magnus had gepleegd, was voor Vespasianus niet iets om trots op te zijn.

'Natuurlijk niet, maar je moet niet vergeten dat Claudius door de dood van Poppaeus steenrijk werd. Iedereen die direct of indirect bij de moord betrokken was, heeft er op een bepaalde manier van geprofiteerd. Pallas en Narcissus zijn nu de twee machtigste mannen van het rijk, Corbulo werd niet ter dood gebracht omdat hij de halfbroer van Caligula's keizerin was, Narcissus was jou dankbaar, wat goed is geweest voor jouw loopbaan en jou in staat stelde het leven van Sabinus te redden, en Asiaticus heeft Claudius geholpen met het investeren van dat onverwachte fortuin en heeft daar zelf bijzonder grote vruchten van geplukt.'

'Groot genoeg om de Tuinen van Lucullus te kunnen kopen?'

'Precies. En groot genoeg om ze fraai te verbeteren. Maar goed, als vriend van Claudius deed hij zijn best om in het gevlij te komen van Messalina. Vorig jaar, toen hij voor de tweede keer consul was, behartigde hij haar belangen in de Senaat en kon ze gebruikmaken van zijn tuinen wanneer ze daar zin in had. Maar ze is nooit tevreden, en dus wilde ze die tuinen zelf hebben. Ze probeerde hem over te halen tot verkoop, en toen hij dat weigerde, zei ze dat hij ze haar in het gunstigste geval alleen nog kon schenken.'

'Een akelig dreigement.'

'Heel naar, inderdaad. Asiaticus heeft het aanbod afgeslagen en verklaard dat hij nog liever sterft dan zijn tuinen opgeeft, wat, zo hoop ik hartgrondig, niet nodig zal zijn.'

'Ze moeten wel heel mooi zijn, als hij zijn leven ervoor op het spel zet.'

'O ja, dat zijn ze zeker, jongen. Maar vanavond kun je ze met eigen ogen zien. Asiaticus laat het eten opdienen in zijn tuinen.'

HOOFDSTUK XII

Vespasianus ademde de rijke geur van de bloeiende tuin diep in. De Tuinen van Lucullus, gelegen achter een hoge muur op de zuidwestelijke helling van de Pincius, vlak voorbij de Porta Quirinalis ten noorden van de Campus Martius, was een ideale plek om je af te zonderen van het straatrumoer. Het hardste geluid dat je hier hoort, dacht Vespasianus, is het niet-aflatende gezang van de cicaden en het geklater van het water uit de fonteinen in het midden van de verschillende tuindelen die, elk met een eigen thema, rond de villa lagen, die naar verluidt een van de meest luxueuze van Rome was.

'Claudius heeft een vrij slim plan bedacht om de Seculiere Spelen te kunnen houden,' zei Gaius tegen Vespasianus toen ze een met rode pioenen omzoomd pad op liepen dat bestond uit een fraai mozaïek van de verschillende planten en dieren die in de tuinen leefden. Voor hen kuierden twee andere gasten. 'Op basis van de traditionele Etruskische berekening concludeerde hij dat ze iedere honderdtien jaar gehouden moesten worden in plaats van iedere honderd jaar, zoals Augustus voorstelde toen hij ze in het leven riep. Nu worden we waarschijnlijk opgezadeld met twee cycli, een van honderd en een van honderdtien jaar, aangezien geen enkele keizer de kans op zo'n prestigieus evenement aan zich voorbij zal laten gaan. Claudius heeft zich met zijn slinkse rekenwerk evenwel erg geliefd gemaakt bij het volk, en in de Senaat heb ik niemand horen mopperen. Sterker nog, ik hoor in de Senaat nauwelijks nog iets, want nu Messalina haar echtgenoot heeft wijsgemaakt dat iedere senator trouweloze gedachten heeft, durft niemand meer voor zijn mening uit te komen.

'Hoe is Flavia door Messalina behandeld?'

'Ze kunnen het wonderbaarlijk genoeg heel goed met elkaar vinden en voor een feeks als Messalina is Flavia de beste vriendin die ze zich kan wensen. Flavia heeft natuurlijk geen flauw benul dat ze in een hachelijke situatie zit en pronkt met haar verheven positie als gezelschapsdame van de keizerin tegenover alle andere vrouwen in Rome. En dat valt niet overal in goede aarde, je weet hoe vrouwen zijn.'

Vespasianus bromde instemmend, hij kon zich goed voorstellen dat Flavia zich zo gedroeg.

'Je hereniging met Flavia wordt uitgesteld, maar ik denk dat dit het zal goedmaken.'

Vespasianus ademde weer diep in, genoot van de warme avondzon achter op zijn hoofd en nek en kon het wel eens zijn met zijn oom: dit was veel beter dan na zes jaar herenigd te worden met een vrouw die hoogstwaarschijnlijk een rothumeur had. 'Ik voel me alleen een beetje schuldig tegenover Titus en Domitilla.'

'Dat is nergens voor nodig, jongen. Je hebt Domitilla nog nooit gezien en Titus was net een jaar oud toen je vertrok, die herkennen jou dus niet eens. Wat maken die paar uur dan uit?'

'Niets, waarschijnlijk. Maar ik vind het best spannend om Titus weer te zien.'

'Wees gerust, hij is jou echt niet vergeten. Daar hebben Flavia, je moeder en Caenis wel voor gezorgd.'

Vespasianus voelde een zekere opluchting en bewonderde het stuk tuin rechts van hem, dat in het teken van Pan stond. In het midden stond een fontein: de halfgod met geitenpoten speelde op zijn fluit, en uit de gaten in de fluit stroomde het water kletterend de vijver in, waar het riet groeide waarvan de fluiten werden gemaakt. Zijn aanstaande hereniging met zijn zoon was vaak door zijn gedachten gegaan: de jongen was nu bijna acht en had een eigen persoonlijkheid en eigen meningen ontwikkeld. Als hij hem nog zou willen vormen, moest hij alle verloren jaren goedmaken door nu een onuitwisbare indruk te maken.

Een schrille kreet van dichtbij schudde Vespasianus wakker uit zijn mijmeringen. Hij draaide zich om en zag een vogel, groter dan een jonge haan, maar met dezelfde poten en een lange nek met felblauwe veren, waarop een kleine, blauw-zwart-witte kop zat met een kam. Het dier krijste nogmaals en spreidde zijn magnifieke staartveren in een enorme halve cirkel uit, zodat zijn lijf afstak tegen een bonte achtergrond: licht- en donkerblauw, turquoise, lichtgroen en zacht geelbruin. Elke veer had een andere lengte, maar aan het uiteinde zat steeds hetzelfde oog: een donkerblauwe iris in een turquoise in plaats van witte oogrok. 'Wat is dat voor een vogel?'

'Ik weet niet hoe hij heet, maar Asiaticus heeft voor heel wat duiten drie paar laten komen, uit India geloof ik. Alleen de mannetjes hebben zo'n opvallende staart. Het vrouwtje ziet er nogal saai uit.'

'Ze maken een afschuwelijk geluid.'

'Ja, ik weet zeker dat ze beter smaken dan klinken,' stelde Gaius toen ze door de warme schaduw van een abrikozengaard liepen, waar de afstammelingen groeiden van de boom die Lucullus uit Armenia had laten komen toen hij honderd jaar geleden zijn tuinen had aangelegd. Toen ze onder de laatste boom vandaan kwamen, die net als alle andere vol vruchten zat, en vol vogels die de ondergaande zon toezongen, kwam de villa in zicht: een laag gebouw waarvan de schuine daken met terracotta dakpannen werden ondersteund door sierlijke, hoge pilaren die geel en rood waren geschilderd om goed af te steken tegen de donkerbruine en goudkleurige muren. Het maakte een zeer smaakvolle indruk, en Vespasianus snapte nu waarom Asiaticus liever wilde sterven dan weg te gaan uit dit paradijs dicht bij de – zoals ze in Parthië zouden zeggen – bordelen van Rome.

'Vespasianus, het doet mij deugd dat je terug bent in Rome,' zei Decimus Valerius Asiaticus en hij pakte met zijn enorme hand Vespasianus' onderarm toen die met Gaius de trap naar het marmeren terras voor de villa besteeg. 'Toen ik van je oom hoorde dat je in de stad was, wilde ik natuurlijk niets liever dan jou te laten genieten van mijn gastvrijheid.'

'Het doet mij ook deugd, proconsul, om ú te zien,' antwoordde Vespasianus oprecht, terwijl hij probeerde te verhullen dat het uiterlijk van Asiaticus hem verraste: hij was helemaal kaal geworden; met zijn ronde, blozende gezicht, stompe neus en brede mond en zónder een beschaafd Romeins kapsel zag hij er nog Gallischer uit dan jaren geleden. Hoewel hij twee keer consul was geweest, toonde hij nu wie hij feitelijk was: een oud Gallisch stamhoofd in een toga. 'En het is een grote eer om deze plek, zonder twijfel de mooiste in Rome, te mogen bewonderen.'

'Maar schoonheid heeft altijd een prijs, Vespasianus, en in dit geval kan het zijn dat ik haar zelfs met mijn leven moet betalen.'

'Zo ver zal Messalina niet gaan,' merkte Gaius op. Hij pakte op zijn beurt de gespierde onderarm van zijn gastheer, terwijl Vespasianus twee bekers gekoelde wijn van een langslopende slaaf aannam. 'Ze kan het niet maken om jou te laten vermoorden en je bezit te stelen.'

'Waarom niet? Keizers hebben in het verleden niet anders gedaan, dus waarom de keizerin niet? Wat maakt het haar nu uit wat anderen van haar denken? Iedereen weet dat ze de grootste hoer in Rome is – de meesten, zoals ik, uit eigen ervaring –, dus dan vindt ze het vast niet erg om ook voor dief te worden uitgemaakt.'

'En voor moordenaar?' vroeg Gaius en hij bedankte Vespasianus met een knikje voor de wijn.

'Nee, zo ver zal ze niet gaan. Ze zal me eerder tot zelfmoord dwingen. Sterker nog, ze fluistert haar echtgenoot reeds de lasterpraat in die mij te gronde zal richten, en daarom stuur ik nu al een deel van mijn bezit terug naar Gallië. Die afperser Publius Suillius Rufus wil de doodstraf tegen mij eisen, en hij heeft niet eens door hoe ironisch een van de aanklachten is.' Hij boog naar voren om niet gehoord te worden door de andere gasten op het terras. 'Hij wil mij beschuldigen van overspel met Poppaea Sabina.' Hij probeerde tevergeefs een bulderlach te onderdrukken, waardoor er alsnog verscheidene hoofden hun kant op draaiden. 'Stel je voor: ik word ervan beschuldigd de dochter van Poppaeus gepaald te hebben nadat ik had meegedaan aan het complot van Antonia, net als jij, Vespasianus, om hem te vermoorden. Kostelijk, toch? Bijna alsof Poppaeus wraak neemt vanuit zijn graf.'

Vespasianus glimlachte, ofschoon hij opnieuw werd herinnerd aan die laaghartige daad. 'Maar daar staat geen doodstraf op.'

'Nee, op zich niet. Daarnaast wil hij mij beschuldigen van passieve homoseksualiteit. Alsof ik, Galliër van geboorte, me na twee bekers wijn op z'n Grieks laat nemen! Bespottelijk! Maar hij is slim, hij beweert dat ik dat deed toen ik in Britannia was met de versterkingen van Claudius, dat ik me liet nemen door gewone legionairs in ruil voor vrijstelling van vervelende klusjes in het kamp.'

'Maar ook misbruik maken van legionairs is geen doodstraf waard, al is het vernederend om daarvan beschuldigd te worden.'

'Dat ben ik met je eens. Maar een paar dagen geleden hoorde ik van mijn goede vriend Pallas wat de voornaamste aanklacht zal zijn. Daarom ben ik in allerijl teruggekeerd van mijn landerijen in Baiae, zodat ik in Rome gearresteerd kan worden te midden van getuigen, wat naar ik verwacht vanavond zal gebeuren.'

De wangen van Gaius schudden toen hij zijn kiezen zenuwachtig over elkaar wreef. 'Je wordt vanavond gearresteerd? Hier? Waarom denk je dat?'

'Pallas heeft me laten weten dat Sosibius – de leraar van Britannicus en dus iemand die vrije toegang heeft tot de keizer wanneer die komt kijken naar de vorderingen van zijn zoon – door Messalina betaald is om Claudius te vertellen dat ik de onbekende man ben die medeplichtig was aan de moord op Caligula.'

Vespasianus voelde het bloed uit zijn gezicht trekken en wierp een steelse, zijdelingse blik op zijn oom, wiens hangwangen nu constant in beweging waren.

Asiaticus merkte dat hij zich ongemakkelijk voelde. 'Wat is er, Vespasianus? Het is altijd bekend geweest dat er nog een samenzweerder was, Herodes Agrippa en Claudius hebben hem beiden vlak voor de moord nog gezien. Claudius heeft zijn gezicht niet gezien en Herodes heeft er slechts een glimp van opgevangen.'

'Dat is het niet,' antwoordde Vespasianus snel. 'Mijn zoon Titus wordt ook opgeleid door Sosibius. Ik vind het een naar idee dat hij zo... eh... zo...'

'Zo wat? Het spreekt vanzelf dat hij Messalina moet gehoorzamen, zij is tenslotte de moeder van Britannicus, hij is het haar verplicht in ruil voor het zeer gewichtige werk dat hij mag doen.'

Vespasianus kon zijn opluchting verhullen toen hij merkte dat Asiaticus zijn smoes, die overigens een kern van waarheid bevatte, accepteerde. 'Natuurlijk is hij dat.'

'Alle andere samenzweerders zijn ter dood gebracht en Herodes Agrippa is – wanneer was het, drie jaar geleden? – overleden aan een goddank akelige ziekte, dus er is niemand meer die mij kan identificeren als de onbekende dader, of die kan getuigen dat ik het niet was. Ik kan dus met geen mogelijkheid bewijzen dat ik het níét heb gedaan.'

'Maar ze kunnen ook niet bewijzen dat je het wél hebt gedaan.'

'Dat hoeven ze ook niet. Sosibius heeft tegen Claudius gezworen dat hij mij erover heeft horen opscheppen, en Claudius gelooft dat, omdat hij sinds kort alleen nog maar wil weten wie de gemaskerde man was die hem bijna vermoordde. Een perfecte aanklacht dus, die mij samen met de minder ernstige beschuldiging van Suillius zeker de kop zal kosten, alsof ik op heterdaad betrapt ben bij een aanslag op een keizer. Het enige wat mij nog kan redden, is als bekend wordt wie die geheimzinnige man is. Dus, heren, laten we genieten van wat mogelijk mijn laatste avond zonder dreigende doodstraf is.'

Vespasianus pakte een worstje met varken, prei en komijn van de schaal op de tafel voor hem en kauwde het zonder enthousiasme weg, al had het uitgekiende smaakevenwicht meer verdiend. Tot nu was de maaltijd voorbeeldig geweest, de muziek bleef op de achtergrond, het decor was schitterend en het uitzicht dat het terras bood op Rome en de ondergaande zon daarachter was onovertroffen. Maar niets van dit al kon de onrust temperen die was ingegeven door de gedachte dat Claudius koste wat het kost de man wilde vinden die zijn voorganger had helpen ombrengen.

Afgezien van zichzelf en zijn naaste familieleden kende Vespasianus in Rome slechts vier mensen van gewicht die wisten dat de gemaskerde man zijn broer Sabinus was geweest. Sabinus had meegedaan aan de moord om wraak te nemen voor de beestachtige verkrachting van zijn vrouw Clementina door Caligula. Ook Magnus en twee van zijn kruispuntvrienden wisten het, want Sabinus, die in de gewelddadige nasleep gewond was geraakt, was naar hun herberg gevlucht. Hen kon hij vertrouwen. Maar hoe zat het met de andere vier? Over de eerste, Caenis, had hij geen enkele twijfel, zij zou Sabinus nooit ofte nimmer verraden. Maar de drie vrijgelatenen van Claudius? Zij hadden beloofd Sabinus' rol geheim te houden als Sabinus en Vespasianus hun onlangs tot het hoogste ambt bevorderde beschermheer stevig in het zadel zouden helpen door de adelaar van het Zeventiende Legioen op te sporen. Dat hadden ze gedaan, en ze waren beloond met het legaatschap van de Veertiende Gemina voor Sabinus, die nooit meer uitdrukkelijk in verband zou worden gebracht met de dood van Caligula. Maar dat was zes jaar geleden, en Vespasianus wist maar al te goed dat een schijnbaar onbreekbare belofte onder grote druk soms heel gemakkelijk gebroken kon worden.

Hij plukte zo nu en dan wat van de schalen, die steeds ververst werden, en luisterde met een half oor naar het gesprek aan zijn tafel. Op het terras en in de tuinen werden fakkels ontstoken, en het hele terrein baadde in het flikkerende licht, waardoor er over de open bloemen en het welige gebladerte een kunstmatige, gouden zweem kwam te liggen die in schril contrast stond met de nachtelijke duisternis en de indruk gaf dat Lucullus zijn tuin had bezaaid met een krachtig goudzaad. Dat een klein gebied zoveel gecultiveerde schoonheid kon bevatten maar de lelijkheid die het omringde niet buiten kon houden, was een ironie die Vespasianus niet ontging toen hij, met zwaar gemoed en gelaten zuchtend, Rufrius Crispinus, de praetoriaanse prefect, met een overdreven groot aantal mannen door de gouden tuinen zag naderen om de voorspelling van Asiaticus uit te laten komen.

'Decimus Valerius Asiaticus,' verkondigde de prefect toen hij boven aan de trap naar het terras was, 'ik arresteer u in naam van de keizer.'

Asiaticus stond op en veegde met een servet zijn mond af. 'Bedoelt u niet eigenlijk, Crispinus, dat u mij arresteert in naam van Messalina? Komt u net uit haar bed, of moet u het eerst verdienen? Hoe dan ook, ik wil u eraan herinneren dat ik uit eigen ervaring weet dat die plek niet erg lang warm blijft.'

'Alleen de keizer heeft de macht om bevel te geven tot uw arrestatie.'

'Hou je niet van de domme, we weten allebei hoe dit soort dingen werkt. Hoe luidt de aanklacht?'

'Verraad,' antwoordde Crispinus zacht.

'Harder, Crispinus, zodat al mijn gasten kunnen horen waarom ik van mijn eettafel gerukt word.'

'Verraad!'

'Verraad? Dan zal ik mij verdedigen tegenover de Senaat en de keizer, wat mijn goed recht is.'

'De zaak zal niet voor de Senaat komen. U moet morgenochtend voor de keizer verschijnen.'

'Ik word dus via de achterdeur afgevoerd en uit de weg geruimd. Maar waar is de aanklacht op gebaseerd?'

'Dat krijgt u te horen als u...'

Asiaticus gooide zijn hoofd naar achteren en onderbrak Crispinus met een langzame neplach. 'Dat weet je zeker niet, hè, als boodschappenjongen? Dat weet je niet omdat een dom rund als jij nou eenmaal doet wat hem wordt opgedragen.' Hij stapte naar voren. 'Kom, rund, neem mij mee naar uw hoeder.'

'Ik kan niet zeggen dat ik blij was om bij de arrestatie van Asiaticus te zijn,' mompelde Gaius terwijl hij met Vespasianus door de met fakkels bezaaide tuinen liep. 'Ik weet zeker dat Crispinus mij gezien heeft, ook al probeerde ik me schuil te houden achter de man naast mij.'

'Dat is nu wel het minste waar we ons druk over moeten maken, oom,' antwoordde Vespasianus zacht. Om hen heen waren de senatoren druk aan het kletsen. 'De vraag is of Narcissus of Pallas Messalina wil tarten door haar Asiaticus te ontzeggen.'

Gaius bleef staan en bracht een hand naar zijn mond. 'Ah, ik snap het. Zo had ik het nog niet bekeken. Ik dacht dat Callistus de naam van Sabinus niet zou laten vallen, omdat hij er geen belang bij heeft als Asiaticus' onschuld wordt aangetoond.'

'En ik denk dat Pallas dat ook niet doet, vanwege de oude banden met onze familie.'

'Dat mag je hopen, maar politieke belangen wegen vaak zwaarder dan persoonlijke trouw.'

'Ik denk niet dat Pallas Sabinus hiervoor opoffert. Maar Narcissus?'

'Narcissus? Narcissus is tot alles in staat, helemaal als het gericht is tegen Messalina.'

'Maar zou hij zijn benoeming tot consul suffectus op het spel zetten?'

'Voor Sabinus tien anderen, en als hij ontmaskerd wordt, kan er een voor ons levengevaarlijke situatie ontstaan.'

'Wat moeten we doen, oom?'

'Het enige wat we kúnnen doen: met Narcissus praten. Nu meteen.'

'Dat is sneller dan ik verwacht had,' bromde Narcissus zacht van achter zijn schrijftafel toen Vespasianus en Gaius werden toegelaten tot zijn kamer. Hij stond niet op. 'Toen ik hoorde dat jullie tot de gasten van Asiaticus behoorden, wist ik dat jullie mij zouden opzoeken, al moet ik bekennen dat ik niet had gedacht dat jullie zo snel zouden doorhebben hoe groot het gevaar is dat jullie lopen. Ik moet jullie feliciteren, want zelf heb ik ook nog niet zo lang door welke gevolgen dit kan hebben.'

'Fijn dat u ons nog zo laat wilt ontvangen, secretaris,' zei Gaius beminnelijk, ook al hadden ze twee uur moeten wachten.

'Als mijn assistente er niet nog was geweest, zou het waarschijnlijk anders zijn gelopen, maar Caenis kan zeer dwingend zijn als het om heel goede vrienden van haar gaat. Ik stel me zo voor dat ze thuis vast haar bed opwarmt, Vespasianus.'

Vespasianus glimlachte nauwelijks zichtbaar. Hij had Caenis zojuist heel even gezien en de gedachte was aanlokkelijk, maar nu hij in het paleis en zo dicht bij Flavia was, was hij het aan zijn eer verplicht om de nacht bij zijn vrouw door te brengen.

'Hoe dan ook, we zijn nog maar halverwege het derde uur van de nacht. Ik was nog druk met de zaken van de keizer, en de situatie rond Asiaticus is zeer netelig.' Narcissus gebaarde naar de twee hardhouten stoelen tegenover hem. 'Neem plaats, heren.'

Vespasianus wierp een blik door de kamer, waarin rood de hoofdtoon voerde en vier identieke tienarmige kandelaren, elk voor een bronzen spiegel, voor een schitterend licht zorgden dat evenwel niet warm genoeg was om een huivering te onderdrukken. De vorige keer dat hij in deze kamer was, zes jaar geleden, had hij moeten smeken voor het leven van Sabinus, en nu leek de geschiedenis zich te herhalen, al stond dit keer ook zijn eigen leven op het spel. 'Dank u, secretaris.'

'Welkom terug, Vespasianus. Hoewel u niet met roem bent overladen, lijkt u goed werk te hebben verricht. De keizer heeft de tamelijk slappe excuses gelezen die Plautius in zijn berichten aanvoert om te verklaren waarom het zompige, koude eiland nog niet in de warme en vriendelijke handen van Rome is, maar hij heeft hem desondanks een ovatio gegund, zoals u weet. Kunt u mij vertellen waarom?'

Vespasianus wist uit ervaring dat Narcissus onverbloemde taal op prijs stelde. 'Omdat het volk niet mocht denken dat de veldtocht in Britannia niet één glorierijke zegetocht was. Door Plautius een ovatio te geven, de eerste in tientallen jaren voor iemand die geen lid is van de keizerlijke familie, worden de mensen op het juiste spoor gezet. Bovendien wil de keizer een graantje meepikken van de eer die Plautius ten deel valt en zelf de aandacht weer opeisen.'

Narcissus speelde met zijn keurige zwarte puntbaardje en trok uit waardering voor deze analyse een wenkbrauw op. Aan weerszijden van de baard glitterden twee zware gouden oorringen. 'Goed gezien, Vespasianus. Claudius trekt alles naar zich toe, zodat hij de glorieuze overwinning twee keer kan vieren zonder dat de mensen het merken.'

'Maar Plautius merkt het wel, en de Senaat ook.'

Narcissus trok langzaam zijn schouders op, spreidde zijn armen en kneep zijn ogen toe. 'En hoe denkt u dat ik dat zie?'

'Als een onbeduidend feit dat nauwelijks het vermelden waard is, secretaris?'

'Alsjeblieft, Vespasianus, we kennen elkaar al zo lang. Doe niet zo formeel.'

'Dank u, Narcissus. Ik ben vereerd.'

Narcissus wuifde het bedankje weg. 'Dat is heel bevredigend, maar ik heb nu wel andere dingen aan mijn hoofd. Dus, heren, ter zake.' Hij pakte een rol van zijn schrijftafel en draaide die om. 'Wat kan ik inbrengen tegen Sosibius, die zweert dat hij Asiaticus heeft horen pochen dat hij de onbekende man was die meedeed aan de moord op Caligula zonder de waarheid prijs te geven en Sabinus naar de verdoemenis te helpen?'

'Moet u er per se iets tegen inbrengen?' vroeg Gaius en hij veegde een druppel angstzweet van zijn voorhoofd.

'Een heel goede vraag, Gaius, maar een die niet op zichzelf staat.'

Vespasianus zonk de moed in de schoenen toen hij besefte waar Narcissus op aanstuurde: zoals hij verwacht had, werd hij wederom het wespennest van de politiek in getrokken. 'Moet u er per se iets tegen inbrengen, en als u dat niet doet, hoe kunnen wij u dan helpen?'

Narcissus drukte zijn vingertoppen tegen elkaar en zette zijn wijsvingers tegen zijn lippen terwijl hij Vespasianus met kille blauwe ogen aankeek. 'Tja, hoe kunnen jullie mij helpen?'

Narcissus liet de vraag hangen, en Vespasianus wist dat deze meester van de Romeinse politiek het antwoord al wist. Met bonzend hart wachtte hij op het antwoord. Een plotselinge bonk op de deur deed hem bijna opspringen.

'Ah! Eindelijk,' riep Narcissus uit, alsof hij had gewacht op de onderbreking. 'Binnen!'

Pallas kwam binnen, gevolgd door Sabinus. Dat komt goed uit, dacht Vespasianus. Narcissus moest hen inderdaad verwacht hebben. Achter hen kwam een slaaf binnen met twee stoelen.

'Daar zijn de schatkistbewaarder,' zei Narcissus met zielloos enthousiasme, 'en onze *consul designatus*, Titus Flavius Sabinus, de man achter het masker. Goedenavond, heren. Iedereen kent elkaar, dus laten we de formaliteiten overslaan. Ga zitten.'

De slaaf zette de stoelen neer voor de nieuwkomers en trok zich terug, en ondertussen probeerde Vespasianus iets van Pallas' gezicht te lezen, maar dat was zoals altijd uitdrukkingsloos, al had hij wel iets meer rimpels dan vier jaar geleden. In zijn golvende zwarte haar en volle baard zaten wat grijze plukken, wat je kon verwachten bij een man van zevenenveertig, maar hij bewoog zich als een jongen. In zijn donkere ogen zag je geen vermoeidheid – sterker nog, je zag er niets in. Hoe anders was dat bij Sabinus, die zijn zenuwen nauwelijks kon verhullen en wiens ogen tussen de aanwezigen heen en weer schoten.

'Aan Sabinus te zien hebt u hem op de hoogte gesteld van de netelige situatie, geachte collega?' vroeg Narcissus, naar Vespasianus' idee ten overvloede.

Pallas knikte, al was dat amper te zien. 'Inderdaad, Narcissus.'

'Maar we hadden een afspraak!' barstte Sabinus uit.

Narcissus hief vermanend zijn hand. 'Rustig, vriend, het cruciale woord in die zin was "hadden". We hádden een afspraak, maar nu we te maken hebben met een lastige kwestie zullen de voorwaarden aangescherpt moeten worden, althans, als we die afspraak willen laten staan.'

Vespasianus probeerde strak voor zich uit te kijken, hoewel hij wederom teleurgesteld maar niet verbaasd was door de meedogenloosheid van de machthebbers. Maar goed, was hij zelf zoveel beter? Was hij niet bereid een onschuldige man de plaats van zijn broer te laten innemen? Daarover kwam hij hier tenslotte praten. 'We zijn niet in de positie om iets te eisen, Sabinus. Luister eerst maar eens wat hij te zeggen heeft.'

Narcissus zag dat Sabinus zich vermande en pas toen hij zeker wist dat hij naar hem luisterde, vervolgde hij zijn verhaal: 'Grof gezegd moet ik twee dingen tegen elkaar afwegen: het nut van Asiaticus tegen dat van jullie familie in mijn strijd met de keizerin en, wat belangrijker is, als het pleit is beslecht, hoe dat van invloed is op mijn relatie – en die van mijn gewaardeerde collega Pallas – met de keizer.

Asiaticus moet morgenochtend voor Claudius verschijnen en zal beschuldigd worden van iets wat hij, zoals wij weten, niet gedaan heeft. Messalina heeft haar echtgenoot ervan overtuigd dat haar aanwezigheid ook wenselijk is, zodat zij mede de last kan dragen van het oordeel over een man die hij voordien tot zijn vrienden rekende. Spijtig genoeg voor Asiaticus was ik er niet bij toen zij haar wens kenbaar maakte, dus Claudius willigde die uiteraard in, omdat hij denkt dat Messalina gewoon een liefhebbende echtgenote is. Lucius Vitellius, die zoals jullie weten ook een heel goede vriend van Claudius is, zal het voor Asiaticus opnemen tegen Suillius en Sosibius.

Welnu, ik kan twee dingen doen: de zaak tegen Asiaticus tenietdoen door Sabinus te noemen, waarmee ik toegeef dat ik dat al die tijd heb geweten en voor mijn beschermheer heb verzwegen. Jullie zullen het met me eens zijn dat ik daar niet verstandig aan doe. Óf ik ga mee in de valse aantijging en zorg dat de aanklacht onweerlegbaar is.' Hij zweeg en wierp een veelzeggende blik naar Sabinus.

'Hoe bedoelt u "onweerlegbaar"?' vroeg Sabinus geërgerd, wat gezien de situatie begrijpelijk was.

'Door u te laten getuigen dat toen u in Britannia was met Asiaticus, u hem hoorde pochen dat hij de man achter het masker was.'

Er viel een stilte, een lange stilte waarin de aanwezigen de omvang van de leugen lieten bezinken. Sabinus leek een paar keer zijn mond open te willen doen, maar hield hem uiteindelijk dicht omdat hij besefte dat er niets te zeggen viel. Wie tegen was, was voor de dood.

'Ik zie aan u dat u het snapt, Sabinus,' zei Narcissus met een zweem van een glimlach en een kille glinstering in zijn ijzige ogen. Hij richtte zich tot Vespasianus. 'U bent natuurlijk beschikbaar om de bewering van uw broer te bevestigen door te zeggen dat hij het u zelf heeft verteld, en u zult om vergeving smeken voor het feit dat u deze kwestie niet onder mijn aandacht hebt gebracht, zodat ik het kon doorgeven aan de keizer, en ik zal u daarin steunen.'

Vespasianus knikte wezenloos en vroeg zich af of Narcissus zijn nek inderdaad zo ver voor hen zou uitsteken. Hij zag evenwel weinig andere mogelijkheden: ze moesten het erop wagen.

'Als we het op deze manier aanpakken, kan het natuurlijk een rampzalig neveneffect hebben, want de kans bestaat dat Asiaticus de keizer en ons beschuldigt van de moord op Poppaeus.'

Het werd Vespasianus koud om het hart: zou die lage daad hem de rest van zijn leven blijven achtervolgen? Maar hoe zat het met de daad die nu werd voorgesteld? Was die niet even schandelijk en zou die ook zorgen voor jaren vol spanning en schuldgevoelens? Of zou hij zich ermee kunnen verzoenen, omdat het de enige mogelijkheid was om zijn broer en zijn hele familie te beschermen?

'Maar als hij snel veroordeeld en uit de weg geruimd wordt, zal hij die beschuldiging niet kunnen uiten,' merkte Gaius op.

'Dat weet ik zonet nog niet. Als ik Asiaticus was, zou ik vanavond een nieuw testament opstellen en dat in bewaring geven bij de Vestaalse maagden.'

'O ja?'

'Ja! En ik kan er wel voor zorgen dat niemand dat testament te lezen krijgt, maar ik weet zeker dat Asiaticus dat ook heeft bedacht en ergens een kopie heeft liggen met de opdracht voor een ons onbekend persoon om die op een ons onbekend tijdstip te lezen. De keizer zal uiteraard ontkennen er iets mee te maken te hebben en ons als hoofdschuldigen aanwijzen.' Hij keek even peinzend voor zich uit en richtte zich toen tot Pallas. 'Heb jij daar iets op te zeggen, beste collega?'

'Alleen dit: zoals de heren ongetwijfeld gemerkt hebben, is onze derde collega, Callistus, niet aanwezig. En ik weet zeker dat jullie ondertussen hebben uitgevogeld waarom.'

Vespasianus besefte dat hij moest reageren. 'Omdat jullie hem niet meer vertrouwen nu duidelijk is geworden waar hij voor staat nadat hij Corbulo's aanklacht tegen Corvinus heeft verworpen?'

'Precies. En dus, secretaris, moeten we ook bepalen welke van deze twee opties de slechtste is voor onze oude getrouwe ambtgenoot.'

'Je hebt helemaal gelijk, schatkistbewaarder. Als toezichthouder op de rechtsgang zal Callistus morgen bij de hoorzitting aanwezig willen zijn. Zijn opstelling zal meewegen in mijn beslissing.'

Het drong tot Vespasianus door wat dit alles betekende. 'Dus u neemt pas morgen tijdens de zitting een beslissing, Narcissus? Niets wat wij doen of zeggen zal u op andere gedachten brengen?'

'Natuurlijk niet. Wat zou u doen? Hoe kan ik een beslissing nemen als ik nog niet alle relevante informatie heb? En daar ben ik pas zeker van wanneer ik de keizer en, belangrijker nog, Messalina en Asiaticus heb gehoord. Ik ga voorzichtig te werk, dat zouden alle politici moeten doen. Pas als ik weet welk standpunt de anderen innemen, hak ik de knoop door. Daarom wil ik jullie morgenochtend het tweede uur terugzien.'

'Waarom ik ook?' vroeg Gaius. 'Wat hebt u aan mij?'

'Dat zal morgen duidelijk worden, senator. En als jullie verstandig zijn, duiken jullie nu je bed in.'

HOOFDSTUK XIII

'Ik heb er geen invloed meer op,' herhaalde Pallas met een stem die nauwelijks boven het nagalmen van acht klepperende voeten in de marmeren gang uit kwam. 'Hoezeer ik het jullie familie ook verplicht mag zijn, ik kan Narcissus niet ompraten.' Hij bleef opeens staan en draaide zich naar Vespasianus, Sabinus en Gaius, die op deze manier een halt werd toegeroepen, en vervolgde op fluistertoon: 'Geloof me, als er een reden was om jullie hierbuiten te houden, had ik die te berde gebracht toen Narcissus en ik vanmiddag bespraken wat ons te doen stond nu Messalina Claudius zover heeft gekregen dat hij Asiaticus heeft laten aanhouden.'

Gaius was laaiend. 'U hebt dit met Narcissus bekokstoofd!'

'Zachtjes,' siste Pallas en hij keek de gang in. 'Narcissus heeft overal mensen rondlopen. Natuurlijk heb ik dat gedaan. Onze verhouding met de keizer staat op het spel. Zonder hem zijn we niets, en als we zijn vertrouwen verliezen, zorgt Messalina ervoor dat we binnen een paar uur dood zijn. En wat dan? Zou u die harpij laten heersen over Rome?'

Sabinus bracht zijn gezicht vlak bij dat van Pallas. 'Maar mij te dwingen een onschuldig man te beschuldigen van een misdaad die ík gepleegd heb, is...'

'Uw redding, Sabinus. Dat was mijn idee en het is de enige manier waarop ik u heb kunnen helpen.'

'Helpen?'

'Ja!' beet Pallas hem toe. Hij zweeg even om zichzelf tot bedaren te brengen. Voor zover Vespasianus zich kon herinneren, was dit de derde keer dat hij Pallas zijn stem hoorde verheffen, al had hij zich nu, noodgedwongen, nog ingehouden. Hij draaide zich om en liep verder, zodat hun gesprek weer overstemd zou worden door hun voetstappen. 'Wie zit er volgens u achter?'

'Messalina, natuurlijk,' siste Sabinus smalend.

'Denk na, Sabinus. Goed, ze wil Asiaticus van zijn leven beroven omdat ze zijn tuinen wil hebben en werkte aan kleine beschuldigingen tegen hem. Maar hoe komt zij aan precies de goede aanklacht die niet alleen het einde van Asiaticus betekent, maar ook Narcissus en mij in opspraak brengt?'

Opeens had Vespasianus het door. 'Callistus!'

'Juist. Hij moet haar hebben voorgesteld om Asiaticus aan te wijzen als de man achter het masker, omdat hij de enige is die weet wie het is. Hij weet zeker dat Narcissus noch ik Asiaticus zal redden door Sabinus te verraden, om voor de hand liggende redenen.' Hij zweeg toen ze langs twee slaven kwamen die met de olielampen in de weer waren. De slaven maakten een buiging. 'Wanneer Claudius zou zijn overgehaald om zijn oude vriend ter dood te brengen of zover te krijgen dat hij zichzelf van het leven berooft, zal Callistus naar de keizer stappen om hem te vertellen dat Asiaticus toch onschuldig blijkt te zijn geweest en dat Narcissus en ik wisten dat het Sabinus was, maar dat wij dat verzwegen. De wraak van Claudius zal ons einde betekenen.'

Gaius hijgde, het kostte hem moeite om hun tempo en het gesprek bij te benen. 'Maar u vertelt Claudius toch zeker wel dat Callistus ook in het complot zat?'

'Hij gokt erop, en naar mijn idee terecht, dat Claudius denkt dat wij Callistus uit wrok willen meesleuren in onze val. Want waarom zou Callistus zichzelf in gevaar brengen door zoiets tegenover Claudius te bekennen als hij er zelf deel van uitmaakt?'

'Maar hoe kan Callistus dan uitleggen hoe hij erachter is gekomen?'

'Doet dat ertoe? Hij kan zeggen wat hij wil. Dat hij of een van zijn spionnen ons erover heeft horen praten. Zelfs dat hij het gedroomd heeft. Voordat het tussen Narcissus en Messalina echt misliep, hebben ze nog een wederzijdse vijand uit de weg geruimd door los van elkaar tegen Claudius te zeggen dat ze gedroomd hadden dat de bewuste man van plan was om Claudius overhoop te steken. Diezelfde dag nog werd de arme ziel ter dood gebracht. Claudius ziet overal samenzweringen en gelooft iedereen die hem op een verrader wijst. Zoals blijkt uit het feit dat zijn goede vriend Asiaticus morgen moet vechten voor zijn leven tegen een aanklacht die iemand uit zijn duim heeft gezogen.'

'Dus waarom zou ik gered zijn als ik me door Narcissus laat dwingen tegen Asiaticus te getuigen?' vroeg Sabinus toen ze bij het grote arium van het paleis kwamen, waar meer mensen rondliepen.

Vespasianus zuchtte vermoeid. 'Omdat, broerlief, Callistus moeilijk achteraf kan beweren dat jij de schuldige bent als Narcissus jou aanvoert als getuige om de aanklacht van Messalina te bekrachtigen. Als hij dat probeert, loopt hij rechtstreeks in een val. Narcissus kan dan zeggen: als Callistus al die tijd wist dat jij schuldig was, waarom heeft hij dat dan niet gezegd tijdens de hoorzitting van Asiaticus? Vervolgens zal hij Claudius onder vier ogen duidelijk maken dat hij geen baat heeft bij de veroordeling van Asiaticus. Sterker nog, het tegenovergestelde is waar als hij het risico neemt dat Asiaticus de moord op Poppaeus aan het licht brengt. Claudius zal die redenering geloven en Callistus zal ontmaskerd worden als leugenaar, juist nu hij eens een keer de waarheid vertelt. Alle stukjes vallen precies in elkaar. Maar Narcissus zal alleen voor die aanpak kiezen als hij tijdens de hoorzitting ziet dat Claudius de beschuldiging van Suillius gelooft en denkt dat Asiaticus schuldig is.

Als Claudius evenwel sceptisch is, zal Narcissus jóú ontmaskeren. Maar hij loog toen hij zei dat dit voor hem een risico met zich meebrengt, en van Pallas was het op z'n zachtst gezegd achterbaks dat hij daar niets van zei.' Hij wierp de Griek een zijdelingse blik toe. Een korte schittering in diens ogen maakte hem duidelijk dat hij de spijker op zijn kop had geslagen. 'Narcissus zal zeggen dat Gaius hem die informatie gegeven heeft. Toen hij hoorde dat Asiaticus valselijk werd beschuldigd, kon hij het niet over zijn hart verkrijgen om de man schuldig te laten verklaren voor de misdaad waarmee Sabinus zijn familie te schande heeft gemaakt.'

Gaius keek zijn neef ontsteld aan. 'Die woorden kan hij mij niet in de mond leggen.'

'Natuurlijk kan hij dat wel, en dat weet u maar al te goed. Of dit, óf een verzonnen aanklacht zal u tot zelfmoord drijven. En jij, Sabinus, moet dan wel bekennen.'

'Ik pieker er niet over.'

'Heus, broerlief. Je krijgt een keus: óf je berooft jezelf van het leven en je familie mag al jouw bezittingen houden als je bekent, óf je wordt, als je ontkent, ter dood gebracht en Clementina en de kinderen moet verder leven in armoede. Je weet wat je zou kiezen. Je zal schuld moeten bekennen, en Messalina zal haar echtgenoot moeten uitleggen waarom ze zijn oude vriend valselijk heeft beschuldigd. Wat er ook gebeurt, Narcissus zal een overwinning behalen op een van zijn vijanden. Je zou hem er bijna om bewonderen.'

Op het gezicht van Pallas verscheen een zeldzame glimlach. 'U begrijpt heel goed hoe de vork in de steel zit, Vespasianus.'

'Ik vrees dat ik genoeg van jullie leven heb gezien om te weten welke vuile spelletjes jullie spelen.'

'Nu we zo hoog geklommen zijn en zoveel naijver ons ten deel valt, hebben we eigenlijk weinig keus. Het is dat of de dood.'

'Als het een kwestie van leven of dood is, Pallas,' mompelde Sabinus, 'kan ik Claudius altijd nog vertellen over de afspraak die ik met u en uw collega's gemaakt heb.'

Pallas schudde zijn hoofd. 'Ik denk niet dat u dat wilt.'

'Wat heb ik te verliezen?'

'Evenveel als anders, maar Clementina en de kinderen zouden u dan gezelschap komen houden in het hiernamaals.'

Sabinus keerde zich woedend naar Pallas en greep de hals van zijn tuniek. 'U zou niet durven.'

Pallas pakte Sabinus' vuist en trok die weg. 'Misschien niet, Sabinus, maar misschien ook wel. Narcissus echter zou er geen twee keer over nadenken als hij moest kiezen tussen zijn eigen leven of dat van hen.'

'Gore huichelaars dat jullie zijn!'

Gaius trok zijn neef weg. 'Daar schiet je niets mee op, Sabinus.'

'Schiet ik niets mee op? Morgen om deze tijd ben ik misschien wel naar de andere wereld geholpen.'

'Maar misschien ook niet, misschien leef je nog gewoon en kan Narcissus je nooit meer beschuldigen van de moord op Caligula, dan ben je daar voor eeuwig van verlost.'

Sabinus wreef over zijn slapen en ademde diep in. 'Dit is toch geen leven.'

'Vertrek dan uit Rome en ga naar de landerijen.'

'En dan, oom? Kijken of de wijn volgend jaar beter wordt dan die van dit jaar? Nee, ik moet in Rome zijn.'

'Dan is dít jouw leven. Kom, ik loop met je mee naar de Aventijn, naar huis. Vespasianus, ik neem aan dat jij hier blijft?'

'Inderdaad, oom. Bij Flavia kan het nooit erger zijn dan het laatste halfuur hier.'

'Daar zul je gelijk in hebben. Goedenacht, Pallas. We waarderen uw suggestie voor een andere aanpak.'

Pallas maakte een minimale hoofdbuiging. 'Het spijt me echt dat het zo uit de hand is gelopen, Gaius. We zijn al lang vrienden.'

'Is het uit de hand gelopen dan? Voor zover ik me herinner heeft er altijd overal gevaar geloerd.' Gaius legde een hand op Sabinus' schouder en leidde hem door het atrium.

'Zou u mij willen laten zien waar de vertrekken van Flavia zijn, Pallas?' vroeg Vespasianus. 'Ik heb geen flauw idee waar ik moet zijn.'

Pallas zweeg even, in gedachten verzonken, en draaide zich toen om. 'Dat zal een van de weinige leuke dingen zijn die ik vandaag doe.'

Vespasianus schrok van de twee praetoriaanse wachters die hij bij de deur zag staan toen Pallas hem naar de eerste verdieping van het paleis bracht. 'Wat doen die hier?'

'Wees gerust,' verzekerde Pallas hem, in het Grieks nu. Hij gebaarde de wachters opzij te gaan. 'Ze staan er om indringers buiten te houden, niet om mensen binnen gevangen te houden.' Hij klopte op de gelakte deur: zwart met rechthoekig gouden inlegwerk.

Vespasianus fronste en wierp een achterdochtige blik achterom naar de twee mannen, die strak voor zich uit staarden. Het schuifje voor het kijkgaatje werd weggeschoven en Pallas gaf een kort bevel. De deur ging open.

'Ik laat u alleen, beste vriend.' Pallas stak zijn arm uit, Vespasianus pakte hem. 'Ik zal er alles aan doen om ervoor te zorgen dat het morgen goed komt met uw familie. Mocht het lijken alsof ik het tegenovergestelde doe, vertrouw me dan, want zoals u weet: schijn bedriegt.'

Vespasianus liet Pallas' onderarm los en schudde zijn hoofd. Rond zijn mond speelde een meelijwekkend glimlachje toen hij Pallas in de ogen keek. 'Ik snap niet hoe u uw weg vindt in dit doolhof van intriges.'

'De dag dat ik de weg kwijtraak, zal tevens mijn laatste zijn. Maar tot die tijd geniet ik van de luxe die macht en aanzien met zich meebrengen en probeerde ik de derde vrucht van dit onnavolgbaar grillige bestaan te negeren.'

'Angst?'

Voor het eerst sinds hun kennismaking liet Pallas het masker even van zich af glijden. Hij zuchtte met half toegesloten ogen. 'Voortdurend.' Hij zette het masker even snel weer op als hij het had laten zakken. Hij knikte goedenacht en liep weg.

Vespasianus draaide zich naar de openstaande deur, nam een moment om zichzelf tot bedaren te brengen en liep naar binnen, naar het gezin dat hij zes jaar niet gezien had.

Vespasianus' mond viel open toen hij de woning van Flavia betrad en om zich heen keek.

'Welkom, meester,' zei een middelbare, lichtgekleurde slaaf in een goed gesneden tuniek van hemelsblauw kwaliteitslinnen. Hij maakte een diepe buiging. 'Mijn meesteres heeft vanavond vernomen dat u in het paleis bent aangekomen en wacht op u in het triclinium. Ik ben Cleon en sta aan het hoofd van de huishouding.'

Vespasianus hoorde nauwelijks wat de slaaf zei en vergaapte zich aan de ruimte waarin hij stond. Het atrium was veertig bij twintig passen groot, en onder een rechthoekige opening in het dak waardoor de nachtelijke hemel zichtbaar was, was een impluvium. In het midden daarvan stond een bronzen fontein in de gedaante van Venus, met op haar schouder een kruik waaruit het water in de met witte leliën bezaaide vijver stroomde. Zijn verwondering kwam evenwel niet voort uit het feit dat hij in een atrium stond dat je normaal gesproken aantrof op de begane grond van een villa en niet in een woning op de eerste verdieping, maar uit de enorme weelde die hij zag. Rond de vijver stonden lage marmeren tafels op vergulde, dierlijke poten, met daaromheen banken en stoelen, gemaakt van verschillende houtsoorten en stuk voor stuk even fraai bekleed of met kussens opgesmukt. Van elk ornament leken er twee te zijn, omdat ze weerspiegeld werden in het glimmende marmer: zilveren en bronzen beelden, schalen van gekleurd glas met verse rozen, vazen van bewerkt steen of geglazuurd aardewerk die waren beschilderd met geometrische vormen of beeltenissen van goden en helden. En terwijl hij alles opnam, berekende hij snel wat het ongeveer gekost moest hebben. In nissen in de muren stonden op marmeren sokkels borstbeelden van grootheden van weleer en in elke hoek stond een levensgroot of groter dan levensgroot beeld, beschilderd in levensechte kleuren en met ogen die de bezoeker overal leken te volgen. Met dit was niet het enige waaraan Vespasianus zich vergaapte terwijl de slaaf bij de deur aan de andere kant van het atrium op hem wachtte. Het waren ook de fresco's, en één in het bijzonder: van Moeder Isis die gehuld in een schitterend blauw gewaad neerkeek op haar schare aanbidders, wier felgekleurde kleding afstak bij de hare, terwijl haar priester een offer bracht op het brandende altaar, dat versierd was met slingers van hulst en omringd werd door watervogels. Iedere figuur, of het nu een mens was of een dier, was zo enorm knap geschilderd dat Vespasianus wist dat dit fresco gemaakt moest zijn door een van de beste ateliers in Rome. Hij wist ook dat Isis de beschermgodin van Flavia was en hij huiverde bij de gedachte dat het fresco er waarschijnlijk niet was geweest toen ze hier introk. Ze had het laten maken; wat had het wel niet gekost?

Hij slikte, trok zijn toga recht, hoopte tegen beter weten in dat het fresco de enige luxe was die hij had betaald en liep achter Cleon aan het triclinium in.

'Manlief,' spinde Flavia toen hij de kamer binnenliep. Ze ging zo verzitten dat de rondingen van haar volle lichaam onder haar donkerrode linnen stola goed tot hun recht kwamen. 'Vanaf ons afscheid heb ik Moeder Isis iedere dag gevraagd om dit moment.' Met een sierlijke beweging zette ze haar voeten op de mozaïekvloer en stond op van de bank, waardoor haar borsten verleidelijk schommelden en Vespasianus' balzak straktrok. Met kaarsrechte rug en nek schreed ze door de kamer, het hoge kapsel leek het moeilijk te maken om haar hoofd recht te houden. De donkere pijpenkrullen aan weerszijden van haar gezicht benadrukten de natuurlijke roomkleur van haar huid. Haar donkerbruine ogen namen hem glinsterend op en haar roze gemaakte lippen weken uitnodigend uiteen. De ringen aan haar oren slingerden zacht heen en weer, de met juwelen ingelegde ketting om haar nek glitterde en de ringen aan haar vingers blonken hem tegemoet. Ze bracht haar handen naar Vespasianus' gezicht en legde ze teder op zijn wangen. Haar muskusachtige parfum deed zijn hart sneller kloppen en omfloerste hem toen ze hem naar zich toe trok en vurig kuste. Vespasianus voelde zijn bloed stromen naar de plek waar zij haar buik tegen hem aan drukte.

'Ik wist dat je deze keer eerst naar mij zou komen,' mompelde Flavia toen hun lippen van elkaar loskwamen.

Haar vurige, speelse begroeting verraste hem en verdrong alle gedachten aan haar losbandigheid, en hij schonk de moeder van zijn kinderen, die echter niet de hoeder van zijn hart was, een oprecht warme glimlach. 'Je bent mijn vrouw, Flavia. Het is terecht dat ik eerst naar jou kom.'

'Het mag dan terecht zijn, dat wil niet zeggen dat het altijd gebeurt.'

Vespasianus ging er niet tegenin, hij wist dat ze gelijk had, en als de avond anders was gelopen, had hij op dit moment wellicht Caenis in zijn armen gehad. Maar hij was nu hier, en zijn lichaam was merkbaar blij om haar te zien, en hij ook. Hij draaide zich naar Cleon, die aan de andere kant van de deur, op gepaste afstand, was blijven hangen. 'Laat ons alleen.' De deur ging dicht. Vespasianus leidde Flavia terug naar de bank en begon zonder inleidende poespas goed te maken wat ze zes jaar lang hadden moeten missen.

'Ze slapen allebei,' mompelde Flavia met gesloten ogen als antwoord op zijn vraag.

Vespasianus ging op de bank zitten. 'Dat weet ik, daarom wil ik ze ook zien. Ik wil naar ze kijken, hun gezichten zien en ze vast een beetje leren kennen voordat ik ze morgenochtend spreek.'

Flavia opende haar ogen en keek naar hem. 'Als je dat per se wilt, manlief. Waarom zou een vrouw een vader weghouden van zijn kinderen?' Ze stond op en bracht haar stola zo goed en zo kwaad als het ging op orde, want die had een vrij zwaar halfuur achter de rug. Haar kapsel was naar de maan, maar ze vond het kennelijk genoeg om er een paar halfslachtige tikjes op te geven en pakte vervolgens de oorring van de bank die ze had verloren. 'Kom,' zei ze en ze pakte Vespasianus' hand en leidde hem de kamer uit, terug naar het zo welig ingerichte atrium. 'Is het niet schitterend? Ik was de keizerin zo dankbaar toen ze zei dat ik hier kon gaan wonen. We zijn heel goede vriendinnen geworden, en Titus en Britannicus zijn dol op elkaar. Ze slapen om de beurt in elkaars kamer. Vannacht slaapt Britannicus hier, daarom staan er wachters bij de deur. Het is een hele eer om de troonopvolger in mijn huis te hebben. De andere vrouwen in de keizerlijke hofhouding zijn strontjaloers.' Ze grinnikte en keek met knipperende ogen op naar Vespasianus. 'De keizer moet jou enorm waarderen.'

Vespasianus perste er een glimlach uit, maar hij wist dat het niet erg overtuigend was. Verder reageerde hij niet, hij was vooral verbaasd hoe snel Flavia na het winnen van de eerste slag in de door Magnus voorspelde strijd tussen zijn vrouwen weer overging op haar gebruikelijke geblaat. 'Was het al ingericht?'

'Ja, maar nogal armoedig. Deze vertrekken waren sinds Tiberius niet meer gebruikt, alleen zo af en toe door lage ambtenaren en zo. Ik heb er veel aan gedaan om het voor jouw terugkeer klaar te hebben. Vind je het mooi?'

Vespasianus bromde zo enthousiast als hij kon, waarna ze een brede gang in liepen met ramen aan de ene en deuren aan de andere kant.

Flavia stopte bij de tweede deur, waar nog eens twee praetoriaanse wachters stonden. 'Dit is de kamer van Titus. Zo zachtjes mogelijk doen.' Ze draaide de deurknop om en liep naar binnen. Vespasianus volgde haar naar binnen, waar de twee jongens sliepen bij het licht van een olielamp. Flavia ging naar het rechtse bed en keek erop neer. 'Dit is jouw zoon, manlief. Moet je zien hoe groot hij al is.'

Vespasianus' ogen moesten aan het halfduister wennen. Langzaam kwam het slapende gezicht van Titus scherp in beeld en zijn adem stokte: alsof hij naar zichzelf keek, maar dan dertig jaar terug. Zijn zoon had dezelfde trekken: dezelfde volle wangen, dezelfde ietwat dikke neus, dezelfde grote oren met uitgesproken oorlellen, dezelfde regelmatige mond met dunne lippen en dezelfde enigszins ronde, vooruitstekende onderkaak: alles verwerkt in het onvolwassen gezicht van een jongetje van bijna acht. Vespasianus staarde naar Titus en wist zeker dat de gelijkenis zich ook zou uiten in hun beider karakter.

Hij boog zich voorover, kuste het voorhoofd van zijn zoon en legde een arm om Flavia's schouders terwijl hij Titus' zachte, lichtbruine haar streelde. 'Wat een mooie jongen, liefste. Laten we hopen dat we hem een grootse toekomst kunnen bieden.'

'Dat kunnen we, Vespasianus. Een betere jeugd kan een kind zich niet wensen. Hij is het kameraadje van de volgende keizer.'

Dat was precies wat Vespasianus zorgen baarde, al uitte hij dat niet. Toen hij zich omdraaide viel zijn oog op de slapende Britannicus en gingen zijn gedachten naar de voorspelling die Pallas vier jaar geleden in Brittannia gedaan had: dat de jongen ten tijde van Claudius' overlijden nog te jong zou zijn om zijn vader op te volgen. Een volwassen man zou hij nooit worden, want hij zou vermoord worden door de vooralsnog onbekende man die hem beroofde van zijn opvolgingsrecht. Vespasianus vroeg de goden over zijn zoon te hoeden in die tumultueuze tijd in de niet zo verre toekomst.

Flavia leidde hem door de gang naar de volgende kamer, waar geen wachters stonden. Ze deed de deur open en duwde Vespasianus zacht naar binnen. Ook hier brandde slechts één olielamp. Hij liep naar het bedje dat tegenover de deur stond, onder een raam met gesloten luiken, en keek met bonzend hart voor de allereerste keer naar zijn dochter. Domitilla was kort na zijn vertrek uit Rome ter wereld gekomen en was nu bijna zes. Ze lag op haar rug en sliep met een rust die je alleen bij kinderen ziet. Haar hoofd was naar Vespasianus gedraaid en hij zag hoe mooi ze was. Ze leek op haar moeder. Vespasianus hoopte dat ze niet ook haar voorkeur voor weelde had geërfd, ook al wist hij dat die hoop in feite ijdel was, want ongetwijfeld was ze nu gewend aan haar luxe leventje. Terwijl deze gedachten door zijn hoofd gingen, roerde Domitilla zich in haar slaap, opende haar ogen en keek recht in die van Vespasianus. Heel even hield ze zijn blik vast, waarna ze glimlachte, zich omdraaide en haar zachte, gelijkmatige ademhaling hervatte. Vespasianus wist niet zeker of ze hem gezien had, ze had zo diep geslapen, maar hij had haar ogen gezien en was verloren. Dolblij kuste hij voor het eerst zijn dochter en liep toen achter Flavia aan de kamer uit.

'En nu, Vespasianus,' zei Flavia nadat ze deur achter zich dicht had getrokken, 'is het tijd dat je me nog een keer laat merken hoe het is om een man thuis te hebben.'

Vespasianus stemde grijnzend in en pakte haar hand. Nu hij zijn kinderen gezien had, kreeg hij ineens heel warme gevoelens voor zijn vrouw.

De dageraad was warm en gevuld met vogelzang. Vespasianus keek uit zijn slaapkamerraam naar de tuin in het midden van het paleisgebouw, die werd omringd door een zuilengang onder een schuin dak met terracotta dakpannen, die nog nat waren van de lichte zomerbui die 's nachts gevallen was. In de tuin liepen slaven rond, ze gaven de planten en struiken water en maakten de welige oase klaar voor de rijken en machtigen van de stad Rome.

Er werd op de deur geklopt en Vespasianus keek naar Flavia, die nog lag te slapen. Ze roerde zich niet. 'Binnen.'

Twee slavinnen liepen met gebogen hoofden de kamer in. De jongste had een gewaad over haar arm en een paar slippers in haar hand.

'Wat is er?'

De oudste van de twee, een klein dikkerdje van in de dertig met een donker waas op haar bovenlip, keek op. 'Wij komen onze meesteres verzorgen, meester. Ze wilde bij zonsopkomst gewekt worden.'

Flavia opende haar ogen en zuchtte tevreden toen haar blik op Vespasianus viel. 'Goedemorgen, manlief.' Toen pas zag ze de twee slavinnen in de deur staan en meteen veranderde haar houding. 'Ga weg! Allebei!'

De twee slavinnen aarzelden geen moment en deden de deur achter zich dicht.

'Kom weer naar bed, Vespasianus,' opperde Flavia en ze tilde de deken op, waardoor de schimmige contouren van haar lichaam zichtbaar werden.

'Ik heb geen tijd,' antwoordde Vespasianus. Hij pakte zijn tuniek van de plek waar hij die gisteren had neergegooid en liet het kledingstuk over zijn hoofd glijden. 'Ik wil aan de kinderen worden voorgesteld en daarna moet ik weg.'

Het geluid dat Flavia maakte, was een kruising tussen een teleurgesteld zuchten en een verlokkelijk spinnen.

'Doe je altijd zo tegen je kleedsters?'

'O, nee, dat waren mijn kleedsters niet. Bij Isis, alsjeblieft niet. Dat waren gewoon de meisjes die me wakker maken en naar de kleedkamer brengen. Daar wachten mijn kleedsters me op, samen met mijn opmaakmeisjes en kapsters. En ondertussen maken die twee mijn slaapkamer weer op orde.'

'Je hebt voor al die dingen andere slavinnen?'

'Natuurlijk, liefste. Welke vrouw van stand heeft dat niet?'

Vespasianus liet zijn voeten in zijn rode senatorenschoenen glijden. 'Hoeveel vrouwen staan er dan iedere ochtend paraat om jou toonbaar te maken?'

'O, maar een paar. Lang niet zoveel als bij Messalina.'

'Dat mag ik hopen. Zij is de keizerin en jij maar de vrouw van een oud-legaat, een arme oud-legaat bovendien.'

'Over geld hoef je je geen zorgen te maken, Vespasianus. Ik heb meer dan genoeg. Anders had ik toch niet deze woning kunnen inrichten en negen meisjes kunnen kopen?'

'Negen! Waar heb je die voor nodig?'

Flavia ging rechtop zitten en begon op haar vingers te tellen. 'Nou, drie kapsters, twee die...'

'Zei je nou net dat je meer dan genoeg geld hebt?'

'Ja.'

'Maar ik heb de bank van de gebroeders Cloelius opdracht gegeven jou niet meer dan vijfduizend per jaar te geven.'

'Dat weet ik, en die vreselijke mannetjes daar in het Forum waren niet te vermurwen. Daarom is Messalina zo aardig geweest me een flink bedrag te lenen. Ze zei...'

'Wat zeg je nu!'

'Dat Messalina me geld heeft geleend.'

'Een lening!' Vespasianus spuugde het woord uit alsof het een zeer dodelijk gif was. 'Je hebt me nooit gevraagd of ik dat goedvond.'

'Jij had al genoeg aan je hoofd, en bovendien, dat hóéf ik jou helemaal niet te vragen. Het was gewoon iets wat goede vriendinnen voor elkaar doen, een persoonlijke gunst – van de keizerin, dat is waar, de andere vrouwen stikten van jaloezie – om deze periode te overbruggen. Want als je weer terug was, zou je zien dat de toelage die jij mij had gegeven lang niet kostendekkend was en kon je verbetering brengen in mijn financiële situatie. Ze zei dat ze zo goed als geen rente in rekening zou brengen.'

'Hoeveel dan?'

'Dat weet ik niet meer, maar het staat in het contract.'

'Je hebt een contract getekend?'

'Natuurlijk.'

Vespasianus liet zich in een stoel ploffen en probeerde de opborrelende woede te beteugelen. 'Hoeveel heb je precies geleend?'

'Het stelt niets voor, liefste. De helft van wat jij acht jaar terug meenam uit Alexandria en waar je niets meer mee gedaan hebt.'

Vespasianus ogen versmalden zich tot spleetjes terwijl hij vocht tegen de neiging om zijn vrouw een klap te verkopen. 'Je hebt honderdvijfentwintigduizend denarii van Messalina geleend?'

Er kwam een zekere scherpte in Flavia's stem. 'Ik ben nu een vrouw van aanzien, de moeder van de kameraad van de troonopvolger. Ik moet leven naar mijn stand en jouw toelage was niet toereikend. Hoe had ik anders de kinderen een fijn huis kunnen geven? En jou, als je zou terugkomen? We moeten een plek hebben waar we de notabelen van Rome kunnen ontvangen zonder ons vernederd te voelen wanneer ze hun neus ophalen voor ons smakeloze interieur.'

'Het geld uit Alexandria is al besteed: Gaius heeft het gebruikt om een huis te regelen op de Quirinaal. Jouw huis! Het huis dat ik voor jou heb gekocht om te betrekken zodra ik je uit dit web van intriges heb gehaald zonder iemand voor zijn neus te stoten.'

'Waarom zouden we hier weggaan? Ik heb er een heerlijk huis van gemaakt.'

'Met geld dat je van Messalina hebt geleend, waardoor ik nu een schuld bij haar heb! Iemand met een beetje verstand in zijn hoofd zou dat nooit doen! En op dit moment kan ik het haar niet terugbetalen.'

'Onzin. Wat is nou honderdvijfentwintigduizend denarii? Je hebt toch zeker een fortuin aan slaven en andere oorlogsbuit vergaard? Volgens Messalina doet iedereen dat.'

Dit was de druppel. Als hij nu niet zou weggaan, zou hij Flavia of haar geliefde interieur nog iets aandoen. Hij stond op en stormde de kamer uit.

'En de kinderen dan?' riep Flavia hem na.

'Die komen later wel. Wanneer ik denk dat ik zonder risico in één ruimte met je kan zijn!'

Vespasianus was weer enigszins tot bedaren gekomen toen hij op de Palatijn zijn oom zag aankomen. Gaius werd omringd door zijn beschermelingen en voorgegaan door Magnus en twee van diens kruispuntbroeders, die zich met twee stevige stokken een weg door de menigte baanden. Vanaf het moment dat hij woedend de deur uit was gestormd, een uur geleden nu – hij kon zich niet herinneren ooit zó kwaad te zijn geweest, behalve dan op het slagveld –, had hij vloekend op Flavia wat heen en weer gelopen en nagedacht over zijn opties. Hij moest de schuld bij Messalina aflossen voordat ze bij hem aanklopte. Toen hij tot bedaren was gekomen, dacht hij na over een manier om de schuld af te lossen zonder een deel van zijn bezit te verpanden. Maar hij had geen flauw benul hoe hij het buitenissige en naïeve gedrag van zijn vrouw kon beteugelen. Dat zou later wel komen, dacht hij toen Magnus naderde en Gaius zijn beschermelingen wegstuurde.

'U ziet er niet al te vrolijk uit,' merkte Magnus op.

'Dat ben ik ook niet. Je moet iets voor me doen,' antwoordde Vespasianus en hij nam zijn vriend apart om hem de situatie uit te leggen.

Magnus keek Vespasianus een poosje verbijsterd aan en begon toen te bulderen van het lachen. 'U hebt een lening afgesloten? Dat ik dat nog mag meemaken!'

'Zachtjes! Ik heb geen lening afgesloten. Dat heeft Flavia gedaan.'

'Dat is toch hetzelfde? Ze is uw vrouw, dus u bent verantwoordelijk voor wat ze doet.'

'Ik weet het. En dat mens realiseert zich niet dat ze mij in gevaar brengt doordat ze in al haar ijdelheid niet verder kijkt dan haar neus lang is. Ze wil alleen maar vriendinnen zijn met de keizerin en geniet van de jaloezie die dat opwekt bij andere vrouwen.'

'Ik heb u gewaarschuwd voor vrouwen met een dure smaak.'

'Aan "ik heb het je toch gezegd" heb ik helemaal niets. En je zat er trouwens naast, want ze heeft niet twee kapsters.'

'Nee?'

'Nee, ze heeft er drie!'

'Volgens mij heb ik gezegd dat ze er mínstens twee zou willen, dus ik zat er helemaal niet naast, maar goed, ik zal het er niet in wrijven. Wat moet ik voor u doen?'

'Ik heb contant geld nodig en snel ook, maar ik wil niets verpanden en dus moet jij die slavenhandelaar Theron zoeken en hem mét al het geld dat hij mij schuldig is bij me brengen. Hij zal in Rome of Capua zitten.'

'Dat is goed. Lijkt me geen probleem.'

'Dank je, Magnus,' zei Vespasianus, die het gesprek wilde afsluiten omdat hij Sabinus aan zag komen.

'U wilt waarschijnlijk dat ik niets over die lening zeg tegen uw broer?'

Vespasianus wierp hem een boze blik toe terwijl Magnus tevergeefs probeerde een grijns te onderdrukken en draaide zich om naar zijn broer, die gezien de situatie met gepaste somberheid kwam aanlopen.

'Ik heb een nieuw testament geschreven,' zei Sabinus en hij overhandigde Vespasianus een rol. 'Ik heb geen tijd gehad om hem in bewaring te geven bij de Vestaalse maagden, dus wil jij hem bij je houden en indien nodig lezen?'

Vespasianus' zorgen werden verdrongen door het akelige vooruitzicht dat Sabinus misschien niet de avond zou halen. Hij pakte de rol aan en stopte hem in de plooi van zijn toga. 'Natuurlijk, broer. Maar zover zal het niet komen.'

Vespasianus had meteen spijt van deze stellige opmerking toen hij de blik van zijn broer zag. Zijn lot lag in handen van Narcissus.

'Beste jongens,' bulderde Gaius iets minder uitbundig dan normaal nadat hij de laatste van zijn stuk of zestig beschermelingen weg had gestuurd. 'Ik neem aan dat we de noodzakelijke offers aan de belangrijkste goden hebben gebracht? We hebben hun hulp vandaag hard nodig.'

Hij was zó kwaad geweest, besefte Vespasianus terwijl hij zijn oom en broer volgde, dat hij helemaal vergeten was de goden om bescherming te vragen. Met een schietgebedje aan Mars en de belofte aan zichzelf dat hij tegen het einde van de dag een offer zou brengen, liep hij het paleis in en onderwierp zich aan de fouillering die tegenwoordig verplicht was voor iedereen die in de aanwezigheid van de keizer wilde verkeren.

Een slaaf wachtte hen op in het atrium, waar het wemelde van de rijksambtenaren, de voortbrengsels van de bureaucratie die Narcissus, Pallas en Callistus hadden gecreëerd vanaf het moment dat hun meester aan de macht was gekomen. 'Als u mij wilt volgen, heren?'

Ze werden door een doolhof van hoge, brede gangen geleid, waar elke voetstap donkerder leek te galmen naarmate de macht die het paleis herbergde zwaarder op hen drukte. Ze voelden zich hulpeloos, hun lot lag in andermans handen. In handen van een onbeduidende man die de machtigste man van het rijk was geworden en hen ten behoeve van zijn persoonlijk gewin als stromannen inzette op het politieke strijdtoneel.

Vespasianus voelde zijn keel droog worden, hij besefte dat ze weinig meer konden doen. Ze konden niet vluchten of onderduiken, noch smeken om genade. Even benijdde hij Corbulo, die zo hunkerend had gesproken over de zekerheden van het soldatenleven, waar fatsoenlijke

Romeinse waarden als discipline en eer nog belangrijk waren. Maar in Rome kon je niet alleen met militaire successen een hoge functie bereiken; een rol in de politiek was onontbeerlijk. Ze konden weinig anders dan zich neerleggen bij hun positie in deze uiterst hiërarchische samenleving, elke andere optie bracht uitsluiting met zich mee en die zou leiden tot onbekendheid. En leven in anonimiteit zou een onverdraaglijke schande zijn voor de familie.

Vespasianus volgde de slaaf door een zijdeur naar een tuin die door een muur werd afgeschermd van de buitenwereld – een poort was nergens te bekennen – en daarna via nog een deur naar een ander gebouw. Ze sloegen een paar keer een hoek om, en toen kwam met een schok de herkenning: 'Dit is het huis van vrouwe Antonia, oom,' zei hij enigszins verbaasd.

'Dit wás het huis van Antonia. Nu is het van Claudius, natuurlijk. Maar vorig jaar heeft hij het aan Messalina gegeven, omdat zij hem had verteld dat ze iets voor zichzelf wilde en hem niet in de weg wilde lopen terwijl hij met gewichtige staatszaken bezig was.'

'Ah, ik snap het.'

'Mooi.'

Er was een slaaf bij, dus veel meer konden ze niet zeggen, maar Vespasianus begreep heel goed waarvoor het huis van zijn vroegere weldoenster nu gebruikt werd.

Ze sloegen nog een hoek om en Vespasianus herkende de gang waarin Antonia jaren geleden tegenover Seianus had gestaan terwijl Sabinus, Galigula en hij zich achter een deur hadden verstopt die niet op slot was. Door diezelfde deur liepen ze nu achter de slaaf aan, die hen met een buiging een kamer in leidde die niet groter was dan een voorkamer en met drie krukken zeer karig was ingericht. Ze werden opgewacht door Narcissus en Pallas, die twee praetoriaanse centuriones bij zich hadden.

'Goedemorgen, senatoren,' zei Narcissus en hij stuurde de slaaf met een handgebaar weg. 'Ik weet zeker dat jullie je deze kamer herinneren, en ook het uitzicht dat je van hieruit hebt op de officiële ontvangstkamer.' Hij wees naar het gordijn waardoor de broers en Caligula Seianus hadden bespioneerd op de avond dat ze Caenis hadden gered uit de klauwen van hem en zijn minnares Livilla. Er hing nu een ander gordijn van een dunnere stof, zodat de kamer aan de andere kant zichtbaar was en er menselijke gestalten onderscheiden konden worden. 'Ik wil dat jullie zien en horen wat er gebeurt, want als ik jullie dan oproep, kunnen jullie de gestelde vragen beantwoorden met kennis van de reeds aangevoerde argumenten.'

'Of van wat ik naar verluidt gezegd heb, denk ik,' mompelde Gaius.

Narcissus keek hem verbaasd aan. 'Precies. Dus u hebt uitgevogeld waarom u hier bent.'

'Dat heeft Vespasianus gedaan.'

Narcissus keek Vespasianus bewonderd aan. 'Nu al een politicus.'

'Ik denk niet dat ik daar geschikt voor ben.'

'Het enige wat je daarvoor nodig hebt, is een aangeboren overlevingsdrang.'

'Die heb ik wel, die hebben we allemaal. Daarom zitten we hier en niet bij Sabinus om hem een scherp mes te geven en in een warm bad te helpen.'

Gaius keek naar de goed verlichte ontvangstkamer, waar hij het profiel van de door Crispinus bewaakte Asiaticus zag, recht tegenover een podium waarop twee stoelen stonden, en draaide zich zenuwachtig naar Narcissus. 'Kunnen ze ons hier niet zien zitten?'

'Nee, het is hier veel donkerder. Vanaf die kant kun je niet door het gordijn heen kijken, dus niemand weet dat jullie hier zijn, behalve Pallas en ik en deze twee heren.' Mocht Claudius of Messalina opdracht geven het gordijn open te schuiven, maar die kans is klein, dan kunnen ze niet zeggen dat ik hun leven in de waagschaal heb gesteld, omdat ik jullie laat bewaken door twee doorgewinterde moordenaars.' Met een hoofdknikje liep Narcissus langs hen heen naar de deur. 'Jullie krijgen te horen óf en wanneer jullie nodig zijn.'

Pallas volgde hem, maar fluisterde nog: 'Vergeet niet dat ik hoe dan ook het beste met jullie voorheb.'

Vespasianus keek hem na en wierp toen een blik op zijn broer en oom. Geen van beiden beantwoordde zijn blik, ze werden volledig in beslag genomen door hun eigen gedachten. Twee mannen betraden de ontvangstkamer. Vespasianus herkende Lucius Vitellius, die naast Asiaticus ging zitten, en de ander, vermoedelijk Suillius, nam plaats naast het podium. Vervolgens kwamen de vrijgelatenen van Claudius binnen en gingen op een rijtje op de drie stoelen zitten, pal tegenover Vespasianus, tussen de aangeklaagde en de keizerlijke zetels. Vespasianus liet zich op een kruk zakken en voelde zijn maag samentrekken, erger nog dan voor een veldslag – daarbij had je je lot tenminste nog in eigen hand. En terwijl de machteloosheid zich steeds sterker aan hem opdrong, wachtte hij op de komst van de keizer en keizerin.

HOOFDSTUK XIV

Een kwartier later kwam Claudius binnen, de andere aanwezigen gingen ogenblikkelijk staan en keken elkaar met nauwelijks verholen ongerustheid aan. De keizer, gekleed in een paarse toga en met een lauwerkrans op zijn schaarse grijze haar, schuifelde zo langzaam naar binnen dat Vespasianus het idee kreeg dat zijn benen amper het gewicht konden dragen dat er sinds de laatste keer dat hij hem had gezien, in Camulodunum, bij was gekomen. De slaaf die achter hem liep moest hem de paar treden naar het podium op helpen. Zijn triestheid – hangende mondhoeken, rimpelige oogleden, slappe huid, een door zorg en drank getekend gezicht – maakte plaats voor verwarring toen hij zag dat de stoel van Messalina leeg was. 'W-W-Waar is mijn v-v-rouw? Ze had er al m-m-moeten zijn.'

'Dat klopt, *princeps*,' beaamde Narcissus met fluwelen stem.

'Ze was er al,' loog Callistus, die zijn hoofd boog en zijn pezige handen wrong, 'maar toen bedacht ze dat ze iets belangrijks vergeten was.'

Een aperte leugen, maar niemand trok een wenkbrauw op en Claudius, die grinnikend ging zitten, vond het kennelijk een bevredigend antwoord. 'Ze v-v-vergeet soms dingetjes. V-V-Vrouwen kunnen zo v-v-verstrooid zijn. Maar we moeten beginnen, want vandaag is het hoogtepunt van mijn Seculiere Spelen en ik wil v-v-vanmiddag niets missen van de wilde dieren.' Hij haalde een rol uit de plooi van zijn toga en rolde die met bevende handen uit. 'De aanklacht tegen D-D-Decimus Valerius Asiat-aticus…' Bij het laatste woord vloog het speeksel uit zijn mond en er kwamen flink wat spetters op het perkament, maar alle aanwezigen deden alsof ze het niet zagen. Claudius veegde met zijn toga zijn mond af en begon de aanklacht voor te lezen.

Terwijl Claudius hortend en stotend door de aanklacht liep, nam Vespasianus de twee mannen op die hij niet kende. Lucius Vitellius kende hij van gezicht, maar hij had nog nooit een woord met hem gewisseld. De oude Vitellius – hoekige kaaklijn, haakneus – was kaal en te dik, maar zag er desondanks nog uit als een echte soldaat. Als gouverneur van Syria had hij onder Tiberius oorlog gevoerd tegen Parthië, een strijd die voor Rome zeer gunstig was afgelopen, en ook de latere keizers had hij met zijn onbeschaamde hielenlikkerij voor zich gewonnen. Caligula had hij aanbeden alsof hij een god was, en Vitellius was degene geweest aan wie Claudius het bestuur van Rome had overgelaten toen hij op stel en sprong naar Britannia was afgereisd om de val van Camulodunum op te eisen. Maar hij was toch vooral bekend geworden door de manier waarop hij zijn zoon Aulus Vitellius behandelde. Hij had hem laten uitbuiten door Tiberius, die veel waardering had voor onder andere zijn orale diensten.

Publius Suillius Rufus, een onopvallende man van gemiddelde lengte over wie amper iets bijzonders te zeggen viel – behalve dan misschien dat hij bijzonder gewoon was –, kende Vespasianus alleen van verhalen. De man compenseerde zijn saaie voorkomen met een giftige tong. Hij was even bedreven in het aanvoeren van valse, vleiende argumenten als in het schermen met belastende verzinsels om ervoor te zorgen dat zijn slachtoffers, die hem of zijn beschermvrouw, de keizerin, vaak alleen maar voor de voeten hadden gelopen, veroordeeld te krijgen.

Claudius was klaar met de aanklacht en was juist aan het einde gekomen van een lang, onsamenhangend verhaal over hoeveel verdriet het hem deed dat zijn goede vriend Asiaticus onder zulke trieste omstandigheden voor hem moest verschijnen, al wist hij zeker dat de welsprekende Vitellius hem zou redden, toen er rumoer was bij de deur en de twee praetoriaanse wachters in de houding sprongen: Messalina betrad de kamer.

'Mijn liefste!' riep Claudius, die bijna uit zijn stoel viel toen hij zich naar haar toe draaide. 'Je bent precies op tijd.'

Messalina maakte haar entree met de hooghartigheid van iemand die genoegen schept in macht: langzaam, zelfverzekerd en zonder de aanwezigheid van de anderen te erkennen. Zelfs Claudius ging staan. De slanke keizerin, die langer oogde dan ze was door het ingewikkelde weefsel van inktzwaar haar op haar hoofd, dat deels schuilging onder een karmozijnrode palla en met edelstenen was bezaaid, schreed de kamer binnen met haar gevolg: vier jonge slavinnen die zo fraai gekleed waren dat ze gemakkelijk konden doorgaan voor edelvrouwen. Ze beklom het podium en stak een slap, met talrijke ringen getooid handje uit dat haar echtgenoot mocht aflebberen, waarna ze haar donkere, zwart omlijnde ogen op Asiaticus richtte. Haar volle lippen rimpelden iets toen er een vage glimlach op haar gezicht verscheen, die geïnterpreteerd kon worden als medeleven als haar ogen niet zo kil hadden gestaan. Ze ging zitten, schikte haar palla zo dat die met gekunstelde sierlijkheid van haar hoofd naar haar schouders golfde en daarna vloeiend over haar linkerarm – de rechterarm bleef bloot – naar de grond neerviel. Ze zag er prachtig uit: mooi en teer, blanke huid, fraaie jukbeenderen en een smalle, rechte neus. Ze ademde een seksuele aura die betoverend en dierlijk was. Alle mannen in de zaal voelden haar aantrekkingskracht, ook als ze tegen haar waren. Ze maakte veel meer indruk dan de laatste keer dat Vespasianus haar had gezien, zes jaar terug, toen Claudius net keizer was geworden. Nu begreep hij wat Corbulo bedoeld had toen hij sprak over haar allure. Haar teerheid maakt haar bijna kwetsbaar en wekte bij anderen de neiging op haar te beschermen en koesteren, en toch wist iedereen dat er achter die onschuldige façade een meedogenloze vrouw schuilging. Vespasianus haalde diep adem en vroeg zich af of hij de kracht zou hebben haar te weerstaan als zij probeerde hem haar wil op te leggen, maar diep vanbinnen wist hij het antwoord.

Alle ogen rustten op de keizerin en iedereen wachtte doodstil tot ze goed zat.

'Heb je kunnen v-v-vinden wat je vergeten was, mijn schat?' zei Claudius toen iedereen weer was gaan zitten.

Messalina keek fronsend naar haar echtgenoot en ving toen de blik en lichte hoofdknik van Callistus op. 'Iets onbelangrijks wat ik je wilde geven, liefste. Maar ik besloot tot later te wachten, wanneer we met z'n tweeën zijn.' Ze streelde met de rug van haar hand over de buitenkant van Claudius' dijbeen; hij schokte even met zijn hoofd en zijn ogen knipperden. 'Zullen we de aanklacht tegen deze onfortuinlijke man voorlezen?'

'Dat heb ik al gedaan, l-l-liefste.'

'Doe het dan nog maar een keer. Ik wil het graag horen, want ik weet zeker dat het niet klopt.' Ze zette grote meisjesogen op, deed haar mond iets open en keek met een scheef hoofd naar Claudius. 'Daarom willen we dit toch informeel afhandelen, binnenskamers, zodat deze achterklap niet op straat komt en Asiaticus een slechte naam bezorgt.'

Claudius rukte zich los van haar uitnodigende mond en veegde met zijn toga snel een speekselvloed weg. 'Natuurlijk, voor jou doe ik alles, liefste. Jij houdt ook altijd rekening met anderen.'

Messalina veranderde zichzelf in een toonbeeld van bescheidenheid: ze sloeg haar ogen neer, keek naar haar handen, die gevouwen in haar schoot lagen, terwijl Claudius zich nogmaals door de lijst met beschuldigingen werkte. Toen hij tegen het einde bij Sosibius kwam, die Asiaticus beschuldigde van medeplichtigheid aan de moord op Caligula, pinkte ze een traan weg en snikte zacht. 'Dat we zo'n onguur type de leraar van onze lieve Britannicus hebben laten zijn. O manlief, als je klaar bent met deze aanklacht, zullen we hem dan ontslaan en verbannen naar het meest onherbergzame oord van het rijk, waar hij kan wegrotten in zijn eigen kwaadaardigheid?'

'Laten we er dan nu meteen mee ophouden.'

Messalina zuchtte triest en schudde haar hoofd. 'Is dat verstandig, liefste? We moeten de voors en tegens horen, voor het geval er in een of twee aantijgingen de geringste waarheid zit. Ik weet zeker dat Asiaticus ook van mening is dat hij gestraft moet worden als hij schuldig is. Hij is twee keer consul geweest en weet als geen ander behalve jij dat de wet gehandhaafd dient te worden en dat die mede bewerkstelligd wordt door rechtvaardigheid te laten zegevieren.'

Vespasianus kon zich vinden in haar redenering, in weerwil van zichzelf, al wist hij dat die misleidend was.

Claudius keek verwonderd naar zijn vrouw, alsof zijn blik rustte op het wijste, mooiste en meest meedogende schepsel dat ooit had geleefd. 'Je hebt helemaal gelijk, duifje, we moeten luisteren naar de bewijsvoering, al is het alleen maar omwille van mijn goede vriend Asiaticus.' Met een ruk draaide hij zijn hoofd weg van Messalina en keek naar Suillius. 'U kunt b-b-beginnen.'

Asiaticus sloeg met zijn vuist op de armleuning van zijn stoel, sprong overeind en onderbrak Suillius midden in zijn betoog. 'En welke bewijzen hebt u voor deze beschuldigingen, Suillius? U beschuldigt mij uitvoerig van passieve homoseksualiteit met gewone soldaten en vervolgens van overspel. Hoe welsprekend u ze ook brengt, beweringen alleen volstaan niet. U moet ze schragen met bewijzen.'

'Ik ben nog niet klaar met mijn betoog, ik heb nog...'

'We staan hier niet voor de rechter, noch is het een hoorzitting voor de Senaat, dus we hoeven ons niet aan enig protocol te houden. Dit is een informele bijeenkomst bij ónze keizer.' Asiaticus wreef over zijn gladde hoofd om zichzelf tot bedaren te brengen en richtte zich toen tot Claudius. 'Princeps, staat u mij toe, gezien het feit dat deze kwestie geen precedenten kent, dat ik de beschuldigingen een voor een bespreek terwijl ze zich aandienen, zodat de afzonderlijke onwaarheden die tegen mij gebruikt worden niet al vóór mijn verweer tezamen een verpletterende indruk achterlaten?'

Claudius dacht even na over het verzoek. Hij bleef verbazingwekkend rustig, zijn gezicht verried het grote plezier dat hij aan zulke dilemma's beleefde. 'Het verschil tussen precedenten en het protocol bij een hoorzitting, zowel een formele als een informele, moet worden afgewogen tegen de gebruiken van onze voorouders.'

Claudius begon aan een juridisch betoog dat zo pedant was dat het alleen de interesse had kunnen wekken van een kleingeestige ambtenaar uit een provinciaal gehucht die niets beters te doen had dan het etaleren van zijn eigen gewichtigheid. Voor Vespasianus en alle anderen die het moesten aanhoren, was het evenwel een slaapverwekkende aangelegenheid. Wezenloos en mat voor zich uit starend hoorden ze Claudius' slotwoorden aan: 'Om kort te gaan: in dit geval, maar alleen bij hoogste uitzondering, sta ik het u toe, Asiaticus.'

Asiaticus was de draad van het betoog kwijtgeraakt en wist niet of de keizer positief of negatief op zijn verzoek had gereageerd, dus hij blikte enigszins verward in de rondte. 'Dus ik mag steeds op elke beschuldiging reageren, princeps?'

'Zo l-l-luidde mijn oordeel,' antwoordde Claudius korzelig. Het gestotter, volledig afwezig tijdens zijn vloeiende juridische gebazel, keerde in alle hevigheid terug.

'Ik ben u zeer dankbaar, princeps.' Asiaticus richtte zich tot Suillius. 'Ten eerste de walgelijkste beschuldiging: dat ik toestond, sterker, dat ik andere mannen – gewone soldaten – verzocht mij te penetreren in ruil voor gunsten. Alsof ik, mocht ik zulk laag vertier hebben gewild, niet aan een of zelfs vijf van mijn slaven had kunnen vragen mij op elk gewenst moment te onteren, zoals veel mannen in Rome geloof ik doen.' Hij keek met opgetrokken wenkbrauwen naar Suillius. 'Hoe bent u op het idee gekomen? Wat was u aan het doen toen het u daagde dat u mij valselijk moest beschuldigen van sodomie met een stelletje schooiers?'

Suillius snoof minachtend. 'Zulke gevolgtrekkingen kunnen de waarheid niet verhullen. Ik heb een getuige.'

'Heus? Dan zou hij mij gezien de intieme handelingen moeten herkennen, of gaat hij zeggen dat hij alleen de achterkant van mijn hoofd zag? Princeps, mag ik voorstellen dat deze getuige binnengelaten wordt en zonder aanwijzingen van dit schepsel hier een poging doet de man te identificeren die zo gewillig was zijn billen voor hem te spreiden?'

Claudius knikte enthousiast. 'Dat is een uitste-uitste-uitstekende manier om het pleit te beslechten.' Hij richtte zich tot de wachters bij de deur. 'Een van jullie gaat die man halen.'

Asiaticus ging naast Vitellius zitten en wees naar Suillius. 'Ga zitten.'

Suillius ging met tegenzin zitten toen een gedrongen, gespierde man van in de vijftig, gekleed in een doodgewone burgertoga, naar binnen werd geleid met een blik alsof hij er nu al spijt van had dat hij erin had toegestemd voor zulke hooggeplaatste mensen te verschijnen. Hij slikte toen hij voor de keizer en keizerin stond.

'Hoe h-h-heet u, burger?'

'Sextus Niger, princeps.'

'Goed, Niger, u beweert sodomie te hebben gepleegd met Decimus Valerius Asiaticus in ruil voor enkele gunsten.'

'Hij heeft mij gedwongen, princeps. Ik zou nooit...'

'Wat u wel of niet zou doen, zal mij worst wezen. Is dat wat u beweert?'

Niger sloot zijn ogen. 'Jawel, princeps.'

'Beschrijf hem dan eens.'

'Hij is kaal, princeps.'

'K-K-Kaal? Dat is alles?'

Niger keek paniekerig naar Suillius.

'Kijk me aan, N-N-Niger. Is dat alles wat je nog weet van de man die je in zijn kont genomen hebt? Dat hij kaal was?'

'Het was donker, princeps.'

Crispinus moest een bulderlach onderdrukken en kreeg een vermanende blik van Claudius. 'Maar hij was uw commandant, u weet toch wel hoe uw commandant eruitziet?'

Niger was even van zijn stuk gebracht. 'Ik was net overgeplaatst, princeps.'

'Als u liegt, N-N-Niger, bent u uw burgerschap kwijt en krijgt u een hoofdrol bij de spelen van vanmiddag. Wilt u hem nu identifi-ficeren?'

De doodsbange man draaide zich om en zag drie mannen die je als kaal zou kunnen omschrijven: twee tegenover de keizer en een derde bij twee andere mannen. Hij koos meteen, want enige aarzeling zou worden gezien als een teken van oneerlijkheid. 'Dat is hem.'

Claudius barstte in lachen uit toen Callistus recht in de vinger van de valse getuige keek. Vespasianus wist zeker dat hij bij zowel Narcissus als Pallas zag dat ze hun pret verborgen probeerden te houden onder een neutrale gelaatsuitdrukking.

Asiaticus lachte hartelijk mee met de keizer en wierp een blik op de ontmoedigde Suillius. 'Wat nu zo ironisch is, Suillius, is dat ik ten tijde van deze vermeende sodomie niet eens kaal was.'

'Voer hem af,' beval Claudius tussen de lachstuipen door. 'Ik hoop straks meer van u te zien, Niger. Veel meer.' Hij pakte Messalina's hand. 'Je had helemaal gelijk, mijn liefste. Geen van deze aantijgingen zal waar blijken te zijn. Ik denk dat jouw vriend Suillius misleid is, maar desondanks moeten we doorgaan, zodat Asiaticus de kans krijgt zijn onschuld te bewijzen.'

Terwijl de ongelukkige Niger schreeuwend werd afgevoerd, stond Asiaticus op. 'Ik ben geen ontvanger, Suillius. Vraag het uw zonen maar, zij zullen bevestigen dat ik een man ben. We zullen nog terugkomen op de vraag hoe en waarom u iemand overhaalt om tegenover de keizer over mij te liegen, nadat hij uw andere aantijgingen heeft weggewuifd.'

'Hij is zelf naar me toe gekomen,' wierp Suillius tegen. 'Ik ga niet in de goten speuren naar valse getuigen.'

'Meent u dat? Laten we eens kijken hoe uw volgende getuige is. Ik hoop dat u die beter geïnstrueerd hebt. Waar gaat hij mij van beschuldigen? O ja, van overspel met Poppaea Sabina, de dochter van wijlen

Gaius Poppaeus Sabinus. Vertel mij eens, Suillius, beschuldigt haar echtgenoot Publius Cornelius Lentulus Scipio, een respectabele telg uit een aanzienlijk geslacht, zijn vrouw ook van overspel? En zo ja, wijst hij mij aan als haar minnaar?'

Suillius spreidde zijn armen. 'Weet een man altijd als zijn vrouw...' Hij stopte midden in zijn zin toen hij de kille blik van Messalina op zich voelde rusten. Iedereen in de kamer schoof ongemakkelijk in zijn stoel, Claudius ook, en Vespasianus vroeg zich af in hoeverre hij wist van Messalina's buitenhuwelijkse activiteiten.

Asiaticus greep zijn kans en richtte het woord direct tot Claudius. 'Welke echtgenoot heeft nu niet door dat hij bedrogen wordt, princeps, zelfs als hij de tekenen negeert?'

Claudius reageerde met een reeks onbeheerste hoofdbewegingen en een speekselfontein. Messalina staarde met een strak gezicht naar Asiaticus.

'Ik vraag het u nogmaals, Suillius: heeft Scipio zijn vrouw beschuldigd van overspel?'

'Nee.'

'Wie dan wel?'

'Een van zijn vrijgelatenen.'

'Een vrijgelatene? En ging hij er eerst mee naar zijn beschermheer, de man aan wie hij onvoorwaardelijk trouw zou moeten zijn?'

'Hij ging eerst naar mij.'

Asiaticus en Messalina keken elkaar een paar hartslagen in de ogen voordat Asiaticus het woord tot Claudius richtte. 'Princeps, wat vindt u ervan dat een vrijgelatene de vrouw van zijn patroon zo belastert tegenover vreemdelingen?'

'Onaccept-t-tabel.'

'En toch gebeurt het: een vrijgelatene die zulke praatjes rondstrooit. Stelt u zich voor, princeps, dat – de goden mogen het verhoeden – uw vrijgelatenen in het openbaar zulke beschuldigingen doen in plaats van die bij u te melden? Zou dat aanvaardbaar zijn?'

Claudius maakte een geluid alsof hij gewurgd werd toen hij probeerde een antwoord te formuleren, en Vespasianus besefte dat Asiaticus de spijker op de kop had geslagen: Claudius moest enig geloof hechten aan bepaalde geruchten over zijn vrouw.

Messalina bleef als versteend zitten terwijl Narcissus met half dichtgeknepen ogen en wriemelend aan de met robijnen ingelegde ring om zijn pink Asiaticus opnam. Pallas en Callistus zagen eruit alsof ze al een tijdje geen adem meer hadden gehaald. Een zweetdruppel gleed over Suillius' voorhoofd, Vitellius en Crispinus staarden vol afgrijzen en verbijstering naar Asiaticus, die geduldig wachtte tot de keizer eindelijk zover was om antwoord te geven.

'Nee!' Claudius gooide het eruit, zijn gezicht was paarsbruin aangelopen en zijn kin glom van het kwijl. 'Niemand beschuldigt mijn Messalina in het openbaar van zulke dingen, in het openbaar is zij onberispelijk.' Met een schok draaide hij zijn bevende hoofd naar zijn vrijgelatenen en vervolgde zijn tirade. 'Maar als een van mijn vrijgelatenen vermoedt dat zij een steekje laat vallen, is het zijn plicht om mij, de echtge-ge-genoot, en niemand anders het bewijs te tonen. Hoe zijn vrouw zich gedraagt, is louter en alleen een zaak van de echtgenoot en dient niet op straat te belanden! Zo deden onze voorvaderen dat al!'

Het was doodstil in de kamer, op het hijgen en snuiven van Claudius na, die zichzelf tot bedaren probeerde te brengen. De ogen van Messalina, zwart als de nacht en kil als de Styx, richtten zich op de geduldig wachtende Asiaticus, die ogenschijnlijk onaangedaan was gebleven onder de door hem geprovoceerde uitbarsting van zijn keizer en nu naar Narcissus keek, die zijn blik met een even kil als flauw glimlachje beantwoordde.

'Hij dwingt Narcissus om open kaart te spelen,' fluisterde Gaius naar de broers. 'Als Claudius bewijzen krijgt van Messalina's ontrouw en die bewijzen komen niet van een van zijn vrijgelatenen, zal hij hen nooit meer vertrouwen. Asiaticus weet dat Messalina ervoor zal zorgen dat hij vandaag schuldig bevonden wordt en heeft nu al een voorschot op zijn wraak genomen.'

Een luide snik klonk boven de zware ademhaling van Claudius uit. Vespasianus keek op en zag de tranen over Messalina's wangen biggelen.

'Mijn l-l-liefste!' riep Claudius. 'Het staat buiten kijf dat je een ideale echtgenote bent!'

'Ik weet het, schat,' kermde Messalina en ze depte haar gezicht met haar palla en keek Claudius met vochtige, smekende ogen aan. 'Wat mij droef stemt, is het onrechtvaardige lot van de vrouw in onze samenleving. Jaloerse mensen belasteren ons, en ook als we onschuldig zijn, blijft die laster aan ons kleven. De naam van Poppaea wordt door een vrijgelatene door het slijk gehaald en ze kan zich niet eens verweren. Beloof me, liefste, dat jij mij de kans geeft jou gerust te stellen als je ooit zulke leugens over mij hoort, zodat je vervolgens die lastertong kan straffen zoals je die vrijgelatene zal straffen voor zijn schandelijke optreden.'

'Natuurlijk zal ik dat doen, meisje. Ik zou n-n-nooit iets slechts over jou g-g-geloven voordat ik je in de ogen heb kunnen kijken.' Hij boog zich naar haar toe en kuste haar op de wang, die daardoor nog natter werd dan hij al was, en wendde zich toen tot Suillius. 'Ik wil die vrijgelaten getuige van u niet zien, behalve vanmiddag dan, met N-N-Niger in de arena. Die aanklacht is verworpen. Goed, door naar de volgende. Bent u bij die ook op het verkeerde been gezet, Suillius?'

'Nee, princeps, op mijn erewoord. En u weet dat de getuige een uiterst integer man is, aangezien u hem de scholing van uw zoon hebt toevertrouwd. Het gaat om de ernstigste beschuldiging van vandaag: dat Asiaticus zou hebben gepocht dat hij de onbekende man is die deelnam aan de moord op Caligula.'

'Het is al l-l-laat, dus g-g-ga Sosibius maar halen.'

Pallas stond op. 'Voordat we Sosibius aanhoren, princeps, wil ik graag een bekentenis doen.'

'Ja?'

'Vanmorgen hoorde ik mijn geachte collega Callistus zeggen dat hij kan bewijzen wie deze onbekende man is en dat Narcissus en ik het bewijsmateriaal zouden hebben achtergehouden. Ik vond het beter om dit te melden, zodat hij de kans krijgt deze kwestie op te helderen en een einde te maken aan deze schertsvertoning.'

Vespasianus' hart sloeg over en hij keek naar Sabinus, die wit wegtrok.

Callistus slikte, stond op en wierp een snelle, op het oog nietszeggende maar naar Vespasianus vermoedde hatelijke blik op Pallas. 'Princeps, ik ben bang dat Pallas het bij het verkeerde eind heeft. Dat heb ik niet gezegd.'

Pallas gaf geen duimbreed toe. 'Maar ik heb je horen zeggen, beste Callistus, dat je kon bewijzen dat Asiaticus niet de man was en dat wij dat al veel langer wisten.'

'Ik heb niets van die strekking gezegd, princeps. Dat verzeker ik u.'

Claudius beefde van ongeduld. 'Nou? Heeft hij het g-g-gezegd of niet, Pallas?'

Pallas boog verontschuldigend. 'Ik herhaal met klem dat hij het gezegd heeft, en ik breng het nu in de aanwezigheid van anderen te berde, omdat ik niet wilde dat hij u, mocht u Asiaticus schuldig bevinden, onder vier ogen spreekt en de zaak vertroebelt en u tegelijk reden geeft om te twijfelen aan mijn loyaliteit of die van Narcissus. Ik acht het in ons aller belang om dit in alle openheid te bespreken, princeps.'

'Ja, ja. Tegen wie heeft hij dat gezegd?'

Pallas schraapte zijn keel terwijl Callistus, die de wantrouwende blik van Messalina op zich gericht wist, de handen wrong. 'Tegen Titus Flavius Vespasianus.'

Vespasianus slikte de prop in zijn keel weg.

'Vespasianus? Is hij terug in Rome?'

'Hij is gisteren teruggekomen en hij is hier om te bevestigen dat het gesprek plaatsvond.'

'Ga hem halen.'

Vespasianus stond tegenover de keizer en keizerin in de wetenschap dat hij Claudius' vragen snel en zonder haperen moest beantwoorden. 'Inderdaad, princeps, ik heb Callistus vanmorgen in het paleis gesproken. Ik was bij mijn gezin geweest en liep naar beneden. De praetoriaanse bewakers van Britannicus, die de nacht bij Titus had doorgebracht, kunnen dat bevestigen.'

'Ach ja, die twee kunnen het zo goed met elkaar vinden,' zei Claudius, wiens gedachten afdwaalden. 'Vind je ook niet, liefste? Het was zo'n goed idee van jouw broer om de jonge T-T-Titus naar het paleis te halen.'

'Jawel, schat,' antwoordde Messalina al even enthousiast. 'Maar laten we eerst kijken wat Vespasianus te zeggen heeft. Gaat u door.'

'Ik kwam hem in een van de gangen tegen...'

'Waar g-g-ging u heen?'

Ja, waar ging hij heen? Even voelde hij paniek opborrelen, maar ineens stond hem helder voor de geest wat Pallas gedaan had: hij had Narcissus uitgedaagd en tegelijkertijd Callistus in een kwaad daglicht gesteld bij de keizer en keizerin, en van hem, Vespasianus, werd nu verwacht dat hij de onschuldige man die hem gisteravond nog gastvrij ontvangen had valselijk beschuldigde. 'Ik ging hierheen, princeps.'

'Waarom?'

'Omdat Narcissus mij had gevraagd om het bewijs van mijn broer te bekrachtigen.'

'Welk bewijs?'

'Het bewijs dat Asiaticus tijdens hun gezamenlijke verblijf in Britannia ook tegen hem had gepocht dat hij medeplichtig was aan de moord op Caligula.' Hij voelde de ogen van Asiaticus in zijn rug priemen terwijl hij schaamteloos een valse getuigenis aflegde tegen een onschuldige man, maar hij besefte dat hij er zo diep en snel in was gezogen dat hij zich er niet meer aan kon onttrekken zonder zijn broer de verdoemenis in te helpen en zijn eigen leven op het spel te zetten. Hij kon geen kant op, zo werkte het in Rome nu eenmaal. 'Sabinus vertelde het mij. Ik was natuurlijk geschokt en zei dat hij het met Narcissus moest bespreken zodra hij terug in Rome was, wat hij ook gedaan heeft, en daarom is hij vandaag hier om de getuigenis van Sosibius te bevestigen.'

'Waarom sprak Callistus jou in de gang aan?'

Vespasianus wierp opzichtig een zenuwachtige blik in de richting van Callistus, al hoefde hij daar niet echt voor te acteren, want hij voelde de spanning in zijn lijf. 'Callistus zei dat hij kon bewijzen dat Asiaticus onschuldig was en beschuldigde mij ervan samen te spannen met Narcissus en Pallas. Hij zei dat ze wisten dat Asiaticus in de val werd gelokt en dat mijn broer eigenlijk de schuldige was en dat hij tegen Asiaticus zou getuigen om zichzelf vrij te pleiten. Wat natuurlijk onzin is, want iedereen weet dat Sabinus op het moment van de moord duizend mijl verderop zat als legaat van de Negende Hispana. Dat staat gewoon in de boeken.'

'Waarom zei Callistus het dan?'

Vespasianus boog het hoofd. 'Ik zou het niet weten, princeps. Dat zult u aan hem moeten vragen.'

'Het is één grote leugen!' schreeuwde Callistus. 'Ik heb deze man niet meer gezien nadat hij twee dagen na de moord op Caligula met zijn broer in de werkkamer van Narcissus was om hem te smeken het leven van zijn broer te sparen.'

Claudius fronste en pakte de armleuning stevig vast om te voorkomen dat zijn lichaam ging trillen van opwinding. 'Klopt dat, V-V-Vespasianus?'

'Ja en nee, princeps. Tot vanochtend was dat de laatste keer dat ik

Callistus zag. Maar het was een maand na de moord en niemand smeekte om zijn leven. Uw vrijgelatenen hadden mijn broer teruggeroepen uit Pannonia omdat ze wilden dat wij de adelaar van de Zeventiende voor u zouden terughalen, wat, zo moet ik tot mijn schaamte erkennen, niet gelukt is.'

'Inderdaad, Gabinius heeft dat gedaan, maar jullie vonden als trouwe Flavianen wel de steenbokstandaard van de Negentiende terug en daarvoor zal ik jullie eeuwig dankbaar zijn. Narcissus, wat heb jij daarop te zeggen?'

Narcissus ging staan met een blik alsof de kwestie er zo weinig toe deed dat hij amper kon geloven dat men er tijd en energie in stak. 'Het is precies zoals Vespasianus zegt, princeps. Ik ben bang dat Callistus zich vergist en het lijkt mij overduidelijk dat Asiaticus schuldig is. Ik heb ook het sterke vermoeden dat Asiaticus een groot deel van zijn rijkdommen naar zijn geboorteplek in Gallia Narbonensis heeft verplaatst en het lijkt erop dat hij van plan is uit Rome weg te gaan, al weet ik niet waarom. Ik wil echter wel zeggen dat een man die blijkbaar zo weinig respect heeft voor de keizerlijke familie, in zijn eigen land, waar hij zich omringd weet door stamleden wier trouw aan Rome op z'n zachtst gezegd twijfelachtig is, een reële dreiging kan vormen.'

Vespasianus draaide zich niet om naar Asiaticus, maar hij kon zich heel goed voorstellen hoe die keek, en dat beeld versterkte de walging die hij voelde over zijn eigen optreden. Maar hij kon niet anders, al verlichtte die gedachte geenszins zijn gewetensnood.

'Hebt u enig v-v-verweer tegen deze aantijging, Asiaticus?'

Asiaticus nam niet de moeite om op te staan. 'Wat kan ik zeggen, princeps, anders dan alles te ontkennen en Vespasianus een leugenaar te noemen?'

'Maar het lijkt te kloppen. Lucius, wilt u namens hem spreken?'

Terwijl Vitellius ging staan, vloeiden bij Messalina de tranen weer rijkelijk. 'Het spijt me, manlief, maar het bewijs dat deze beste man schuldig is brengt me van streek, ik ga weg, voordat ik in zwijm val.' Ze stond op uit haar stoel. 'Ik hoop dat het pakkende pleidooi van Lucius u zal bewegen tot genade, maar wat u ook beslist, ik weet dat het rechtvaardig zal zijn.' Ze stapte van het podium en wachtte op Vitellius, die naar voren kwam om te spreken, zodat ze hem iets kon toefluisteren terwijl ze hem zogenaamd op de wang kuste, waarna ze met haar gevolg de kamer verliet.

Vitellius, duidelijk opgewonden geraakt door de nabijheid van Messalina's verleidelijke mond, schraapte zijn keel en nam met geheven kin de pose van een redenaar aan. 'Princeps, ik betreur het ten zeerste als u denkt dat Asiaticus schuldig is, want wij weten allen hoe trouw hij is. Toen hij mij vanmorgen vroeg of hij mocht kiezen op welke manier hij zou sterven, zei ik...'

'Wat v-v-vroeg hij?'

'Hij vroeg of hij zelf mocht bepalen hoe hij ging sterven, princeps.'

'Nou, daarmee is het toch afdoende bewezen! Iemand die al vóór hij schuldig bevonden is vraagt of hij zelf mag bepalen hoe hij gaat sterven, moet wel schuldig zijn. Ik ga mijn tijd hier niet mee verdoen, ik moet het gevecht met de wilde dieren openen.' Claudius kwam wankelend overeind. 'Asiaticus, vanwege onze lange vriendschap en de diensten die u Rome in Britannia bewezen heeft, ben ik u genadig: u mag uzelf van het leven beroven en uw familie mag uw eigendommen houden. Ik verwacht dat u morgenochtend het leven gelaten heeft.'

Zonder op een reactie te wachten stapte Claudius slingerend het podium af en bleef vlak voor Vespasianus staan. 'U en uw gezin zijn welkom in de keizerlijke loge, V-V-Vespasianus. Ik neem Britannicus n-n-natuurlijk mee naar de spelen en ik weet zeker dat hij het heel leuk zou vinden als Titus er ook is, en mijn Messalina geniet altijd van het gezelschap van Flavia. We zien u dadelijk.'

Vespasianus kon de uitnodiging moeilijk afslaan en boog het hoofd. Terwijl Claudius zich omdraaide en slingerend wegliep, keek hij naar Pallas, die zijn blik beantwoordde met een lichte buiging van zijn hoofd, alsof hij wilde zeggen dat hij zijn schandelijke rol goed had vertolkt. Toen hij weg wilde lopen, voelde hij een hand op zijn schouder. Hij draaide zich om en zag Asiaticus staan, die hem met een wrange glimlach aankeek. 'Ik zou in uw situatie precies hetzelfde hebben gedaan, Vespasianus. Ik neem u niets kwalijk. Ik zal mijn laatste avond doorbrengen met mijn vrienden, tafelend in de Tuinen van Lucullus. Ik zou het fijn vinden als u mijn tafelgenoot wilt zijn.'

HOOFDSTUK XV

'Natuurlijk ga ik graag, vader,' beaamde Titus en hij keek Vespasianus met ernstige blik aan, 'helemaal als jij ook gaat. Ik ben wel eens naar een gladiatorengevecht geweest, maar niet naar een gevecht met wilde dieren.'

Vespasianus glimlachte naar zijn zoon en haalde liefdevol een hand door zijn haar. 'Dat is wel wat anders dan twee gewapende mannen die op eerbare wijze en met inachtneming van bepaalde regels de strijd met elkaar aangaan.'

'Ik weet het, vader. Misdadigers worden aan stukken gescheurd door wilde dieren en daarna nemen de *bestiarii* het op tegen de beesten. Britannicus heeft me erover verteld en hij zegt dat het heel leuk is om naar te kijken.'

'Leuk is anders, Titus. Ik zou het eerder een zeer bloedige nabootsing van de strijd tussen mens en dier noemen.'

Titus' ernstige uitdrukking veranderde in die van een kind dat geconcentreerd de nieuwe informatie verwerkt die hij uit betrouwbare bron verkregen heeft. 'Maar de spelen zijn ook bloederig, helemaal als ze tussen de gevechten door de hoofden of ledematen van de slechteriken afhakken.'

Vespasianus zuchtte en accepteerde dat hij weinig kon doen om zijn zoon af te schermen van dingen die hij zelf pas had gezien toen hij een jaar of twaalf, dertien was geweest. Hij had niets tegen bloederige sporten, integendeel, hij kon genieten van het spektakel dat een goed gevecht bood, van de vaardigheid van de gladiatoren en de opwinding die een spannende wagenren teweegbracht bij het verhitte publiek – al durfde hij het nog steeds niet aan om te gokken – en van de pure moed die een bestiarius nodig had om het op te nemen tegen een woeste beer of een aanstormende leeuw. Hij had dit echter altijd beschouwd als vermaak voor volwassenen en tieners en niet voor kinderen onder de tien jaar. De gemiddelde burger nam zijn zevenjarige zoon niet mee naar het wrede schouwspel in de arena, maar Claudius wel, die wilde graag dat zijn opvolger in het openbaar verscheen. En als zoon en vriend van de troonopvolger werd Titus blootgesteld aan de tamelijke dubieuze opvoeding van de keizer, die, zoals iedereen wist, zó intens van het bloedvergieten genoot dat velen het vulgair vonden.

Hij wist dat hij Titus niet kon overhalen om níét te gaan, want hun gesprek zou zeker bij Britannicus terechtkomen. En dan zou Claudius het ook te weten komen en er misschien kritiek in zien, dus Vespasianus kon weinig anders dan de wens van zijn zoon inwilligen. 'Goed dan, je mag mee.'

'O, dank u wel, vader.'

'En we zitten in de keizerlijke loge,' spinde Flavia. 'De andere vrouwen zullen zo verschrikkelijk jaloers zijn.'

Vespasianus weerhield zich van commentaar, wilde de sluimerende boosheid niet laten oplaaien in het bijzijn van de kinderen en glimlachte in plaats daarvan naar zijn dochter. 'En jij blijft hier met het kindermeisje, Domitilla.'

Domitilla liet de lappenpop draaien tussen haar handen en glimlachte terug. 'Ja, pappie.'

'O, maar ze moet mee, Vespasianus,' drong Flavia aan, 'we moeten als gezin gezien worden.'

'Ze blijft hier en daarmee uit.'

'Maar het zou...'

'Het wordt tijd dat je zonder morren doet wat ik zeg, Flavia. Dan is er nog een kleine kans op eensgezindheid en zal ik me wellicht lankmoediger opstellen dan ik me nu voel. Domitilla blijft hier.'

Flavia bespeurde de hardvochtigheid in de stem van haar echtgenoot en hield haar mond.

Vespasianus trok zijn dochter naar zich toe en gaf haar een kus. 'Tot morgen.'

'Kom je niet terug na de spelen, pappie?'

'Nee.'

'Waar ga je heen?'

'Ik moet afscheid nemen van iemand die door mijn toedoen weg moet uit Rome.'

Een kwart miljoen paar ogen richtten zich op de witte zakdoek die fladderde in de zwakke wind en een kwart miljoen stemmen galmden door het Circus Maximus: laat hem los! Claudius hield de zakdoek in zijn bevende hand en toonde hem aan de mensen die dicht opeengepakt op de stenen trappen aan weerszijden van het zeshonderd passen lange circus zaten. Messalina stond naast hem in de keizerlijke loge, met geheven hoofd en haar armen om haar twee kinderen geslagen, Britannicus en Claudia Octavia, op wie de glorie afstraalde van de echtgenoot die toen zij met hem trouwde het mikpunt van spot en het onderwerp van talloze grappen was geweest. Maar nu waren de Romeinen dol op hun keizer, hij had hun immers de Seculiere Spelen geschonken, die al tien dagen lang in weelde en overdaad gevierd werden. Vandaag zou het hoogtepunt van het feest zijn, en er barstte een oorverdovend gejuich los toen Claudius de zakdoek losliet en de eerste van de honderd in pek gedrenkte, aan palen geketende gevangenen rond de baan in brand werd gestoken.

Een groepje mannen met fakkels draafde door het circus om de gillende slachtoffers een voor een aan te steken terwijl de toeschouwers instemmend brulden. Zwarte rook kringelde omhoog, werd meegevoerd door de lichte bries en bleef hangen tussen het uitzinnige publiek, dat smulde van de kronkelende, krijsende menselijke fakkels terwijl de zurige geur van brandende pek en verschroeid vlees hun neus binnendrong. Toen de laatste was aangestoken en zijn huid verschrompelde en verschroeide, verlieten de fakkeldragers het circus door de grote poort aan de noordzijde, waarbij ze langs een groep vuile, veroordeelde gevangenen kwamen. Met zwepen werden ze de zandbaan op gejaagd, die spoedig rood zou zien van hun bloed. De onfortuinlijke mannen – en enkele vrouwen, die voor wat extra vermaak moesten zorgen – keken met grote, angstige ogen om zich heen. Aan de andere kant van de *spina*, de lage afscheiding in het midden van de baan waar de renwagens tijdens de wedstrijden omheen reden, hingen de menselijke fakkels aan hun kettingen, een enkeling vertoonde nog een teken van leven, terwijl de toeschouwers hoorbaar genoten van hun lijdensweg. De gevangenen werden met zweepslagen verder de baan op gedreven en smeekten hun verschillende goden schreeuwend – ze werden volledig overstemd door de menigte – om hun het lot te besparen dat nog erger was dan verbranding: aan stukken gescheurd en verslonden te worden door wilde dieren die krankzinnig waren geworden van de honger, louter ter vermaak van het Romeinse volk.

Met een paar venijnige uithalen van hun zweep trokken de drijvers zich terug naar de poort en op de tribunes nam het rumoer af. De menigte was de openingsakte van het spektakel al zat, veel meer dan een paar stuiptrekkingen was er niet te zien, en nam de gevangenen nu belangstellend op. Het waren er veel, minstens honderd, en de kenners in het publiek – en dat konden de meesten zich noemen – wisten wat dat betekende: veel wilde dieren. In het Circus Maximus steeg de spanning.

'V-V-Volgens mij zijn de mensen tevreden, l-l-liefje,' merkte Claudius op en hij liet zich in zijn rijkelijk beklede stoel zakken.

Messalina nam naast hem plaats. 'Het was een origineel idee van jou, om te ze verrassen met die brandende gevangenen. Ik weet zeker dat iedereen dacht dat ze aan flarden gescheurd zouden worden. Zo ontzettend slim van je, lieve Claudius.'

Claudius schokte met zijn hoofd en pakte de hand van zijn vrouw. 'Als we willen dat ze van ons houden, moeten we ervoor zorgen dat ze zich vermaken.'

Vespasianus zat achter het keizerlijke stel, tussen Lucius Vitellius en Flavia, die de verleiding niet kon weerstaan om te kijken wie er rond de keizerlijke loge naar haar keek. Achter hen zat een grauwe man met een kromme rug die Vespasianus van gezicht kende: een drinkmaatje en hielenlikker van Claudius.

'De keizer heeft een groot talent voor spektakelstukken,' zei Vitellius zo hard tegen Vespasianus dat Claudius het kon horen.

'Zijn talenten zijn talrijk, consul,' antwoordde Vespasianus, die meeging in de pluimstrijkerij van Vitellius, 'zijn gevoel voor rechtvaardigheid is er een van, zoals we vanmorgen nog hebben kunnen zien.'

'Ja, toen hij zo barmhartig was om Asiaticus de kans te geven zichzelf van het leven te beroven en zijn eigendommen te laten houden en hij zich een wijs en rechtvaardig heerser toonde.'

Vespasianus merkte dat Messalina verstijfde, maar het geloei van de menigte deed hem naar de poort kijken, waar een stuk of tien wagens met grote houten kisten doorheen werden gereden. De gevangenen werden onrustig toen ze in de kisten beren hoorden brullen en verspreidden zich door het circus, want hun instinct vertelde hun dat ze zo veel mogelijk anderen tussen henzelf en het gevaar moesten houden. Aan weerszijden van de spina dromden ze samen bij de brandende fakkels, in de hoop dat de vlammen bescherming zouden bieden.

Met de touwen die vastzaten aan de achterkant van de kisten werden de deuren geopend en twaalf beren staken meteen hun neuzen naar buiten.

'Die drijven ze wel uit elkaar,' riep Claudius handenwrijvend uit.

De kromme achter hem smakte vol verwachting met zijn lippen. 'Ik bewonder beren om hun kracht.'

'D-D-Dat komt, Julius Paelignus, omdat je die zelf amper hebt, ouwe bochel.'

Paelignus kromp ineen, en Vespasianus vond het grappig dat de kreupele keizer iemand voor schut kon zetten die er beroerder aan toe was dan hijzelf. Als vanzelf kwam de vraag bij hem op tot welke afzichtelijke schepsels Paelignus zijn toevlucht nam om zijn eigen wanstaltigheid beter te kunnen verteren.

De berendrijvers sloegen met stokken op de kisten om de dieren, die zich lieten afschrikken door het enorme kabaal van de menigte, naar buiten te krijgen. Ze liepen een voor een hun kist uit, schudden hun enorme lijf en snuffelden wat rond terwijl er in de ronding van het circus een kleine poort openging en er minstens twintig leeuwen, vel over been, de baan op slenterden. Het tumult op de tribunes zwol nog verder aan toen duidelijk werd dat het niet alleen een strijd tussen mens en dier zou worden, maar ook tussen dieren onderling.

Britannicus klapte opgewonden in zijn handen en Titus rende naar zijn vriend om het beter te kunnen zien. Samen leunden ze over de rand van de loge en blikten halsreikend naar links en naar rechts terwijl de dieren zich verspreidden en hun slachtoffers gillend in het rond renden in de wetenschap dat ze enkel in de dood heil konden vinden. Claudius glimlachte minzaam naar de twee jongens, genoot van hun genot, en draaide zich vervolgens om. 'Wat zou je zeggen van een weddenschap, Lucius?'

'Met alle liefde, princeps. Wat doen we?'

'Duizend denarii dat de beren de gevangenen en de leeuwen verslonden hebben voordat de bestiarii het circus betreden om ze af te maken.'

'Ik zet mijn geld in op de leeuwen, caesar.'

'En u, Vespasianus?'

'Nou, princeps, ik zet in ieder geval geen geld in op de gevangenen.'

Claudius gniffelde hard en sproeide overvloedig met speeksel. 'Ah, heel goed, in ieder geval niet op de gevangenen. Dat zou ook dom zijn, beste vriend, doet u maar niet mee. Aan jou v-v-vraag ik het niet eens, Paelignus, arme sloeber die je bent.'

Paelignus kromp weer ineen. 'Als u mij benoemt tot procurator van Cappadocia, zoals u beloofd hebt, kan ik mij weer een weddenschap veroorloven.'

Claudius leek zich deze vrijpostigheid niet aan te trekken. 'We zien wel. Tot die tijd kunt u de stand bijhouden.'

Opgelucht dat hij niet zo'n grote som geld had hoeven inzetten, concentreerde Vespasianus zich weer op de baan, juist toen een beer met zijn enorme kaak een gevangene greep. Britannicus joelde en sprong in de lucht toen het eerste bloed vloeide en de slachting begon. De snelle en wendbare leeuwen joegen op hun trage, tweebenige prooi, gooiden al rennend en draaiend het zand op en besprongen hun slachtoffers, scheurden met vlijmscherpe klauwen en bebloede tanden het vlees van hun lijf. De beren sjokten met rollende schouders rond en stormden dan ineens op hun krijsende doelwit af, wierpen het woest omver en verslonden het, terwijl het bloed en slijm in de rondte vloog en de inwoners van Rome bloeddorstig schreeuwden.

Claudius leunde met een schokkerig hoofd naar voren, hij wilde niets missen van de afschuwelijke slachtpartij die zich aan weerszijden van de spina over de hele lengte van de baan voltrok en slaakte een vreugdekreet bij elk ledemaat dat van een romp werd gerukt en kreeg een lachstuip toen hij Niger zag strompelen met een leeuw op zijn rug en een stuk darm, afkomstig uit een enorme jaap in zijn buik, in zijn armen. 'Dan moet je maar niet liegen over die arme Asiaticus,' wist hij tussen twee lachstuipen uit te brengen.

'Nu je het toch over die arme Asiaticus hebt,' zei Messalina zonder haar ogen van het spektafel af te wenden, 'denk je dat het verstandig is om zijn familie zijn rijkdommen te laten houden, schat?'

'Hij is twee keer consul geweest, liefje, wat toch een prestatie genoemd mag worden voor een man wiens grootvader tegen Caesar vocht. Als ik zijn familie van hun rijkdom beroof omdat hij een misdaad pleegde, raak ik niet alleen hun loyaliteit kwijt, maar ook die van hun onderdanen, ofwel van alle Allobroges in het noorden van Gallia Narbonensis, bij Lugdunum. En aangezien de rijksmunt in Lugdunum is, lijkt me dat geen goed idee.'

'Zie je wel, nu doe ik het weer, jouw wijze oordeel in twijfel trekken zonder alle feiten te kennen of na te denken over de bredere politieke gevolgen. Je zult me wel een naïef meisje vinden.'

Claudius kneep zijn vrouw in haar dijbeen en raakte even haar borst aan toen hij zijn hand terugtrok. 'H-H-Heus niet. Waarom zou dat mooie koppie van jou zich bezighouden met zulke grote zaken? Dat je vanmorgen naast me zat en me door die zeer betreurenswaardige hoorzitting hielp, is al meer dan genoeg.'

Messalina likte haar lippen toen twee leeuwen met een beer vochten om een zwaar toegetakeld lijk. 'Dat was het minste wat ik kon doen. Het is zo triest als een oude vriend een verrader blijkt te zijn. Je zult je wel afvragen wie er nog echt te vertrouwen is.'

'Jou vertrouw ik volledig, meisje.'

'Natuurlijk. Je weet toch dat ik het beste met je voorheb?'

Claudius draaide zich naar zijn vrouw en glimlachte haar liefdevol toe terwijl er op een paar passen afstand een gillende vrouw werd opengereten. 'Daar twijfel ik geen moment aan.'

'Dan vind je het dus ook niet erg als ik je een advies geef?'

'Ik stel jouw adviezen ten zeerste op prijs, duifje.'

'Nou, het gaat hierom, liefste: ik denk dat je Asiaticus te licht hebt gestraft. Ik begrijp wat je zegt over de Allobroges en het is heel slim dat je daaraan denkt, maar als je zijn familie ál zijn bezittingen laat houden, is dat volgens mij niet afschrikwekkend genoeg voor anderen die kwaad en verraad in de zin hebben. Als we willen dat jou niets gebeurt, moeten ze worden afgeschrikt.'

'Ja, daar heb je gelijk in. Maar ik heb mijn oordeel al geveld.'

Messalina pakte de hand van haar echtgenoot, bracht die naar haar mond en liet haar tong over zijn vingertoppen glijden. 'Jij bent de keizer, jij mag alles, jij mag altijd van gedachten veranderen.'

Claudius zag hoe Messalina met haar tong zijn vingers bewerkte en veegde met zijn andere hand wat wegsijpelend kwijl van zijn kin. 'Ja, dat is zo, hè?'

'Dat is zo, liefste.'

'Dan zal ik dat doen. Wat stel je voor?'

'Dat je hem zijn kostbaarste bezit afneemt. Zijn familie mag zijn geld houden, maar ze raken kwijt wat hem het naast aan het hart ligt.' Messalina zoog nu op Claudius' bevende vingers, ze nam de ene na de andere in haar mond.

'Dat is een fantastisch idee, muisje. Ik pak zijn hele bibliotheek af.'

'Nee, manlief, er is iets waaraan hij meer gehecht is.'

'Wat dan?'

'Zijn tuinen.'

'Zijn tuinen. Wat heb ik nu aan zijn tuinen?'

'Niet voor jou, liefste, en ook niet voor mij, maar voor onze kinderen. Het zou goed voor ze zijn als ze op een plek net buiten de stadsmuren konden spelen.' Ze draaide zich naar Flavia. 'Flavia, jouw mening telt voor mij het zwaarst, na die van mijn echtgenoot uiteraard. Denk je ook niet dat de Tuinen van Lucullus ideaal zijn voor kinderen?'

'Ik ben er nog nooit geweest, maar als ze echt zo mooi zijn als mensen zeggen, moet het een ideale plek zijn voor jonge mensen om te leren hoe mooi het leven kan zijn.' Ze glimlachte welwillend naar Britannicus en Titus, die volop genoten van de drie bebloede leeuwen die een beer verscheurden.

'Je hebt helemaal gelijk, schat. Kinderen moeten oog krijgen voor wat mooi is.' Ze concentreerde zich weer op de vingers van Claudius.

'D-D-Dan weet ik g-g-genoeg,' zei Claudius, die zijn ogen niet van Messalina's mond kon houden. 'Ik eigen mij de tuinen van Asiaticus toe ten behoeve van Britannicus en Octavia.'

'Dat is fantastisch, manlief. Ik weet zeker dat ze ervan zullen genieten en hun vriendjes en vriendinnetjes mogen er natuurlijk ook gebruik van maken. Vespasianus, u laat Titus er toch ook wel heen gaan?'

Vespasianus moest erkennen dat hij bewondering had voor de manier waarop Messalina zojuist haar zin had weten te krijgen, al liet hij dat niet merken. 'Natuurlijk, *domina*. Het is een uur bij ons vandaan.'

Messalina glimlachte, maar haar ogen bleven kil toen ze Vespasianus heel indringend aankeek, als een roofdier dat op het punt stond zijn prooi te verschalken. 'En dan komt u zo nu en dan ook mee, hoop ik.

Het zou goed voor u zijn om te genieten van wat zo'n tuin te bieden heeft en de smaak te proeven van de nectar van zijn vruchten.' Ze zoog op Claudius' duim en bleef Vespasianus ondertussen strak aankijken.

Vespasianus vertelde maar niet dat hij was uitgenodigd voor het laatste avondmaal van Asiaticus en schoof onrustig heen en weer in zijn stoel. 'Het zou mij een waar genoegen zijn, domina.'

'Ik ben verzot op nectar en hou van het subtiele verschil met andere sappen.'

Messalina haalde de duim uit haar mond en likte tussen Claudius' wijsvinger en middelvinger. Haar ogen werden zacht toen ze zich naar Flavia draaide, de roofzucht in haar blik veranderde in echte genegenheid. 'Naar mijn idee smaken geen twee sappen precies hetzelfde en dus moet je iedere vrucht een keer proberen. Vind je ook niet, lieve Flavia?'

Flavia's ogen werden groot van verrukking en ze glimlachte de keizerin toe. 'Jazeker vind ik dat. Dat weet jij als geen ander.'

Messalina liet de hand van haar echtgenoot los, waarna ze naar achteren reikte en Flavia in haar knie kneep. 'Dan zal het mij een groot genoegen zijn om samen met jou te genieten van de tuin van de kinderen, Flavia, met regelmaat.'

Vespasianus probeerde zijn gedachten op een rijtje te krijgen toen hij, met de ondergaande zon in zijn rug, opnieuw door de poort van de Tuinen van Lucullus liep. In zijn oren galmde de aanhoudende kakofonie van het spektakel nog na en de bloederige beelden die hij gedurende de vijf uur durende slachting had verzameld, bleven op zijn netvlies gebrand. Toen de eerste groep gevangenen afgeslacht en deels verslonden was, hadden de bestiarii de arena betreden en, met een moed en vaardigheid die Vespasianus zeer bewonderde, de overgebleven leeuwen en beren gedood, wat aan slechts drie van hen het leven kostte. Claudius beweerde de weddenschap gewonnen te hebben omdat er meer leeuwen door beren waren gedood dan andersom, en Vitellius, die zijn kans schoon zag een witje voetje te halen, gaf hem maar al te graag zijn zin.

Na zijn winst zette Claudius geld in op elk bedrijf: hoeveel bestiarii de stieren zouden verscheuren, of de giraffen op zijn minst één wolf konden doden, of de kamelen echt zouden vechten of alleen maar mensen aan het lachen zouden krijgen, en hoe lang de tien Nubiërs, uitgerust met slechts een dolk, het zouden uithouden tegen twee uitzinnige neushoorns, de sterren van het spektakel. Vespasianus verging het erg slecht, hij verloor elke weddenschap waaraan hij van de keizer, die wel van een gokje hield, moest meedoen. Naarmate zijn beurs lichter werd, werden zijn felicitaties aan het adres van de keizer minder hartelijk. Hij ergerde zich mateloos aan de kruiperige felicitaties van Paelignus en hoopte vurig dat die nare hielenlikker niet de provincie zou krijgen waarmee hij zijn financiën weer op orde moest gaan krijgen.

De dobbelspelletjes die Claudius tussen de bedrijven door wilde spelen hadden hem alleen maar nóg meer geld gekost: hij had geen belangstelling voor dobbelen en was dus niet bepaald een deskundige. Er was kennelijk een nieuw boek over dobbelen dat Claudius hem wilde geven, zodat hij de volgende keer wat beter voorbereid zou zijn. Vespasianus had hem bedankt, stralend van gemaakt enthousiasme bij het idee een geleerd boek te kunnen lezen over zo'n nuttig tijdverdrijf. Paelignus had Claudius' dobbelkunst geprezen en daar bedroefd aan toegevoegd dat deze bedrevenheid aanzienlijk had bijgedragen aan zijn huidige armoede.

Nadat er drie- à vierhonderd wilde dieren van allerlei soorten en bijna twee keer zoveel mensen het loodje hadden gelegd, had het publiek de keizer bij diens vertrek toegejuicht tot ze schor waren. Niemand kon bestrijden dat dit een passend hoogtepunt was van de beste spelen aller tijden en de populariteit van Claudius had een hoge vlucht genomen. Niemand plaatste vraagtekens bij het frauduleuze cijferwerk dat deze gigantische propagandastunt mogelijk had gemaakt. De Seculiere Spelen herinnerden de inwoners van Rome er om de zoveel jaar aan dat hun stad iedereen zou overleven, met uitzondering misschien van de vergoddelijkte Julius Caesar en zijn aangenomen zoon, de vergoddelijkte Augustus, wiens bloed door Claudius' aderen stroomde.

Het was evenwel de kille, hunkerende blik in de donkere ogen van Messalina en de tederheid daarin toen ze naar Flavia had gekeken die Vespasianus moeilijk van zich af kon zetten toen hij over het slingerpad door de schitterend aangelegde en bijgehouden themadelen van de welriekende tuinen liep. Hij wist dat hij haar entourage beter kon mijden, wat Flavia nooit had gedaan, al wist hij niet hoe intiem hun vriendschap feitelijk was, en hij wilde daar nu ook liever niet over nadenken. In plaats daarvan liet hij alle zorgen en problemen waarmee hij de eerste twee dagen van zijn verblijf in Rome was geconfronteerd lenigen door de rust van deze fraaie heuvelhelling.

Hij verdrong Flavia's bandeloosheid en bedenkelijke zedelijkheid uit zijn gedachten, net als de wulpsheid van Messalina, het gokgedrag van Claudius, Titus' vriendschap met Britannicus en het feit dat hij nog geen tijd had doorgebracht met Caenis, en genoot in de abrikozengaard van het zachte koeren van de duiven en de zonnestralen die door de bladeren piepten.

'Hij moet minstens tien passen verder naar achteren,' beval een stem achter de bomen.

Vespasianus sloeg een hoek om en keek toen uit op de villa, waar Asiaticus met een goed geklede slaaf, van wie Vespasianus vermoedde dat het zijn huismeester was, voor zijn brandstapel stond. Op het terras achter hen vermaakten de gasten zich.

'Zet hem maar vlak voor de trap naar het terras, hier beschadigen de vlammen de abrikozenbomen.'

'Jawel, meester,' antwoordde de huismeester. In zijn ogen blonken tranen.

'En hou op met huilen, Philologos, op deze manier gaan de gasten zich nog somber voelen. Het moet een vrolijke aangelegenheid worden.'

'Jawel, meester.'

'En jij zou helemaal vrolijk moeten zijn, want in mijn testament staat dat jij verder als vrijgelatene door het leven zal gaan.'

'Ik ben u zeer dankbaar, meester,' zei Philologos, die buigend achteruit wegliep.

'Goedenavond, Asiaticus,' zei Vespasianus nadat hij iets in zichzelf had overwonnen. Hij was onzeker over hoe Asiaticus hem zou ontvangen.

'Ah! De man van de valse beschuldiging. Welkom!' Asiaticus greep Vespasianus verrassend vriendelijk bij de arm. 'Ik wil graag dat u even praat met iemand die hier ook is.'

'Geen probleem, Asiaticus. Maar eerst wil ik u verzekeren dat ik echt niet wist wat mij vanochtend te wachten stond toen ik gisteravond genoot van uw gastvrijheid.'

'Ik geloof u, vriend. Ik neem Pallas niets kwalijk. Mijn lot was bezegeld op het moment dat ik weigerde deze tuinen aan Messalina te verkopen. Toen ze wegging, fluisterde ze Vitellius in dat hij moest vertellen dat ik had gevraagd of ik zelf mocht bepalen hoe ik zou sterven, zodat het leek alsof ik schuld bekende. Pallas wist dat ze mij te grazen zou nemen en probeerde er nog iets goeds uit te slepen. Ik neem aan dat uw broer de dader is?'

'Dat klopt.'

'Nu bent u tenminste eerlijk. Dus door mijn dood wordt hij van zijn last bevrijd.'

'Kunt u zonder wrok accepteren dat u veroordeeld wordt voor een misdaad die u niet hebt gepleegd?' Vespasianus nam een wijnbeker aan van een langslopende slaaf en zette die aan zijn mond.

'Ja hoor, omdat ik weet dat mijn wraak zoet zal zijn.'

Vespasianus haalde de beker meteen van zijn mond.

Op het gezicht van Asiaticus verschenen lachrimpels. Hij pakte de beker, sloeg hem achterover en gaf hem toen terug. 'Er zit geen gif in. Dat vind ik het toppunt van ongemanierdheid, om je eigen gasten te vergiftigen. En u hebt sowieso niets van mij te vrezen, aangezien ik u nodig heb voor mijn wraakoefening.'

Vespasianus dronk de laatste druppels wijn op en keek ongemakkelijk naar zijn gastheer terwijl Philologos met vijf slaven de brandstapel uit elkaar kwam halen. 'Dat is wel het minste wat ik kan doen na wat er vanmorgen gebeurd is.'

'Waarom ik u gekozen heb, heeft niets met vanmorgen te maken.' Asiaticus sloeg een arm om Vespasianus' schouder en bracht hem naar een man die met zijn rug naar hen toe tegen een abrikozenboom stond geleund en over de Campus Martius naar de Zeven Heuvels van Rome keek, die nu overspoeld werden door het zachte avondlicht. 'Deze tuinen zijn zo ongeveer het enige wat goed is aan Rome,' zei Asiaticus en hij maakte een gebaar met zijn vrije hand. 'Hier heersen rust, beschaving – zowel in letterlijke als in figuurlijke zin –, schoonheid en een opvallend mooie kijk op de wereld. Maar omdat ze al die dingen symboliseren, zijn ze ook uiterst aantrekkelijk voor de krachten die in Rome de bovenhand hebben: hebzucht, ambitie en machtswellust. Claudius zei vanochtend dat ik ze aan mijn erfgenamen mag geven, maar ik ben niet gek, ik weet dat Messalina hem zal overhalen ze alsnog in beslag te nemen en aan haar te geven, want iemand die rijkelijk bedeeld is met deze laatste drie eigenschappen zal zoiets moois niet kunnen weerstaan.'

'Ze heeft het al voor elkaar gekregen, Asiaticus, vanmiddag tijdens de spelen.'

'Dat heeft ze snel gedaan,' merkte Asiaticus droog op terwijl ze de man bij de boom naderden.

'Dat heeft ze altijd al goed gekund, haar zin doordrijven,' zei de man, die met zijn rug naar hen toe bleef staan. 'Maar dit keer zal haar hebzucht haar te gronde richten.'

De man draaide zich om en Vespasianus kon zijn verbazing niet verhullen toen hij het even vertrouwde als gehate gezicht met die patricische, hooghartige uitdrukking zag. 'Corvinus!'

'Dag, boertje. Het lijkt erop dat we alsnog vrienden worden. Althans, voor even.'

De gasten applaudisseerden toen het hoofdgerecht werd geserveerd door slaven die zes zilveren schalen boven hun hoofd hielden. Zes geroosterde vogels waarvan de koppen omhoog werden gehouden, zodat het leek alsof ze aan het slapen waren. Bij drie vogels was er een schitterende waaier gemaakt van de indrukwekkende staartveren. De andere drie, de saaiere vrouwtjes, zagen er minder indrukwekkend maar minstens zo smakelijk uit.

'Dat is de enige manier waarop ik mijn pauwen kan meenemen: door ze in mijn buik te hebben als ik verbrand word,' zei Asiaticus tegen de stuk of vijfentwintig senatoren die aan drie aparte tafels zaten en opgewekt op het eten reageerden. 'Ik wil hoe dan ook niet dat de volgende eigenaar ervan geniet, wie zij ook mag zijn.' Er werd wat zenuwachtig gelachen en Vespasianus zag dat er aardig wat ogen in de richting van Corvinus gingen, die naast hem zat, terwijl de slaven op elke tafel een stel pauwen neerzetten.

De aanwezigheid van Marcus Valerius Corvinus was al de hele avond een bron van verwarring geweest, en Corvinus noch Asiaticus had iets gedaan om die te verlichten. Vespasianus ging er maar van uit dat alleen hij en zijn gastheer op de hoogte waren van Corvinus' snode plannen met zijn zus. Maar waarom zijn oude vijand het roer zo drastisch had omgegooid, was onduidelijk gebleven.

Vespasianus boog zich over de tafel en sneed een stuk borst van de mannetjesvogel. Het vlees was perfect gegaard: mals en sappig. 'Volgens mijn oom smaken ze beter dan dat ze klinken,' zei hij tegen Corvinus, die zowaar zonder een spoor van hoon naar hem glimlachte.

'Dat is ook niet zo moeilijk.' Corvinus boog zich naar Vespasianus, want de gesprekken om hen heen werden luider toen de gasten elkaar vertelden wat zij van de zeldzame delicatesse vonden. 'Ik zal de vraag beantwoorden die je niet gesteld hebt: omdat ik niet samen met haar ten onder wil gaan. Het is haar naar het hoofd gestegen en ze denkt te gemakkelijk over dingen. Ze denkt dat Claudius haar verhaal hoe dan ook slikt. Zelfs een boer als jij is pienter genoeg om te weten dat ze daarom een grote fout zal maken.'

'Je beledigingen zijn niet echt bevorderlijk voor mijn hulpvaardigheid, terwijl ik mag aannemen dat je mijn hulp wilt.'

'Het spijt me. Macht der gewoonte. En ja, boertje, dat wil ik inderdaad, al ben ik er kotsziek van dat het lot op jou gevallen is.'

'Ik heet Vespasianus.'

'Klopt. Goed, Vespasianus, ook al liet je mij in Cyrenaica achter bij die slavendrijvers...'

'Uit wier handen ik je heb gered, waarvoor je mij overigens nooit bedankt hebt.'

Corvinus wuifde de opmerking weg en stopte nog een stuk mals vlees in zijn mond. 'En ook al waren jij en die hoorndrager zo brutaal om...'

'Mijn broer heet Sabinus.'

'Klopt.' Corvinus leek het heerlijke vlees met lange tanden te eten. 'Goed, ook al waren jij en je broer zo brutaal een stokje te steken voor mijn poging om na de invasie van Britannia te gaan strijken met Claudius' eer...'

'O, dus nu geef je dat ineens toe?'

'Vespasianus, het heeft geen nut dat tegenover jou te ontkennen. Ik probeer openhartig te zijn.'

'Openhartig? Als je openhartig wilt zijn, kun je me misschien uitleggen waarom je Sabinus zijn vrouw afpakte en haar herhaaldelijk door Caligula liet neuken!'

De gesprekken aan hun tafel verstomden. Corvinus stak verontschuldigend zijn hand op naar hun disgenoten. 'Het spijt me, heren, ik maakte een smakeloze grap.'

'Een grap?' siste Vespasianus toen de gasten hun tongen weer roerden, aangemoedigd door de komst van vier slaven met een bronzen bad. 'Dat was allesbehalve grappig, dat was...'

'Handel! Zoals ik je toen al zei. Hoewel ik me ook herinner dat ik enige voldoening beleefde aan het feit dat het om jouw schoonzus ging. Wat mij betreft stonden we gelijk, na dat gedoe met die slavenhandelaren. Maar het was een slimme zet van me om Clementina aan Caligula te geven.'

Met tegenzin knikte Vespasianus langzaam ter bevestiging en hij sneed nog een stuk van de pauw. 'Haar broer Clemens moest hem toen wel vermoorden, waarmee voor je zus het pad naar de troon geplaveid was. En nu heb je daar spijt van?'

'Het is minder gunstig voor me geweest dan ik hoopte. Over een paar dagen worden Geta en je broer consul, terwijl ik over het hoofd ben gezien en geen zicht heb op een lucratieve provincie. Ze hoeft het Claudius maar in te fluisteren en ik ben consul, maar er gebeurt niets. Sterker nog, ze werkt me alleen maar tegen, uit jaloezie, neem ik aan. Claudius heeft altijd een zwak voor me gehad, dus ze moet hem overgehaald hebben om mij niet tot consul te benoemen.'

'Dat lijkt me eerder het werk van Narcissus.'

'Nee, Messalina zit erachter, daar twijfel ik niet aan. Als het om familiezaken gaat, heeft Narcissus niet zoveel invloed op Claudius. En ze lijkt op dezelfde manier te willen doorgaan, ook al stevent ze recht op haar eigen ondergang af. Maar goed, mij sleurt ze in elk geval niet mee.' Hij zweeg even toen een groep slaven aan kwam lopen met grote kruiken, die ze leeggooiden in het bad. 'Onze gastheer gaat dadelijk afscheid van ons nemen, geloof ik.'

'Een geschikt moment, want hij heeft zojuist het heerlijkste gerecht van de avond laten opdienen.'

Corvinus smoorde een glimlach door zijn tanden te zetten in een dijbeen. 'Maar nu ik toch zo openhartig ben: ik heb je niet betaald gezet wat je in Britannia hebt gedaan, al had ik daar alle gelegenheid toe, met je vrouw en kinderen in het paleis. Dat was eigenlijk het plan toen ik Claudius overhaalde hen naar het paleis te halen.'

'Wat heeft je op andere gedachten gebracht?'

'De zinloosheid ervan. Wat zou het me opleveren? Een kortstondige bevrediging, maar verder niets concreets. Maar de groeiende vriendschap tussen jouw vrouw en Messalina – wordt dergelijk geslijm ook tot vriendschap gerekend, vraag ik me af – daar had ik de afgelopen twee jaar, toen de relatie met mijn zus bekoelde, veel meer aan. Ze heeft me heel interessante dingen verteld over een paar nieuwe gewoonten van Messalina.'

'Je praat met haar?'

'Zo nu en dan. Je weet hoe Flavia is: mensen worden soms erg loslippig als ze indruk willen maken op iemand met meer status.'

'Wat doet ze verder?'

'Met mij? Niets.'

'Met anderen?'

'Heren,' riep Asiaticus en hij verhief zich van zijn bank. 'Ik hoop dat u net zo van deze maaltijd geniet als ik.' Zijn gasten reageerden instemmend in koor. 'Er komen nog drie gerechten die weliswaar niet zo exotisch zijn als deze pauwen, maar minstens zo lekker. Ik zal vanuit mijn bad toekijken hoe u daarvan geniet terwijl het leven mij ontglipt.' Hij stak zijn armen omhoog en zijn huismeester trok zijn tuniek over zijn hoofd. Asiaticus deed zijn lendendoek af, stapte in het bad en ging liggen, met zijn hoofd aan de hoge kant. Hij pakte een beker wijn aan van de slaaf die naast het bad had staan wachten en hief die naar het verzamelde gezelschap. 'Ik vind het alleen spijtig dat mijn dood eervoller zou zijn als die het resultaat was geweest van Tiberius' sluwheid of Caligula's razernij en niet van de valsheid van een vrouw en de venijnige tong van Vitellius. Maar goed, ik mag in ieder geval kiezen hóé ik sterf. Laten we drinken op Rome en op betere tijden voor u allen.'

Alle aanwezigen herhaalden het eerste deel van de dronk en negeerden het tweede, waar Asiaticus zichtbaar van genoot terwijl hij zijn wijn in één teug opdronk. Hij gaf de beker aan Philologos, die zijn meester een korte dolk gaf. Zonder aarzeling zette Asiaticus het lemmet op zijn linkerpols en maakte een grote snee in de lengterichting.

Het bloed gulpte uit de slagader en Asiaticus keek glimlachend op naar zijn gasten. 'Mijn leven loopt ten einde, vrienden. Kom een voor een bij me om afscheid te nemen. Philologos, zeg dat ze het volgende gerecht moeten serveren.'

Bij de huismeester biggelden de tranen over zijn wangen toen hij de opdracht gaf en de eerste gasten – de sfeer was ondertussen bedrukt geworden – kwamen naar voren. Vespasianus en Corvinus gingen ook in de rij staan en wachtten in respectvol stilzwijgen op hun beurt terwijl de schalen met gepocheerde baars in komijnsaus naar buiten werden gebracht.

Nu zijn einde naderde, verspilde Asiaticus geen tijd aan lange afscheidsgroeten, en toen Vespasianus zich vooroverboog om hem een kus te geven, keek de wegzakkende oud-consul hem indringend aan en pakte zijn arm. 'Doe wat Corvinus wil, Vespasianus. Met Messalina's dood zal de mijne gewroken worden en staat u niet langer bij me in het krijt.'

'Dat zal ik doen, Asiaticus. Op mijn woord.' Vespasianus kuste Asiaticus op zijn wang, waarna zijn arm terugzakte in het bloedrode water. Met een laatste knik naar de stervende man sloot hij zich aan bij de wachtende Corvinus en samen liepen ze terug naar de tafel. 'Ik heb het hem beloofd, dus zeg maar wat ik moet doen.'

'Ik wil dat je naar Narcissus gaat en een bijeenkomst regelt. Ik kan hem niet rechtstreeks benaderen, want dan komt Messalina er geheid achter. Ze heeft overal spionnen rondlopen, zelfs hier, denk ik, dus het moet zijn alsof we elkaar toevallig tegenkomen in een menigte. Ik stel voor om het over zes dagen te doen, tijdens de ovatio van Plautius. Zeg hem dat ik op de trappen van de tempel van Jupiter sta.'

'Waarom is het anders als ik het vraag?'

'Hij weet dat wij elkaar haten. Daarom raadde Asiaticus mij aan, hoe smakeloos dat ook mag lijken, om jou als boodschapper te nemen. Narcissus zal het geloven als jij hem vertelt dat ik hem niet zal dwarsbomen of wraak zal nemen als hij mijn zus uit de weg ruimt. Sterker nog, ik help hem er graag een handje bij.' Corvinus greep Vespasianus bij zijn schouder, keek hem indringend aan en dempte zijn stem. 'Zeg tegen hem dat ik weet wat haar plannen voor het rijk zijn voor volgend jaar en dat Claudius daar geen rol in speelt.'

'En jij wel?'

'Ja, maar niet zoals ik het graag gezien had en zeker niet zo dat ik me veiliger zal voelen. Daarom wil ik ze doorspelen aan Narcissus en ben ik bereid met mijn leven te betalen als ze ten onder gaat. Maar om ons te verzekeren van haar ondergang zul je nog iets moeten doen.'

Vespasianus haalde de hand van Corvinus weg toen die harder ging knijpen. 'Ga verder.'

'Je moet Flavia zover zien te krijgen dat ze je alles vertelt wat ze ziet en hoort als ze samen is met Messalina. Als ik zó dicht bij mijn zus een spion heb, weten we altijd precies wat ze van plan is.'

'Dat kun je toch ook zelf.'

'Ik ben niet meer zo dik met Messalina. Mij neemt ze alleen in vertrouwen als ze iets van me wil. Flavia daarentegen heeft een heel nauwe band met haar, nauwer dan normaal is, en krijgt meer te zien en te horen dan ik ooit voor elkaar zou krijgen.'

Vespasianus kneep zijn ogen tot spleetjes. 'Wat wil je daarmee zeggen, Corvinus?'

Corvinus schudde zijn hoofd en trok vol weerzin zijn neus op. 'Laat ik het zo zeggen: als je een kussen deelt, is dat vaak een goed moment om naar andermans geheimen te vissen.'

Vespasianus' vuist vloog naar het gezicht van Corvinus en landde met een doffe klap op zijn kaak. 'Daar geloof ik niets van!'

Corvinus deinsde terug om de klap te incasseren, schudde zijn hoofd, ademde een paar keer langzaam puffend uit en keek toen met hetzelfde hooghartige hoonlachje als vanouds naar Vespasianus. 'Je bent echt een jongen van het platteland: herrie schoppen op het laatste avondmaal van een man die ten dode is opgeschreven is typisch iets voor een lompe boer.' Hij stak zijn handen op om het gezelschap duidelijk te maken dat de ruzie voorbij was en knikte vervolgens naar Asiaticus, die een flauw glimlachje op zijn gezicht wist te toveren. 'Denk wat je wilt, maar jouw vrouw is in Rome hoe dan ook degene die Messalina het beste zou kunnen kennen, omdat Flavia, in tegenstelling tot haar andere minnaars, die niet meer dan bevliegingen zijn, geregeld in het bed van Messalina te vinden is. De enige die dat ook kan zeggen, is Gaius Silius, maar ik denk niet dat ze hem deelgenoot heeft gemaakt van haar plannen, hij is een nietszeggende man die toevallig heel knap is en een goed lichaam heeft. Dus je moet je vrouw vertellen dat ze je ontrouw moet blijven. En wie weet vind je het wel een prikkelende gedachte als je eraan gewend bent geraakt. Goed, je hebt een belofte gedaan aan de man wiens dood je deels op je geweten hebt. Ga je je daaraan houden?'

'Stel dat ik het niet doe.'

'Dan heb je nog minder eergevoel dan het beetje dat ik je toedichtte en zal ik mijn toevlucht moeten nemen tot het bedreigen van je vrouw en kinderen.'

Vespasianus blikte naar de stervende Asiaticus en verloor alle moed. Corvinus wist dat hij niet kon terugkomen op zijn woord. Hij kon aan de gezichtsuitdrukking van zijn oude vijand zien dat Corvinus ervan genoot om hem voor zijn eigen belang in te zetten, maar hij kon weinig doen om dat te voorkomen. 'Ik zal met Narcissus praten en dan zie je hem verschijnen bij de tempel van Jupiter.'

'En dan heb je ook al gesproken met Flavia?'

Vespasianus haalde diep adem. 'Ja.'

Corvinus knikte tevreden. 'Een verstandige beslissing, boertje. Als Messalina het veld heeft geruimd, kunnen Flavia en jullie kinderen het paleis uit en staan wij eens en voor altijd gelijk.'

'Nee, Corvinus, dat staan we dan niet.'

'Het zou heel dom zijn om dit af te wijzen.'

'En van jou zou het dom zijn om te denken dat ik het accepteer.'

'Wat je wilt. Maar goed, uit beleefdheid naar Asiaticus toe moeten we teruggaan naar onze tafel en de maaltijd voltooien.'

Maar eten was wel het laatste waar Vespasianus trek in had.

HOOFDSTUK XVI

Vespasianus sloeg zijn ogen op en zag het vertrouwde witte plafond van Caenis' slaapkamer. Hij rolde zich op zijn andere zij en zag dat hij alleen in bed lag, wat hem niet verbaasde, want de zon was allang op en scheen nu door het matglas van het raam, wat een zacht, verstrooid licht opleverde dat na de gebeurtenissen van de voorgaande dag een kalmerende werking op hem had.

Hij had de maaltijd stilzwijgend vervolgd, met Corvinus kon en wilde hij niet meer praten en in een beleefde babbel met de andere gasten, die net als hij wachtten tot de veerman hun gastheer kwam halen, had hij geen zin gehad. Na een tijdje was er geen bloed meer uit Asiaticus' pols gekomen en was hij aan zijn reis over de Styx begonnen. Met een munt onder zijn tong als betaling voor Charon werd hij naar zijn brandstapel gedragen, waar zijn lichaam door de vlammen werd verslonden zonder schade aan te richten aan zijn geliefde abrikozenbomen.

Vespasianus was vertrokken zodra de brandstapel vlam had gevat en in de open armen van Caenis gevallen. In haar omhelzing had hij zich verloren in het enige wat hij kon vertrouwen: haar liefde. Vrijwel zonder een woord te spreken gingen ze meteen over tot de hernieuwde kennismaking met elkaars lichaam, dat ze sinds hun afscheid aan de noordkust van Gallië, nu vier jaar geleden, aan de vooravond van de invasie van Britannia, niet meer gevoeld hadden. Eenmaal bevredigd waren ze in slaap gevallen en had Vespasianus eindelijk rust gevonden, een rust die, zo wist hij toen de deur openging en Caenis volledig gekleed en met een beker warme wijn binnenkwam, niet lang meer zou duren.

'Heb je geen slaven die de wijn kunnen brengen?' vroeg hij en hij genoot van de aanblik van haar saffierblauwe ogen in het zachte licht.

'Ik ben zelf slavin geweest en weet nog heel goed hoe ik het iemand naar de zin kan maken.'

'Dat heb je gisteravond wel bewezen.'

Ze gaf hem de beker en ging op bed zitten. 'Jij ook.'

Hij legde zijn hand in haar nek, voelde het zachte, gitzwarte haar, trok haar naar zich toe voor een kus en liet zich meevoeren door haar muskusgeur.

'Ik laat je slapen, lief,' zei Caenis enkele tedere tellen later, 'want ik voel dat je niet rustig bent. Narcissus dicteerde me gisteren zijn verslag van Asiaticus' hoorzitting. Je maakt je zeker zorgen over wat Pallas jou heeft gedwongen te doen?'

'Dat niet alleen, schat. Er is nog veel meer, heel veel meer.' Hij hief zijn hoofd met gesloten ogen ten hemel, ademde diep in en keek Caenis toen in de ogen. 'Zes jaar geleden kreeg ik het bevel over de Tweede Augusta en ik ben gewend bevelen uit te delen. Ik nam beslissingen voor mijzelf en voor de mannen onder mij. Tijdens de vier jaar in Britannia functioneerde mijn legioen als een zelfstandige eenheid. Natuurlijk, ik kreeg van Aulus Plautius te horen wat mijn doelen waren, maar ik moest zelf bedenken hoe ik die het beste kon bereiken en iedereen gehoorzaamde me. Daar raakte ik aan gewend. Maar na twee dagen Rome ben ik de controle al kwijt. Ik ben in situaties verzeild geraakt waarin ik helemaal niet wil zitten, door toedoen van mensen die ik niet wil kennen, precies zoals toen ik jonger was. Toen nam ik het voor lief, omdat ik geen andere keus had als ik in deze stad iets wilde bereiken.

Nu ben ik hogerop gekomen. Als ik over vier jaar tweeënveertig word, heb ik recht op het consulschap, het hoogste wat een man van mijn stand kan bereiken. Maar moet je mij nou zien, ik word gebruikt alsof ik een jongetje ben dat voor het eerst in de grote stad is en lijk helemaal niet op een man die een Romeins legioen aanvoerde tijdens een van de grootste militaire operaties sinds Germanicus de Rhenus overstak om de verloren legioenen van Varus te wreken. Ik ben een speelbal in handen van mensen die elkaar bestrijden met als enige doel om in de schaduw van een zwakke keizer zo veel mogelijk macht en rijkdom te vergaren. Ik ben het nu al zat. Ik wil hier weg, maar als ik consul wil worden, een functie die ik voor mijn eigen eer en die van mijn familie met hart en ziel zal vervullen, moet ik hier blijven en mezelf onderwerpen aan de wil van anderen, want zo werkt het nu eenmaal in het huidige Rome.'

Caenis streelde zijn wang. 'We moeten aanvaarden dat onze samenleving zo werkt, lief, want het is een strikte hiërarchie, zoals de mannen onder jouw bevel ook moeten aanvaarden dat er iemand boven ze staat. Het legioen is eigenlijk Rome in het klein.'

'Nee, dat is niet zo. In het legioen worden geen politieke spelletjes gespeeld. In het legioen weet iedereen zijn plek: ik, het groentje, de onbeduidende slaaf. Hier verandert je status elk uur.'

'Wat is er allemaal gebeurd, lief?'

En toen stortte hij zijn hart uit: Corvinus, Messalina, Flavia, Pallas en Narcissus, mensen die Caenis allemaal kende en doorgrondde, vooral omdat ze de secretaresse van Narcissus was, de rijkssecretaris.

'Ik weet zeker dat Corvinus zijn dreigementen uitvoert als het om Flavia en de kinderen gaat,' zei Caenis toen Vespasianus klaar was met zijn verhaal. 'Hij weet dat Narcissus hem nooit vergeven heeft dat hij zich de invasie heeft toegeëigend voor zijn persoonlijk gewin, dus hij vecht voor zijn leven. Hij heeft niets te verliezen.'

'Wat moet ik doen?'

'Je moet doen wat hij wil en tegen Flavia zeggen dat ze naar bed moet blijven gaan met Messalina.'

'Doet ze dat dan echt?'

Caenis perste haar lippen op elkaar en haalde haar schouders een stukje op. 'Tja, lief, ik weet het niet. Zulke dingen zou ze nooit tegen mij zeggen en waarschijnlijk tegen niemand. Maar waarom zou Corvinus je zoiets vertellen als het niet waar was?'

Deze bevestiging verbaasde Vespasianus niet, maar hij schoof de informatie terzijde. Het had geen zin om daar verder over na te denken, niet zolang hij Flavia er niet mee kon confronteren. 'En zal Narcissus instemmen met een gesprek met Corvinus?'

'Narcissus laat nooit een kans voorbijgaan om zijn positie te versterken. Maar je moet wel vandaag naar hem toe gaan, want morgen gaat hij met Claudius naar de bouwwerkzaamheden in de nieuwe haven kijken en hij komt pas de dag voor Plautius' ovatio terug.' Met een schuin hoofd en een onschuldige blik voegde ze eraan toe: 'En voor jou is het gratis.'

Vespasianus was verbijsterd. 'Je laat mensen betalen voor een afspraak met Narcissus?'

Caenis trok samenzweerderig haar wenkbrauwen op. 'Natuurlijk. Hij is de machtigste man van het rijk en mensen kunnen hem alleen via mij te spreken krijgen. Ze willen grof geld betalen voor een snelle afspraak, en ik zou wel heel dom zijn om dat geld niet aan te nemen.'

Vespasianus liet dit even bezinken. 'Dat zou inderdaad dom zijn, ja. Niemand krijgt tenslotte geld voor zijn diensten aan Rome.'

'En ik heb een van de belangrijkste artikelen in de verkoop en verdien daar aardig aan.'

Vespasianus glimlachte en gaf Caenis nog een kus. 'Zelfs de mooiste vrouw in Rome verkoopt haar gunsten.'

'Handel, lief. Er is niets mis met de vergaring van rijkdom.'

'Dat ben ik met je eens, maar ik ben opgegroeid met het idee dat je rijk wordt door hard te werken.'

'Ieder zijn manier. Maar vergeet niet dat elke denarius die je laat liggen bij een ander terechtkomt, en aangezien geld macht is, kun je je het best verdedigen tegen de machtigen door even rijk te worden als zij, en bij voorkeur zo snel mogelijk.'

'En door onderwijl de anderen minder rijk te maken.'

'Precies.'

Vespasianus dacht even na en speelde met Caenis' hand. 'Dus ik moet deze situatie, die me is opgedrongen, met dat doel voor ogen gebruiken. Als ik de aanval kies en het me ook nog wat oplevert, zal ik me een stuk beter voelen.'

Caenis boog zich naar voren en wroette in zijn nek. 'Zo mag ik het horen.'

Vespasianus reageerde, voelde de opwinding van de vorige avond terugkomen. 'Als Corvinus echt wil dat ik een afspraak met Narcissus regel om te onderhandelen over zijn leven, dan moet hij dus betalen voor het voorrecht.'

'Zoals iedereen doet. Maar jij hebt al toegezegd het voor niks te doen.'

'Dus moet ik een andere manier vinden om geld van hem los te weken.'

'Dat gaat je vast lukken, lief.' Caenis maakte nu werk van zijn oorlelletje, dat ze steeds zacht aantikte met haar tong. 'En omdat ik liever zelf macht over jou uitoefen dan dat ik de eer aan Messalina laat, leen ik jou het geld voor de schuld van Flavia, want ik kan het me veroorloven. Voel je je al iets beter?'

'Ik heb het nu meer in de hand,' zei Vespasianus en hij schoof de stola van haar schouder en kuste haar huid. 'Sterker nog, ik voel me weer echt een man.'

'Daar zeg je nogal iets. Ik ben benieuwd of die stelling bij kritische beschouwing overeind blijft.'

Hij rolde haar op haar zij. 'Daar reageer ik niet op.'

'Dat verwacht ik ook niet van je.' Ze glimlachte met een ondeugende twinkeling in haar ogen, liet zich zakken en kuste zijn borst. 'Laat dat maar aan mij over.'

'Ik ben benieuwd.'

Caenis' mond zocht kussend een weg naar beneden terwijl Vespasianus glimlachend naar het plafond keek en toen zijn ogen sloot.

Een ogenblik later opende hij zijn ogen: er werd zacht op de deur geklopt.

'Meesteres?' klonk het aan de andere kant.

'Wat is er?'

'Magnus, de vriend van de meester, is hier. Hij zegt dat het heel belangrijk is.'

'Weet je zeker dat hij het was?' vroeg Vespasianus aan Magnus toen ze zich over de drukke Alta Semita spoedden, de drukke hoofdstraat over de Quirinaal.

'Ik heb hem zelf niet gezien. Mijn jongens hielden alle gladiatorenscholen in de stad in de gaten. Marius en Sextus hebben me laten weten dat een man die beantwoordde aan de beschrijving van Theron kort na zonsopkomst bij de school aan de Campus Martius was gearriveerd. Ik weet niet of hij daar nog steeds is, maar de jongens verliezen hem niet uit het oog. Als u er niet zo lang over had gedaan om u "aan te kleden", zouden we er al zijn geweest.'

Vespasianus mompelde een excuus.

'Ik ken niemand die er een halfuur over doet om zijn lendendoek, tuniek, riem, sandalen en toga aan te trekken, en dan moet u ook nog hulp hebben gehad, want Caenis kwam tegelijk met u de slaapkamer uit.' Magnus wierp Vespasianus een volmaakt onschuldige blik toe. 'Ik snap er niets van.'

'Wat heb je met je oog gedaan?' vroeg Vespasianus, die het liever over iets anders had.

Magnus bracht zijn hand naar zijn linkeroog, dat zonder iets te zien roerloos, op een heel onnatuurlijke manier, recht vooruit staarde. 'Ik heb er een van glas gekocht. Best goed toch?'

'Niet van echt te onderscheiden,' loog Vespasianus toen ze langs de onoverdekte tempel van Sancus liepen, de god van trouw, eerlijkheid en gelofte.

'Dat zeggen de jongens ook allemaal. Dat ze heel goed moeten kijken om te zien dat het een nepoog is.'

Vespasianus onderdrukte een glimlach en hield zijn mening voor zich. Ondertussen liepen ze door de Porta Sanqualis de Campus Martius op.

De kruispuntvrienden van Magnus, Marius en Sextus, twee krachtpatsers van in de vijftig, leunden tegen een van de bogen in de gevel van het Circus Flaminus en verorberden samen een stuk brood en een ui.

'Hij is nog steeds binnen,' zei Marius en hij wees met de in leer gebonden stomp aan het einde van zijn linkerarm naar een fors complex naast het theater van Balbus. De enige poort in de hoge muur werd goed bewaakt. 'Dat is de ingang.'

'Dank je, Marius,' zei Vespasianus en hij gaf de beide mannen een paar sestertiën. 'Had hij iemand bij zich toen hij naar binnen ging?'

'Sextus heeft hem gezien. Ik zat net te schijten in het badhuis van Agrippa.'

Vespasianus ging opeens ernstig twijfelen aan de waarneming toen hij de kameraad van Marius opnam. 'En?'

Sextus krabde op zijn gladgeschoren hoofd en kneep zijn ogen dicht, alsof hij een ingewikkelde som aan het uitrekenen was. 'Minstens vier man, heer,' verkondigde hij ten slotte zichtbaar opgelucht.

'Minstens?'

'Misschien vijf of zes.'

Vespasianus liet niets blijken van zijn ergernis en besloot niet verder te vragen naar het gezelschap van Theron, als het inderdaad Theron was. 'Goed, daar komen we snel genoeg achter. Blijven jullie hier, jongens. Naast het badhuis is een herberg, waar wij nu gaan ontbijten. Als ze naar buiten komen, moet een van jullie ons halen.'

'Theron!' riep Vespasianus en hij zette er flink de pas in om zijn prooi in te halen, met Magnus en zijn broeders in zijn kielzog.

De Macedoniër draaide zich niet om, ook al moest hij hebben gehoord dat iemand zijn naam riep. Hij liep in de schaduw van de tempel van Jupiter, die rechts hoog op de Capitolijn stond, werd omringd door acht oud-gladiatoren en een jongen met een parasol en liep in de richting van de Porta Carmentalis.

Het ergerde Vespasianus dat Theron deed alsof hij niets hoorde, maar hij ging niet rennen: het was beneden zijn waardigheid als senator om op straat achter een slavenhandelaar aan te hollen.

Toen de Macedoniër zich een weg moest banen door de menigte die uit de poort stroomde, wist Vespasianus bij hem te komen. 'Als je mij nog een keer negeert, Theron, ben je mij meer schuldig dan alleen maar geld.'

Theron draaide zich om. Hij deed zijn best om zo innemend mogelijk te glimlachen en stapte met zijn armen wijd op Vespasianus af, alsof hij een verloren gewaande vriend begroette. 'Excellentie, ik wist niet dat u terug was in Rome. De goden zij dank voor uw veilige terugkeer. De verhalen over uw dappere avonturen zijn u vooruitgesneld en het is een eer door u te worden aangesproken.'

'Dat zal gerust, Theron, en ik weet zeker dat je het ook een eer vindt om je schuld in één keer af te lossen.'

'Edele senator, een groter genoegen kan ik mij niet indenken, maar het spijt mij u te moeten zeggen dat ik zojuist een partij heb aangekocht en dat ik...'

'Laat die smoesjes maar zitten, Theron, u hebt de partij die u mocht uitkiezen allang verkocht en dus krijg ik geld van u. Ik wil dat het vanmiddag wordt afgeleverd bij het huis van mijn oom Gaius Vespasius Pollo op de Quirinaal, met de verkoopaktes erbij, die ik zal nagaan bij alle betrokken partijen om me ervan te vergewissen dat u me niet bedriegt. Als dat niet gebeurt, ben ik gedwongen me aan het contract te houden dat u ondertekend hebt.'

Theron deed alsof hij zich doodschrok: hij opende zijn mond en zette grote ogen op. 'Niet voor de rechter! Dan wordt ons smerige handeltje voor de rechter in het openbaar gebracht. Hoe vernederend! En wat een schande voor u, senator.'

Vespasianus deed een stap naar voren en duwde zijn gezicht bijna tegen dat van Theron aan. 'Ik ben niet van plan met het contract naar de rechter te stappen, juist om de redenen die u zojuist noemde.'

Theron lachte spottend. De schijn van onderdanige vriendelijkheid was verdwenen. 'Wat gaat u dan doen om ervoor te zorgen dat ik betaal?'

'Ik raad u dringend aan het geld vanmiddag af te leveren, omdat ik vermoed dat u daar liever niet achter komt, en ik denk dat u er al helemaal niet achter wilt komen hoe ik ervan geniet als ik doe wat ik van plan ben. Vergeet niet, Theron, dat ik u echt niet mag.'

Theron schraapte zijn keel en spuugde voordat hij zich omdraaide vlak voor Vespasianus' voeten op de grond.

Vespasianus verlaagde zich niet tot een reactie op deze belediging. 'Ik denk dat ik genoeg weet. Laat een van jouw jongens hem volgen en zoek uit waar hij woont, Magnus.'

'Wilt u niet dat ik regel dat zijn huis een beetje verwarmd wordt, zogezegd?'

'Nee, maar bedankt voor het aanbod. Hij is mijn prijs voor de medewerking van Flavia.' Hij liet zich de verwarde blik op het gezicht van zijn vriend welgevallen en liep toen weg richting het paleis, vastbesloten om met een gesprek met zijn vrouw zijn zaken weer enigszins onder controle te krijgen.

Flavia stond met uitdagende blik tegenover Vespasianus, haar armen hingen strak langs haar lichaam en haar schouders beefden. 'Van wie heb je die valse leugen gehoord?'

'Het is geen leugen. Ik heb gisteren in het circus gezien hoe jij en Messalina naar elkaar keken. Ik kreeg toen al een idee van wat er gaande was, al kon ik het nog niet echt geloven. Maar toen ik gisteravond een bevestiging kreeg, wist ik dat het waar moest zijn, want het verraste me niet echt.'

'Het is niet waar!'

'Niet schreeuwen, Flavia.' Vespasianus kwam uit zijn stoel en liep snel naar de deur van het triclinium en gooide die open. Hij knalde tegen het hoofd van twee slavinnetjes van Flavia. 'Hoepel op! En kijk wie er aan het langste eind trekt, want een van jullie wordt verkocht. En zeg tegen de rest van de huishouding dat ik iedereen van de hand doe die luistervinkje speelt bij onze persoonlijke gesprekken.'

De vrouwen namen de benen, te bang om te smeken om vergiffenis.

Vespasianus smeet de deur dicht en keerde zich woedend naar Flavia. 'Laten we ophouden met dit welles-nietes. Geef het nou maar gewoon toe, dan kunnen we bespreken hoe we de situatie kunnen uitbuiten.'

Flavia rukte een ivoren kam uit haar haar en gooide die naar haar echtgenoot. 'Wat moest ik dan doen in die zes jaar? Elke avond onbevredigd in slaap vallen als een Vestaalse maagd? Ik heb voor jou de trouwe echtgenote gespeeld, ik ben vier jaar kuis geweest.'

'En toen ging je vreemd!'

'Met een vrouw, ja!' schreeuwde Flavia. 'Dat is niet hetzelfde.' Ze wees naar de bank waarop ze de liefde hadden bedreven. 'Na jouw vertrek heeft geen man mij aangeraakt, totdat jij me daar genomen hebt toen je weer thuiskwam. En ga me niet vertellen dat jij al die tijd geen andere vrouw hebt gehad. Caenis is een paar maanden bij je geweest, en dan waren er ook nog al die gevangenen.'

'Wat ik heb gedaan doet er niet toe, mens. We hebben het over jouw kuisheid, of liever het gezegd het gebrek daaraan, terwijl ik heel ver weg Rome diende.'

'Ik was kuis! Er is niemand in mij geweest. Ik heb zes jaar lang geen stijve penis gevoeld. Weet je hoe moeilijk het was om mezelf dat te ontzeggen? Kun je je voorstellen hoe groot mijn verlangen was, hoe de beelden zich dag en nacht aan me opdrongen, hoe ik beefde van verlangen als ik de geur van een man opving? Ik moest iets doen om te voorkomen dat ik brak en de eerste de beste slaaf besprong, zoals veel vrouwen doen. Maar dat heb ik niet gedaan, uit respect voor jou, mijn echtgenoot, hoewel ik maar al te goed wist dat jij niet op die manier rekening met mij hield, wat ik trouwens ook niet van je verwacht. Messalina bood een ander soort troost, niet zo bevredigend, maar in ieder geval wel een lichamelijke. Nu jij terug bent heb ik die niet meer nodig, dus ga ik niet meer met haar naar bed.'

Vespasianus staarde zijn vrouw met open mond van verbazing aan. 'Heb je enig idee wat er gebeurt als je een einde maakt aan jullie verhouding?'

'Ze begrijpt het heus wel, nu jij terug bent.'

'Ze begrijpt het wel? Hoe goed ken je die vrouw eigenlijk?'

'Ze is de keizerin en we zijn vriendinnen sinds Claudius mij aanbood in het paleis te komen wonen. We weven samen en praten over de kinderen en...'

'En doen wat vrouwen zoal doen als ze samen zijn. Spaar me de bijzonderheden, ik kan me er iets bij voorstellen.'

'Vast en zeker.'

'Betrekt ze jou niet in haar andere verhoudingen, probeert ze je in bed te krijgen met haar andere minnaars?'

'Ze heeft het voorgesteld, maar dat wilde ik niet.'

'Je hebt nee tegen haar gezegd?'

'Inderdaad, manlief. Ik weet wat ze doet, ze neemt me in vertrouwen. Ik weet van al haar mannen, ik weet dat ze de stad in gaat en hoereert in ruige bordelen. Dat wil ik niet, althans, dat stond ik mezelf niet toe. Ik geniet gewoon van haar op de momenten dat ze mij wil.'

'En je weet wat er met de mensen gebeurt die nee tegen haar zeggen?'

'Die eindigen in het graf of worden verbannen.'

'En toch denk je dat je gewoon tegen haar kunt zeggen: "Het is leuk geweest, Messalina, maar in jouw gezelschap hou ik mijn benen voortaan bij elkaar"?'

'Ze houdt van Britannicus en hecht veel waarde aan zijn vriendschap met Titus. Ze doet mij heus geen kwaad als ik "mijn benen bij elkaar hou".'

'Luister goed, je gaat haar niet afwijzen. Je gaat er gewoon mee door.'

'Wat bedoel je daar in Moeder Isis' naam nou weer mee?'

Vespasianus kalmeerde toen hij merkte dat ze in de war raakte. 'Flavia, je bent niet uitgenodigd om in het paleis te komen wonen omdat ze jou of mij een gunst of eer wilde bewijzen. Integendeel, Claudius deed jou het aanbod namens iemand die wraak wil nemen op mij, die mij bang wilde maken door te laten zien dat hij met mijn gezin kon doen wat hij wilde.'

'Wie doet zoiets nou?'

'De broer van Messalina.'

'Corvinus? Maar die is altijd zo beleefd tegen mij. Hij was een paar keer op bezoek en heeft toen zelfs Titus op zijn knie gehad.'

Vespasianus huiverde bij de gedachte. 'Hij had niets anders dan kwaad in de zin en heeft dat misschien nog steeds. We zijn niet veilig. Hij is erachter gekomen dat jij iets met Messalina hebt en wil dat uitbuiten, en eerlijk gezegd zou het dom zijn om er zelf niet van te profiteren.'

'Hoe bedoel je?'

'Ik bedoel dat voor Messalina het tij is gekeerd en dat ze niet lang meer onder ons zal zijn. Corvinus spant tegen haar samen, en als hij druk uitoefent op Narcissus en Pallas zullen die Claudius er vrij snel van overtuigen dat ze niets waard is. Maar daarvoor hebben ze wel iemand nodig die op de hoogte is van haar activiteiten en, indien mogelijk, van haar plannen.'

Flavia legde een hand op haar borst. 'Ik?'

'Inderdaad, liefje, jij. Je moet doen alsof er niets aan de hand is. Je moet tegen haar zeggen dat ik weliswaar terug ben, maar dat jullie elkaar de – hoe zei ze het ook alweer? – o ja, de nectar niet hoeven te onthouden. Je kust haar teder, kreunt als ze je aanraakt en luistert naar haar verhalen. Als Narcissus instemt met het voorstel van Corvinus, zal hij onthullen wat ze van plan is en is het verder aan jou om ons op de hoogte te houden van de voortgang. Als we bijdragen aan haar ondergang, zal ons dat geen windeieren leggen.'

'Ik moet dus hoereren omwille van jouw politieke loopbaan.'

'Nee, Flavia, dat is geen hoereren, net zomin als slapen met een andere vrouw hetzelfde is als vreemdgaan. Dat zei je zo-even zelf nog. Dit is puur zakelijk. Goed, het zijn zaken waar ik liever niets mee te maken heb, maar aangezien we door jouw verhouding met die feeks in een politiek wespennest zijn beland, rest ons weinig anders dan er weer levend uit te komen en tegelijk een mooie slag te slaan.'

Flavia plofte neer op de bank. 'Hoe kan ik doen alsof er niets aan de hand is terwijl ik in een complot zit om haar te gronde te richten?'

'Dat lukt je heus wel. Het lukte je net ook om tegen mij te liegen en te doen alsof je me trouw was gebleven. Denk er maar aan dat deze vrouw de dood van meer dan honderd senatoren en edelmannen op haar geweten heeft. Asiaticus was de laatste in de rij. Er zullen er nog velen volgen als zij aan de macht blijft, en de kans bestaat dat ik er een van ben als ik niet inga op haar toenaderingspogingen.'

'Ze zal jou geen kwaad doen, jij staat onder mijn bescherming.'

'Onder jouw bescherming! Flavia, wie hou je eigenlijk voor de gek?' schimpte Vespasianus. 'Trouwens, dit is onze kans om munt te slaan uit jouw affaire met Messalina.'

'Maar we hebben al een schuld bij haar.'

'Ik ben nu in de gelegenheid om die af te betalen en schoon schip te maken, zodat ik haar voorlopig niets verplicht ben. Het zou evenwel zonde zijn als ze de Styx oversteekt op het moment dat wij geen schuld bij haar hebben, dus tegen die tijd moet je haar om nog een lening vragen, twee keer zo groot als de eerste. Zeg dan dat je het buiten mij om doet, ze stelt het vast op prijs als het iets tussen jullie twee is.'

'Zodat er na haar dood niets van terug te vinden is?'

'Precies. Zonder schuldbrief kunnen wij het geld houden en levert jouw noeste arbeid ook nog wat op.'

'Ik wil niet dat je er zo over praat, Vespasianus, dat is niet eerlijk.'

'Hoe moet ik het anders zeggen? Ze brengt geld op omdat je seks met haar hebt.'

'En als ze het niet wil?'

'Als jij alles in het werk stelt om dat te voorkomen, zal dat mijn houding naar jou toe ten goede komen. Zo niet, dan zal dat mijn houding naar Caenis toe uiterst positief beïnvloeden, want zij heeft mij het volledige bedrag geleend om jóúw schuld af te betalen.'

'Speel mij niet tegen haar uit, Vespasianus, zeker niet na alle begrip die ik heb getoond. Ik smeek het je.'

Vespasianus zweeg even en ademde diep in terwijl hij het gekwelde gezicht van zijn vrouw opnam. Met een verzoenend hoofdknikje en een halve glimlach stak hij zijn hand uit. 'Je hebt gelijk, liefste, dat had ik niet moeten zeggen. Doe wat je kan.'

Flavia pakte de verzoenende hand en drukte die tegen haar wang. 'Dat zal ik doen, manlief. En het spijt me, ik was zwak en dacht niet na over de gevolgen van mijn gedrag.'

Vespasianus nam haar gezicht in zijn hand. 'Het komt allemaal goed als je de komende maanden doet wat je moet doen, of hoe lang het ook mag duren. Maar nu zou ik de kinderen graag zien.'

'Natuurlijk, manlief, dan stuur ik ondertussen het meisje weg dat aan het kortste eind heeft getrokken. Als we iets niet willen, dan zijn het wel slaven die hun neus...'

Ze werd onderbroken door een klop op de deur.

'Binnen.'

De deur ging open. Het was Cleon, de huismeester.

'Wat is er?'

'Caenis heeft een boodschap gestuurd voor de meester. De secretaris wil hem het vierde uur ontvangen.'

'Ik neem aan dat u niet hebt hoeven betalen om zo snel een afspraak te krijgen,' merkte Narcissus op toen Vespasianus werd binnengelaten in zijn werkkamer, 'althans niet met geld.' Even leek een charmante grijns zijn gezicht te sieren, wat een zeldzaamheid was. Toen wees hij naar de stoel aan de andere kant van de schrijftafel.

'Zo maken we allemaal gebruik van de middelen die we tot onze beschikking hebben, secretaris.' Vespasianus ging zitten en schikte zijn toga. Hij voelde de indringende blik van Narcissus op hem rusten.

'En welk middel wilt u nu benutten? Hou het kort, want ik moet met de keizer naar Ostia om de voortgang van de bouw van de nieuwe haven te bekijken.'

'Een manier om meer inzicht te krijgen in de plannen en gedachten van Messalina.'

'Daar weet ik genoeg van.'

'Via haar naasten en geliefden, of alleen via de roddels die de spionnen oppikken?'

'Alleen het laatste, dat is waar.'

'Nou, ik kan het eerste voor u regelen.'

Narcissus zette zijn handpalmen tegen elkaar, tikte met zijn wijsvingers tegen zijn tuitlippen en nam Vespasianus aandachtig op. 'En wat staat daartegenover?'

'U zal het niets kosten.'

'Wat wilt u dan?'

'Ik heb drie verzoeken. Degene die de diensten aanbiedt, wil dat ik een ontmoeting tussen jullie regel. Deze persoon wil niet direct contact met u zoeken, uit vrees dat de spionnen van Messalina erachter komen. In ruil voor de garantie dat deze persoon in leven blijft, kan eerder genoemde ervoor zorgen dat u informatie krijgt waarmee u Messalina te gronde kunt richten. Ik wil dat u deze persoon laat betalen voor het contact met u, tweehonderdvijftigduizend denarii om precies te zien, waarvan ik de helft krijg.'

'Dat is veel geld.'

'Mijn contactpersoon heeft het ervoor over, het gaat tenslotte om diens leven.'

'Dat is waar. En stel dat u die ontmoeting regelt en ik uw deel in eigen zak steek?'

'Ik word vooraf betaald en ik geef u voorafgaand aan de ontmoeting uw aandeel.'

'En als ik 'm smeer nadat ik het geld heb ontvangen?'

'Dan krijgt u niet te horen wat Messalina tussen de lakens loslaat.'

'Die minnaars zijn echt niet zo dom om tegenover mij toe te geven dat ze met haar naar bed gaan, ook al heb ik ondertussen al een lijstje met namen. Er zullen aardig wat koppen rollen als ze ten onder gaat.'

'Als Claudius na al die tijd echt denkt dat zijn vrouw hem ontrouw is, dan zal hij iedere man die met haar naar bed is geweest willen straffen, denk ik zo.'

'Dat kan helemaal niet, want dan zijn we de halve Senaat kwijt, de officieren van de praetoriaanse garde en al die burgers die het bordeel bezoeken waarin zij hoereert wanneer ze zin heeft in een ruig feestje. Maar haar vaste minnaars zullen zeker sterven, met hen zal hij geen genade hebben.'

'Maar als ik Claudius was, zou ik misschien wel genade hebben met een vrouw, áls ik al zou ontdekken dat ze iets met mijn vrouw had.'

Narcissus boog zich naar voren, dit vond hij interessant. 'Een vrouw, zegt u? Ik weet dat ze het wel eens met een groep mannen en vrouwen doet, maar van een vaste minnares weet ik niets.'

'Die heeft ze al twee jaar, en ze bespreekt alles met haar.'

'De informatie van zo'n bron is onbetaalbaar. Weet u zeker dat u die kan leveren en dat de bron betrouwbaar is?'

'Dat weet ik zeker, Narcissus, want die bron is mijn vrouw.'

Vespasianus had nog nooit een verraste Narcissus gezien, maar nu wel. Hij zag zijn ogen iets groter worden en zijn handen naar de schrijftafel zakken.

'Ik moet toegeven dat ik daar geen weet van had.'

'Het is echt zo. Flavia heeft het me zojuist bekend.'

'En u wilt deze... eh... regeling door laten gaan?'

'Als gunst aan u, ja.'

'En welke gunst wilt u in ruil daarvoor van mij?'

'Mijn tweede verzoek is net zo eenvoudig als het eerste.' Vespasianus haalde een rol uit de plooi van zijn toga. 'Kent u Theron, de slavenhandelaar?'

Narcissus dacht even na, liep de enorme hoeveelheid informatie in zijn hoofd door. 'Heeft hij niet een vergunning om in Britannia gevangenen te kopen?'

'Dat klopt.' Vespasianus rolde het document open en legde het tussen hen in op tafel. 'Dit is een contract dat ik met hem heb afgesloten en dat hem het exclusieve recht verschafte een keus te maken uit de gevangenen in ruil voor een percentage van hun opbrengst. Nu weigert hij zijn afspraken na te komen.'

Narcissus pakte het document op en las het door. 'Omdat hij denkt dat u hem niet aanklaagt omdat u dan het risico loopt in deze keizerlijke tijden een iets te "republikeinse indruk" te maken?'

'Daar gokt hij op, maar ik heb hem niet een contract laten teken om hem te kunnen aanklagen. Ik heb het gedaan om het te kunnen gebruiken in een situatie als deze. Ik heb keurig de wet nageleefd: de keizer heeft zijn belasting gekregen voor de verkoop in Britannia en ik neem aan dat Theron niet zo dom is geweest om hier in Italië geen belasting af te dragen.'

'Dat is wel aan te raden, ja. Wat wilt u dat ik doe?'

'Ik wil dat u zijn vergunning voor Britannia intrekt, hem verbiedt handel te drijven in Italië en hem duidelijk maakt dat hij niet op uw gunst hoeft te rekenen, tenzij hij zijn verplichting aan mij nakomt en een toeslag van honderd procent betaalt.'

Narcissus trok zijn wenkbrauwen op. 'Bepaald goedkoop is het overspel van uw vrouw niet.'

'Ik wil gewoon iets overhouden aan een situatie die mij niet bevalt.'

'Goed. Ik laat Caenis die Theron ontbieden zodra ik terug ben uit Ostia.'

'Ik laat hem volgen om erachter te komen waar hij woont. Ik zal haar het adres geven.'

'Heel goed. Om mijn welwillendheid te tonen, zal de zaak rond zijn tegen de tijd dat ik de geheimzinnige kennis van Messalina ontmoet. Hoe regelen we dat?'

'Bij de ovatio van Plautius kunt u ons vinden op de trappen van de tempel van Jupiter. Kijk naar ons uit. Het zal zijn alsof we elkaar toevallig tegenkomen, want hij wil niet het risico lopen om...'

'Hij?'

'Wat zegt u?'

'U zei niet of het een man of een vrouw is, ik dacht omdat het een vrouw is. Misschien een van haar nichten, Vipstania bijvoorbeeld, de zus van de gebroeders Vipstanus Messala.'

'Omdat ik weet hoe de politiek in Rome werkt, wilde ik zo veel mogelijk informatie voor mezelf houden.'

Narcissus knikte en spreidde zijn handen. 'U bent goed opgeleid.'

'Ik had goede leraren.'

'Dat beschouw ik als een compliment.' Narcissus stond op en gaf daarmee aan dat het gesprek ten einde was. 'Ik zal bij de ovatio naar u uitkijken. Ik heb het vermoeden dat u Lucius Vipstanus Messalla bij u zal hebben. Ik heb gehoord dat hij misnoegd is omdat ik zijn benoeming tot consul heb tegengehouden en Messalina Claudius niet heeft kunnen overreden om mijn beslissing terug te draaien. Misschien wil hij dat ik dat doe in ruil voor het leven van zijn nicht.'

Vespasianus stond met stoïcijnse blik op. 'Wie weet, Narcissus.'

'Ik zou liever Corvinus zien, maar dat is te mooi om waar te zijn, een samenwerking tussen jullie, ik denk niet dat u al zover bent. Maar in de politiek verrast weinig mij meer.'

Vespasianus haalde onverschillig zijn schouders op. 'Voordat ik ga wil ik nog mijn derde verzoek bespreken, het moeilijkste van de drie.'

'Ga door.'

'Als dit allemaal voorbij is, wil ik dat u Claudius overhaalt om mij toestemming te geven mijn gezin uit het paleis te halen. Als hij wil dat Britannicus zijn scholing met Titus krijgt, kan die elke dag naar het paleis komen, maar ik moet Flavia daar weghalen, voordat ze al mijn geld uitgeeft en me weer in de problemen brengt.'

Narcissus pakte het contract van Theron van tafel. 'U verlangt veel van me.'

'Ik geef ook veel.'

'Als ik alles krijg wat u belooft, zal ik het regelen.'

'Dank u,' zei Vespasianus en hij draaide zich om. Voor het eerst in zijn politieke loopbaan had hij niet het gevoel er geen syllabe van te snappen. Hij liep met bonzend hart naar de deur en trok die tevreden glimlachend achter zich dicht.

HOOFDSTUK XVII

De inwoners van Rome verzamelden zich al ruim voor zonsopkomst langs de route van de ovatio. Nu, aan het begin van het derde uur, wemelde het in het centrum van mensen die het spektakel niet wilden missen en een graantje wilde meepikken van de bijbehorende goedgeefsheid. Elke straat was volgestroomd en er was niet één mooie plek meer te vinden langs de route, die vanaf de Porta Triumphalis – de poort aan de voet van de Quirinaal die alleen werd geopend voor een triomftocht of een ovatio – over de Via Triumphalis, onder de Palatijn langs, in de schaduw van de tempel van Apollo, langs het Circus Maximus, terug naar de Via Sacra en dan naar het Forum Romanum liep.

Vespasianus liep met Gaius en Sabinus en de andere senatoren in de snel toenemende hitte vanaf de Curia naar het verzamelpunt in de schaduw van de Muur van Servius. Daar zouden ze Aulus Plautius verwelkomen in Rome, waar hij zijn bevel officieel zou teruggeven en, dankzij de goedgunstigheid van de keizer, een kleine triomf mocht vieren.

'Waar is Claudius?' vroeg Vespasianus aan Gaius en hij keek naar het begin van de stoet, waar de twee vertrekkende consuls ieder achter hun twaalf bijldragers liepen.

'Ik heb geen flauw idee, jongen, maar ik neem aan dat hij vandaag doet waar hij zin in heeft. Onze moderne tijd kent geen traditie voor een ovatio voor een man die niet tot de keizerlijke familie behoort. Claudius hoeft zich nergens iets van aan te trekken.'

Sabinus veegde met een zakdoek het zweet van zijn wangen. 'U bedoelt toch zeker dat hij kan doen wat zijn vrijgelatenen willen?'

'Dat komt op hetzelfde neer, jongen.'

De senatoren kwamen aan bij de Porta Triumphalis en stelden zich op aan weerszijden van de straat. De menigte werd stil en de spanning steeg. In de straat hing de geur van geroosterd vlees en vers brood, afkomstig uit de keukens die waren opgezet om de toeschouwers de hele dag en avond van eten te kunnen voorzien. Er werd hard op de poortdeuren gebonkt, waarna de consuls naar voren traden en de grendels weghaalden terwijl de bucinae, cornua en *tubae* – in de voorhoede van de stoet die op de Campus Martius wachtte, aan de andere kant van de muur – voor het eerst die dag schalden. De deuren zwaaiden langzaam open, de mensen juichten en joelden massaal en de voorste hoornblazers liepen met statige tred door de poort.

Langzaam marcheerde de ene rij muzikanten na de andere de stad in, uit hun hoorns schalden monotone, slepende noten en hun voeten raakten de grond van elke slag van de trommelaars, wier ritme werd opgepikt door de zingende en klappende menigte.

De met oorlogsbuit volgeladen wagens achter hen werden voortgetrokken door sjokkende ossen die het tempo met gemak konden bijbenen. Tussen de goederenwagens liepen talrijke geketende gevangenen met klitterige haardossen die werden aangespoord door opzichters wier zwepen in koor en op het ritme van de muziek neerdaalden op hun smerige ruggen. Onder toeziend oog van de inwoners, die elke wagen en elke gevangene leken toe te juichen, trok de schier eindeloze stoet met plunderwaar Rome binnen.

'Het is toch vreemd,' merkte Gaius op, 'dat ik me de meeste grote stukken nog kan herinneren van de triomftocht van Claudius.'

'Het is heel aardig van de keizer dat hij zijn oorlogsbuit wil delen met de man die hem voor hem veroverd heeft,' antwoordde Vespasianus terwijl de eerste van de praalwagens met taferelen van de invasie door de poort kwam gerold. Op elke wagen stond niet alleen een man die Plautius moest voorstellen in een heldhaftige pose tussen in elkaar gedoken Britanniërs, maar ook een geïdealiseerde versie van Claudius, die hoger en prominenter in beeld werd gebracht en meer vijanden bedwong. Het viel Vespasianus op dat Caratacus in geen van de taferelen een rol speelde. Sinds zijn vertrek uit de kersverse Romeinse provincie had hij niets meer over de opstandige Britannische koning vernomen, alsof hij van de aardbodem gevaagd was. Desondanks vermoedde Vespasianus dat zijn verzet niets aan bloederigheid en vastberadenheid had ingeboet, maar dat de Romeinse heersers hun burgers niet wilden lastigvallen met de bijzonderheden, en al helemaal niet op een dag als vandaag. De aanblik van de druïden echter, die bijna als karikaturen waren neergezet, met bezoedelde gewaden en kransen van maretak en bloedige, gouden sikkels, verkilde zijn hart alsof het weer werd samengeknepen door de hand van de Dolende Doden. Toen ze voorbijkwamen, vroeg Vespasianus de goden mompelend of hij zoiets verschrikkelijks nooit meer hoefde mee te maken.

Na de praalwagens kwamen de vier witte stieren die waren uitgekozen als geschenk voor de beschermgod van Rome als dank voor de zoveelste overwinning. Smetteloos en met linten behangen sjokten ze loeiend en met hun koppen zwaaiend aan hun touw door de straat. Daarna kwamen de wapens en de vaandels van de verslagen stamhoofden, gevolgd door de mannen zelf en hun sjofel ogende families. Vespasianus herkende sommigen van hen als mannen die hij tijdens zijn veldtocht naar het westen had onderworpen. Ook Judoc liep ertussen, die zag er na zijn verblijf in zijn eigen tinmijn afgepeigerd uit. Vespasianus verkneukelde zich en kon de verleiding niet weerstaan het hoofd van de Cornovii-onderstam uit te jouwen, maar zijn kreet werd in zijn keel gesmoord. Hij trok aan de mouw van zijn broer. 'Kijk daar, Sabinus,' zei hij wijzend op een man die vlak achter Judoc liep.

Sabinus keek en floot zacht. 'Nou, nou, alle ballen van Jupiter nog eens aan toe, dat doet me goed. Ik vraag me af of Plautius weet dat Alienus tussen zijn hoogwaardigheidsbekleders loopt. Ik hoop van wel, en ik hoop ook dat hij hem voor mij heeft meegenomen. Het zou zonde zijn als hij gewoon samen met de anderen gewurgd wordt.'

'Waar hebben jullie het over?' riep Gaius toen Aulus Plautius in de poort verscheen en het kabaal tot ongekende hoogte aanzwol.

'Over de man door wiens toedoen Sabinus drie maanden in een kooi zat, oom.'

'Die zou ik graag even apart nemen!' brulde Gaius.

Sabinus grijnsde. 'Die kans krijgt u gerust nog wel. Ik wil hem een eigen kooi geven.'

Na een onhoorbaar bevel kwam de stoet tot stilstand en Aulus Plautius – te voet in plaats van in een strijdwagen en gehuld in een *toga praetexta*, met purperen streep, omdat het slechts een ovatio was, en, om dezelfde reden, gekroond met een krans van mirte in plaats van laurier – trad de stad Rome binnen, waar hij zou worden verwelkomd door de twee consuls, zijn bevel zou neerleggen en weer een gewoon burger zou worden.

Toen de drie mannen de oude formules uitspraken, die verloren gingen in het rumoer, ging er een golf van opwinding door de menigte en werd er gewezen naar de Arx, boven de poort, op de Capitolijn. Daar, vlak voor de tempel van Juno, stond Claudius, prachtig uitgedost in het paars en met een lauwerkrans op het hoofd. Met geheven armen vroeg hij om stilte.

'D-D-Dappere Plautius,' declameerde de keizer toen de menigte stil was. Zijn stem was hoog, maar droeg opmerkelijk ver. 'Welkom terug in Rome!' Hij gooide zijn armen in de lucht, een gebaar dat prompt werd beantwoord met een machtig gejuich. Met een wijde armzwaai brak hij het gejuich af en vervolgde: 'Blijf daar, d-d-dappere P-P-Plautius, zodat ik u in mijn armen kan sluiten.'

Claudius draaide zich om en verdween. De menigte juichte en Plautius was duidelijk laaiend. Hij moest wachten, de opwinding van de menigte maakte plaats voor rusteloosheid, totdat de slingerende Claudius in zicht kwam. De senatoren gingen opzij voor hun keizer, die Plautius overdreven blij tegen zijn keizerlijke borst drukte en rijkelijk speeksel op zijn beide wangen smeerde.

Toen Plautius weer was bevrijd uit de keizerlijke omhelzing, werd er een wit paard door de menigte geleid. Claudius werd in het zadel geholpen en gaf aan dat de stoet verder kon. Claudius, wiens paard werd geleid door een slaaf, torende hoog uit boven Plautius, die met alle waardigheid die hij kon verzamelen in de schaduw van zijn keizer liep, als een bijkomstigheid in zijn eigen ovatio.

'Nou, dat is goed geregeld,' zei Gaius terwijl de senatoren zich omdraaiden en achter de consuls aan naar de tempel van Jupiter liepen, waar het hoogtepunt van het spektakel zou plaatsvinden. Omdat het geen ovatio was, liepen ze niet voor de stoet uit. 'Narcissus, Pallas en Callistus hebben dit op briljante wijze gegijzeld en Plautius kan niet klagen: de keizer bewijst hem eer door hem te vergezellen, maar vanwege zijn lichamelijke gebrek moet hij dat te paard doen. Heel slim. Zelfs Plautius zal er bewondering voor hebben.'

Vespasianus kon het niet ontkennen. 'Inderdaad heel slim. Het enige wat mij verbaasde was dat Messalina zich er niet ergens tussen gewurmd heeft.'

'Ja, maar die heeft vast zelf zaken te regelen nu Claudius het druk heeft.'

Vespasianus glimlachte en sloeg zijn oom en broer op hun schouder. 'Dat weet ik wel zeker. En ik trouwens ook. Wees niet verbaasd als jullie mij de komende uren in vreemd gezelschap aantreffen. En heb het er alsjeblieft met niemand over, wat je er ook van mag denken.'

'Dit is een heel dure manier om Narcissus een gunst te bewijzen,' klaagde Corvinus terwijl hij links achter Vespasianus op de trappen van de tempel van Jupiter kwam staan. De zon stond hoog aan de hemel en rondom hen keken de senatoren zwetend naar de kleine triomftocht, die nu het Forum Romanum in ging.

Vespasianus draaide zich niet naar hem om. 'Je zou het geld niet hebben neergeteld als je het geen redelijke prijs had gevonden voor een kans om je eigen leven te redden.'

'Narcissus zou het niet gevraagd hebben als jij hem er niet toe had aangezet.'

'Narcissus is zowel zakenman als politicus. Hij brengt elk uur in rekening.'

'En hij vertienvoudigde zijn prijs toen hij hoorde dat ik het was?'

'Hij weet niet wie hij vandaag gaat ontmoeten, dus je hoeft je niet achtergesteld te voelen.'

'Je hebt hem niet verteld dat het om mij ging?'

'Nee. Als je informatie in de aanbieding hebt, kun je die beter geheimhouden, anders verliest ze haar waarde.'

'Dus het boertje slaat er ook nog een slaatje uit?'

'Narcissus heeft die kwart miljoen helemaal gekregen, Corvinus.' Hij gaf hem een kleine rol. 'Dit is het bewijs, met zegel. Wat ik met hem heb afgesproken, gaat jou niets aan. Wees maar dankbaar dat ik hem heb overgehaald hiernaartoe te komen.'

Corvinus keek naar het bewijs en siste vervolgens een scheldkanonnade in zijn oor die Vespasianus alleen maar meer deed genieten van het moment. Daar liet hij evenwel niets van blijken en hij keek in alle ernst naar Plautius, die op zijn knieën de Scalae Gemoniae besteeg, de Trap der Zuchten.

Corvinus had ziedend gereageerd toen Vespasianus hem vertelde dat Narcissus geld wilde zien. Hij had gedreigd Flavia en de kinderen aan allerlei martelingen te onderwerpen, waarop Vespasianus zijn schouders had opgehaald en hem had laten weten dat hij niets te maken had met de manier waarop Narcissus zaken deed, en Corvinus kon dreigen wat hij wilde, maar daarmee zou hij geen stap dichter bij een ontmoeting met Narcissus komen die níét de achterdocht van Messalina zou wekken. Corvinus had het geld in tien kistjes met duizend gouden *aurei* overhandigd, waarbij hij zijn tegenzin nauwelijks had kunnen verhullen, wat Vespasianus nog erger had gemaakt door erop te zinspelen dat Narcissus soms de neiging had meteen na de betaling van gedachten te veranderen. Magnus en twee van zijn broeders hadden Vespasianus geholpen om vijf kistjes linea recta naar de bank van de gebroeders Cloelius te brengen en de andere vijf naar de secretaresse van Narcissus met vermelding van de verblijfplaats van Theron. Caenis had hem voor beide vriendelijk bedankt en had hem namens Narcissus een ontvangstbewijs gegeven voor het volledige bedrag en beloofd dat Theron als eerste ontboden zou worden na de terugkeer van Narcissus uit Ostia. Ze had wederom niets in rekening gebracht voor deze gunst, vanwege de stilzwijgende overeenkomst dat Vespasianus haar de komende dagen extra veel aandacht zou geven.

Nu hij de middelen had om Messalina haar lening aan Flavia terug te betalen zonder een beroep te hoeven doen op Caenis, kon Vespasianus de beledigingen van Corvinus naast zich neerleggen en in alle stilte genieten van de heerlijke ironie dat hij zijn schuld aan de zus zou inlossen met geld van de broer.

De vier witte stieren waren over het slingerpad langs de Tarpeïsche rots geleid en kwamen bij de tempel aan toen Plautius zijn rituele beklimming van de Trap der Zuchten had volbracht en wederom onder luid gejuich van de menigte overeind werd geholpen door de keizer. De senatoren klapten hem stijfjes toe terwijl hij met zijn toga over zijn hoofd de tempel van de beschermgod naderde. De stieren stonden opgesteld in de zuilengalerij van de tempel, in gezelschap van priesters met offergereedschap.

Claudius liet de eer aan Plautius om met de houten hamer de stieren suf te slaan voordat ze door het offermes werden geveld.

Corvinus was gekalmeerd en Vespasianus zag dat Plautius zijn handen ten hemel hief. Hij richtte een gebed tot Jupiter dat zo oud was dat er nauwelijks iets van te begrijpen was, maar dat alle aanwezigen erop wees hoe heilig en verweven met de lange Romeinse geschiedenis de ceremonie was.

'Dit is de tweede keer dat u me verrast, Vespasianus,' mompelde Narcissus, die zich naar de lege plek links van hem had gewurmd. 'Ik heb uw slavenhandelaar gisteren gesproken en ik denk dat de uitkomst u tevreden zal stellen.' Hij draaide zich naar Corvinus. 'Wat leuk dat ik u hier tegenkom.'

'Hebt u mijn geld gekregen?' vroeg Corvinus.

'Natuurlijk, anders zou ik hier niet zijn.'

'Hoeveel?'

'Een kwart miljoen, evenveel als op het bewijs.'

Vespasianus voelde de priemende blik van Corvinus achter zich toen Claudius het eerste dier dat moest sterven met de houten hamer een klap op zijn voorhoofd gaf. Het offermes flikkerde in de zon en was een ogenblik later rood van het bloed.

'Zeg het eens, Corvinus,' zei Narcissus met fluwelen stem, 'wat hebt u voor mij dat het de moeite waard maakt om uw leven te sparen wanneer uw zus ten onder gaat?'

'Mijn zus wil weer gaan trouwen.'

Vespasianus had in Britannia een met stomheid geslagen Narcissus gezien, maar nu zag hij hem niet alleen zoeken naar de juiste woorden, maar ook dat hij echt even moest bijkomen van de schok. Voor de tempel zakte de stier door zijn knieën, het bloed gulpte uit de gapende wond in zijn nek.

'Ze is gestoord!' bracht Narcissus ten slotte fluisterend uit. 'Ze kan niet alleen beslissen dat ze bij Claudius weggaat.'

'U weet heel goed dat ze dat volgens de wet juist wel mag, ze hoeft haar echtgenoot niet eens op de hoogte te brengen van het feit dat ze uit het huwelijk stapt.'

'Wat is ze van plan? Dan is ze geen keizerin meer, verliest ze het recht om haar kinderen te zien, moet een heel gewoon leven leiden en stelt iemand anders in staat haar plaats in te nemen.'

'Nee, ze wil geen nieuwe keizerin, alleen een nieuwe keizer.'

Narcissus' mond viel open. 'Hoe wil ze dat doen?'

'Door haar nieuwe echtgenoot Britannicus te laten adopteren.'

'Maar dan laat Claudius hem gewoon ter dood brengen.'

'Niet als het om een consul gaat.'

Narcissus staarde wezenloos voor zich uit en liet het idee tot zich doordringen. Voor de tempel zakte de volgende stier neer in zijn eigen plas bloed. 'Natuurlijk,' mompelde hij. 'Hoewel een consul niet onschendbaar is voor de wet, zoals in de vroegere republiek de tribuun van het plebs, heeft in theorie niemand de macht een consul terecht te stellen. Claudius kent en respecteert de wet en de tradities van onze voorvaderen en zou die nooit ofte nimmer schenden, en hij zou de consul ook nooit dwingen zijn eigen doodvonnis te tekenen door uit het ambt te stappen. Hij zou hem ook niet laten vermoorden, want daarmee zou hij Jupiter Optimus Maximus beledigen, aan wie de consul heeft gezworen Rome te zullen dienen. Messalina is geniaal: ze zou getrouwd zijn met twee mannen, van wie er een nagenoeg onaantastbaar is en de ander, ofschoon hij keizer is, niet, omdat hij in theorie buiten de staat valt. Hij kan dus elk moment verdreven of vermoord worden, zoals het lot van Caligula heeft aangetoond.'

Corvinus knikte. 'En de toezegging van een grote gift aan de praetoriaanse garde is genoeg om je van de kwetsbare te ontdoen.'

'Hoe weet u dat?'

'Omdat we mij op die manier regent van Britannicus wilden maken. Zij zou Claudius hebben overgehaald om mij tot consul te benoemen als beloning voor mijn verovering van Camulodunum en ik zou de kinderen van mijn zus hebben geadopteerd, en dan zou Claudius alleen zijn komen te staan. Maar jij hebt daar een stokje voor kunnen steken, dus nu wil ze het nog een keer proberen.'

'Met welke consul wil ze trouwen? Ik neem aan dat het Geta is.'

'Niet iemand die dit jaar consul is. Ze wil pas in actie komen als ze meer vertrouwen heeft in de garde, ze... eh... verstevigt haar banden met de hogere officieren, een voor een.'

'Dat weet ik. Dus ze gaat voor een van de consuls van volgend jaar?'

'Ja. Ik weet niet wie. Maar dat zal wel duidelijk worden als de nominaties bekend worden. Dan is het alleen nog de vraag hoe, wanneer en waar ze zullen trouwen. Daar moet Flavia dus achter zien te komen.'

'De keizer heeft nog geen namen genoemd, dus ik maak nog steeds kans om al mijn mensen op de lijst te krijgen, waardoor ik nog een jaar uitstel heb.'

'Ik denk niet dat u betrokken zult worden bij de beslissing. Messalina heeft haar lijst aan de keizer gegeven en hem gezegd dat Britannicus geen broertje krijgt als hij die niet ongewijzigd overneemt.'

'Van wie hebt u dat?'

'Van mijn neef Gaius Vipstanus Messalla Gallus, die er natuurlijk tegen mij over moest opscheppen: hij is een van haar kandidaten. Over de andere kandidaten wilde hij niets zeggen, alleen dat ik er niet bij zat. Om die reden ben ik toch maar naar het andere kamp overgelopen.'

'Maar ik heb hem en zijn broer in de ban gedaan bij Claudius.'

'Messalina heeft dat weer ongedaan gemaakt.'

'Ze is van plan met haar neef te trouwen?'

'Tja, het is niet verboden, zoals trouwen met je oom.'

Narcissus zuchtte en overdacht de situatie. 'Hoe moet ik dit tegenhouden?'

'Dat kunt u niet, Narcissus, hoe machtig u ook bent, u heeft de keizer geen kind gebaard. Messalina buit haar moederschap uit. U kunt nu alleen maar wachten tot het zover is en dan Claudius ervan proberen te overtuigen dat hij, wil hij overleven, iets moet doen wat nog nooit gedaan is.'

'Tot de executie van een zittende consul gelasten? Onmogelijk. Dan keert de hele Senaat zich tegen hem!'

'Dan is hij ten dode opgeschreven. Net als u.'

Van het gezicht van Narcissus viel normaal gesproken niets af te lezen, maar nu was te zien dat hij wist dat Corvinus gelijk had.

Gaius doopte een stukje met knoflook besmeerd brood in een kom met olijfolie en stopte het in gedachten verzonken in zijn mond, terwijl Vespasianus peinzend naar zijn beker wijn keek. Achter hem stond Hormus met een toga over zijn arm geslagen, die hij om de schouder van zijn meester kon slaan zodra die zijn ontbijt genuttigd had.

Gaius pakte het brood, scheurde er nog een stuk af en wreef het in met een geplette knoflookteen. 'Claudius zal pas geloven dat ze daartoe in staat is als ze het gedaan heeft, dus Narcissus zal haar echt niet voor kunnen zijn en Claudius bevel laten geven tot de terechtstelling van degene die zij gekozen heeft voordat de man officieel benoemd is tot consul.'

'Maar Narcissus zal van tevoren weten wie het is zodra Claudius de nominaties voor het consulschap van volgend jaar bekendmaakt en dan is het aan Flavia om hem in te lichten over haar precieze plannen.'

'Dus je kunt haar dan nog niet uit het paleis halen?'

'Dan nog niet, maar Narcissus heeft beloofd dat te regelen wanneer dit achter de rug is.'

'Als hij dan nog leeft tenminste.'

Vespasianus fronste en schudde zijn hoofd. 'Ik had niet gedacht dat ik dit ooit nog eens zou zeggen, maar laten we het hopen. Hoe dan ook, tot die tijd ga ik niet in het nieuwe huis wonen. Nu moeder in Aquae Cutillae is, blijf ik liever hier als u dat goedvindt, oom.'

'Natuurlijk vind ik dat goed, jongen,' antwoordde Gaius. Er klopte iemand hard op de voordeur, het geluid galmde door het atrium. 'Wie wil er zo graag naar binnen terwijl ik mijn deuren nog niet open heb gedaan voor mijn beschermelingen?'

Vespasianus nam nog een slok van zijn wijn. De zeer knappe, jonge portier kwam aangehold en sprak zijn meester aan. 'Er is iemand voor senator Vespasianus. Hij noemt zichzelf Theron.'

'Uitstekend!' riep Vespasianus uit en hij stond op. 'Hier heb ik naar uitgekeken. Laat hem binnen zodra ik er klaar voor ben. Maar hem alleen, zijn lijfwachten niet. Hormus, mijn toga.'

'Weledelgeboren senator!' Therons stem droop van zijn gebruikelijke onderdanigheid toen hij het atrium werd binnengelaten. 'En uw geachte oom, senator Pollo, als ik het goed heb. Ik sta tot uw dienst.' Hij boog naar beide mannen, die hem onbewogen aanstaarden. Zijn ogen vlogen zenuwachtig tussen hen heen en weer toen duidelijk werd dat er geen reactie zou komen. Hij ging met zijn tong langs zijn lippen en zei: 'Ik kom praten over dat verschrikkelijke misverstand laatst.'

'Ik weet niets van een misverstand, Theron,' zei Vespasianus kil en rustig. 'Ik vroeg om het geld dat u mij schuldig bent en u wilde dat niet geven. Zonneklaar, helemaal toen u naar me spuugde.'

Theron wrong zijn handen en probeerde er een glimlach uit te persen, maar verder dan een grimas kwam hij niet. 'Mijn geheugen liet me op een verschrikkelijke manier in de steek. Ik verwarde u, edelgeboren Vespasianus, met een andere man met wie ik zaken doe.'

'Dat is niet waar, Theron. U wist precies wie u beledigde. U wist alleen niet dat ik veel invloed heb op Narcissus. Ik kan me voorstellen dat u daar nogal van geschrokken bent. Ik vermoed ook dat u spijt hebt van de manier waarop u mij bejegende, nu uw vergunning voor Britannia is ingetrokken en u niet meer mag handelen in Italië.'

Theron kroop door het stof, bood zijn excuses aan en smeekte om vergiffenis. Vespasianus keek vol walging toe en richtte zich tot Hormus. 'Het is toch niet te geloven dat je hier bang voor was?' Hij wuifde minachtend naar de slavenhandelaar. 'Voor dit jammerende, leugenachtige geval uit het oosten? Moet je hem zien, Hormus. Je neemt hem zijn brood af en hij is zieliger dan een slaaf als jij, terwijl hij zich laatst nog sterk genoeg voelde om naar een senator te spugen. Ik denk dat ik mijn slaaf vraag het hem betaald te zetten, met rente. Pies op zijn voeten.'

Hormus bleef als aan de grond genageld staan en blikte angstig van zijn huidige naar zijn vorige eigenaar.

'Vooruit, Hormus! Doet het voor mij, omdat ik degene ben die jou beveelt hem te vernederen. Maar doe het ook voor jezelf. Ik geef jou de kans, eenmalig, om iets te doen waarvan je zelfvertrouwen toeneemt. Wraak kan zó zoet zijn, en iedereen moet de smaak daarvan minstens één keer geproefd hebben, zelfs een slaaf.'

Hormus haalde een paar keer heel diep adem en keek Theron strak aan, zijn gelaat verhardde en voor het eerst zag Vespasianus bij zijn slaaf een uitdrukking die niet deemoedig of schuchter was: dit was pure haat. Hormus liep doelgericht naar de slavenhandelaar en tilde zijn tuniek op. Theron probeerde niet weg te komen, hij bleef met samengevouwen handen en gebogen hoofd staan en staarde suf naar de penis van de slaaf, waaruit een korte straal urine kwam die neerspetterde op de grond tussen zijn voeten. Hormus perste er een straal uit die langer en krachtiger was en die de grond flink natmaakte en tegen Therons enkels en scheenbenen spatte. Hormus keek zijn vroegere eigenaar strak aan terwijl hij zijn heupen van links naar rechts draaide en over Therons voeten plaste totdat de straal in kracht afnam en hij met een paar snelle polsbewegingen de laatste druppels afschudde.

'Dank je, Hormus,' zei Vespasianus terwijl zijn slaaf zijn kleding ordende, 'ik denk dat iedereen daarvan genoten heeft. Goed, Theron, u hebt uw excuus aangeboden voor de grove belediging aan mijn adres, dus misschien kunnen we nu zakendoen. Hoeveel bent u mij schuldig?'

Theron keek mistroostig naar de plas urine rond zijn voeten. 'Al het vee heeft de reis overleefd, senator. Het waren mooie exemplaren, die tussen de duizend en tweeduizend denarii per stuk opleverden. Ze hebben iets meer dan zeshonderdduizend opgebracht. Ik zal u de verkoopaktes laten zien.'

'Dus twaalfenhalf procent is vijfenzeventigduizend, die u, zoals Narcissus u vast en zeker heeft uitgelegd, heeft beloofd te verdubbelen, waardoor het totaal op honderdvijftigduizend denarii komt. Dat klopt toch?'

'Jawel, edelgeboren sena...'

'Wilt u alstublieft niet meer doen alsof u mij zo edel vindt! Waar is mijn geld?'

'Ik kan u een promesse geven.'

'Ik wil het contant.'

'Dat heb ik niet. Ik heb het geld meegenomen naar Britannia en in een nieuwe stapel gestoken.'

'Alles?'

'Jawel, senator.'

'Dat moet u die maar heel snel verkopen. Waar zijn ze?'

'Hier in Rome. Maar van Narcissus mag ik geen handel meer drijven in Italië.'

'Ik regel een snelle verkoop. Ik bied een van uw concurrenten de hele partij aan voor honderdvijftig – nee, laten we er zestig van maken –, honderdzestigduizend denarii. Dat is volgens mij redelijk. Dan hebt u nog tienduizend over om mee te beginnen als u weer mag handelen.'

'Maar ze zijn veel meer waard,' smeekte Theron.

'Voor mij niet.'

'Maar het zijn er duizenden. U hebt ze gisteren gezien.'

'De gevangenen bij de ovatio?'

'Ja.'

'Ook de stamhoofden en de minder aanzienlijke notabelen?'

'Ja, behalve de twee die ritueel gewurgd werden.'

'Was een van hen een jonge vent?'

'Nee, ze waren al wat ouder.'

'Theron, het kan zijn dat het geluk u vandaag toelacht.'

'Ik mag hopen dat het belangrijk is, Vespasianus,' zei Sabinus toen hij met Magnus en Sextus bij het enorme slaventerrein op de Vaticaanse

Heuvel kwam, op de westoever van de Tiber. 'Mijn beëdiging begint op het zesde uur.'

'Als wraak niet belangrijk is, dan heb ik je voor niets hiernaartoe laten komen.'

Sabinus trok een wenkbrauw op. 'Alienus? Maar ik heb Plautius gisteren nog naar hem gevraagd en hij zei dat hij niets kon doen omdat de hele partij verkocht was.'

'Die is ook verkocht, maar aan iemand die mij geld en gunsten schuldig is. Je kent Theron toch nog wel, uit Britannia? Kom maar mee.' Vespasianus bracht zijn broer en Magnus en Sextus naar de hoofdingang van het terrein, waar de slavenhandelaar, inmiddels herenigd met zijn lijfwachten, op hen wachtte.

Zonder uitwisseling van vriendelijke woorden liepen ze achter Theron naar een grote kraal die was verdeeld in talloze vierkante hokken. Elk hok was volgepropt met geketende slaven, die op hun hurken of billen in hun eigen uitwerpselen zaten. Ofschoon ze met zovelen waren, maakten ze nauwelijks geluid, en over het hele terrein hing de spookachtige stilte van onvervalste misère.

Theron instrueerde twee van zijn wachters, die knikten en toen wegliepen. 'Als ik u die man geef, praat u dan met Narcissus over teruggave van alles wat hij me afgenomen heeft?'

'Als u mij die honderdvijftigduizend denarii heeft gegeven wel, ja.'

'En dan laat hij me mijn waar voor een redelijke prijs verkopen om aan dat geld te komen.'

'Ik weet zeker dat Narcissus dat toestaat, zolang hij maar een deel van de opbrengst krijgt. Ik zal het met hem bespreken.'

'U bent een gul mens, weledele se... heer.'

'En u een geluksvogel, Theron.'

Theron erkende het gelijk van Vespasianus met een vrolijke, zij het kruiperige buiging die Vespasianus verraste, aangezien hij zojuist nog onder was gepist door een van zijn voormalige eigendommen.

'Daar is ie,' bromde Sabinus toen de twee lijfwachten met de half tegenstribbelende Alienus tussen de hokken door kwamen aangelopen.

Ze duwden hem naar voren en door het gewicht van zijn ketenen viel hij neer in het zand. Hij ging op zijn knieën zitten, het zand bleef plakken aan de gescheurde korsten van talloze zweepslagen op zijn rug en schouders, en hij keek de broers aan. Hij glimlachte wrang. 'Dus nu is het jullie beurt?'

Sabinus glimlachte terug. 'Inderdaad, Alienus. Alhoewel, van beurten wil ik eigenlijk niet spreken. Maar zeg eens, vanwaar heb ik het geluk jou ineens tussen mijn eigendommen aan te treffen?'

'Omdat zowel Rome als Myrddin achter me aan zat, dacht ik hier in de grootste stad van het rijk een veilig heenkomen te kunnen zoeken. Uit geldgebrek koos ik ervoor mijn diensten aan te bieden aan een van de slavenhandelaren die terug naar Rome gingen. Helaas viel de keus op Theron.'

Theron haalde zijn schouders op. 'Hij werd verraden door een van zijn eigen mensen, die ik toen net gekocht had.'

'Judoc!' Alienus spuugde de naam uit.

Vespasianus lachte. 'Perfect! Misschien gun ik die schoft nog wel vergiffenis.'

'De goden hebben met hem afgerekend. Hij is gewurgd.'

Sabinus greep Alienus bij zijn haar en trok hem overeind. 'En de goden hebben mij jou in handen gespeeld. Je zult weten hoe het is om drie maanden in een kooi te bungelen, maar dan vijf keer zo erg. En als ik dan in een barmhartige bui ben, zal ik je wurgen.' Hij duwde hem naar Magnus en Sextus. 'Breng hem naar mijn huis, Magnus, en blijf bij hem tot ik terug ben van mijn beëdiging.'

Magnus grijnsde. 'Met genoegen, heer. Neem de tijd, we vinden het echt niet erg om een beetje om hem heen te hangen, als u begrijpt wat ik bedoel. '

Toen hij werd weggesleept, riep Alienus over zijn schouder: 'Je kunt me beter maar meteen wurgen, Sabinus, voordat ik weer aan de beurt ben!'

De nestor van de Senaat boog zich over het altaar en bestudeerde de lever van de ram. Uit respect voor de goddelijke aanwezigheid van Jupiter Optimus Maximus had hij een plooi van zijn toga over zijn hoofd getrokken.

Eveneens met hun toga over het hoofd, en gezeten op de vouwstoelen die in een rechte lijn langs de lange kant van de rechthoekige Senaat stonden, volgden de vijfhonderd aanwezige senatoren belangstellend de werkzaamheden van hun nestor.

Aan weerszijden van het altaar stonden de twee redenen voor het aanroepen van de goden en het verzoeken om hun raad: Titus Flavius Sabinus en Gnaeus Hosidius Geta, de *consul suffectus*.

Vespasianus zat naast zijn oom en keek met een mengsel van jaloezie en trots naar de ceremonie. Trots omdat het de eerste keer was dat een lid van zijn familie tot consul werd beëdigd en de familie daarmee aan aanzien won, en jaloers omdat het zijn broer was en niet hij.

De nestor hief zijn handen ten hemel en sprak een dankgebed uit voor de beste en grootste god van Rome, die de senatoren had bedeeld met een gunstig voorteken en ervoor zou zorgen dat het een vruchtbare dag voor de stad zou worden. Vervolgens nam hij de twee nieuwe ambtsdragers de eed af, en zij zwoeren plechtig trouw aan de republiek en de keizer, die stuiptrekkend op zijn curulische zetel voor het altaar zat.

'Ze moesten altijd zweren dat ze bereid waren een terugkeer van de koning te verhinderen,' fluisterde Gaius. 'Dat hebben ze om de een of andere reden geschrapt.'

Vespasianus glimlachte. 'Ik kan me voorstellen dat iemand dat overbodig vond.'

Gaius grinnikte. 'Ja, maar het gerucht gaat dat Claudius, onze juridische betweter die zo dwangmatig vasthoudt aan de gewoonten van zijn voorvaderen, het opnieuw wil invoeren.'

'Zonder daar de ironie van in te zien?'

'Zijn gezicht zal zo uitgestreken zijn als de goden toestaan.'

Nadat de eed was afgelegd, trokken de senatoren hun toga van hun hoofd en namen de kersverse consuls plaats aan weerszijden van de keizer.

'Opgeroepen senatoren,' verkondigde Claudius, 'het verheugt mij dat twee van de legaten die bij mijn grote en historische invasie en onderwerping van Britannia de legioenen aanvoerden, tot consul zijn beëdigd juist nu Aulus Plautius teruggekeerd is naar Rome en de ovatio heeft gevierd die u hem schonk als gunst aan mij.'

Deze nieuwe presentatie van de feiten werd met een instemmend gemompel beantwoord.

'Nu kan ik de kandidaat-consuls voor volgend jaar nomineren.'

Deze aankondiging wekte oprecht de belangstelling van de aanwezigen, die allen hoopten op dit voorrecht.

'De eerste zes maanden zal Aulus Vitellius consul zijn en de laatste zes maanden zijn broer Lucius Vitellius de jongere.'

De senatoren zogen verbaasd lucht naar binnen en een enkeling die zijn gevoelens minder goed verhulde dan waarschijnlijk verstandig was, keek zichtbaar onthutst naar de twee stevige en voor dit ambt veel te jeugdige jongemannen, die aan weerszijden van hun stralende vader zaten, Lucius Vitellius de oudere.

'Dat was dus de prijs die Vitellius Messalina liet betalen voor de tuinen van Asiaticus,' mompelde Gaius. 'Messalina moest Claudius overhalen om zijn zoons tien jaar te vroeg te benoemen tot consul.'

'Maar zou Vitellius zo stom zijn om een van hen met de keizerin te laten trouwen?'

'Naar verluidt had Aulus bij zijn geboorte een horoscoop die er, hoe zal ik het zeggen, nogal keizerlijk uitzag. Misschien denkt de oude Lucius dat Fortuna het kamp van de familie Vitellius gekozen heeft. Hij heeft zijn zoons altijd gebruikt om zijn eigen belangen te behartigen, bijvoorbeeld door Aulus op zijn veertiende te koppelen aan Tiberius.'

'Ik weet het nog. Sabinus en ik kwamen hem tegen op Capreae. Hij bood Sabinus een interessante vorm van ontspanning aan.'

'Vanuit Messalina bezien is het waarschijnlijk een goede keus: een patricische familie die teruggaat tot de tijd van de koning, nog verder dan haar eigen familie. Ze komen zeker in aanmerking voor het purper als de opvolging bij de Julisch-Claudische dynastie spaak loopt.'

Claudius gebaarde om stilte en vervolgde: 'En als tweede consul voor de eerste zes maanden benoemd ik Lucius Vipstanus Messalla Poplicola, die zal worden opgevolgd door zijn broer Gaius Vipstanus Messalla Gallus.'

Bij deze bekendmaking slaagden alleen degenen met een zeer grote zelfbeheersing erin hun verbazing te verhullen, en veel ogen gingen richting Corvinus, die met een stalen gezicht tegenover Vespasianus en Gaius zat.

'Twee neven van Messalina en Corvinus!' siste Gaius, wiens stem in de commotie niet ver droeg.

Maar Claudius was nog niet klaar. 'Er zal evenwel, senatoren, nog een consul suffectus worden aangesteld voor de laatste drie maanden van het jaar. Gallus zal aftreden en plaatsmaken voor Gaius Silius.'

Iedereen was sprakeloos. Vespasianus ving de blik van Corvinus op. Tot zijn verbazing zag hij in diens ogen dat hij meende dat Silius wat Messalina betrof de gedoodverfde opvolger van haar man was.

Alle ogen richtten zich op de zeer knappe jongeman op de voorste rij die nog maar kortgeleden door Claudius was benoemd tot senator, zoals iedereen wist op aanraden van Messalina. Bovendien wisten alle aanwezigen, op Claudius na, dat Gaius Silius de minnaar van de keizerin was en maakte niemand zich illusies omtrent de vraag hoe en waarom deze adonis de politieke ladder zo snel bestijgen kon.

Wat zij echter niet wisten, was hoeveel hoger Messalina hem nog wilde laten komen.

DEEL IV

ROME, NAJAAR, 48 N.C.

HOOFDSTUK XVIII

Het meisje klampte zich vast aan haar moeder in een uiterste poging te ontsnappen aan de sterke armen die haar wilden wegrukken. Haar vuurrode sluier had dezelfde kleur als haar schoenen en bedekte haar haar – dat gekapt was zoals de ceremonie vereiste, met zes lokken die tot een kegel op haar hoofd waren samengebonden –, maar niet haar hele gezicht. Vespasianus genoot van de grimmige vastberadenheid op haar gezicht terwijl Paetus zijn bruid van haar moeder probeerde los te trekken. Met een gilletje dat omsloeg in een giechellachje viel Flavia Tertulla, het nichtje van Vespasianus, in de armen van haar nieuwe echtgenoot.

'Hymen, Hymenaeee!' riep Vespasianus in koor met de andere gasten toen Paetus erin slaagde Flavia Tertulla los te rukken. Blozend stond ze naast haar echtgenoot in de openstaande voordeur van Sabinus' huis op de Aventijn. Met haar smalle gezicht, blanke huid, kastanjebruine haar en frisgroene ogen leek Flavia Tertulla sprekend op haar moeder Clementina toen Vespasianus die zeventien jaar geleden voor het eerst zag. Paetus glimlachte vrolijk en wisselde grove grappen uit met de vlotte gasten in het gezelschap, waarmee hij Vespasianus deed denken aan zijn vader, zijn lang geleden overleden vriend, op wie hij zoveel leek.

Zijn oog viel op de negenjarige Titus, die gehuld in zijn kindertoga trots zijn ceremoniële rol vervulde als een van de drie jongens met nog levende ouders die de bruid begeleidden. Hij haalde een hand door zijn dunner wordende haar en sloeg zijn broer op zijn schouder. 'Waar blijft de tijd?'

'Ik snap wat je bedoelt, broer. Zo voel ik me de hele dag al. Alsof het nog maar een paar dagen geleden is dat Flavia Tertulla me uit mijn slaap hield met haar gejengel. En moet je haar nu zien, binnenkort baart ze zelf een jengelend kind. Sterker nog, aangezien alle mooie functies naar de maatjes van Messalina gaan, zal ze tegen de tijd dat ik gouverneur word al een hele kliek hebben voortgebracht.'

Sabinus gooide een handvol walnoten, die symbool stonden voor vruchtbaarheid, met een boog naar het pasgetrouwde stel op het moment dat zijn vijftienjarige zoon en naamgenoot naar buiten kwam met een brandende fakkel die hij binnen bij de haard had aangestoken en waarmee hij de fakkels aanstak die Paetus vasthield. Nadat de fakkels met de vlammen uit het ouderlijk huis van de bruid onder de gasten waren verdeeld, trok de stoet naar het huis van de kersverse echtgenoot op de Esquilijn. Flavia Tertulla nam de spindel en spinrok aan die Clementina haar aanreikte, instrumenten die haar rol als wevende vrouw symboliseerden, en liep vervolgens met Paetus aan haar zij de heuvel af, gevolgd door de jonge Sabinus, Titus en een familielid van Paetus wiens naam Vespasianus steeds vergat.

Vespasianus liep met een stralende glimlach naast zijn moeder Vespasia Polla, want zo vaak gebeurde het niet dat hij zich omringd wist door zoveel familieleden. Zijn stemming werd alleen maar beter tijdens het voortreffelijke huwelijksontbijt en bij de aanblik van de uitgemergelde Alienus, die nu al ruim een jaar in zijn stinkende kooi hing. Ofschoon hij er beroerd aan toe was, had hij uitdagend een drol naar de broers gegooid, maar die was niet ver genoeg gekomen. Vespasianus moest evenwel bekennen dat hij respect had voor Alienus' weigering om zich over te geven. Het was dezelfde hardnekkigheid die Rome eeuwen terug de overwinning had gebracht in de lange strijd met Carthago. Als zelfs maar de helft van Alienus' volksgenoten een even grote volharding aan de dag legde, zou de strijd in Britannia nog een slepende aangelegenheid worden, wat hij, mede gezien de stimulans die uitging van de druïden, voor wie het een strijd van leven op dood was, zeer waarschijnlijk achtte. Maar hij had niets meer te maken met de waanzin die voortwoedde in Britannia, en die gedachte had zijn toch al goede humeur alleen maar verder verbeterd.

Voorbijgangers riepen 'Talasio!' – de gebruikelijke gelukswens voor een bruid, een traditie die inmiddels zó oud was dat niemand meer wist wat de betekenis of oorsprong ervan was – terwijl de stoet in feestelijke stemming en onder een vrolijke regen van walnoten verder trok.

'Ik ga me zo langzamerhand oud voelen, moeder,' merkte Vespasianus op. 'Zo snel als die kinderen groot worden.'

Vespasia snoof honend. 'Wacht maar tot je zeventig bent en je echtgenote hebt overleefd, dán voel je je pas oud.' Ze pakte Domitilla bij haar schouder toen die voorbij huppelde.

'Kind, let op je manieren. Je bent familie van een consul en hoort je ook zo te gedragen.'

Domitilla keek naar haar grootmoeder met een blik die duidelijk maakte dat ze er weinig van begreep.

Vespasia draaide zich om naar Flavia, die met Gaius achter hem liep. 'Je moet zorgen dat ze zich koest houdt.'

Haar gezicht verstrakte. 'Ze maakt gewoon plezier op een feestelijke dag, Vespasia. U moet haar met rust laten en zich niet met de opvoeding van mijn kinderen bemoeien.'

'Ik bemoei me met de opvoeding wanneer ik wil, zeker als ze zich gedragen op een manier die niet bij deze familie past.'

'Wat bedoelt u met "deze familie"? De familie uit de ridderstand die u heeft voortgebracht, of de familie van senatoren die mijn echtgenoot en zijn broer ervan hebben gemaakt? Er is niets zo erg als het snobisme van iemand die boven zijn geboortestand uit is gerezen.'

'Mijn echtgenoot mag dan van de ridderstand zijn geweest, maar mijn broer Gaius was een *praetor* en heeft meer dan dertig jaar in de Senaat gezeten. Ik kom uit een familie van senatoren. Ik heb in ieder geval geen slavenbloed door mijn aderen stromen, dochter van Titus Flavius *Liberalis*! Jouw grootvader moet een slaaf zijn geweest en de slappe opvoeding die jij je kinderen geeft getuigt daarvan.'

'Moeder!' riep Vespasianus uit. Zijn goede humeur verdween als sneeuw voor de zon. 'Ik wil niet dat u zo tegen mijn vrouw praat.'

'O nee? Ik praat tegen haar zoals ik wil. Voor een vrouw met zulke zeden heb ik, en in beschaafd gezelschap velen met mij, geen respect.'

'Wat bedoelt u daar precies mee, Vespasia?' vroeg Flavia kil.

'Ik bedoel daarmee dat een vrouw die zichzelf als hoer laat gebruiken door de keizerin ook zo bejegend moet worden, namelijk als een schande voor haar familie.'

'Gemeen oud kreng! Ik...'

'Flavia!' beet Vespasianus haar toe. Hij ging tussen de twee vrouwen staan en greep de uitgestrekte hand van zijn vrouw voordat haar nagels in aanraking kwamen met zijn moeders wang. 'Beheers je.'

'Ik moet me beheersen? Terwijl zij zulke dingen zegt?'

'Moeder, u moet uw excuses aanbieden.'

'Ik vertel haar slechts de waarheid, daarvoor verontschuldig ik me niet. Ik zou alleen graag willen weten waarom die onthulling jou niet erg lijkt te verbazen.'

Vespasianus hield de hand van Flavia vast en duwde die tijdens het lopen naar beneden. 'Wat *ík* wel zou willen weten, moeder, is waarom je iemand van zoiets wil beschuldigen.'

'Niet zo hard, jongen,' drong Gaius aan, 'je bederft de sfeer.'

Flavia schudde haar hand los. 'Zulke laster laat je toch niet over je kant gaan, Vespasianus? Neem het voor me op!'

Vespasia trok een gezicht dat tegelijk hatelijk en triomfantelijk was. 'Hij neemt het niet voor je op omdat hij weet dat het waar is.'

'Moeder, natuurlijk is het niet waar en u moet dat nooit meer zeggen. Van wie hebt u dat?'

'Van een zeer betrouwbare bron: Agrippina.'

Gaius had zijn bedenkingen. 'De nicht van Claudius is vrijwel onzichtbaar sinds de keizer aan het begin van zijn regeerperiode haar ballingschap ophief en haar uithuwelijkte aan Passienus. Ze komt niet in de buurt van het paleis en ze is ervan overtuigd dat Messalina haar zoon Lucius wil vermoorden. Het gerucht gaat dat de keizerin dat al een paar keer geprobeerd heeft.'

'Nou, ik heb haar gesproken,' zei Vespasia toen de stoet tussen het aquaduct van Appia en de zuidkant van het Circus Maximus liep. 'Passienus is vorig jaar overleden en heeft zijn gehele bezit nagelaten aan de jonge Lucius, waaronder het landgoed naast het onze in Aquae Cutillae. Als je daar af en toe nog eens kwam, Vespasianus, zou je dat weten.'

'Ik heb wel iets beters te doen dan mijn neus in andermans zaken te steken. Bovendien ben ik verplicht om in Rome te blijven.'

Vespasia snoof minachtend. 'Volgens jou. Hoe dan ook, Agrippina is daar twee maanden geleden komen wonen en heeft me al talloze keren uitgenodigd, zodat ik sinds kort goed op de hoogte ben als het om Messalina gaat.'

'Er is geen enkele reden om haar boosaardige geroddel te geloven.'

'Het zijn geen roddels, het is waar.'

Vespasianus moest Flavia weer tegenhouden toen haar hand nogmaals als een klauw naar Vespasia's ogen ging.

Gaius duwde zijn zus met zachte hand weg. 'Ik zou maar uitkijken dat je niet te goed bevriend raakt met Agrippina, ze staat niet bekend om haar vriendelijkheid. Sterker nog, het gerucht gaat dat ze Passienus vermoord heeft. En vergeet niet wat haar eerste echtgenoot, Gaius Domitius Ahenobarbus, over hun kind zei. Wat was het ook alweer? "Ik denk niet dat iets wat voortkomt uit mij en Agrippina goed kan zijn voor het rijk of het volk."'

'Onzin, Gaius, tegen mij is ze heel erg vriendelijk. Ik vind het een eer om op goede voet te staan met de nicht van de keizer, de dochter van de grote Germanicus, en misschien kan het onze familie nog van pas komen.'

'Hoe dan? Ze is haast nooit in Rome.'

'In de toekomst zal ze wel vaker hier zijn, Gaius. Ze heeft het op Messalina gemunt en als wraak voor haar moordpogingen op Lucius zal ze proberen haar alles wat haar lief is te ontnemen.'

'Hou je mond, mens, dat is verraad.'

'O ja. Maar het is ook de waarheid, Gaius.' Ze keek naar Vespasianus en Flavia. 'Als ik jou was, Vespasianus, zou ik die hoer van jou uit Messalina's bed halen voordat ze haar moeten losrukken van het levenloze lichaam van haar minnares.'

Vespasianus wees naar het gezicht van zijn moeder. 'En als ik u was, moeder, zou ik mijn mond dichthouden en mijn neus niet in zaken steken die u duidelijk niet begrijpt. Praat hier met niemand over, zinspeel er ook niet op, sterker nog, ban het helemaal uit uw gedachten. Is dat duidelijk?'

'Maar Flavia...'

'Flavia is mijn vrouw en ik weet donders goed wat er gebeurt en waarom het gebeurt. U, daarentegen, bent gewoon zo'n eenzame oude vrouw die vol is van haar eigen denkbeelden en argeloos praat over politiek en intrige zonder precies te weten hoe gevaarlijk dat is.'

De hangwangen van de knikkende Gaius schudden instemmend. 'Vespasia, je mag niet meer omgaan met Agrippina.'

'Waarom niet, broer? Ben je jaloers omdat ik zulke belangrijke vrienden heb? Voel je je de mindere?'

'Doe niet zo stom, mens. Ik probeer onze familie te beschermen.'

'Wat helpt het dan om mij te verbieden een vriendschap op te bouwen met de nicht van de keizer?'

Vespasianus keek haar geërgerd aan. 'Als het waar is wat jij zegt over Agrippina, wil ze niet alleen Messalina van alles beroven, maar ook de moeder van de volgende keizer worden.'

'Dat kan niet, het is verboden om met je nicht te trouwen.'

'Dat klopt, maar ze hoeft niet met Claudius te trouwen, ze moet alleen Britannicus uit de weg ruimen. Als hij dood is, blijft haar zoon Lucius over als logische opvolger van Claudius. Hij zou trouwens een betere keus zijn: hij is drie jaar ouder en de kleinzoon van Germanicus. Het volk zou dan tenminste denken dat de opvolging weer goed geregeld is.'

'Is ze in staat om Britannicus te vermoorden?'

'Dat probeer ik u duidelijk te maken, moeder. Haar plan werkt alleen als Britannicus dood is. Agrippina houdt u te vriend omdat ze weet dat uw kleinzoon het vriendje van Britannicus is. Vraag ze wel eens naar hem?'

Vespasia keek bezorgd en bracht haar hand naar haar mond. 'Als ik bij mijn kleinkinderen ben geweest, hebben we het daar altijd uitgebreid over.'

'En als Britannicus er ook was?'

'Dan is ze zeer geïnteresseerd en wil heel graag weten wat ze samen doen, waar ze naartoe gaan, wie het toezicht heeft.'

'Ziet u het nou, moeder. U wordt gebruikt, en door haar zo achteloos allerlei informatie te geven, brengt u mijn zoon in gevaar. Een dodelijk ongeluk is veel minder verdacht als er twee jongens bij betrokken zijn in plaats van alleen de troonopvolger. Ik wil dat u niet meer met Agrippina praat, en dat u in Rome blijft. Begrijpt u mij goed?'

'Ja,' fluisterde Vespasia schuldbewust.

'En u biedt Flavia uw verontschuldigingen aan.'

Maar dat ging Vespasia te ver, en ze draaide zich met haar neus in de lucht om toen de stoet zich opsplitste en het gezelschap van Paetus de Esquilijn op liep, zodat ze eerder bij het huis zouden zijn dan de bruid, wier gezelschap een omweg zou nemen.

Flavia Tertulla wreef olie en vet op de deurpost van Paetus' huis en wikkelde er toen gesponnen wol omheen. Toen ze vond dat haar rol als vrouw des huizes voldoende bekend was gemaakt aan de huishoudgoden, stapte ze voorzichtig over de drempel. 'Als jij Gaius bent, ben ik Gaia,' zei ze en ze pakte Paetus bij de hand en liep de hal in.

'Als jij Gaia bent, ben ik Gaius,' antwoordde Paetus voor hij haar het atrium in leidde met alle gasten in zijn kielzog.

Vespasianus gooide zijn fakkel weg voordat hij met zijn oom het huis betrad.

'Misschien heeft Vespasia wel gelijk,' merkte Gaius met gedempte stem op toen ze het atrium in liepen, 'en moeten we Flavia bescherming bieden. Gaius Silius zal over vier dagen worden beëdigd als consul suffectus, Messalina zal kort daarna in actie komen en we willen niet dat Flavia daar betrokken bij raakt, toch?'

'Dat is precies het probleem, oom. Flavia moet nu juist bij Messalina in de buurt blijven. Narcissus moet weten wanneer en waar het huwelijk zal worden gesloten.'

'Maar er zijn toch andere manieren om aan die informatie te komen? Via Corvinus, bijvoorbeeld?'

'Misschien. Maar als Flavia hem die informatie niet geeft, zal hij geen reden zien om Claudius duidelijk te maken dat mijn gezin het paleis beter kan verlaten. Als het waar is wat moeder zegt en het ene giftige kreng vervangen wordt door het andere, dat nóg meer gif spuwt, dan moet dat nu voor alles gaan, omwille van Titus. En afgezien daarvan,' voegde Vespasianus er met een samenzweerderige grijns aan toe, 'heeft Flavia nog niets gezien van de kwart miljoen denarii die Messalina haar zou lenen.'

Gaius grinnikte en sloeg Vespasianus op zijn schouder. 'Je boert goed de laatste tijd.'

'Ik heb bedacht dat ik zo veel mogelijk wil profiteren van de onprettige situaties waarin ik door de stadspolitiek beland, oom.'

'Heel verstandig, jongen. Niemand geeft je een aalmoes omdat je geen schone handen meer hebt.'

Zwijgend keken ze toe terwijl Flavia Tertulla haar hand door het vuur haalde dat in de atriumhaard brandde en meteen daarna in een kom water stak. Nu ze door het koken en wassen de twee elementen had aangeraakt die wezenlijk waren voor het leven, kon Flavia Tertulla haar hand in die van haar vader leggen. Sabinus gaf zijn dochter toen officieel weg aan Paetus, die naast een kleine weergave van het huwelijkse bed stond, dat was versierd met bloemen en fruit en naast het impluvium gezet zodat de geesten van de pasgetrouwden daar het huwelijk konden consummeren. De gasten hieven een lied aan waarmee ze het stel wilden aanmoedigen het voorbeeld van hun geesten te volgen, en vervolgens leidde Flavia als getrouwde bruidsjuffer Flavia Tertulla naar de bruidskamer om met haar te bidden en een offer te brengen en om haar te helpen zich uit te kleden ter voorbereiding op de komst van Paetus.

'Wat een schijnheilig gedoe!' snoof Vespasia. 'Ze mag dan maar één keer getrouwd zijn, maar om nou te zeggen dat ze de belichaming is van de trouwe echtgenote?'

'Moeder, als u op deze manier over mijn vrouw blijft praten, wil ik niet dat u mijn kinderen nog langer ziet. Wat gezien de manier waarop u Domitilla zojuist terechtwees, voor hen waarschijnlijk een opluchting zal zijn.'

Vespasia draaide zich met vuurspuwende ogen naar Vespasianus. 'Je steunt je echtgenote in plaats van de vrouw die jou ter wereld bracht?'

'Ik steun de moeder van mijn kinderen tegen de naïeve mening van een oude vrouw die niet begrijpt wat er speelt en waarom dat speelt. Het feit dat u mij gebaard heeft, doet niet ter zake. En nu is het klaar, moeder.'

Vespasia snoof nogmaals en beende weg naar een groep vrouwen van haar leeftijd.

'Na het overlijden van je vader is het elk jaar erger geworden,' zei Gaius. Er kwamen slaven langs met dienbladen vol wijnbekers en gevulde fruitschalen.

'Ze wordt gevaarlijk, oom,' zei Vespasianus terwijl hij keek naar zijn moeder die zich in het gesprek mengde van de vrouwen bij wie ze zich had aangesloten. 'Als ze roddels over Flavia gaat verspreiden, ligt haar verhouding op straat.'

'Daar zou ik me geen zorgen over maken, jongen. Dat zal Agrippina allang gedaan hebben, al ze er tenminste baat bij heeft.'

Vespasianus besefte dat zijn oom waarschijnlijk gelijk had en vervloekte de situatie die zijn positie nu al een jaar onzeker maakte. Messalina had niets ondernomen wat in de richting wees van een huwelijk met een van de eerste vier consuls en het was nu boven alle twijfel verheven dat Silius, die als laatste benoemd was, haar echtgenoot zou worden. Maar omdat ze pas met hem kon trouwen zodra hij in oktober in dienst zou treden als consul, konden de paar mensen in Rome die op de hoogte waren van haar plannen weinig anders dan afwachten en op hun hoede zijn. Narcissus en Pallas hadden de capriolen aan het hof van Messalina met toenemend ongeloof aanschouwd, want ving hun meester dan helemaal niets op van alle geruchten en verhalen daarover?

Messalina werd ondertussen alleen maar roekelozer: vrijwel iedere nacht hoereerde ze onder de burgers van Rome en daarnaast deelde ze ook nog het bed met haar vele aristocratische minnaars. En hoewel haar agenda gevuld was met seksuele escapades, had ze kennelijk nog tijd over om te vertoeven met haar trouwe geliefden Silius en Flavia, al was Flavia niet meer zo happig op de amoureuze gunsten van Messalina, omdat ze die ook verleende aan talloze ongezonde stadsmensen.

Maar Vespasianus had erop aangedrongen dat Flavia deed alsof er niets aan de hand was, een taak waaraan zij zich met evenveel weerzin als zelfbeheersing wijdde. De informatie die ze vanuit het bed van Messalina meenam was van groot belang voor Narcissus en Pallas: de namen van nieuwe minnaars, geheime volgelingen in de Senaat en, ten slotte, de bevestiging van haar plan om met Silius te trouwen wanneer die consul was. Ze vertelde evenwel niet op welke dag ze dat wilde doen.

Vespasianus zuchtte diep en troostte zich met de gedachte dat er weldra een einde zou komen aan het smartelijk wachten, want oktober kwam snel naderbij.

Hij werd ruw uit zijn dagdromen gerukt door Sabinus, die zijn kersverse schoonzoon luid toejuichte omdat die het atrium verliet om zijn huwelijkse plicht te vervullen terwijl de gasten genoten van elkaar, het eten en de wijn en wachtten op nieuws over de paring.

Vespasianus bracht een dronk uit op Paetus, nam een flinke teug van zijn wijn en liet ondertussen zijn blik over de feestvierende menigte gaan. Tot zijn verbazing zag hij Marius, die er nogal verloren bij liep, op hem afkomen. 'Zocht je mij?'

'Ja, en uw broer,' antwoordde Marius. 'Magnus wil dat u beiden op het zesde uur naar de herberg komt. Liefst op zo'n manier dat niemand het in de gaten heeft, want er is iemand die jullie in het geheim wil spreken.'

Vespasianus en Sabinus moesten zich op de Vicus Longus een weg door de menigte banen om bij de splitsing met de Alta Semita te komen, op de zuidhelling van de Quirinaal. Ze liepen als gewone burgers over straat, droegen een tuniek en mantel in plaats van hun senatorentoga, en dus werden ze tijdens hun wandeling naar de herberg bij die splitsing ernstig belemmerd door de inwoners van Rome, mannen, vrouwen, vrijgelatenen en slaven, allen druk met hun eigen werkzaamheden, die uiteraard veel belangrijker en dringender waren dan hun stadsgenoten.

Verkopers probeerden vanuit de open winkeltjes op de begane grond van de drie- of vierhoge woonkazernes schreeuwend hun eetbare dan wel bruikbare waar aan de man te brengen en marchandeerden met klanten over de prijs. Goederen werden bekeken en gekozen of afgekeurd, ruzies laaiden op en werden snel gesust, met geweld of met argumenten, transacties werden gesloten en munten en goederen uitgewisseld. Bekenden begroetten elkaar overdreven hartelijk en bespraken bij een beker wijn de handel, aan de toog van een van de open herbergen die bijtende rook uitwalmden, afkomstig van de gloeiende houtskool waarboven de stukken varken en kip werden geroosterd. De geur van het vlees gaf een zoet randje aan de zurige geur van zweet en oude urine die door de middagwarmte en de langslopende menigte werd verstrooid.

Over de bomvolle stoep, omdat ze hun sandalen niet wilden bevuilen aan het zompige afval op straat, en dwars door de krioelende meute die Rome tot een van de drukste steden van het rijk maakte, liepen Vespasianus en Sabinus de heuvel op.

'Ik was bang dat u geen tijd zou hebben,' zei Magnus toen ze bij de herberg kwamen die fungeerde als het hoofdkwartier van de Zuid-Quirinale Kruispuntbroederschap. Buiten aan de houten tafels zaten een paar broeders te dobbelen.

'Ik hoop dat dit de moeite waard is, Magnus, op de huwelijksdag van mijn dochter,' gromde Sabinus. Hoewel het huwelijk geconsummeerd en de ceremonie afgelopen was, had Sabinus weinig zin gehad om op stap te gaan, maar zijn nieuwsgierigheid had toch gewonnen.

'Dat moet u zelf maar bepalen, heer.' Magnus liet de dobbelbeker rammelen en rolde de inhoud op tafel. Met een van afschuw vervulde blik zette hij de beker met een klap op tafel. 'Dat is de vierde keer achter elkaar dat je wint, Tigran. Ik speel niet meer met jou.' Hij schoof zijn inzet naar zijn oosters ogende tegenstander en stond op. 'Zijn jullie achtervolgd?'

Vespasianus haalde zijn schouders op. 'Ik denk het niet, maar Marius moest achter ons aan lopen om een oogje in het zeil te houden.' Hij draaide zich om en zag Marius de heuvel op komen lopen. 'Daar is hij al. En, Marius?'

Marius veegde het zweet van zijn voorhoofd en keek verbaasd in het rond. 'Vanaf Paetus' huis naar Sabinus zat er niemand achter jullie, maar toen jullie links afsloegen en deze kant op liepen, ving ik steeds een glimp op van twee mannen in mantels met grote kappen die om de beurt zo'n dertig passen achter jullie liepen.'

'Heb je hun gezichten gezien?'

'Nee, onder die kappen zag ik alleen hun baard.'

'Oosterse baarden?'

'Nee, eerder Germaans.'

'Wat hadden ze nog meer aan?'

'Niets bijzonders. Een tuniek. Sandalen.'

'Waar zijn ze gebleven?'

'Dat is ook al zo raadselachtig. Ze zijn jullie de halve weg gevolgd, maar sloegen toen ineens af en verdwenen.'

Vespasianus keek naar Sabinus. 'Wat denk jij?'

'Iemand die weet waar ik woon, maar niet zo nodig hoeft te weten waar ik naartoe ga?'

'Of ze zijn ergens van geschrokken,' opperde Magnus. 'Heb je nog anderen gezien, Marius?'

'Nee, broeder, de rest van de weg zat er niemand achter hen.'

'Dan weten we genoeg. Blijf jij maar hier en kijk goed of je iemand herkent.'

'Dat lijkt me geen slecht idee, Magnus.'

Magnus knikte met zijn hoofd naar de ingang van de herberg. 'Hij is binnen.'

Ze liepen achter Magnus aan langs het altaar voor de huisgoden van de kruispuntbroeders in een nis in de muur en betraden de bedompte en luidruchtige herberg. Het zat vol drinkende mannen en een paar hoeren, die allemaal uit de weg gingen voor Magnus terwijl die in een rechte lijn naar een deur aan de andere kant van de herberg liep, naast de toog, waarachter talrijke kruiken stonden. Het rumoer verstomde toen Vespasianus en Sabinus langsliepen en zwol weer aan toen ze na Magnus door de deur verdwenen, naar rechts gingen en via een korte gang in een kamer kwamen waar de gesloten luiken en een weeïg mengsel van oliedampen, vochtig hout en oude wijn voor een schemerige, muffe sfeer zorgden.

'Dank voor uw komst, heren,' klonk het toen ze de kamer betraden.

'Pallas!' riep Vespasianus uit. 'Waarom zo geheimzinnig? Waarom al deze moeite voor een gesprek dat we overal kunnen voeren?'

Pallas stond op en pakte de onderarm van de broers. 'Omdat ik in het paleis niemand meer kan vertrouwen, er zitten overal spionnen. Dus ben ik maar hiernaartoe gegaan en heb ik ervoor gezorgd dat ik niet achtervolgd ben, want ik wilde niet dat iemand zag dat ik naar een van jullie ging. Mijn mensen zeggen dat Sabinus' huis in de gaten wordt gehouden en we moeten ervan uitgaan dat hetzelfde geldt voor uw huis, Vespasianus.'

'Door Messalina?'

'Dat lijkt me wel, maar zeker weten doe ik het niet. Ik weet wel dat mijn mensen hebben gezien dat er de afgelopen dagen opeens overmatig veel belangstelling is voor Sabinus.'

'Dat zou de twee baardmannen kunnen verklaren, broer,' zei Sabinus terwijl ze gingen zitten.

Magnus schonk wijn in uit de kruik die op de tafel in de hoek stond. 'Ik zal mijn mannen naar ze laten uitkijken, misschien kunnen we ze uitnodigen voor een wijntje bij de open haard, als jullie begrijpen wat ik bedoel.'

Vespasianus pakte zijn beker aan en schudde zijn hoofd. 'Ik denk dat we meer te weten komen als we ze volgen en kijken aan wie ze verslag uitbrengen.'

'Daar hebt u gelijk in. Ik zal het regelen.'

Magnus vertrok en Pallas keerde zich naar Sabinus. 'Ik moet om de gunst vragen die u mij schuldig bent omdat ik u gezuiverd heb van uw mogelijke betrokkenheid bij de dood van Caligula.'

Sabinus knikte nauwelijks zichtbaar. 'Ik geef toe dat ik bij u in het krijt sta, Pallas.'

Pallas keek onbewogen het halfduister in. 'Ik ben blij dat u er ook zo over denkt.' Hij zweeg even en leek zijn gedachten op een rijtje te zetten. 'Als ik wil, kan ik Narcissus verdringen, Callistus uit de weg ruimen en de machtigste man van het rijk worden, wat jullie familie geen windeieren zal leggen, gezien – dat zullen jullie toch met me eens zijn – onze langdurige vriendschap. Maar dan moeten we een reeks elkaar snel opvolgende gebeurtenissen in gang zetten die mijn tegenstanders geen tijd gunt om na te denken over hun reactie. Om te beginnen moet ik Messalina zover zien te krijgen dat ze meteen op de eerste dag van Silius' consulschap met hem wil trouwen, zodat we haar een stap voor kunnen zijn. Flavia kan dat regelen, Vespasianus, en in ruil daarvoor zal ik Narcissus steunen in zijn poging om Claudius ervan te overtuigen dat hij haar uit het paleis moet laten vertrekken. Dat lukt hem namelijk niet, omdat hij niet bij de keizer in de gunst staat.'

Vespasianus probeerde even onverstoorbaar te kijken als Pallas. 'Wat wilt u dat ze doet?'

'Ze moet Messalina vertellen dat ze u en Sabinus heeft horen praten over Claudius' plannen voor een huwelijk en dat u zegt dat Callistus graag ziet dat Claudius in het huwelijk treedt met de derde vrouw van Caligula, Lollia Paulina, terwijl Narcissus en ik willen dat hij trouwt met Aelia Paetina, zijn tweede vrouw. U weet wel, de vrouw bij wie hij een dochter verwekte voordat zijn moeder hem dwong tot een scheiding omdat ze de halfzus van Seianus was.'

'Zodat zij denkt dat er al concrete plannen bestaan om haar van de troon te stoten?'

'Precies. En ze zal het geloven, omdat ze zal inzien dat het vanuit ons standpunt bezien volstrekt logisch is: Callistus probeert de vrouw van zijn vroegere beschermheer aan de macht te krijgen en Narcissus en ik proberen het zo te regelen dat de macht in handen blijft van een vrouw die wij al kennen. En dat ís ook wat wij willen, althans, in de ogen van buitenstaanders.

Om Messalina in actie te laten komen, moet Flavia haar vertellen dat ze u heeft horen zeggen dat de zaak heel spoedig afgerond zal worden, omdat de *ides* van oktober, de dag van het feest van het oktoberpaard, als de gunstigste dag voor het huwelijk wordt aangemerkt.'

'Dat zal haar bezighouden.'

'Inderdaad. Ze zal haar bedoelingen openbaar moeten maken en met Silius trouwen zodra hij consul is.'

'Maar hoe komt u dan van hem af?'

'Daar heb ik een oplossing voor. Ik moet Claudius uit de stad zien te houden en er dus voor zorgen dat hij later terugkeert van de bezichtiging in Ostia. Hij gaat morgen weg. Dan mist hij dus de beëdiging van Silius. Maar laat die dingen maar aan mij over. Na de huwelijksceremonie moet u zo snel mogelijk een paar gasten naar Ostia zien te krijgen, indien nodig met geweld, zodat ze Narcissus op de hoogte kunnen brengen van het huwelijk. Maar u moet hoe dan ook niet doen wat u Narcissus beloofd hebt en hem van tevoren waarschuwen.'

'Maar Flavia...'

'Met Flavia komt het goed, laat dat maar aan mij over. Ik moet Narcissus verrassen, dat is de enige kans om hem te slim af te zijn. Als hij hoort dat het huwelijk zonder zijn medeweten is voltrokken, heeft dat onvermijdelijk gevolgen en zal het bereiken van mijn doel alleen nog een kwestie van tijd en tijdig handelen zijn. En dan, Sabinus, kunt u uw schuld inlossen: de ochtend na het huwelijk moet er in de Senaat een decreet worden goedgekeurd en op het moment dat Messalina de Styx oversteekt moet er een wet worden aangepast. Uw status als consul, uw recht om de onderscheidingstekens van een triomf te dragen die u in Britannia hebt verworven en het feit dat u volgend jaar als gouverneur naar Moesia gaat, moeten u het gezag geven om voldoende steun te verzamelen in de Senaat om dat voor mij te doen.'

'Over welke wet hebt u het?'

'De wet tegen incest tussen oom en nicht.'

De broers ademden tegelijk fluitend in.

Vespasianus was als eerste van de schrik bekomen. 'Er bestaan nauwelijks wetten die ouder en heiliger zijn dan deze, Pallas.'

'En dus is hij zeer geschikt voor mijn doeleinden, omdat niemand het verwacht.'

'U wilt Claudius met Agrippina laten trouwen.'

Pallas trok even een wenkbrauw op in waardering voor dit inzicht. 'Dat is de enige verstandige optie. Zie het zo: wij ruimen de vrouw van Claudius uit de weg, maar zijn zoon moet in leven blijven. Voorlopig althans. Als hij dan een volwassen man is en de troon bestijgt, zou het een van zijn eerste plichten moeten zijn om zijn moeder te wreken en ben ik ten dode opgeschreven, net als Narcissus en u, Vespasianus, ook al is uw zoon bevriend met Britannicus, want uw aandeel hierin kan niet geheim blijven. Narcissus denkt dat hij dit kan tegenhouden door een huwelijk tussen Claudius en Aelia Paetina te steunen en Britannicus naar voren te schuiven als troonopvolger, want die jongen is hem ondertussen heel wat verplicht. Dat zou kunnen werken. Wie weet. Maar dit keer ziet hij één ding over het hoofd. Als ik Agrippina bij Claudius in bed weet te krijgen, zal ze Narcissus en Callistus nooit vergeven dat ze andere kandidaten steunden, hoewel ze toen in theorie niet eens beschikbaar was.' Heel even verscheen er een zelfvoldane glimlach op het gezicht van Pallas. 'Na die affaire met Asiaticus betekent dat voor Callistus op z'n minst een ballingschap, maar hopelijk iets ergers, en de macht van Narcissus zal aanzienlijk slinken. Bovendien zal ik in de toekomst veilig zijn voor de wraak van Britannicus, en u ook, Vespasianus, door Lucius Domitius Ahenobarbus naar voren te schuiven als troonopvolger, want Claudius zal zich er vrij gemakkelijk door Agrippina van laten overtuigen dat hij geschikter is. Dan is het cirkeltje rond.'

Sabinus krabde achter op zijn hoofd en schraapte zijn keel. 'Maar hoe krijg ik die wet door de Senaat?'

'Zoals altijd: senatoren omkopen met geld dat ik u zal geven en mensen aanspreken op hun gezonde verstand. Eindelijk zullen het Juliaanse en het Claudiaanse huis door een huwelijk worden verbonden en in een erfgenaam voorzien die, als hij met de dochter van Claudius trouwt...'

'Maar die is dan zijn adoptiefzus!'

'Ja, maar dat regelen we tegen die tijd wel. Als Lucius met Claudia Octavia trouwt en zich ontdoet van Britannicus, wordt hij de onbetwistbare opvolger van Julius Caesar en Germanicus en zal het volk met hem weglopen. Het andere argument is dat Agrippina al tweeënveertig is en waarschijnlijk niet meer zwanger kan worden en de opvolgingskwestie dus niet zal compliceren. Als de Senaat een stabiel Rome wil, moeten ze dat in overweging nemen als ze stemmen voor de wetswijziging die het voor een oom legaal maakt om met zijn nicht te trouwen.'

Hoewel Vespasianus wist dat Pallas altijd had gedacht dat Britannicus kansloos was, huiverde hij door de kille manier waarop hij zijn verhaal deed. Hij begreep nu dat de jongen ten dode was opgeschreven, maar dat was precies wat hij vreesde. 'En mijn Titus dan? Wat gebeurt er met hem als Britannicus naar de slachtbank wordt geleid?'

'Hem zal niets overkomen, dat beloof ik u plechtig. Hij vormt toch geen enkel gevaar voor Agrippina en Lucius? Niemand die denkt dat hij ooit keizer wordt.' Pallas zette grote ogen op en hield zijn hoofd een beetje schuin. 'Behalve dan misschien als er geen sprake is van een Juliaans-Claudiaanse vereniging en de bloedlijn van de Caesars ophoudt.'

'Als u op dat gedachtespoor blijft zitten, maakt u zich schuldig aan verraad.'

'Dan heeft het merendeel van de senatoren al verraad gepleegd. Maar goed, als jullie het aanzien van jullie familie willen vergroten, raad ik jullie aan te doen wat ik zeg. Kan ik op jullie reken, heren?'

De broers keken elkaar aan en kwamen vrijwel meteen tot een stilzwijgende overeenkomst.

'U kunt op ons rekenen, Pallas,' zei Vespasianus. 'Omdat we loyaal zijn aan u en het ons duidelijk iets oplevert.'

'Mooi. Flavia moet vanavond nog naar Messalina gaan.'

'Dat zal ze doen. Maar ik moet u om een gunst vragen.'

Pallas boog licht zijn hoofd.

'Als uw plan werkt...'

'En dat zal het.'

'Dat zal het. Dan zal Narcissus niet in staat zijn om de mensen te redden die dicht bij Messalina staan.'

'Inderdaad.'

'Dus Corvinus zal sterven?'

'Ongetwijfeld.'

'Zou u hem redden als ik het u vraag?'

'Om u een gunst te doen wel, ja. Maar waarom zou u dat willen?'

'Omdat hij mij indirect heeft betaald voor zijn leven. Ik moet die afspraak nakomen en op die manier kan ik eens en voor altijd een einde maken aan onze vete.'

'Dan zeg ik u bij dezen dat zijn leven in uw handen ligt.'

'Ik heb nog een vraag,' merkte Sabinus op. 'Wat is dat decreet dat u goedgekeurd wilt laten worden door de Senaat?'

Pallas stond op. 'Een kleine bevlieging van de keizer die per ongeluk over het hoofd is gezien.'

Vespasianus rolde het document op, legde het op tafel en glimlachte naar zijn vrouw, die tegenover hem zat op het terras van hun paleiswoning. 'Een bankwissel van Messalina, inwisselbaar bij de bank van de gebroeders Cloelius in het Forum tegen een kwart miljoen denarii. Goed gedaan, liefste. Ik zal Magnus vragen hem te ruilen voor een wissel van de gebroeders zelf, zodat het geld niet in verband kan worden gebracht met Messalina nadat ik de wissel te gelde heb gemaakt.' Hij klopte zacht op het document alsof het een gekoesterd bezit van ongekende schoonheid was en ademde toen tevreden de koele ochtendlucht in. 'Hoe reageerde ze toen een betrokken minnares haar het zorgwekkende nieuws doorgaf dat haar ter ore was gekomen toen ze toevallig een gesprek van haar man opving?'

Flavia reikte over de tafel naar de hand van haar echtgenoot. 'Vespasianus, ik zal blij zijn wanneer dit voorbij is en ik denk zelf dat het niet lang meer zal duren. Ze geloofde me en ontstak in grote woede, vervloekte iedereen, van de keizer en zijn vrijgelatenen tot haar vier eigen slaven, van wie ze er een in haar bijzijn liet geselen om zich beter te voelen.'

Vespasianus dacht aan de slavinnen die Messalina hadden vergezeld bij de hoorzitting van Asiaticus en vroeg zich af wie van hen de ongelukkige was geweest. 'Liet ze doorschemeren wat ze van plan is?'

'Ze zwoer dat iedereen die tegen haar samenspant dood zal zijn voor de ides van oktober en ging vervolgens naar de tuinen van Lucullus om tot rust te komen en Silius te spreken.'

Vespasianus dacht even na en staarde over de daken van Rome in de richting van de tuinen die Messalina zich op doortrapte wijze had toegeëigend. 'Natuurlijk,' mompelde hij, 'daar kan ze het in 't geheim doen, zonder stoet van het ene huis naar het andere, zonder aanbidding van huisgoden op straat of het organiseren van een Sabijnse maagdenroof. Gewoon een besloten feest in de meest besloten tuinen van Rome. Niemand buiten haar kring zal ervan weten totdat de nieuwe consul suffectus de volgende ochtend in de Senaat bekendmaakt dat hij getrouwd is met de keizerin, die is gescheiden van de keizer, en Britannicus aanneemt als zijn zoon. Als ze genoeg officieren van de garde heeft verleid, is de kans groot dat haar plan slaagt. Het enige wat hij hoeft te zeggen is: kies tussen Claudius en Messalina, want voor een van hen heeft het laatste uur geslagen. En trouwens, als het Messalina is die naar de andere wereld gaat, hier is een lijst met al haar minnaars, misschien interessant leesvoer voor de keizer. Perfect.'

Flavia pakte de hand van haar man steviger vast. 'Wat ga je doen?'

Vespasianus stond op. 'Om te beginnen zorg ik dat jij en de kinderen vertrekken uit Rome. Cleon!'

'Jawel, meester,' antwoordde de huismeester en hij stapte het terras op.

'Laat de spullen van de meesteres en de kinderen inpakken voor een verblijf van minstens een maand en regel vervoer naar mijn landgoed in Cosa. Ze vertrekken vanavond als het donker is.'

'Jawel, meester.' Cleon maakte een buiging en liep achteruit weg.

'Weet je zeker dat dit verstandig is?' vroeg Flavia. 'Je zei toch dat je ons hier niet zonder toestemming van de keizer kon weghalen.'

'Hij is in Ostia, en die toestemming heb ik tegen de tijd dat hij terug is in Rome.'

'Hoe weet je dat zo zeker?'

'Omdat ik in de strijd tussen de kandidaat-meesters van Rome de uiteindelijke winnaar steun.'

HOOFDSTUK XIX

Met zijn toga over zijn hoofd en een uiterst serieuze uitdrukking op zijn knappe, strakke gezicht stond Gaius Silius voor de nestor van de Senaat. 'Ten overstaan van u, Jupiter Optimus Maximus, of hoe u ook genoemd wenst te worden, zweer ik als consul van Rome de wetten van de republiek te eren en trouw te blijven aan de princeps van Rome, Tiberius Claudius Caesar Augustus Germanicus, en zijn leven te beschermen.'

'Zijn eerste leugen als consul,' mompelde Gaius, die naar de lege zetel van de keizer voor het altaar keek. 'Jammer dat hij niet oog in oog met Claudius staat.'

'Die kans gaat hij ook niet krijgen,' meende Vespasianus. 'Over twee dagen is hij dood.'

'Ik hoop dat je gelijk hebt, jongen, want het zou heel akelig voor ons zijn als dat niet zo is.'

Silius voltooide zijn eed, en terwijl de nestor de reinigingsrituelen uitvoerde, vroeg Vespasianus zijn beschermgod met een schietgebedje om succes bij de inspanningen van de komende nacht en dag en verzocht hij de huisgoden om zijn gezin voor het kwaad te behoeden.

Silius nam plaats op de curulische zetel naast de eerste consul, de jonge Lucius Vitellius, waarna de nestor de toga van zijn hoofd trok en de Senaat toesprak. 'Leden van de Senaat, de keizer is spijtig genoeg opgehouden in Ostia door zaken waarvan de afhandeling zijn wijsheid behoeven. Hij heeft ons daarom gevraagd de zitting van vandaag te beëindigen zodra de nieuwe consul suffectus is beëdigd. Hij probeert morgen op het zevende uur terug te zijn en vraagt u op dat tijdstip naar de Senaat te komen om te luisteren naar zijn verslag over de voortgang van de aanleg van de nieuwe haven, uiteraard mits andere belangrijke zaken geen voorrang genieten. Leden van de Senaat, u kunt gaan.'

Vespasianus pakte zijn vouwstoel op en probeerde zich met Gaius en Sabinus een weg naar buiten te wringen. 'De Senaat die 's middags in plaats van 's ochtends vroeg bijeenkomt: ik vermoed dat Pallas daarachter zit.'

'Ik hoop dat ik tegen die tijd bericht van hem heb gehad.'

'Dat weet ik wel zeker, en ik verwacht dat ik degene zal zijn die dat aflevert. Lukt het om steun te vergaren?'

'Het is lastig als je mensen niet kunt vertellen wát ze moeten steunen, maar ik heb met Pallas' geld lopen strooien en vage uitspraken gedaan over een beloning van de keizer in ruil voor steun aan een komende motie en, later, een wetswijziging. Paetus heeft goed geholpen met het werven van de jonge garde en oom Gaius heeft gedaan wat hij kon bij zijn leeftijdgenoten.'

'Zonder mijn standpunt of meningen bloot te geven, natuurlijk,' voegde Gaius daaraan toe.

'Uiteraard, oom. We willen toch niet dat mensen denken dat u een mening heeft?'

'Ik ken mensen die ter dood zijn veroordeeld omdat ze alleen maar dachten aan een mogelijke mening.'

'Dat zal vast.'

'Maar ik probeer Servius Sulpicius Galba over te halen om de motie te steunen in ruil voor de gunst die Pallas hem verleende, want die regelde dat hij meteen na zijn terugkeer uit Germania Superior gouverneur in Afrika kon worden.'

Sabinus was onder de indruk, en terecht. 'Iemand uit zo'n oude familie die bekendstaat om haar conservatieve opvattingen kan van grote waarde zijn. Hoe dan ook, broer, ik heb genoeg mensen die zich in positieve zin kunnen uitlaten over mijn voorstel, wat dat ook mag inhouden.'

'Mooi. Ik zie jullie later bij Magnus,' zei Vespasianus toen ze met de andere senatoren de warme ochtendzon in stroomden.

'Ik zal er zijn.' Sabinus klopte zijn broer op zijn schouder en verdween in de menigte.

'Wat gaan jullie daar doen?' vroeg Gaius.

'We verzamelen daar voordat we onaangekondigd op een feestje verschijnen.' Vespasianus zuchtte toen hij zag dat Corvinus boven aan de trap van de Senaat op hem stond te wachten.

'Hits hem niet op, jongen,' zei Gaius terwijl Corvinus naar hen toe kwam.

'Maakt u zich geen zorgen, oom, dat is niet nodig. Als dit voorbij is, heb ik hem niet meer nodig.'

Corvinus wierp een hooghartige blik op Vespasianus. 'En, boertje?'

'En wat, Corvinus?'

'Silius is beëdigd, dus hoe zit het met het huwelijk tussen hem en mijn zus, en wat is Narcissus van plan?'

'Wat het eerste betreft heb ik geen nieuws, en over het tweede kan ik niets zinnigs zeggen.'

Corvinus fronste ongelovig zijn wenkbrauwen en keek daardoor nog arroganter dan normaal. 'Narcissus doet niets?'

'Dat zeg ik niet, hij heeft mij gewoon niet verteld wat hij doet. Als je wilt weten wanneer je zus gaat trouwen, kun je dat misschien beter aan haar vragen. Maar één ding weet ik wel, en dat is dat het erop lijkt dat jouw leven niet in handen van Narcissus ligt.'

'Hoe bedoel je?'

'Ik bedoel dat Narcissus jou niet kan redden.'

'Wie dan wel?' vroeg Corvinus.

'Ik, als ik wil tenminste.'

'Je bent het mij verplicht, Vespasianus.'

'Dat kan ik simpelweg naast me neerleggen, Corvinus, en jou voor dood achterlaten, waar ik overigens alle recht toe heb als je bedenkt hoe je mijn familie behandeld hebt. Maar dat doe ik niet. Wat niet betekent dat ik het erg zou vinden als je binnenkort je laatste adem uitblaast, dus voor mij besta je vanaf nu niet meer. Als ik jou de kans bied verder te leven, en die kans bied ik je, wees dan zo beleefd om je in mijn aanwezigheid te gedragen alsof je dood bent. Dan staat we gelijk.'

De dunne, blauwgrijze wolk die in de verte boven de Tyrreense Zee hing, sneed de donkeroranje, ondergaande zon in het westen bijna precies doormidden. Door de menigte die zijn schaduw opslokte, baande Vespasianus zich een weg over de Alta Semita, waar de geuren van duizenden avondmaaltijden hem overstelpten.

Gesterkt door de overtuiging dat een geslaagde afwikkeling van de gebeurtenis zijn familie veiligheid en grote rijkdom zou opleveren, vervolgde hij met stevige tred en rechte rug zijn pad. Het geld dat hij verdiend had aan Corvinus, Theron en nu ook Messalina maakte hem tot een rijk man, rijker dan negenennegentig procent van alle onderdanen van de keizer in hun dronken dromen waren. Vergeleken bij de rijkdom van de Romeinse elite stelde het evenwel weinig voor. Maar je moest ergens beginnen, en terwijl hij onopgemerkt, gekleed in een oude reismantel en een grof geweven tuniek, door drommen burgers drong van wie de gezamenlijke rijkdom waarschijnlijk een fractie was van de zijne, dacht hij met een agressief genoegen aan wat hij voor zichzelf bereikt had door te reageren op de plannen van anderen. Hij bedankte Caenis, wier gezicht helder op zijn netvlies brandde, voor haar kennis van de vergaring van rijkdom en het machtsgevoel en genot dat de geldjacht bood. Van het verheven ideaal dat hij had toen hij drieëntwintig jaar geleden met zijn vader de stad binnenkwam, dat hij zich onbaatzuchtig in dienst wilde stellen van Rome, was weinig meer over.

'Bent u diep in gedachten, of probeert u er een weerspannige drol uit te persen?' vroeg iemand.

'Wát?' Magnus was ineens voor hem opgedoken.

'Hard aan het denken of hard aan het poepen? Welke van de twee was het, want u was zo ver weg dat u bijna de herberg voorbijliep.'

'Aan het denken, natuurlijk!' antwoordde Vespasianus iets vinniger dan de bedoeling was. 'Waar is Sabinus?'

'Die is bij de Porta Collina met de anderen de wagen en de paarden aan het controleren. Ik stond op u te wachten.'

'Nou, ik ben er, dus laten we gaan.'

'Misschien is het goed voor uw stemming als u eerst even gaat poepen?'

'Het spijt me, Magnus.'

'Wat zit u dwars? Aardig wat, zo te merken.'

Vespasianus haalde diep adem terwijl ze naar de Porta Collina liepen, op slechts tweehonderd passen van de herberg. 'Al die tijd dacht ik Rome te dienen, maar nu besef ik dat ik dat helemaal niet doe, dat ik alleen maar een van de heersers van Rome dien. Niemand doet iets vanuit de onzelfzuchtige gedachte dat het goed is voor het algemeen welzijn. Integendeel, alles waarbij ik sinds mijn komst naar deze stad betrokken ben geweest, was alleen maar goed voor het persoonlijke gewin van anderen. Ik heb er zelden direct van geprofiteerd en Rome al helemaal niet, althans, niet het Rome van mijn idealen, want dat Rome bestaat niet en heeft eigenlijk ook nooit bestaan. Rome is de paal waar de machtigen om vechten omdat ze daar hun eigen adelaar op willen zetten, zodat ze in naam van het volk steun kunnen verzamelen. Wat maakt het dus uit voor degenen die de macht in handen hebben? Claudius, Caligula, Tiberius, Narcissus, Pallas, Seianus, Antonia, Macro, Messalina, wie dan ook, ze zijn allemaal hetzelfde. De een ruikt alleen wat lekkerder dan de ander. Maar het enige wat ze doen, is ervoor zorgen dat de mensen genoeg eten en vermaak hebben, zodat het hun niet opvalt dat de meesten van hen in pure ellende leven terwijl de machtigen hun zakken vullen met geld dat eigenlijk voor de gemeenschap is bestemd.'

'Zo is het. En hoe vaak heb ik u dat niet duidelijk willen maken? U met uw verheven idealen, hoe u zich inlaat met de politiek, alsof die er werkelijk toe doet, terwijl u weet dat u nooit de top kunt bereiken omdat u uit de verkeerde familie komt. Ik kan me herinneren dat u hebt gezegd dat uw grootmoeder u daarvoor waarschuwde.'

'Inderdaad, en ik dacht altijd dat ik moest kiezen: óf de rest van mijn leven op mijn landgoederen blijven, óf Rome nemen zoals ze is en, hoewel ik nooit de top zou kunnen bereiken, mijn familie eer bewijzen met mijn werk. Maar dat zag ik dus helemaal verkeerd.'

Magnus duwde een jongetje van de stoep dat hem voor de voeten liep en negeerde zijn krijsend protest. 'U moet niets doen waarvan u zelf niet beter wordt. Alles wat u doet moet iets opleveren, een winst, hoe klein ook, of de vereffening van een schuld.'

'Precies. Ik besef nu hoe waar dat is en voel me er een stuk beter bij. Ik dacht altijd dat Rome groots en glorierijk was. Typisch de gedachte van een naïeve jongeling. Deze stad is weinig meer dan een strijdperk waar wilde beesten elkaar verscheuren omdat ze allemaal op hetzelfde stuk bot willen knagen. En nu ik voor het eerst mijn tanden in dat bot heb gezet, heb ik de smaak te pakken. Voortaan help ik iedereen die ervoor kan zorgen dat ik mijn tanden er nog een keer in kan zetten. Het maakt niet uit wie het zijn of waar ze voor staan, want ze willen toch alleen maar wat ik ook wil.'

'Meer bot?'

Vespasianus grijnsde. 'Veel meer bot. En jij? Kom jij aan je trekken?'

'Geregeld. Maar ik heb ook nooit iets gedaan wat geen uitzicht bood op een bot.'

'Waarom help je me vanavond dan?'

'Sommige beesten kunnen niet geduldig wachten op hun bot, als u begrijpt wat ik bedoel.'

Vespasianus sloeg Magnus op zijn schouder. 'Ik begrijp je, en ik geloof dat ik jou heel wat gunsten moet verlenen als ik consul ben.'

'Sabinus zorgde er ook steeds voor dat ik voldoende bot had. Ik zou niet weten waarom dat bij u anders zou gaan.'

'Ik weet wel zeker dat het niet anders gaat. Ik zal geleefd worden door verplichtingen.'

'Trouwens, die bebaarde smeerlappen die uw en uw broer zijn huis in de gaten houden brengen volgens mijn jongens bij niemand verslag uit. Er komt niemand bij ze en ze gaan nergens heen, alleen naar die smerige kamer waar ze eten en slapen.'

'Maar als ze voor niemand werken, wat willen ze dan van Sabinus en mij?'

'Ik heb geen flauw idee, maar sinds gisteren staan ze niet meer bij uw huis en houden ze alleen Sabinus nog in de gaten. Misschien heeft hij een bot van hen.'

'Dan is het volgens mij tijd voor dat gesprekje bij de haard waarvoor jij ze vriendelijk wilde uitnodigen.'

'Dat dacht ik dus ook.' Magnus zwaaide vrolijk naar de twee wachters van de stadscohort toen ze door de poort liepen. 'Goedenavond, mannen.'

'Natuurlijk, Magnus.'

Achter de poort zag Vespasianus Sabinus, Marius, Sextus en drie andere broeders van Magnus bij een overhuifde wagen die werd voortgetrokken door twee muilezels. Marius zat aan de teugels, en vier gezadelde paarden zaten met strengen aan de wagen vast.

'Ben je er klaar voor, broer?' vroeg Sabinus.

'Zeker weten.'

'Mooi. Dan zou ik zeggen: aan de slag.'

De flikkerende lichtpunten van fakkels en armblakers omlijnden en vulden de Tuinen van Lucullus alsof het een rechthoekig sterrenbeeld was dat bestond uit talloze sterren aan een verder dunbevolkt firmament. De lichte bries voerde feestelijke geluiden mee terwijl Vespasianus en de anderen in het schemerlicht van de kwart maan tussen de graftombes door over een smal pad liepen, om de voet van de Pincius heen, en de tuinen vanuit oostelijke richting naderden. Op de door lieren en fluiten ondersteunde trommels werd een traag ritme geslagen en de zang, zowel welluidend als vals, werd regelmatig overstemd door het rauwe lachen van dronken mannen, gilletjes van genot, uitroepen van gespeelde verontwaardiging en een hoog en laag loeien en krijsen van verrukking. Een muzikaal landschap van vleselijke bevrediging.

Vespasianus leidde de groep langs een paar gebouwen tot op gehoorsafstand van de openstaande poort in het midden van de witte muur, tweehonderd passen lang en in het maanlicht eerder grijs dan wit, die langs de voet van de heuvel liep. In het licht van de twee fakkels aan weerszijden van de poort stonden twee wachters tegen de hekpalen geleund. Hij knikte naar Marius, die de wagen het terrein van de tempel van Flora op stuurde, waar hij uit het zicht van de wachters was.

'Ik weet niet hoe lang het duurt, Marius,' zei Vespasianus. 'Maar hou je oren en ogen open. Als wij door de poort komen, moeten jij en Sextus zo snel als de gevleugelde Mercurius naar ons toe komen.'

'Dat doen we, legaat. Moeten we nog iets aan die wachters doen?'

'Nee, die staan er alleen om ongenode gasten tegen te houden. Dat regelen wij wel.'

'Zo snel als de gevleugelde Mercurius,' herhaalde Sextus voor zichzelf, alsof hij de opdracht moest laten bezinken, 'als ze door de poort komen.'

Magnus pakte een zak uit de wagen en gaf die aan de broeder met het litteken op zijn linkerkaak, dat dwars door zijn Griekse baardje sneed. 'Jij neemt de touwen, Cassandros. Caeso en Tigra, jullie pakken de twee ladders uit de wagen.'

Toen de twee broeders, een jonge kerel en een bebaarde oosterling die een broek droeg, de opdracht hadden uitgevoerd, trokken Vespasianus en Sabinus hun kappen over hun hoofd, schoten het pad over en liepen over ruig terrein de heuvel op, schuin naar de muur die over een lengte van driehonderdvijftig passen de heuvel op voerde. Magnus en zijn broeders volgden hen.

Ongeveer in het midden bleven ze staan. 'Ga er maar op, Tigran, en zorg dat je niet gezien wordt.'

De ladder was twee voet te kort om helemaal tot boven aan de muur te komen, maar Tigra wist zich op de terracotta tegels op de bovenkant te werken, ging liggen, zette in een oogwenk de tweede ladder aan de andere kant en verdween uit zicht. Na hem klauterde Vespasianus de ladder op, en even later stond hij tussen de waterpartijen die de tuin in dit deel sierden. Tussen de vijvers slingerden grindpaden waarop talrijke wilde vogels zaten te slapen, met hun kop tussen hun veren, om hun ogen af te schermen van het licht van de fakkels. Het aantal zingende mensen was afgenomen. De muzikanten speelden door, al werden ze vrijwel volledig overstemd door de aanzwellende kakofonie van genot.

Nog honderd hartslagen later waren alle mannen de muur over. Nadat hij de ladder die aan de buitenkant stond omhoog had getrokken, daalde Magnus als laatste af naar de tuin.

'Ze moeten de ladders meenemen,' fluisterde Vespasianus toen Magnus hem vragend aankeek, 'voor het geval we toch niet door de poort kunnen.' Toen draaide hij zich om en liep in de richting van de villa, waarbij hij zo veel mogelijk in het donker bleef en het toenemende geluid van de genotzoekers ter oriëntatie gebruikte.

Hij baande zich een weg door een stel struiken die zo gesnoeid waren dat ze samen een sfinx vormden en kwam bij een kleine piramide van tien voet hoog, waar hij opeens bleef staan omdat hij een schrapende uitademing hoorde. Hij stak zijn hand op ten teken dat de anderen moesten blijven staan en kroop langs de piramide naar voren. Nu hoorde hij een ronkende inademing. Vespasianus stak zijn hoofd om de piramide en zag iemand op zijn rug liggen. Hij had een Thracische muts op en droeg een heel korte tuniek waar een kunstfallus onder vandaan stak die vrijwel even groot was als de man zelf. Naast hem lag een leeggelopen wijnbeker.

Magnus kwam naast hem staan. 'Wat stelt dit voor?'

'Een dwerg die zich verkleed heeft als Priapus, zou ik zeggen, afgaand op de maat van die neppenis.'

'Hij lijkt iets te veel sap van Bacchus tot zich te hebben genomen, zoals het een echte Priapus betaamt.' Magnus trok zijn mes. 'Eens kijken of er nog iets in dat hoofd van hem zit.' Hij sloop de hoek van de piramide om, boog zich over de slapende dwerg en legde een hand over diens mond terwijl hij het mes pal voor zijn ogen hield, die geschrokken openschoten. Meteen maakte paniek zich van hem meester.

Vespasianus knielde neer, greep de overdreven grote fallus en duwde hem met zijn gewicht in het vlees en bloed van de kleine man. 'Ja of nee: is er vanavond een huwelijk gesloten?'

Aan de ogen van de dwerg, die heen en weer schoten tussen Magnus' mes en Vespasianus, was te zien dat hij pijn had. Hij knikte.

'Messalina en Silius?'

Hierdoor werd de dwerg in verwarring gebracht.

Vespasianus haalde zijn gewicht iets van de fallus, maar duwde hem toen weer hard terug tegen de geslachtsdelen van de dwerg. 'Weet je wie er trouwden?'

Met een van pijn vertrokken gezicht ademde de dwerg hard uit door zijn neus, de spetters snot landden op Magnus' hand, en schudde zijn hoofd.

'Je wordt bedankt!' siste Magnus.

'Breng hem maar weer in slaap, Magnus. We hebben niets aan hem. Hij is een slaaf en heeft geen flauw benul wat er gaande is.'

Magnus trok het hoofd van de dwerg omhoog en kwakte het zo hard tegen de piramide dat de man meteen buiten westen was, waarna hij zijn hand afveegde aan het haar van de kleine Priapus.

Vespasianus sloeg een pad in naar een grasveld bij een abrikozengaard waarin talloze beelden van verslagen Galliërs stonden. Hij kroop langs een gewonde soldaat die op zijn metalen halsring na naakt was – hij was in zijn borst gestoken en greep naar zijn bloedende dijbeen –, schoot over het grasveld en verschool zich achter een grote sokkel. Toen hij omhoogkeek, zag hij het standbeeld van een trotse Galliër die over zijn schouder keek terwijl hij het slappe lichaam van zijn stervende vrouw ondersteunde en zijn zwaard recht naar beneden, langs zijn sleutelbeen, in zijn hart stootte. Vespasianus kon het niet nalaten deze eervolle daad van de Keltische krijger te vergelijken met de uitspattingen van de heersers die hem verslagen hadden. Wat zou Caratacus zeggen van het gedrag van Messalina? Het antwoord lag voor de hand.

Het orgiastische rumoer was nu heel dichtbij. Hij stak zijn hoofd voorzichtig om de sokkel en gluurde door de abrikozenbomen naar de villa in het midden van de tuin.

Vespasianus schepte diep adem.

Hij was getuige geweest van de ernstige seksuele excessen van Caligula toen de wellustige jonge keizer zijn zus in het openbaar onzedelijke handelingen had laten verrichten met meerdere mannen, maar de buitensporigheid die hij nu aanschouwde, ging nog een stap verder. Deinende hoopjes verstrengelde lichamen in verschillende stadia van ontkleding – soms tweetallen, maar meestal grotere groepen –, lijven die langs elkaar wreven, op banken en op tafels, balancerend op of over de balustrade rond het terras, languit op de trap daaronder en in grote kuipen met pas geplukte druiven die de huid rood kleurden. Mannen met vrouwen, jongens of andere mannen. Vrouwen in dierenhuiden die met een voorgebonden fallus andere vrouwen, mannen of jongelingen namen. Bij deze massale seksuele uitspatting werd gegeven en genomen zoals het uitkwam. De dronkaards liepen zwaaiend heen en weer tussen de kronkelende lichamen, wijn gulpte over de rand van hun geheven bekers wanneer ze proostten op Bacchus, Priapus, Venus of de geslachtsgemeenschap, en ondertussen tokkelden, bliezen en trommelden de muzikanten er lustig op los, improviserend op het ritme van seks. Twee als sater verklede dwergen die een fallus met een soort geitenkop droegen sprongen en dansten op de muziek en voegden daar met hun panfluit nog klanken aan toe.

Rond het terras stonden naakte slaven en slavinnen die met fakkels de vleselijke liederlijkheid verlichtten. Zwijgend en zonder enig spoor van emotie keken ze toe terwijl hun meesters, de elite van Rome, eer betoonden aan de goden van de buitensporigheid, en zonder te klagen bogen ze voorover of gingen ze op hun knieën om te worden genomen door een van hun bazen en doorstonden ze de decadentie van het volk dat hun stam had onderworpen.

Te midden van dit alles zat Messalina schrijlings op een zittende man die ze met haar rug naar hem toe bereed als een hengst, waarbij ze zo hevig kreunde en gilde van genot dat het soms eerder leek alsof ze heel veel pijn had. Haar haar hing los en beschreef wijde bogen terwijl ze haar hoofd naar voren en dan weer naar achteren gooide, en de rondvliegende zweetdruppels schitterden als goud in het fakkellicht. Ze trok haar rug hol, richtte haar gezicht ten hemel en krijste zo indringend dat de mensen om haar heen hun activiteiten onderbraken en hun hoofden naar de trillende, stuiptrekkende Messalina draaiden. Opeens hield ze op met krijsen, haar rug ontspande en ze zakte uitgeput in elkaar op de knieën van haar partner, waardoor het triomfantelijke gezicht van Silius en de kroon van klimop op zijn hoofd zichtbaar werden.

'Het lijkt me wel duidelijk wat die twee van plan zijn,' merkte Sabinus op, die zich met Magnus bij Vespasianus had gevoegd.

Magnus staarde opgewonden naar het schouwspel. 'Die weten zich te vermaken.'

De losbollen barstten uit in gejuich toen Silius opstond terwijl Messalina nog hevig hijgend aan hem hing. Hij was naakt, op zijn kroon en een paar hoge laarzen na, en zwaaide met zijn vrije arm terwijl hij met zijn andere Messalina vasthield, wier vingers over de grond sleepten doordat hij haar als een lappenpop heen en weer liet zwaaien.

Vespasianus nam alle gezichten op die hij kon zien en herkende er vele: senatoren, ridders, acteurs en praetoriaanse wachters, maar ook rijke matrones – veelal in gezelschap van hun man –, courtisanes en, uiterst schandelijk, ongetrouwde dochters van de elite. 'We moeten er een paar hier weg zien te krijgen zonder dat iemand het merkt.'

'Zo lastig zal dat niet zijn,' zei Magnus en hij schudde verbijsterd het hoofd. 'Als ik hiertussen zat en iemand zou mijn partner de keel doorsnijden, zou ik gewoon doorgaan met pompen totdat al het leven uit haar was weggevloeid, en daarna waarschijnlijk ook.'

'Ik zie het voor me. Bedankt.' Vespasianus drukte zich tegen de sokkel toen een jongeman de trap af kwam gewaggeld, ondersteund door al even dronken vrouwen die samen met hem een loflied op Bacchus zongen en drijfnat waren van het druivensap. Achter hen maakte Messalina zich los van Silius en pakte een thyrsus, een met klimop omwonden staf met aan het uiteinde een knop in de vorm van een dennenappel. Zwaaiend met dit vruchtbaarheidssymbool greep ze met haar andere hand de nog stijve penis van Silius en blikte triomfantelijk in het rond. 'Ik ben Gaia voor Gaius. Als de wil van de goden geschiede, ben ik vanavond bevrucht en zal ik het kind van mijn nieuwe echtgenoot baren.'

Silius gooide zijn hoofd woest loeiend naar achteren en opzij, de gasten brulden instemmend, en onderwijl beklom de jongeman de eerste de beste abrikozenboom die hij tegen was gekomen, terwijl zijn metgezellen tegen de stam leunden en het kleverige sap van Bacchus giechelend in elkaars huid wreven.

'Zie je al wat, Vettius?' riep een van de vrouwen en ze blikte omhoog naar de billen van de man.

'Ik zie van alles, Cleopatra, maar vooral zie ik in het zuidwesten een grote storm Ostia naderen. Recht op de keizer af.'

'Laten we hopen dat hij niet van richting verandert en óns vol treft.'

'Dan weten we dat tijdig genoeg, want...' Takken kraakten en bladeren ritselden en met een korte kreet donderde Vettius uit de boom. Hij landde op zijn schouder en knalde met zijn hoofd op een boomwortel. Na een weinig overtuigende poging om overeind te krabbelen, bleef hij roerloos liggen.

Cleopatra zag het giechelend aan en richtte zich toen weer op haar vriendin: met katachtig enthousiasme likte ze het kleverige sap van haar huid.

'Kom.' Vespasianus kwam in beweging. 'Deze twee zijn perfect. Loop naar hen toe alsof het de gewoonste zaak van de wereld is.' Hij kuierde de boomgaard in, schommelend, alsof hij in een lang gesprek was geweest met Bacchus. Magnus en Sabinus liepen op dezelfde manier achter hem aan.

Achter de boomgaard hadden de losbandigen hun jacht op de blinde vervoering weer geopend. Messalina was met twee jongelingen in een kuip met platgestampte druiven gestapt, terwijl Silius heen en weer slenterde en elke opening op zijn pad kortstondig penetreerde.

Toen hij langs de bewusteloze Vettius kwam, bleef Vespasianus staan, liet zijn bovenlichaam licht zwaaien en keek naar Cleopatra en haar kennelijk zeer innemende vriendin tien passen bij hem vandaan. Beiden waren volledig in de ban van elkaars vochtige borsten. Hij keek over zijn schouder naar Magnus en Sabinus, knikte en liep zo onopvallend mogelijk op de vrouwen af. Toen hij op drie passen van zijn prooi was, stormde hij op hen af, wierp zich op hen en duwde hen tegen de grond terwijl ze een gil slaakten die half angstig, half verrukt was.

'Snoer ze de mond en neem ze mee,' siste Vespasianus.

Magnus trok zijn mes. De vrouwen gaven zich vrijwel meteen gewonnen en lieten zich zwijgend meenemen naar het grasveld waar de broeders van Magnus op hen wachtten. In een oogwenk hadden Cassandros en Tigran hun handen achter hun rug gebonden en had Caeso hen gekneveld.

'Gewoon meekomen, niet tegenstribbelen, dan overkomt jullie niets,' beloofde Vespasianus, die zijn ogen met moeite kon losrukken van de welgevormde vrouwenlichamen, die door de opgedroogde nectar licht glansden.

'Cleopatra! Calpurnia!' klonk het achter hen.

Vespasianus draaide zich om en zag een opkrabbelende Vettius. 'Wegwezen, Magnus. Snel! Neem jij deze, Sabinus.' Hij pakte Cleopatra bij de arm en liep op een drafje achter Magnus en zijn mannen aan.

'Cleopatra! Calpurnia!'

Gebukt en zo snel mogelijk als hij met de vastgebonden vrouwen durfde, liep Vespasianus langs de sokkel van de zelfmoord plegende krijger in de richting van de stervende Galliër.

'Cleopatra! Calpurnia! Calpurnia? Hé!'

Vespasianus blikte achterom en zag aan de rand van de boomgaard een zwaaiende Vettius staan. Heel even ontmoetten hun ogen elkaar, maar toen onttrok de stervende Galliër hem aan het zicht.

'Hé! Kom terug!'

Vespasianus rende verder en moest alles in het werk stellen om Cleopatra op de been te houden. Vóór hem had Sabinus hetzelfde probleem met Calpurnia. Toen ze de piramide naderden keek hij nog een keer achterom: Vettius was uit de boomgaard gekomen en schreeuwde naar hen. Vervolgens draaide hij zich om en rende terug naar het feest. 'Verdomme. Hij gaat alarm slaan. Magnus, we moeten ze dragen.'

'Met alle plezier. Tigran, neem jij die andere,' zei Magnus en hij draaide zich om, liet zijn schouder zakken en schoof Cleopatra erop. Hij hield haar stevig vast bij een bil en holde door de als sfinx gesnoeide struiken.

Vespasianus snelde vooruit en zocht in zijn geheugen, waar de beelden van zijn vorige bezoeken lagen opgeslagen, naar de kortste route naar de uitgang zonder het slingerpad te gebruiken. Ze sprongen over lage heggen, renden langs vijvers en fonteinen, deden reeën en vogels wegstuiven en grindpaden knarsen en pletten zorgvuldig aangelegde bloemenperken; ze stormden door de verschillende thematische delen van de tuin zonder oog te hebben voor de schoonheid daarvan. Achter hen was de pret opgehouden en hadden de klanken van genot en muziek plaatsgemaakt voor het tumult van een achtervolging. Kreten galmden door de nacht en de vluchters renden nog harder.

Nadat hij zich door een muur van rododendrons had gewrongen, zag Vespasianus op slechts dertig passen bij hem vandaan de uitgang op het moment dat de wachters de oorzaak van de commotie op de heuvel zagen. Ze wisselden een blik van verstandhouding en trokken de traliehekken dicht en deden die op slot terwijl Vespasianus glijdend over het grind tot stilstand kwam. 'Caeso! Zet een ladder tegen de muur.'

Caeso rende naar de muur links van de poort. Hij zette de ladder ertegenaan, klom razendsnel naar boven, gluurde over de muur en dook snel weer weg toen er een vuistgrote steen naar zijn hoofd vloog.

Achter de hekken zag Vespasianus maar één wachter staan, die ondertussen zijn zwaard had getrokken. 'Cassandros, zet de andere ladder aan de rechterkant.'

De wachter zag Cassandros weglopen en liep dezelfde kant op. De poort was nu onbewaakt, maar zat stevig op slot. Sabinus gaf er een harde schop tegen, maar het hek trilde nauwelijks.

'Die houden ons wel even bezig,' zei Magnus hijgend en hij liet zijn last nonchalant op de grond zakken, 'en ik vermoed dat we daar eigenlijk geen tijd voor hebben.' Hij wees naar de heuvel. Het schijnsel van talloze fakkels verplaatste zich snel maar niet in een rechte lijn door de tuinen.

'Ze nemen het pad, dat geeft ons wat tijd,' zei Vespasianus. Cassandros was ondertussen de ladder op geklauterd, maar de Griek werd links op zijn gezicht geraakt door een steen en viel naar beneden. Aan de andere kant van de muur klonk een triomfantelijke kreet. Sabinus gaf het ijzeren hek er nog een keer van langs met de zool van zijn sandaal terwijl Tigran er met zijn volle gewicht tegen leunde.

'Hier zit geen beweging in,' riep Sabinus en hij deed een paar stappen terug toen de eerste wachter terugkwam en vreugdeloos lachend naar de heuvel wees.

'Nu, Caeso!' schreeuwde Vespasianus. Hij keek achterom en zag dat het fakkellicht hen tot op honderd passen was genaderd.

De kruispuntbroeder vloog de ladder op, gooide in een vloeiende beweging zijn been over de muur en sprong er aan de andere kant af. De wachter reageerde op het geluid en vloog terug. Er klonken doffe klappen – vuistslagen –, toen ijzer op steen en het grommen en kreunen van vechtende mannen. Cassandros krabbelde ondertussen weer op en Sabinus, Magnus en Tigran probeerden met vereende krachten het hek te forceren, maar daar zat nog steeds geen beweging in. Een pijnkreet en de rochelende ademtocht van een stervende man maanden hen tot nog meer spoed. Achter hen zwol het rumoer van de achtervolgers na elke bocht in het slingerpad verder aan.

Cassandros deed een tweede poging over de muur te komen, maar werd wederom tegenhouden door een goed gemikte steen. Op hetzelfde moment verscheen de eerste wachter weer: met bloed op zijn arm en een gemene glimlach op zijn gezicht stootte hij zijn druipende zwaard door het hek om Vespasianus en zijn kameraden terug te dringen. 'Jullie zitten in de val,' zei hij met zichtbaar genoegen en hij trok zijn zwaard terug. 'Dat wordt interessant.' Zijn ogen werden groot, zijn rug kromde en stuiptrekkend stiet hij zijn adem uit. Zijn linkerhand reikte naar het hek, maar bleef in de lucht hangen toen hij aan zijn haar naar achteren werd getrokken en een mes als een ijzeren, bloedspuwende tong door zijn mond naar buiten gleed. Sextus keek over de schouder van de stervende wachter, achter hem kwam Marius aangereden met de wagen en de paarden.

'De sleutel zit aan zijn riem. Maak het hek open, Sextus. Snel,' zei Vespasianus gehaast. Magnus en Cassandros renden terug om de vrouwen te halen. Sextus grijnsde en draaide zijn kolossale lijf toen verrassend snel om, ontweek de zwaardstoot en plantte zijn enorme vuist recht in het gezicht van de tweede wachter. Diens neus veranderde in een brij, hij sloeg met zijn benen in de lucht achterover en viel neer alsof hij geveld was door een ballistaschot.

Sextus haalde de sleutel van de riem van de eerste wachter en stak hem in het slot. Hij draaide, maar de sleutel wilde niet verder.

'De andere kant op!' brulde Vespasianus geërgerd en hij keek achterom. Vijftig passen bij hem vandaan kwam op de heuvelhelling een horde naakte mannen de laatste bocht van het pad uit. Schreeuwend holden ze op hen af. Magnus en Cassandros waren inmiddels bij het hek gekomen.

Het slot klikte en de hekken zwaaiden open. Vespasianus en zijn kameraden vlogen naar buiten, de vrouwen lagen als schuddende zakken bij Magnus en Cassandros op de schouder. Ze gooiden de vrouwen op de wagen terwijl Vespasianus, Sabinus en Tigran de paarden losmaakten, opstegen en hun hakken in de flanken zetten. Magnus en Cassandros klauterden bij hun vracht in de wagen en Sextus sprong naast Marius op de bok.

De wagen stoof weg, nagekeken door de horde naakte mannen die in het fakkellicht in de poort van de Tuinen van Lucullus stonden.

HOOFDSTUK XX

'Waarom heeft niemand mij hier van tevoren voor gewaarschuwd?' De stem van Narcissus was zacht en hees en deed denken aan het sissen van een slang vlak voordat hij aanvalt. 'Waarom word ik midden in de nacht wakker gemaakt en krijg ik te horen dat de keizerin getrouwd is met de nieuwe consul suffectus en dat twee hoeren die onder het opgedroogde druivensap zitten tegenover de keizer kunnen getuigen dat hij gescheiden is en dat zijn ex-vrouw hem gaat vervangen door een man die twee jaar geleden nog niet eens senator was?' Hij richtte zijn vragende ogen op Vespasianus en Pallas, die beiden tegenover hem zaten. 'Waarom – heeft – Flavia – mij – niet – gewaarschuwd?' Zijn vuist landde hard op de schrijftafel en de holle knal galmde door de schaars gemeubileerde, splinternieuwe kamer. Opgerolde brieven en wastabletten kwamen los van het hout en er klotste wat inkt uit de inktpot, die even vervaarlijk wankelde maar toch besloot te blijven staan.

Vespasianus keek de woedende Narcissus strak aan en bleef kalm en onaangedaan in zijn stoel zitten. Nadat hij even na middernacht was aangekomen in de nieuwe haven, had Pallas hem al gewaarschuwd voor de waarschijnlijke reactie van Narcissus en hij wist hoe hij daarop moest reageren. Sterker nog, hij genoot ervan dat de altijd zo bedaarde secretaris zich zo enorm opwond. 'Daar had ze geen tijd voor, omdat ze het niet wist. Niemand van de mensen rond Messalina wist ervan, alleen zij en Silius. Dat u het nu ook weet, is aan Flavia te danken. Zij hoorde vanmiddag van het huwelijk en heeft het meteen aan mij verteld. Ik had geen tijd om hierheen te komen en te vragen wat ik moest doen, dus deed ik wat mij het beste leek en pakte ik twee mensen op die het met eigen ogen gezien hebben. Als Flavia er niet was geweest, Narcissus, had u het vanmiddag pas gehoord, op het moment dat de keizer de Senaat binnen was gelopen en tot de ontdekking was gekomen dat hij een echtgenote minder en een serieuze rivaal meer had. Dankzij Flavia hebt u nog wat tijd om iets te ondernemen.'

Narcissus sloeg nog een keer op zijn schrijftafel, alleen nu met zijn platte hand. 'Aan wat tijd heb ik niets, ik wil ruim van tevoren gewaarschuwd worden!'

Pallas leunde naar voren, zijn gezicht verried een emotie die je zelden bij hem zag: grote bezorgdheid, maar Vespasianus wist dat die gespeeld was. 'Beste collega, zo komen we nergens. We moeten reageren op de situatie die zich voordoet in plaats van ons te richten op hoe het eigenlijk had moeten zijn.'

Narcissus haalde diep adem en schudde zijn hoofd. Zijn zware oorringen schommelden onder zijn oren en schitterden in het licht van de olielamp, zijn met ringen getooide handen gingen door zijn haar en trokken zijn hoofd naar achteren.

'Vespasianus heeft gedaan wat hij onder deze omstandigheden kon doen,' vervolgde Pallas toen Narcissus weer aandacht voor hem had. 'Hij heeft zijn broer, die wij kunnen vertrouwen, achtergelaten in Rome om te verhinderen dat de Senaat eerder dan gepland bijeenkomt en hij heeft twee getuigen meegenomen die, zo wil het toeval, beiden bekend zijn bij de keizer, omdat hij regelmatig van hun diensten gebruik heeft gemaakt. We kunnen hen gebruiken om eindelijk tot Claudius te laten doordringen dat Messalina een losbandig leven leidt en dat ze ter dood veroordeeld moet worden.'

'Maar als de Senaat en de garde haar kant kiezen? Ze is getrouwd met een consul!'

'Daar lijkt het wel op, maar is dat ook echt zo?'

Claudius brabbelde in zichzelf, wrong zijn handen en kwijlde zo erg dat het speeksel op zijn nachthemd liep toen de twee naakte hoeren voor hem neerknielden. Ze pakten ieder smekend een bevend keizerlijk been.

'We wisten van niets, princeps,' zei Calpurnia, 'ze zei dat u zich van haar had laten scheiden.'

Claudius keek naar Narcissus. 'B-B-Ben ik v-v-van haar g-g-gescheiden?'

'Natuurlijk niet, princeps. Al heb ik u vaak aangeraden dat wel te doen.'

'U hebt mij dat aangeraden?' Er ging een stuiptrekking door de benen van Claudius, waardoor de smekelingen werden weggeschopt. 'Waarom zou u dat doen, terwijl Messalina een volmaakte echtgenote is?'

Narcissus schraapte zijn keel. 'Zoals u weet, zijn er geruchten...'

'Geruchten? Maar daar was niks van waar. Dat heeft Messalina me zelf verteld.'

Vespasianus voelde Pallas' hand tegen zijn elleboog. Hij deed een stap naar voren. 'Maar dit is geen gerucht, princeps. Ik heb het feest gezien en deze twee vrouwen waren getuige van de huwelijksvoltrekking, zoals ze zojuist hebben gezworen. Kijk dan goed, ze zijn naakt en kleverig van het sap van Bacchus. Ze hebben u verteld hoe het feest was. Ik zag Messalina gemeenschap hebben met Silius en vervolgens hoorde ik haar zeggen dat zij Gaia en hij Gaius was.'

Claudius schudde zijn hoofd, het slijm liep uit zijn neus. 'Ik geloof het pas als ik het van haar heb gehoord. Dat heb ik mijn duifje beloofd.'

'Nee, princeps,' zei Narcissus met klem, 'dan belazert ze u weer, precies zoals ze ons allemaal al jaren belazert. Het is uw plicht op te treden en onze plicht u te beschermen.' Hij reikte de keizer een document aan. 'U moet bevel geven tot haar executie.'

Claudius' handen draaiden zo verkrampt om elkaar heen dat zijn vingers in elkaar verstrikt leken te raken. 'Maar ik kan de moeder van mijn kinderen toch niet ter dood veroordelen?'

'U zult wel moeten, Claudius! Begrijpt u het dan niet? Ziet u dan niet dat u gevaar loopt? Dat wij allemaal gevaar lopen? Messalina zal proberen zichzelf en haar nieuwe echtgenoot in stelling te brengen als regenten voor Britannicus en dan zit u in de weg. U komt in haar plannen niet voor. Uw kinderen raken een van hun ouders kwijt, wat er ook gebeurt.' Narcissus liep naar de keizer toe en ging bijna oneerbiedig dicht bij hem staan. 'Wilt u dat uw kinderen hun moeder verliezen of hun vader? Want als u voor het laatste kiest, kunt u zich net zo goed meteen in uw zwaard laten vallen, en dan volgen wij allen uw voorbeeld. Of u treedt eindelijk eens op als een echte keizer en geeft bevel tot de executie van iemand die naar uw troon dingt. Wat wordt het?'

De oneerbiedige houding van zijn vrijgelatene ging kennelijk aan

Claudius voorbij, want hij pakte Narcissus' hand, keek hem aan en brak in hartstochtelijk snikken uit. Naast het slijm uit zijn neus en het speeksel uit zijn mond stroomden nu ook de tranen. Narcissus liet de hand van de keizer los, deed een stap achteruit en probeerde niets te laten blijken van de afschuw die hij bij deze zielige aanblik moest voelen.

'Ik... ik... ik...' Hij kwam er niet. 'Ik wil gewoon keizer zijn.' Zijn stem was nauwelijks hoorbaar. Hij keek smekend naar zijn belangrijkste vrijgelatene. 'Ben ik nog keizer, Narcissus?'

'Nog wel, keizer. En als u zich gedraagt als een keizer, zult u ook keizer blijven.'

'Weet je het zeker?'

'Ja! En onderteken nu maar het doodvonnis van dat kreng!' Hij duwde Claudius de rol onder zijn neus.

Vespasianus voelde dat het Narcissus de grootste moeite kostte om het bevende wrak geen oplawaai te geven.

Claudius duwde de rol weg. 'Goed, dat doe ik.'

Narcissus slaakte een zucht van opluchting.

'Maar niet hier,' vervolgde Claudius en hij verhief zich van zijn bed. 'Pas als ik in Rome ben.'

'Maar waarom zou u wachten, princeps?'

'Ik wil naar het kamp van de praetorianen worden gebracht. Ik wil dat ze zien dat ik het onderteken, zodat ze weten hoeveel verdriet het me doet maar tegelijk beseffen dat ik geen keus heb.'

'Maar princeps...'

Claudius stak zijn hand op. 'Nee, Narcissus, je hebt al een grens overschreden, we laten het hierbij. Ik teken het daar.' Hij keek naar de twee hoeren en was ineens afgeleid. 'We vertrekken zodra ik... eh... de schok te boven ben.'

'Jawel, princeps.'

Pallas trad naar voren en rolde een perkamentrol met een Keizerlijk Decreet open. 'Princeps, zoals u weet kent deze kwestie twee problemen: mag ik u voorstellen het tweede probleem even daadkrachtig op te lossen als het eerste? Het feit dat Silius consul is kan naar mijn idee worden opgelost met de ondertekening van dit Keizerlijk Decreet. Vespasianus zal het dan overhandigen aan zijn broer, die als oud-consul het recht heeft om bij een zitting als eerste het woord te nemen, en als hij een decreet van u bij zich heeft, zal niemand hem tegenspreken.'

Claudius pakte de rol aan en las de tekst. Zijn mond bewoog zonder geluid te produceren. Algauw verscheen er een glimlach op zijn gezicht. 'Ja, ja. Dit wilde ik toch al doen.' Hij nam het document mee naar zijn schrijftafel, ondertekende het, zette zijn zegel op zijn handtekening en gaf het terug aan Pallas. 'Dank je, Pallas.'

Pallas legde een briefje op het decreet, rolde het op en gaf het aan Vespasianus. 'Breng dit naar Sabinus, ga naar de vergadering en doe ons onderweg naar Rome verslag zodra de tweede stemming geweest is.'

'De tweede stemming? Waar is die voor?'

'Voor iets heel bevredigends.'

Vespasianus zag Sabinus en Gaius op de trap van de Senaat staan. Hij was nat van het zweet, want hij had zo snel gelopen als mogelijk was zonder zijn waardigheid te verliezen. Vanaf de Porta Ostiensis, waar hij Sextus en Marius had achtergelaten met de paarden, hadden Magnus, Cassandros en Tigran de weg voor hem vrijgemaakt. 'Wacht hier op me, Magnus.'

'En?' vroeg Sabinus toen Vespasianus de trap op liep.

Vespasianus gaf hem het Keizerlijk Decreet. 'Hier is het. Lees het voor voordat er andere zaken aan de orde komen. Er zit ook een briefje voor je bij.'

Sabinus rolde de rol open, nam de inhoud vluchtig door en las toen het briefje van Pallas. Er gleed een tevreden glimlach over zijn gezicht. 'Ik los een schuld af en verleen Pallas bovendien een gunst waarvoor hij mij rijkelijk zal belonen.'

'Hoe dan, beste jongen?' vroeg Gaius, die altijd nieuwsgierig was naar elke vorm van begunstiging waarbij de familie betrokken was.

'Met Moesia.'

'Een provincie met twee legioenen! Dat is inderdaad een forse beloning.'

'En Macedonië en Thracië als financiële prikkel.'

Gaius wreef in zijn handen. 'Dan zit je de komende tijd op rozen.'

'En kan ik mijn militaire doelen verwezenlijken.' Stralend draaide Sabinus zich om en liep de trap op.

'Wat moet hij doen?' vroeg Gaius aan Vespasianus toen ze achter Sabinus de trap beklommen.

'Ik weet het niet, oom. Maar als Pallas hem zo'n aanbod doet, zal het heel wat aandacht trekken.'

'Ik hoop van niet, jongen.' Gaius trok een scheef gezicht. 'Wie aandacht trekt, krijgt daar vaak alleen maar vijandelijkheid en jaloezie van anderen voor terug.'

Gaius Silius draaide zich bij het altaar om en toonde de verzamelde senatoren twee onbezoedelde ganzenlevers: een geschenk voor de beschermgod van Rome. 'Jupiter Optimus Maximus is ons gunstig gezind. Het is een goede dag om stadszaken te bespreken.'

De senatoren namen plaats op hun vouwstoelen, bedankten de consul mompelend voor het offer terwijl hij de levers in het altaarvuur gooide en zijn handen afveegde.

'Hij heeft geen flauw benul hoe goed deze dag gaat worden,' fluisterde Sabinus, die nog steeds breed grijnsde.

Silius liep naar zijn curulische zetel en nam daar overdreven waardig op plaats.

De eerste consul, Lucius Vitellius de jongere, wachtte tot hij eindelijk zat. 'Gaius Silius wenst de Senaat toe te spreken.'

'Dank u wel, collegae. Geachte senatoren, gisteren ben ik beëdigd in deze zeer prestigieuze functie en nu richt ik voor het eerst het woord tot u. Echter, sinds mijn installatie...'

'Eerste consul,' onderbrak Sabinus hem. Hij stond op en zwaaide met de rol. 'Ik heb hier een decreet dat ik op verzoek van de keizer, die spijtig genoeg niet aanwezig kan zijn, moet voorlezen.'

De eerste consul toonde zich verbaasd. 'Waarom moet u het voorlezen en niet een van de consuls of de nestor?'

'Het is niet aan mij om vraagtekens te plaatsen bij de beslissingen van de keizer. Ik weet slechts dat hij mij deze taak in mijn hoedanigheid als oud-consul heeft toevertrouwd.'

'Leest u het dan maar voor.'

Sabinus ging midden in de Senaat staan en hield het decreet met beide handen voor zich. '"Ik, Tiberius Claudius Caesar Augustus Germanicus, gelast uit ontzag voor onze voorouderlijke traditie dat vanaf vandaag, de dag voorafgaand aan de eerste dag van oktober in het jaar dat begint met de consuls Aulus Vitellius Veteris en Lucius Vipstanus Messalla Poplicola, dat alle consuls bij hun beëdiging de oude eed moeten afleggen dat ze te allen tijde zullen voorkomen dat de koning terugkomt." Wil de Senaat nu stemmen om deze wet te bekrachtigen?'

De eerste consul riep de senatoren haastig op voor of tegen de bekrachtiging van deze nieuwste, ogenschijnlijk onbenullige juridische pedanterie te stemmen. De Senaat stemde unaniem voor.

Na de stemming keek Sabinus naar Silius, die onaangedaan leek door deze ontwikkeling. 'Het lijkt erop, geachte senatoren, dat onze geleerde keizer deze wet ontwierp op de dag vóór de beëdiging van Gaius Silius en dat de afgelegde eed dus onvolledig is geweest.' Sabinus liep naar voren en gaf het decreet aan de eerste consul.

Lucius Vitellius wierp een blik op het zegel en de datum en keek toen naar zijn collega. 'Hij heeft gelijk. Het ziet ernaar uit dat u een onvolledige eed heeft afgelegd, Silius.'

'Dat is een formaliteit,' antwoordde Silius en hij wuifde het weg, glimlachte hooghartig en stond op. 'Dan doe ik de rest toch nu.'

'Was het maar zo eenvoudig,' zei Sabinus toen Silius al naar het altaar wilde lopen, 'maar zoals wij allen weten, moet een onvolledige ceremonie ongeldig worden verklaard en van begin tot eind herhaald worden. Uit het feit dat u die aanvulling nu meteen wilde afhandelen, kunnen we concluderen dat u toegeeft dat de eed niet volledig was, nietwaar, Silius?'

Silius draaide zich om, op zijn gezicht waren de eerste tekenen van ongerustheid te zien. 'En wat dan nog? Dan doen we de beëdiging nu gewoon over.'

'Natuurlijk doen we dat. Maar eerst moeten de juiste offers worden gebracht om te bepalen of deze dag daar wel geschikt voor is.'

'Ik heb net verkondigd dat hij geschikt is.'

'Dat klopt, maar officieel kan dat alleen door een consul worden gedaan en u bent nog geen consul.'

Opeens drong het tot Gaius Silius door wat dit voor gevolgen kon hebben en zijn knappe gezicht versteende toen Sabinus hem met een schuin hoofd, opgetrokken wenkbrauwen en onschuldige blik aankeek.

'Het lijkt erop dat het feest dat gisteravond mede namens u werd gegeven in de Tuinen van Lucullus om uw beëdiging te vieren enigszins voorbarig was, vindt u ook niet? Het was toch om uw beëdiging te vieren, of niet soms?'

'Ik... eh... Ja, natuurlijk.'

Sabinus speurde om zich heen naar gezichten die hij gisteravond had gezien. 'Juncus Vergilianus, ik weet dat u er ook was. Werd er gevierd dat Silius consul was geworden, of liever gezegd dat hij het nog niet was geworden, naar nu blijkt?'

'Voor zover ik weet wel,' antwoordde Vergilianus onzeker.

'Voor zover u weet? Hm. En u, Plautius Lateranus? Werd er meer gevierd dan Silius zegt? Of deed u zo enthousiast mee omdat u na de ovatio van uw oom ruim een jaar geleden nog steeds in feeststemming was?'

Lateranus schoof wat ongemakkelijk in zijn stoel, maar zei niets.

Sabinus richtte zijn blik op een verwijfde jongeman. 'En u dan, Suillius Caesoninus? Wat hebt u geregistreerd toen u de avond op uw knieën doorbracht met uw partners, met uw gezicht naar hen toe of van hen af, zullen we maar zeggen? Ach, laat ook maar, ik durf te wedden dat u geen flauw benul had van wat zich afspeelde.' Sabinus hief zijn arm en wees naar een jonge senator. 'Maar u, Vettius Valens, u wist precies waarom er feest werd gevierd, want ik hoorde u toen u in die abrikozenboom zat. Ik hoorde u zeggen dat er storm op til was, die de keizer zou treffen. Ik hoorde u dat zeggen toen we de twee hoertjes grepen die bij u waren. Ja, Vettius, we zijn met Cleopatra en Calpurnia naar de keizer gegaan. Ze hebben hem verteld wat er eigenlijk gevierd werd, Vettius. Wat vindt u daar dan van?'

Vettius keek paniekerig naar Silius, die wegzakte in zijn stoel en Vettius' blik niet beantwoordde.

'Als u nu de waarheid spreekt, Vettius, hebt u daar later wellicht baat bij. Wat hebben die hoertjes gezegd?'

Vettius boog zijn hoofd en haalde diep adem. 'Ze hebben tegen de keizer gezegd dat ze op het huwelijksfeest van Silius en Messalina waren.'

Je kon een speld horen vallen, alsof de senatoren voor wie dit nieuw was hun oren spitsten in een poging een ander antwoord te horen, een antwoord dat ze konden geloven. Maar dat antwoord kwam niet, en het drong tot de senatoren door dat Vettius de waarheid had gesproken.

Er ging een huivering door hun gelederen.

Bleek weggetrokken richtte de eerste consul zich tot zijn oud-collega. 'U bent met de keizerin getrouwd! Met welk doel? Om samen te kunnen zijn, of om...?' Hij maakte de zin niet af, maar iedereen wist wat er volgde.

Silius ging rechtop zitten en wilde antwoord geven, maar Sabinus was hem voor. 'Het lijkt mij onwaarschijnlijk dat Messalina zich met hem terugtrekt. Of wel soms, Silius? Nee, geachte senatoren, dit is een directe aanval op de positie van de keizer. In al haar hoogmoed dacht ze u te kunnen dwingen tot een keuze tussen de rechtmatige opvolger van Augustus en haar. U hoort het goed: Messalina zelf. Niet dit krachtige, stoere toonbeeld van Romeinse mannelijkheid dat we hier voor ons zien. Hij moest alleen maar dienen als haar wegbereider. U moet begrijpen, Silius, dat de goden slechts enkelen zegenen met zowel schoonheid als verstand, en helaas voor u bent u niet een van hen. U zou uw leven niet meer zeker zijn nadat u het consulschap zou hebben neergelegd en Messalina haar droom zou hebben verwezenlijkt.'

Vespasianus genoot van de blik op Silius' gezicht toen het hem daagde dat Sabinus de waarheid sprak.

Ook Sabinus genoot zichtbaar. 'Deze marionet, geachte senatoren, stond op het punt een toespraak te houden toen ik naar voren trad. Zou u de Senaat een beknopte weergave van uw toespraak willen geven, Silius, of hebt u liever dat ik het doe?'

Silius sprong op. 'U weet helemaal niet wat ik wilde zeggen.'

'Denkt u?'

'Ik wilde voorstellen om in de toekomst de drie letters die de keizer wil toevoegen aan het alfabet op te nemen in alle documenten die de Senaat voortbrengt.'

Sabinus glimlachte overdreven geduldig. 'Nee, Silius, dat liegt u.' Hij keek naar het briefje van Pallas. 'U wilde de Senaat mededelen dat u nu de echtgenoot van de keizerin bent, en als consul wilde u de Senaat oproepen te stemmen voor afzetting van de keizer en de benoeming van Messalina als regent voor zijn zoon Britannicus. U wilde de senatoren op het hart drukken dat ze van de garde niets te vrezen hebben, omdat de hoge officieren omgekocht zijn, en vervolgens zou u met een lijst komen. Waar is die lijst, Silius?'

Silius schoof zijn rechterhand onbewust een stukje naar de plooi in zijn toga. 'Welke lijst?'

'De lijst van iedere senator die in het verleden het bed heeft gedeeld met uw nieuwe echtgenote. Maar laat die lijst maar zitten.' Sabinus richtte zich tot de hele Senaat. 'Geachte senatoren, met die lijst wilde hij u chanteren. Ik wil niet bot zijn, maar ik denk dat de meerderheid van de aanwezigen het niet op prijs zou stellen als die lijst in handen van de keizer komt als hij dan eindelijk overtuigd is van de ontrouw van Messalina.' Hij keek weer op het briefje van Pallas. 'Ik mag u evenwel het volgende aanbod doen: er zal gratie worden verleend aan iedereen die het keizerlijk bed bezoedeld heeft nu Messalina ervoor gekozen heeft dat officieel te verlaten. Er zal een kleine vergoeding worden gevraagd, over welke u met mij persoonlijk kunt onderhandelen.'

Op dat moment sprong Vettius Valens op en schoot de Senaat uit.

'Laat hem maar gaan. Messalina zal er toch snel weet van krijgen. Geachte senatoren, ik stel voor dat we, nu de beëdiging van Silius komt te vervallen, van de gelegenheid en zijn niet-consulaire status gebruik moeten maken om te stemmen over de vraag of hij, in afwachting van het oordeel van de keizer, al dan niet door mij naar het praetoriaanse kamp moet worden gebracht. Wie wil hier eerst een debat over voeren? Of misschien gaat u liever door met de ceremonie en stemt u Claudius weg – aangenomen dat de garde geen bezwaar heeft – zodat Messalina, wier karakter voor niemand een geheim is, over Rome kan heersen als regentes voor een kind dat pas over zeven jaar volwassen is, als zij ons allang in haar greep heeft?' Sabinus liet zijn blik over de elite van Rome gaan en voegde toen toe: 'Dat wil zeggen, degenen van ons die dan nog leven.'

Sabinus liep terug naar zijn stoel terwijl de senatoren elkaar zo verontwaardigd mogelijk toeriepen dat hun geliefde keizer schandalig was behandeld door zijn krengerige vrouw en een onbeduidende figuur, een man die het nog maar net tot senator had gebracht en zelfs nog nooit quaestor was geweest, laat staan consul. Silius keek ondertussen zwijgend toe, als een ter dood veroordeelde die wachtte op zijn beul.

'Dat houdt de gemoederen wel even bezig,' merkte Gaius op toen Sabinus weer ging zitten. 'En je hebt aardig wat aandacht getrokken, jongen, en dat zal nog erger worden als je het bedrag noemt dat ze moeten betalen voor hun gratie.'

Sabinus glimlachte en Lucius Vitellius slaagde er eindelijk in zichzelf hoorbaar te maken en de motie goed te keuren. 'Tegen de tijd dat ik terugkom naar Rome, zijn ze dat alweer vergeten.'

'Daar zou ik niet op rekenen, broer,' waarschuwde Vespasianus, 'zo lang is drie jaar niet.'

Sabinus wapperde met het briefje van Pallas. 'Daarom ben ik verzekerd van zeven jaar in Moesia.'

Zonder te wachten op iemand die onbezonnen genoeg was om de motie af te keuren, vroeg de eerste consul aan de senatoren om een voor- en een tegengroep te vormen. Maar er bleek maar één groep: de Senaat stemde unaniem voor het voorstel om Gaius Silius naar Claudius te sturen zodat de keizer, die hij – samen met het merendeel van de mannen die hem nu veroordeelden – had bedrogen, over zijn lot kon beslissen.

Het nieuws over Messalina's huwelijk ging als een lopend vuurtje door de stad nadat senatoren het hadden gedeeld met de beschermelingen die bij de Curia op hen wachtten en op hun beurt hun slaafse volgelingen op de hoogte brachten. Voordat Vespasianus en Magnus terug waren bij de Porta Ostiensis werd het verhaal al druk besproken in de fora en de badhuizen, op markten en rond de togen van winkels en herbergen, en door zo'n beetje iedereen die ze tegenkwamen toen ze zich een weg baanden door de bruisende straten van een stad die zwanger was van obscene roddels. De woede nam toe toen duidelijk werd wat hun keizer was aangedaan, de veroveraar van Britannia, de man die Mauritania en Thracië aan het rijk had toegevoegd, de Seculiere Spelen had gehouden, een nieuwe haven had laten aanleggen waarmee het bevoorradingsprobleem van Rome zou zijn opgelost, de broer van Germanicus en de rechtmatige erfgenaam van de Caesars, de dynastie die al drie generaties lang het Romeinse plebs voedde, vermaakte en behoedde voor burgeroorlogen, wat hem was aangedaan door een beruchte nymfomane die bordelen frequenteerde waar ook het gewone volk kwam.

'Je vraagt je af hoe ze zelf dacht haar ambities waar te kunnen maken,' merkte Magnus op toen ze hun paarden bestegen te midden van de meute die zich verzamelde bij de Porta Ostiensis om hun onbillijk bejegende keizer bij zijn terugkeer in Rome te verwelkomen.

'Dat is niet zo heel erg moeilijk,' antwoordde Vespasianus en hij trok aan de teugels van zijn paard, dat terugschrok voor de menigte. 'Claudius uit beeld, Silius, Agrippina en Lucius vermoord, de garde afgekocht en het volk overstelpt met geld en spelen. In drie maanden tijd had ze haar status als moeder van de laatste echte erfgenaam van de Caesars veilig kunnen stellen. Het probleem was dat ze geen rekening hield met de haat die heel veel mensen tegen haar koesteren.' Vanuit de stad kwam het aanzwellende rumoer van een gegriefde meute steeds dichterbij. 'Het klinkt alsof Messalina ook het plan heeft opgevat om Claudius welkom te heten.' Vespasianus dreef zijn paard de Via Ostiensis over. 'Laten we hopen dat Narcissus haar van die dwaas weet weg te houden.'

'Sabinus heeft Silius naar het praetoriaanse kamp gebracht.' Vespasianus reed naast de keizerlijke wagen en bracht Claudius op de hoogte van de laatste ontwikkelingen. De wagen werd begeleid door twee turmae van de praetoriaanse cavalerie.

'En mijn v-v-vrouw?'

'Ze is uw vrouw niet meer,' antwoordde Vespasianus.

'Dat weten we niet zeker,' merkte de oudere Lucius Vitellius op, waarop Narcissus hem van opzij een hatelijke blik toewierp. 'We hebben alleen dat verhaal van die twee hoeren.'

'En dat van Vettius Valens in de Senaat,' wierp Vespasianus tegen, 'en het feit dat Silius het niet ontkend heeft.'

Claudius perste er nog een paar tranen uit. Ze biggelden over zijn wangen, die nog glansden van eerdere tranen. 'Mijn arme duifje... Waar is ze?'

'Ik denk dat uw vr... Messalina heeft gehoord dat de eed van Silius niet geldig was en dat ze beseft hoe hachelijk haar situatie is, want toen ik wegging was ze geloof ik onderweg naar de Porta Ostiensis om u te begroeten.'

'Ik zal dat h-h-huichelachtige kreng pas weer zien als ze dood is!' Claudius begon te stuiptrekken, liep rood aan en haalde onregelmatig adem.

'Dat is wel zeker,' bromde Narcissus zacht.

Vitellius schudde zijn hoofd. 'Wat een misdadigheid.'

Narcissus wierp Vitellius nogmaals een hatelijke blik toe. 'Waar doelt u op, Vitellius? Op wat Messalina heeft gedaan, of wat anderen Messalina aandoen?'

Vitellius glimlachte vaag. 'Hoe doortrapt, hoe doortrapt.'

Narcissus trok zijn neus op voor de manier waarop Vitellius weigerde zich bloot te geven.

Claudius kwam alweer tot rust en zonk terug in zijn dromerige zelfmedelijden. 'Ach, lief duifje van me, omwille van de kinderen wil ik je vergeven.'

'Dat moet u niet zeggen, princeps.'

'We zijn zo lang gelukkig geweest, met de kinderen die speelden als we in onze tuin zaten, altijd samen, nooit gescheiden, elke nacht weer net als de eerste. Och, duifje van me, vlieg toch naar me terug.'

'Ze wil u dood hebben, princeps, dus u moet haar voor zijn.'

'Ach, hoe doortrapt.'

'Als u weigert zich uit te spreken voor een van beide partijen, heb ik liever dat u uw mond houdt,' beet Narcissus Vitellius toe.

Vitellius richtte zijn blik ten hemel. 'Wat een misdadigheid.'

Vespasianus zag dat het Narcissus grote moeite kostte om zich in te houden en verbaasde zich erover hoe driftig de normaliter zo onverstoorbare politicus was geworden. Hij keek naar Pallas, die voor hem reed, naast de wagenmenner, en voelde de rust van iemand die alles onder controle had.

'Die gore hoer! Ik draai haar de nek om!' barstte Claudius uit, om vervolgens zijn kin op zijn borst te laten zakken en iets te murmelen over dat lieftallige, gladde nekje dat hij wilde breken.

De voorste turma was hoogstens een mijl verwijderd van de stadsmuur, maar dichterbij, nog geen driehonderd passen voor hen, stond een kar met daarin een knielende vrouw die haar handen smekend uitstak.

Pallas wenkte de tribuun, een nors kijkende veertiger, die het bevel voerde over het geleide. 'Burrus, zet die kar aan de kant, maar wees voorzichtig, want hij heeft haar doodvonnis nog niet ondertekend. En zeg tegen uw mannen dat ze moeten zingen.'

Burrus knikte alsof het de normaalste zaak van de wereld was dat zijn mannen moesten zingen en reed naar de voorkant van de colonne. Het herhaaldelijke gekrijs van een vrouw steeg boven de kletterende paardenhoeven uit terwijl de mannen een rauw marslied inzetten.

Claudius keek met grote, hoopvolle ogen op. 'Hoorde ik mijn duifje? O, laat die mannen ophouden met zingen. Ik weet zeker dat ik haar hoorde.'

'Dat kan niet, princeps,' verzekerde Narcissus hem terwijl hij in zijn schoudertas rommelde. Hij haalde drie schrijftabletten tevoorschijn en gaf die aan zijn beschermheer. Claudius spitste opnieuw zijn oren toen er tussen de coupletten van het marslied even hoog gekrijs hoorbaar was. 'Wilt u hier even een blik op werpen, princeps? Er zit een bericht tussen over de nieuwe letters die u graag wilt toevoegen aan het alfabet.'

Claudius was meteen vol aandacht. 'Ah! Daar zat ik op te wachten.' Hij griste het tablet uit Narcissus' hand en begon te lezen. Hij ging helemaal op in de tekst en merkte niet dat de vrouw met haar gekrijs een paar keer boven de mannen uit kwam. De wagen ging een fractie langzamer rijden toen de voorste turma inhield. Er klonk nog een schrille kreet, maar toen kwam er weer vaart in de colonne en zag Vespasianus de kar met Messalina wegrijden over de hobbelige, pas geploegde akker aan de andere kant van de weg.

'Claudius!' gilde ze toen de onstuimige paarden haar wegvoerden. 'Claudius!' Ze stak haar armen naar hem uit, van haar kapsel was weinig over en haar kleding was gescheurd.

'Dat was mijn duifje!' riep Claudius uit en hij keek meteen op.

Op het moment dat hij zijn hoofd in de richting van Messalina wilde draaien, drukte Narcissus hem een ander tablet in handen. 'Dit gaat over uw veiligheid, princeps.'

'Mijn veiligheid?' Claudius was weer een en al oor.

'Jawel, princeps. Aan de loyaliteit van Burrus en zijn cavalerie twijfel ik niet, maar omdat we niet weten hoeveel hoge officieren van de garde bij dit complot betrokken zijn, kunnen we voor vandaag beter een onpartijdige bevelhebber inschakelen.'

'Ja, inderdaad, d-d-dan voel ik me een stuk veiliger. Hebt u een voorstel?'

'Wie vertrouwt u volledig, princeps?'

Vespasianus kon het antwoord wel raden. Ondertussen zag hij de kar met Messalina al snel buiten gehoorsafstand raken.

'Ik vertrouw jou, Narcissus.'

Op het gezicht van Narcissus verscheen een voorbeeldige uitdrukking van bescheidenheid. 'Ik ben vereerd dat u mij die verantwoordelijkheid toevertrouwt, princeps.' Hij vouwde het tablet open. 'Zou u uw ring in de was willen drukken voor de officiële bekrachtiging?'

Terwijl Claudius het bevel over de praetoriaanse garde overgaf aan een voormalige slaaf, richtte Vitellius zijn ogen weer ten hemel. 'Hoe doortrapt!'

Narcissus en Lucius Vitellius hielpen Claudius de trap op naar de hoofdingang van het paleis. Het ene moment maakte hij zijn vrouw uit voor alles wat slecht was, het volgende snotterde hij om zijn verloren liefje. Na te hebben gezien hoeveel mensen hem bij de stadspoort stonden op te wachten en te hebben gevoeld hoeveel warmte zij hem toedroegen, was Claudius labieler geworden, werd hij heen en weer geslingerd tussen verdrietige melancholie en moordlustige woede. De inwoners van Rome hadden medeleven getoond toen hun bedrogen keizer brabbelend en ziedend en grienend door de stad was gereden. Ze hadden hem troostende woorden toegeroepen, hem aangemoedigd om wraak te nemen op zijn ontrouwe vrouw en de goden verzocht om hem door haar dood geluk te brengen.

Vespasianus liet Magnus achter bij zijn paard en liep aan de zijde van Pallas achter de keizer het paleis in.

'De komende uren zijn het belangrijkst,' fluisterde de Griek toen ze via de hal het atrium betraden. 'Narcissus moet worden afgeleid door het gedrag van Claudius.'

Vespasianus wilde hem vragen wat hij daarmee bedoelde, toen er een weeklacht door het atrium galmde.

'Oom! Och, oom! Hoe gaat het met u, beste oom?' Een vrouw kwam blootsvoets en met wapperende haren aangerend, op haar wangen zaten nog de zwarte vegen van het uitgelopen koolzwart. 'Hoe heeft ze zoiets kunnen doen?' Ze wierp zichzelf op Claudius, gooide haar armen om zijn nek en bedolf hem onder de kussen, waarna hij zelf ook onder de zwarte vegen zat. 'Gaat het, oom?'

'Ik weet het niet, Agrippina. Ik weet het niet. Het is zo'n enorme schok.'

'Ik begrijp het, oom. Wie had dat van zo'n voorbeeldige vrouw kunnen denken?'

'Dat is precies wat het zo moeilijk maakt, kind. Je ziet het niet aankomen.'

Pallas knikte heel licht, alsof hij blij was met deze ontvangst, en Vespasianus begreep precies wat er aan de hand was en bewonderde in stilte de vermetelheid ervan terwijl Claudius zich loswerkte uit de omhelzing van zijn nicht en op de eerste de beste bank neerplofte. Voordat Narcissus tussenbeide kon komen, had Agrippina zich op de schoot van haar oom genesteld en haar linkerhand in zijn nek gelegd, waarna ze met haar andere hand zijn haar streelde, in zijn oor kirde en met haar bovenlichaam iets vaker dan nodig langs het zijne wreef. Het had meteen effect: Claudius trok haar tegen zich aan, legde zijn hoofd op haar volle boezem en liet zijn tranen, opgedregd uit het diepst van zijn wezen, schokkend de vrije loop.

'Kom, kom, oom,' kirde Agrippina en ze kuste zijn kruin alsof hij een kleine jongen was die een enge droom had gehad. 'Het komt goed. Ik zal voor u zorgen totdat u een andere vrouw heeft gevonden. U kunt mij vertrouwen, familie kunt u vertrouwen. Onthoud dat goed, oom, u kunt mij vertrouwen omdat ik familie ben.'

'Ja, kind, ik weet het. Ik kan jou vertrouwen, maar ik kan nog steeds niet geloven dat ik onterecht vertrouwen heb gehad in mijn duifje.'

Agrippina duwde Claudius' gezicht zachtjes van haar borst, waar een vochtige vlek achterbleef op haar stola, en hield het met twee handen vast. Ze keek haar oom diep in zijn ogen. 'Ik zal u al het bewijs laten zien dat nodig is om u eens en voor altijd te doen geloven dat zij een bedriegster is. Wilt u dat, lieve oom?'

Claudius knikte en beantwoordde trillend de blik van zijn nicht, die begin veertig was maar er dankzij de beste cosmetische middelen nog altijd prachtig en sensueel uitzag. 'Dat wil ik heel graag.'

Agrippina ging van Claudius' schoot en liet daarbij haar achterwerk zacht langs zijn bovenbenen glijden, wat hem zichtbaar opwond, maar hij was te zeer in de ban van zijn nicht om zich beschaamd te voelen. 'Kom maar,' kirde ze en ze draaide zich om en liep met wiegende heupen weg.

Claudius volgde haar alsof hij in vervoering was.

'Waar ga je met hem naartoe?' vroeg Narcissus.

'Niet ver, Narcissus. Waarom ga je niet mee?'

Narcissus had geen keus, hij moest bij zijn beschermheer blijven en ingaan op het voorstel van Agrippina.

'Gaan we ook kijken wat ze gevonden heeft?' vroeg Pallas aan Vespasianus.

'Waarom niet? Al heb ik zo'n vermoeden dat u het al weet.'

'Dat kan toch niet? Ik heb de afgelopen dagen in Ostia gezeten.'

Glimlachend liep Vespasianus met Pallas achter Agrippina aan het atrium uit.

Lucius Vitellius volgde hen op de voet en schudde langzaam zijn hoofd. 'Hoe doortrapt.'

Agrippina volgde de route die Vespasianus en Sabinus hadden genomen op de dag van Asiaticus' hoorzitting en algauw waren ze in de bekende vertrekken die vroeger van Antonia waren geweest.

Ze nam de slingerende Claudius bij de arm en leidde hem langs de officiële ontvangstkamer – waar de hoorzitting had plaatsgevonden – en betrad het atrium waar Vespasianus voor het eerst was geweest toen zijn oom hem en zijn broer tweeëntwintig jaar geleden op verzoek van Antonia had meegenomen toen hij bij haar ging eten. De hoge kamer was onherkenbaar: hij was volgepropt met beelden, meubels en allerlei frutsels die in het ene geval bescheiden en in het andere geval schreeuwerig waren, maar die samen de indruk wekten in een interieur te staan dat Caligula na een braspartij van drie dagen in elkaar had gezet.

Deze demonstratie van wansmaak was echter niet het bewijs waarmee Agrippina de onbetrouwbaarheid van Messalina wilde aantonen. Dat wilde ze doen met de meubels en frutsels zelf. Zonder commentaar wees ze de anderen met een weids gebaar op alle spullen.

Claudius' mond viel open van verbazing.

Alles in deze kamer was van zijn familie geweest.

Vespasianus herkende de schrijftafel van Antonia en haar eettafel van walnotenhout met de drie bijbehorende welig beklede banken die ooit haar privévertrekken hadden gesierd. Het vaak nagemaakte bronzen beeld van de jonge Augustus, dat adembenemend levensecht was beschilderd: in vol ornaat, met zijn geheven rechterarm de weg wijzend en met een cupido aan zijn enkel; Vespasianus wist dat Claudius' grootmoeder Livia het gekoesterd had. Her en der in de kamer stonden beelden van Claudius' familieleden en voorvaderen, tot aan Julius Caesar aan toe, alsof ze tijdelijk waren opgeslagen tussen de sierlijke meubelstukken, schalen en vazen, elk met een eigen verhaal over de familie die bijna een eeuw lang over Rome geregeerd had.

'Waar h-h-heeft ze d-d-dit allemaal vandaan?' stamelde Claudius en hij liep naar een beeld van zijn vader Drusus. 'Ik weet zeker dat dit nog in het paleis stond toen ik vertrok naar Ostia.'

'Verdriet en een grote schok kunnen het geheugen in de war sturen, oom,' zei Agrippina en ze pakte zijn hand en kuste die. 'Ze heeft deze spullen al maanden. En moet u die zien.' Ze wees naar twee beelden die naast elkaar stonden, trots op hun voorname plek, alsof ze toezicht hielden op de stilstaande horde. 'Links staat Silius' vader. Dat beeld is toch door de Senaat in de ban gedaan nadat hij door Tiberius was terechtgesteld wegens verraad? Het feit dat zij het in haar bezit heeft is genoeg om haar tot ballingschap te veroordelen. Maar moet u zien, lieve oom, wat ernaast staat.'

Claudius keek, en Vespasianus' ademhaling stokte. Hij schrok niet zozeer omdat er een beeld van Silius in de kamer stond, maar om hetgeen eraan hing: aan de riem over zijn rechterschouder hing een doodgewone schede met daarin een zwaard, een schede die Vespasianus herkende als die van het zwaard van Marcus Antonius, het zwaard dat zijn dochter Antonia aan Vespasianus had gegeven op de dag dat zij zichzelf van het leven beroofde. Ze had toen gezegd dat ze het had willen nalaten aan de kleinzoon die naar haar idee de beste keizer zou zijn. Tijdens zijn korte verblijf in Britannia had Claudius gezien dat Vespasianus het zwaard droeg en het puur uit jaloezie ingepikt, al wist hij donders goed welk verhaal erachter zat.

'Mijn zwaard!' riep Claudius uit. Zijn speeksel spetterde tegen de schede. 'Het kreng heeft zelfs mijn zwaard gestolen!'

'Rustig maar, oom.' Agrippina legde troostend haar hand op zijn wang. 'Ben je nu overtuigd?'

'Ze is een geiten neukende feeks en een snol, en over een uur is ze dood.'

'Dat is heel verstandig van u, princeps,' zei Narcissus vleiend en hij stapte naar voren met een rol. 'Ik heb haar doodvonnis reeds opgesteld. Hier is het. U kunt het meteen tekenen.'

Agrippina draaide Claudius weg van zijn belangrijkste vrijgelatene. 'Kom mee, oom, zulke beslissingen moet u niet nemen met een lege maag.'

Vespasianus keek met vragende blik naar Pallas, want waarom zou Agrippina willen uitstellen wat de vrijgelatene juist wilde, maar de Griek keek naar een gang rechts van hem, alsof hij iemand verwachtte, en dat bleek ook zo te zijn.

In de ging werden twee silhouetten zichtbaar en een jongen en een meisje kwamen aangerend. 'Vader! Vader!' riepen ze in koor.

'Wat is dat?' vroeg Claudius en hij draaide zich naar het geluid toe.

'Dat regel ik wel, oom,' zei Agrippina. 'U bent laaiend en kunt uw kinderen beter niet zien.'

Claudius keek naar Britannicus en Octavia, die nu het atrium in renden. Tranen biggelden over zijn wangen en hij deed een stap naar voren, maar Agrippina spreidde haar armen en hield de kinderen tegen. 'Kom, kinderen.' Ze kneep in hun wangen en draaide hen om. 'Jullie vader is heel erg moe en verdrietig, jullie willen toch niet dat hij nog meer van streek raakt? Laat hem eerst wat eten en rusten, dan kunnen jullie daarna terugkomen.' Ze sloeg een arm om beide kinderen heen en leidde hen terug naar de gang. 'Och, kijk jullie nou toch, zo schattig, ik zou jullie wel op kunnen eten.'

'Ik geloof dat uw nicht gelijk heeft,' zei Pallas terwijl hij naar de keizer liep. 'U moet wat eten, princeps.' Met een handgebaar gaf hij Claudius aan dat hij terug moest naar de gang die naar het paleis leidde. 'Maar eerst moet u naar het praetoriaanse kamp om Silius te veroordelen, daarna kunt u met gevulde maag het lot van Messalina bepalen.'

Geholpen door Pallas liep Claudius als betoverd, met holle, rode ogen de kamer uit. Narcissus nam zijn collega op. Hij kon niets aflezen van diens gezicht en had geen idee wat hij van plan was.

Vespasianus liep achter hen aan, vreselijk benieuwd naar de volgende stappen op het uitgestippelde pad waarover dit drama hem voerde, en zag Lucius Vitellius naar alle spullen staren waarmee de kamer was volgepropt.

'Ach, hoe doortrapt.'

HOOFDSTUK XXI

De hele praetoriaanse garde sprong in één klap in de houding toen hun keizer het exercitieterrein midden in hun kamp op werd gedragen. De vogels op de dakenrijen van de kazernegebouwen vlogen geschrokken op toen duizenden mannen hun arm tegen hun borst sloegen en een groet bulderden naar de man die hun eenheid haar bestaansrecht verschafte.

Maar niet iedereen was blij met de komst van Claudius. Een stuk of twintig mannen zaten op hun knieën voor het podium dat tegenover de verzamelde Romeinse elite-eenheid was opgericht. Ze hadden alleen een tuniek aan, die, om hun vernedering compleet te maken, net als bij een vrouwentuniek niet omgord was.

De gebulderde groet van de garde galmde door het kamp, kaatste tegen de muren van de kazernegebouwen en stierf ten slotte weg, zodat nog slechts de wapperende vaandels en de klagende zang van de rondcirkelende vogels te horen was.

De draagkoets werd op de grond gezet en Claudius, uitgedost in keizerlijk paars en een lauwerkrans, werd eruit geholpen door de man die voor deze ene dag het bevel over de werkelijke machthebbers van Rome voerde. Narcissus leidde zijn beschermheer de trap naar het podium op en zorgde ervoor dat de gebroken vijftiger zo waardig mogelijk ging zitten.

Vespasianus stond met Pallas en Sabinus naast de keizerlijke zetel en genoot van de aanblik van de twee praetoriaanse prefecten Rufrius Crispinus en Lucius Lusius Geta, die met Gaius tussen hen in naar de keizer liepen. 'Die moeten zich wel erg schuldig voelen als ze zich willen verlagen tot de rol van gevangenenbegeleider,' mompelde hij tegen Pallas.

'Vanmiddag heeft jouw broer namens mij met hen onderhandeld toen hij Silius naar het kamp bracht.'

Het was duidelijk dat Sabinus daar met genoegen aan terugdacht. 'Toen ze doorkregen dat Silius geen consul was, wisten ze dat het complot van Messalina tegen Claudius vrijwel kansloos was en wilden ze mijn eisen maar al te graag inwilligen.'

'En die waren?'

'Mild, gezien het feit dat vrijwel alle hogere officieren in de garde de smaak van Messalina hebben mogen proeven.'

Pallas keek tevreden toe terwijl Lucius Vitellius het podium besteeg en plaatsnam achter de keizer, naast Narcissus. 'Daardoor zal de ergernis van Narcissus in ieder geval niet verminderen. Wat de prefecten betreft, ik heb slechts gevraagd of ze twintig man wilden kiezen die Claudius de gewenste straf kon geven. Ze mochten zelf bepalen hoe ze die keuze maakten. De twee prefecten blijven in functie...'

'En zijn jou heel wat schuldig,' maakte Vespasianus de zin af.

'Precies. Ik vond het een geruststellende gedachte om ze op deze manier aan me te binden in plaats van hen te vervangen door nieuwe prefecten van wie de loyaliteit misschien twijfelachtig zou zijn.'

De twee prefecten kwamen stampend tot stilstand voor het podium en duwden hun gevangene op zijn knieën. Claudius begon te trillen bij de aanblik van de man die Messalina tot vrouw had genomen. Vitellius kalmeerde hem door een stevige hand op zijn schouder te leggen.

'W-W-Wat w-w-wilt u aanvoeren ter v-v-verdediging van uzelf, S-S-Silius?'

Silius keek Claudius trots aan. 'Ik beken schuld op alle aanklachten. Ik heb uw vrouw ingepikt en wilde met haar uw plaats innemen. Maar ik ben niet de bedenker van het plan waaraan ik in mijn zwakte heb willen meewerken. Dat was Messalina, en als u zo genadig bent haar een snelle dood te gunnen, zou ik u om dezelfde gunst willen vragen.'

Vitellius boog zich voorover en fluisterde Claudius iets in het oor terwijl hij zijn hand stevig op diens schouder gedrukt hield. Meteen begon Narcissus iets in het andere oor te fluisteren. Er volgde een korte woordenwisseling waarvan de anderen niets meekregen, totdat Claudius op een gegeven moment naar Vitellius knikte en het woord tot Silius richtte: 'Goed dan, uw dood zal niet pijnlijk zijn. Crispinus!'

De praetoriaanse prefect trok zijn zwaard – het ijzer resoneerde hoorbaar in de schede – en toonde de kling aan Silius. Na hem in ogenschouw te hebben genomen, boog Silius zijn hoofd en strekte zijn nek. IJzer flitste, vlees en botten werden doorkliefd, bloed gulpte uit de doorgesneden aderen en het afgehakte hoofd rolde bijna helemaal tot aan het podium, waar het met open mond bleef liggen, starend naar de keizer. Claudius gromde tevreden en keek smakkend hoe het leven uit Silius' ogen vloeide. Er was een doodse stilte over het exercitieterrein gevallen, stuiptrekkingen gingen door het lichaam en het bloed vloeide al minder krachtig omdat het hart stopte met kloppen.

Na nog even te hebben genoten van het uitzicht keek Claudius naar de mannen die op hun knieën voor het podium zaten en richtte zich tot de twee prefecten. 'Van welk misdrijf worden zij beschuldigd?'

Crispinus veegde zijn zwaard af aan Silius' tuniek. 'Tot schaamte van de garde hebben deze mannen bekend met Messalina te hebben geslapen.'

Claudius keek weer naar de aangeklaagden en gooide zijn hoofd lachend naar achteren. 'Als een k-k-kwart van wat men mij de afgelopen paar uur verteld heeft waar is, dan zou mijn voormalige echtgenote dit groepje in drie dagen hebben afgewerkt.'

Vespasianus voelde Pallas verstijven.

De lach verdween even snel als hij gekomen was. 'Goed, laat ze naar voren komen.'

Pallas ontspande.

De gevangenen liepen, ieder onder begeleiding van een soldaat, naar het podium.

'Op uw knieën! Begeleiders, trek uw zwaard.'

Wederom boog Vitellius zich naar het oor van de keizer en wederom begon Narcissus prompt in het andere oor te praten, en wederom viel de woordenwisseling uit in het voordeel van Vitellius. 'Ik zal het leven van deze mannen niet nemen, zelfs niet van één van hen als voorbeeld voor de anderen. Ik ontsla hen van hun plicht jegens het rijk en ontzeg hun voor de rest van hun leven water en vuur binnen een straal van driehonderd mijl van Rome.'

Het nieuws snelde door de gelederen van de praetoriaanse cohorten, op de voet gevolgd door het gejuich van de mannen, wat voor Claudius reden was het hoofd te buigen en met bevende hand naar zijn publiek te zwaaien.

'Ik ben er namelijk van doordrongen dat er naast deze mannen, die schuld bekend hebben, nog velen schuldig zijn aan overspel met mijn voormalige echtgenote. Ik wil de zaak graag afronden. Met haar straf en die van haar bondgenoten komt de kwestie tot een eind. Voordat ik over haar lot beslis, zal ik te rade gaan bij mijn huisgoden.

Die vrouw heeft mij voor schut gezet en ik ben blij van haar gescheiden te zijn. Mannen van de praetoriaanse garde, u krijgt ieder tien aurei om mijn nieuwe vrijheid te vieren en ik beveel u mij te doden als ik nog een keer in het huwelijk treed.'

De duizenden praetorianen, die in één keer vier keer het jaarsalaris van een gewone legionair rijker waren geworden, barstten uit in een onbedaarlijk juichen terwijl Claudius naar de trap strompelde, dit keer aan de hand van Vitellius en onder toeziend oog van Narcissus, die zijn rechtervuist een paar keer balde en met zijn andere hand aan zijn baard friemelde.

Pallas liep achter hen aan. 'Zonder het te weten bewijst Vitellius mij zeer veel nut door een neutrale koers af te dwingen.'

Vitellius hielp de keizer in zijn draagstoel. 'Maar het ziet ernaar uit dat Claudius zich niet zo snel tot een volgend huwelijk zal laten verleiden, Pallas,' merkte Vespasianus op.

'Wacht maar tot hij erachter komt met wie hij kan trouwen.'

Agrippina zuchtte overdreven diep om haar medeleven te tonen en legde begripvol haar hand op de arm van haar oom, die naast haar op de eetbank zat. 'Het moet moeilijk zijn geweest om zo genadig te oordelen over Silius, lieve oom, maar Vitellius had gelijk: als u hem niet de pijnloze terechtstelling van een Romeinse burger had gegund en hem beestachtig had behandeld, zouden de mensen u vergelijken met mijn arme broer Gaius Caligula.'

Vitellius, die aan de andere kant van Claudius zat, keek Agrippina dankbaar aan vanwege deze steunbetuiging en pakte een gevuld koolblad.

'Daar ben ik het mee eens,' zei Pallas, die op de bank links van Claudius op een olijf knabbelde. 'De beste manier om hier voordelig uit te komen is door waardigheid te tonen, alsof het beneden uw stand is om u druk te maken over de capriolen van een ontrouwe echtgenote, en een rechtvaardige straf het enige is wat voor u telt.'

Vlak voordat Narcissus weer gemaakt kalm voor zich uit keek, zag Vespasianus woede opflikkeren in zijn ogen toen hij naar zijn collega naast hem keek.

'Als jullie het zeggen,' zei Claudius. Uit zijn mond vielen half gekauwde bruine brokken van zijn eten op zijn servet, dat toch al enorm goor was. 'Maar ik had hem dolgraag wat meer zien lijden. Hij verleidde mijn lieve duifje.' Zijn mond zakte open en er viel nog meer eten uit toen de melancholie weer bezit van hem nam.

Narcissus was er als de kippen bij om zijn beschermheer te steunen. 'Dat ben ik met u eens, princeps, volgens mij had u beter niet naar Vitellius kunnen luisteren. We moeten uw positie zo goed mogelijk beschermen. U was beter af geweest als u gedaan had wat ik zei. Wie zich genadig toont, maakt een zwakke indruk. U had die praetoriaanse officieren nooit mogen sparen.'

Claudius mompelde iets over de geneugten van Messalina's slaapkamer, een onderwerp waar niemand dieper op in wilde gaan.

Vespasianus speelde met zijn halfvolle wijnbeker. 'Maar Narcissus, u kunt toch moeilijk ontkennen dat het grootmoedige gebaar van de keizer hem de dankbaarheid van de hele garde heeft opgeleverd?'

'En hun grote schaamte geeft weer voeding aan hun loyaliteit,' voegde Sabinus toe, die naast hem zat en met zijn opmerking een erkentelijke blik van Pallas verdiende.

Vespasianus borduurde voort op het argument van zijn broer. 'Door het leven te sparen van hen die zich zo verachtelijk hebben gedragen, heeft de keizer zich verzekerd van hun eeuwige liefde.'

'En nu, princeps,' zei Vitellius, 'kunt u zichzelf nog geliefder maken door een vrouw tot echtgenote te nemen die zij, en de hele stad met hen, respecteren.'

Claudius was nog verzonken in zijn melodramatische mijmeringen. 'Wát? Een nieuwe vrouw? Nee, dat zou ik niet kunnen.'

Agrippina boog zich naar hem toe en kuste hem op de wang. 'Wees gerust, oom. Ik zorg voor u zolang u niet iemand heeft die in al uw behoeften voorziet. Ik weet zeker dat we een goede vrouw voor u kunnen vinden.'

'In mijn familie zitten enkele vrouwen die geschikt zouden zijn,' opperde Vitellius behulpzaam.

Agrippina schonk hem een mierzoete glimlach. 'Dat is heel aardig,

Lucius, maar ik denk dat mijn oom het wat dichter bij huis moet zoeken, denkt u ook niet, lieve Claudius? En als nicht ben ik de aangewezen persoon om u daarbij te helpen.'

Narcissus boog zich naar de keizer. 'Pallas en ik vinden allebei dat u weer met uw tweede vrouw moet trouwen, princeps. Is het niet, Pallas?'

Pallas pakte nog een olijf en bekeek die aandachtig. 'Moeten we het daar nu over hebben, terwijl de keizer nog niet eens weet wat hij met Messalina gaat doen?'

'Ja, oom, wat bent u van plan?' Agrippina en Pallas wisselden een vluchtige blik waarin Vespasianus meer dacht te zien dan wederzijds belang. Het drong tot hem door dat ze veel nauwer hadden samengewerkt dan hij steeds gedacht had... Ze richtte zich weer tot Claudius. 'Ik zei dat u daar met een gevulde maag een beslissing over moest nemen.'

Het antwoord van Claudius liet op zich wachten, want er beende een decurio van de praetoriaanse cavalerie binnen. 'Princeps, ik ben gezonden door tribuun Burrus om u te vertellen dat Vibidia, de oudste der Vestaalse maagden, verzoekt u namens Messalina te spreken.'

Claudius keek de tribuun aan met een lang gezicht waarop zich een bestudeerd verdriet aftekende. 'Ik wil haar nu niet spreken. Geef aan Burrus door dat hij tegen Vibidia moet zeggen dat ik die arme vrouw morgenochtend ontbied en dat zij zich dan zelf kan verdedigen.'

'Dat zal ik doen, princeps.'

De decurio maakte al aanstalten om te vertrekken toen Narcissus van zijn stoel kwam en zijn schoudertas pakte. 'Ik breng haar persoonlijk op de hoogte, princeps.'

'Zoals u wilt,' zei Claudius afwezig.

Narcissus liep weg en gaf Vespasianus met een oogwenk te kennen dat hij hem moest volgen.

Vespasianus keek naar Pallas, die zijn mondhoek iets optrok tot een tevreden glimlach en nauwelijks merkbaar knikte.

Even later stond Vespasianus op van de bank, verontschuldigde zich en ging achter Narcissus aan.

'De keizer verzekert u dat hij Messalina morgen een eerlijke hoorzitting zal gunnen,' zei Narcissus tegen een grote, in het wit gestoken vrouw toen Vespasianus het atrium betrad. 'Ondertussen verzoekt hij u gewoon door te gaan met uw heilige plichten.'

Vibidia legde haar handen op haar borst en boog haar hoofd. 'Ik zal de keizerin op de hoogte brengen van dit goede nieuws.'

'De keizer dankt u vriendelijk en vraagt of u onmiddellijk wilt terugkeren naar het huis van de Vestaalse maagden. Hij heeft mij verzocht tribuun Burrus met het nieuws naar Messalina te sturen.'

'Het is aardig van hem dat hij mij de reis bespaart.'

'Uw welzijn is altijd voor in zijn gedachten. Waar kan ik Burrus heen sturen?'

'Messalina is in de Tuinen van Lucullus. Haar moeder, van wie ze vervreemd is geraakt, is bij haar om troost te bieden. Zeg tegen de keizer dat wij in deze moeilijke tijden voor hem bidden.'

'Dat zal ik doen, dame.'

Vibidia draaide om en schreed sierlijk weg.

'Burrus!' riep Narcissus naar de wachtende tribuun. Hij haalde een schrijftablet uit zijn schoudertas terwijl Burrus aan kwam lopen. 'Vanmiddag heeft Claudius mij de leiding gegeven over de garde om deze crisis af te handelen. Je begrijpt wel waarom, mag ik aannemen?'

'Jawel, rijkssecretaris.'

'Ga met acht man naar de Tuinen van Lucullus en laat Messalina op bevel van de keizer executeren.'

Burrus keek Narcissus even strak aan en legde zich er toen bij neer. 'Zo zal geschieden.'

De tribuun liep weg en Narcissus wendde zich tot Vespasianus. 'Ik weet niet wat voor spelletje u zonet speelde, Vespasianus, maar u kunt het goedmaken door met hem mee te gaan en ervoor te zorgen dat hij mijn bevel uitvoert.'

'Met alle genoegen, rijkssecretaris.' Vespasianus liep achter Burrus aan en verwonderde zich over de paniek die hij in Narcissus' ogen had gezien, paniek die Pallas en Agrippina hadden gezaaid door de keizer niet meteen het doodvonnis te laten tekenen. De paniek die voortkwam uit de vrees dat Claudius tot bedaren kon komen en Messalina kon vergeven, had Narcissus zojuist tot zijn eerste en waarschijnlijk meteen ook zijn laatste politieke fout gedreven.

Het verschil tussen deze avond en die van gisteren had niet groter kunnen zijn: in de Tuinen van Lucullus was niets meer te zien van de uiteenlopende lichtpunten die samen een rechthoek hadden gevormd op de zuidwesthelling van de Pincius, alleen in het midden van de tuinen was nog een zwak schijnsel te zien dat, zo wist Vespasianus, van de villa kwam.

Samen met Burrus naderde hij vanaf de Porta Quirinalis zwijgend de wijkplaats van Messalina. De ritmische voetstappen van het contubernium van de praetoriaanse garde achter hen kaatsten af tegen de gebouwen aan weerszijden van de straat en maakten genoeg geluid om de weg vrij te maken. Wagens en voetgangers gingen opzij om te voorkomen dat ze deze mannen, die zo duidelijk namens de keizer en het rijk op pad waren, zouden hinderen en het duurde dan niet lang voordat ze bij het afgesloten hek in de witte muur kwamen, dat werd bewaakt door twee nieuwe schildwachten.

De schittering van het zwaard dat Burrus uit zijn schede haalde en een gegromd bevel waren voor de twee wachters reden genoeg om de sleutels in de uitgestrekte hand van Vespasianus te leggen en het hazenpad te kiezen.

De sleutel draaide in het slot, er klonk een metalige klik en het hek zwaaide piepend open, waarna de beulen over het knerpende grind vlak achter de poort en het stenen slingerpad naar het huis op de heuvel konden lopen. Ofschoon er nergens een fakkel brandde en de maan nog niet opgekomen was, konden de schoonheid en verscheidenheid van de tuin niet verborgen blijven: de zoete geur van rozemarijn maakte eerst plaats voor het zilte aroma van de najaarskrokussen en daarna voor de muskusgeur van herten die zich laafden aan de vijvers. Tijdens de klim naar het huis vermengden alle geuren zich, en Vespasianus moest denken aan wat Asiaticus had gezegd over de tuinen: dat die symbool stonden voor alles wat goed was aan Rome, maar dat hun schoonheid aantrekkingskracht uitoefende op het kwaad, en nu pas begreep hij wat de veroordeelde man daarmee bedoeld had. Al kon hij haar niet zien, hij was zich terdege bewust van alle schoonheid om hem heen, die tevens de oorzaak was van alle ellende die de stad nu over zich kreeg uitgestort. Het kankergezwel zou worden verwijderd, hij zou daar zelf getuige van zijn, maar wat zou ervoor in de plaats komen? Wie zou de tuinen gaan begeren wanneer Messalina er niet meer was? En om welke reden?

Zijn instinct stuurde hem naar de antwoorden op die vragen. Met de blik waarmee Agrippina eerder die avond naar Pallas had gekeken nog vers in het geheugen hoopte Vespasianus vurig dat zijn oude bekende zijn kennelijke invloed op de volgende keizerin zou aanwenden om tijdens de komende veranderingen de veiligheid en welvaart van zijn familie te garanderen.

Ze liepen de duisternis van de boomgaard in, hun gespijkerde sandalen tikten in een vast ritme op het mozaïekpad en zorgden zo nu en dan voor een vonk. Achter de donkere silhouetten van de abrikozenbomen zag Vespasianus op het terras voor de villa twee fakkels branden. De eetbanken, tafels, zwijgende slaven, indringende muziek, kuipen met druiven en verstrengelde naakte lichaam hadden plaatsgemaakt voor twee vrouwen, van wie er een koortsachtig aan het schrijven was, alsof haar leven ervan afhing, wat ook zo zou zijn geweest als Narcissus niet bang was geweest dat ze zou worden vergeven en haar macht zou terugkrijgen en niet achter de rug van zijn beschermheer om had gehandeld.

Messalina hoorde nu ook de naderende voetstappen: ze stond op en keek het pad af terwijl haar hand instinctief naar de vrouw naast haar reikte, haar moeder Lepida, nam Vespasianus aan.

Toen hij de boomgaard uit kwam, met Burrus aan zijn zijde, gilde Messalina. Het was de gil van iemand die haar ergste droom plotseling bewaarheid ziet worden en moet accepteren dat het onmogelijke toch mogelijk blijkt te zijn. De kreet doorkliefde de duisternis en vulde de nacht met de tonen van de angst. Messalina wilde wegrennen, maar haar moeder greep haar arm en trok haar tegen zich aan terwijl haar beulen in tweetallen de trap op liepen en het gevest van hun zwaard pakten.

Messalina keek hen vanuit haar moeders omhelzing aan. 'Zeg dat ze weg moeten gaan, moeder. Zeg dat ik het beveel!'

'Je hebt niets meer te bevelen, kind. Je leven is voorbij.'

'Onmogelijk. Mijn echtgenoot zou dat nooit toestaan.'

'Uw echtgenoot is dood,' zei Burrus. 'Dit is het bevel van de keizer.'

'De keizer ís mijn echtgenoot!'

Lepida streelde het wilde haar van haar dochter en kuste haar op het voorhoofd. 'Niet meer sinds je van Claudius scheidde en met een andere man trouwde.'

'Maar hij was consul. Er was niets aan de hand, maar toen bedrogen ze me!' Messalina spuugde en siste als een opgehitste slang. 'Hoe durven ze! Het is niet eerlijk.' Tranen biggelden over haar wangen. 'Kunnen ze mij geen uitweg bieden, moeder? Kunnen ze mij die paar foutjes niet vergeven? Ik heb nog zo'n lang leven voor me, er is nog zoveel te genieten, zoveel dingen die ik nog wil doen. Waarom is me dat niet gegund?'

'Lieve kind, het was je gegund geweest als je niet alles in één keer had willen krijgen. Je hebt het aan jezelf te wijten, het is je eigen schuld dat je hier niet levend weg zal komen.'

Messalina keek haar moeder aan, krijste naar haar en rukte zich los om haar een ferme klap in het gezicht te kunnen geven. 'Secreet! Hoe kun je zoiets zeggen? Nu weet ik weer waarom ik je zo lang niet heb willen zien: je geeft mij altijd de schuld en zet iedereen tegen me op. Het is helemaal niet mijn schuld! Als ze niet ineens hadden besloten om die idioot geen consul te laten worden, was er geen vuiltje aan de lucht geweest. Geen vuiltje aan de lucht, moeder. Hoor je me? Geen vuiltje! Iemand moet ze vertellen dat ik nog een kans verdien. Dat moet gewoon, moeder!'

'Die kans geven ze je nooit. Het enige wat jou nog te doen staat is op eervolle wijze een einde aan je leven maken.'

'Ik – ga – niet – dood!'

'Voor de eerste en enige keer in je leven, kind, zul je moeten gehoorzamen.'

Vespasianus stapte naar voren en bood Messalina het gevest van zijn zwaard aan. 'Als u het niet zelf doet, doet iemand anders het voor u.'

'Jij!' krijste ze. Ze negeerde het aangeboden zwaard en zag blijkbaar nu pas dat hij het was. 'Wat heb jij tegen mij? Flavia is mijn vriendin.'

'En minnares. Ik weet het. Maar ze was al minstens een jaar de spion van Narcissus.'

'Leugenaar! Niemand durft mij te verraden.'

'Hoezo? Omdat u de enige bent die mag leven zoals u zelf wilt en alle andere inwoners van Rome in al uw behoeften moeten voorzien?'

'Ik ben de keizerin.'

'U wás de keizerin, maar uw gedrag is onacceptabel, net als dat van Caligula. U hebt alleen maar genomen en niets gegeven. Narcissus en Pallas mogen hun positie dan angstig beschermen en alleen hun eigen belangen dienen, maar ze geven in hun functie als beschermheer ook iets terug. En ze hebben ervoor gezorgd dat Claudius ook iets teruggeeft: de nieuwe haven, het droogleggen van het Fucinemeer ten behoeve van de landbouw, nieuwe aquaducten en nog heel veel meer. Maar wie heeft er profijt van uw heerschappij? Hoe kan Rome baat hebben bij iemand die niet eens haar eigen broer helpt?'

'Ik had niets meer aan hem!'

'Daarom heeft hij u ook verraden, hij is degene die Narcissus op de hoogte heeft gebracht van uw plannen. Flavia heeft u bespioneerd, daar had ik haar opdracht toe gegeven. Ik wist namelijk dat ik daardoor in de gunst zou komen bij Narcissus en Pallas, omdat die van u af wilden, en terecht. Nu hebben ze u, en Claudius kan u in al zijn dwaasheid niet meer redden.'

'Maar hij heeft beloofd mij eerst in de ogen te kijken.'

'Zodat u tegen hem kunt liegen?' Vespasianus duwde zijn gevest tegen het middenrif van Messalina. 'Nou, dat gaat niet gebeuren. Pak het zwaard. Voor u is er geen respijt meer. U zult sterven in de tuinen waarvoor u een moord wilde plegen, en Asiaticus krijgt zijn wraak, zoals hij voorspelde.'

'Hoe bedoel je?'

'U hebt uw lot bezegeld toen u hem aanzette tot zelfmoord. Hij heeft alles in gang gezet: hij heeft Corvinus in contact gebracht met Narcissus, hoewel die twee niets van elkaar willen weten. Hij wist van u en Flavia en besefte hoe goed zij van pas kon komen. En hij voelde dat ik meedogenloos en gewetenloos genoeg was om mijn vrouw te gebruiken voor mijn eigen gewin. Dus, Messalina, uw doodsvonnis was getekend toen u de mooiste plek van Rome inpikte. Daarom vraag ik u dat vonnis nu uit te voeren met een waardigheid die past bij uw stand.'

Messalina keek vol afschuw naar het zwaard en daarna naar haar moeder, die haar hoofd langzaam schudde en het wapen iets optilde met de palm van haar hand. Tranen welden op in Messalina's ogen toen ze langzaam het gevest vastpakte. 'Moet ik dit echt doen, moeder? Kan ik niet verbannen worden naar een of ander eiland? Dan krijgt Claudius tijd om van gedachten te veranderen!'

Lepida hielp haar dochter op haar knieën. 'Dat is het 'm nou juist, kind, Rome heeft gezien dat jij Claudius openlijk bedroog en erop vertrouwde dat die dwaas van je bleef houden. Dat wil niemand nog een keer laten gebeuren. Wees sterk en doe wat er van je verlangd wordt. Ik help je.' Lepida zette de punt van het zwaard vlak onder het hart van

Messalina, ging achter haar staan en sloeg haar handen om die van haar dochter. 'Klaar, Messalina?' Moeder en dochten verkrampten, tranen stroomden over hun beider wangen, en toen trok Lepida haar armen naar zich toe. Messalina gilde, kronkelde en zakte in elkaar. Bloed kleurde het zwaard rood, Lepida slaakte een gil en keek naar de snee aan de buitenkant van haar linkerdij.

'Ik zal niet sterven, moeder!' krijste Messalina. 'Niemand heeft het recht...' Ze viel opeens stil, keek geschokt om zich heen en bleef hangen bij de onderarm van Burrus, vlak voor haar. Haar blik gleed langs de arm naar beneden, naar de pols en de hand waarin het gevest van een zwaard lag en naar de kling, waarvan tot haar afgrijzen slechts de helft zichtbaar was. Ze probeerde te gillen, maar spuugde in plaats daarvan bloed op Burrus' hand, die naar voren stootte en achtereenvolgens naar links en naar rechts draaide. Messalina keek met een van razernij verwrongen gezicht naar haar beul en viel toen achterover in de arm van haar moeder.

'Genoeg gepraat,' zei Burrus, wiens zwaard een zuigend geluid maakte toen hij het terugtrok uit haar lichaam. Hij veegde het af aan haar palla en draaide zich om naar zijn mannen. 'We gaan.'

Vespasianus keek naar het levenloze lichaam van Messalina, bloed sijpelde uit haar borst en doordrenkte haar kleren, en hij voelde niets: geen vreugde, geen opluchting, geen spijt, geen triomf, geen verdriet... niets. 'Neem het lichaam mee en handel alles in besloten kring af, Lepida,' zei hij. Hij draaide zich om en liep achter Burrus en zijn mannen aan. Lepida bleef achter, zachtjes wenend klampte ze zich vast aan het lichaam van haar dochter.

Terwijl Vespasianus de trap af liep keek hij omhoog naar de opkomende maan die door de takken van de abrikozenbomen scheen, de bomen die zoveel gezien hadden, en zwoer dat hij nooit meer een voet in de Tuinen van Lucullus zou zetten.

HOOFDSTUK XXII

Bijna twee uur na zijn vertrek liep Vespasianus het triclinium in het paleis weer in. Afgezien van de muzikanten die er nu waren, was er niets veranderd. Narcissus keek hem vragend aan en hij antwoordde met een vermoeide knik, waarna hij naast Sabinus neerplofte op de bank.

'Hoe doortrapt,' verkondigde Lucius Vitellius net hard genoeg om boven de muziek uit te komen. Hij pelde een peer.

Vespasianus negeerde de opmerking en zag de blik die Pallas en Agrippina wisselden voordat Agrippina haar aandacht weer op haar oom vestigde, die al flink aangeschoten was en er nog geen genoeg van leek te hebben.

Vespasianus gebaarde naar een slaaf dat hij ook wijn wilde en draaide zich naar zijn broer. 'Wat is er gebeurd? Waarom is iedereen er nog steeds?' zei hij zacht, want hij wilde niet boven de muziek uit komen.

'Niemand wil de anderen alleen laten met Claudius.'

'Dan zitten ze hier de hele nacht. Waarom ben jij er nog?'

'Ik zat op jou te wachten, wilde je zeggen dat je morgenochtend vroeg naar de Senaat moet komen en ervoor moet zorgen dat oom Gaius ook komt.'

'O ja, natuurlijk. De incestwet. Ik spreek meteen na jou.'

'Dat waardeer ik. Gaius heeft Servius Sulpicius Galba overgehaald om zich uit te spreken voor de motie. Dan kan hij na jou.'

Vespasianus nam grimassend een flinke teug uit zijn beker. Zijn gedachten gingen terug naar zijn ervaringen met Galba toen hij in dienst kwam bij de Tweede Augusta. 'Dan kunnen ze rekenen op een goede donderpreek.'

'Hij doet maar wat hij niet laten kan, zolang die motie maar aangenomen wordt en ik naar Moesia, Macedonië en Thracië kan vertrekken. En als ik je een goede raad mag geven, beste broer, zou ik ook maar een tijdje uit Rome weggaan, want als ik naar het gedrag kijk dat Agrippina vanavond tentoonspreidt, ben je je leven onder haar bewind even onzeker als onder Messalina.'

'Dat doe ik. Ik ga terug naar mijn landgoed totdat ik consul word, en daarna bezorgt Pallas mij hopelijk een provincie.'

'Reken maar niet te veel op hem. Ik weet zeker dat hij het bed deelt met Agrippina, ik zie haar ogen twinkelen als ze naar hem kijkt.'

'Dat is mij ook opgevallen, en toen dacht ik dat het voor ons niet zo ongunstig hoeft te zijn.'

'Dat hangt ervan af: wie van de twee zal bepalen wat er gebeurt?'

Vespasianus keek naar Agrippina, die de mond van haar oom afveegde en hem troostend toefluisterde.

'Maar ik wil háár,' riep Claudius opeens uit. 'Ik mis mijn duifje nu al.'

'Laat haar dan nu komen. Als ze inderdaad onschuldig is, waarom zou u dan tot morgen wachten? En als ze schuldig is, ruimt u haar uit de weg en neemt u een ander.'

'Dat zou ik inderdaad kunnen doen, ja.' Claudius' gezicht klaarde op bij het idee.

'Natuurlijk kunt u dat doen, oom,' kirde Agrippina en ze keek Narcissus strak aan. Zelfs in het zachte licht van de olielampen was te zien dat hij bleek wegtrok.

Claudius wees met zijn beker naar zijn vrijgelatene, waarbij hij een groot deel van de inhoud op de bank morste. 'Narcissus, laat Messalina halen.'

Narcissus herstelde zich snel. 'U maakt toch zeker een grapje, princeps? U hebt mij twee uur geleden opdracht gegeven haar te executeren.'

Claudius' mond ging open en dicht. Toen verstarde zijn gezicht en staarde hij wezenloos voor zich uit.

'Oom!' riep Agrippina uit. 'Wat dapper van u! Maar waarom hebt u dat niet gezegd? Sterker nog, ik heb u niet eens het bevel horen geven. Terwijl ik de hele avond naast u heb gezeten.'

Claudius reageerde niet. Aan niets was te merken dat hij de vraag gehoord had. Ook het luide gejammer in het atrium leek hem te ontgaan.

'Dat was toch wat u wilde, princeps?' zei Narcissus met klem. 'Anders zou ik wel mijn twijfels hebben geuit toen u het bevel gaf.'

'Hebt u dan echt het bevel gegeven, oom?'

De beker van Claudius leek vanzelf naar zijn mond te gaan. Hij nam een slok en zette hem terug op tafel. Een ogenblik later herhaalde hij de beweging. Ondertussen kwam het gejammer dichterbij.

'Volgens mij moeten we vertrekken,' stelde Vespasianus voor aan zijn broer. 'Ik denk niet dat ze het zullen merken als we weggaan.'

De broers stonden op toen de twee kinderen van Claudius en Messalina binnenstormden. Overmand door verdriet sloegen en krabden ze hun vader, die zich niet verweerde of zelfs maar liet merken dat hij besefte dat hij aangevallen werd.

Vespasianus zag nog net dat Pallas met een glimlach naar Agrippina keek, dat zij die glimlach enthousiast beantwoordde en dat Lucius Vitellius twee woorden uitsprak die verloren gingen in het tumult.

'Het voorstel om de standbeelden en de naam van Messalina uit de openbare ruimte te verwijderen is unaniem aangenomen,' zei de nestor van de Senaat, want een consul was er niet. 'Het bevel zal zonder verder uitstel worden uitgevoerd door de prefect van de stadscohort, zodat onze geliefde keizer op zoek kan gaan naar een nieuwe echtgenote zonder steeds herinnerd te worden aan de vorige.'

De senatoren mompelden instemmend. Claudius zat in zijn stoel, zijn ogen stonden hol in zijn bleke gezicht. Hij knikte afwezig en erkende het gebaar van de Senaat door een bevende hand op te steken, maar er kwam geen woord over zijn lippen. Sabinus stond op en trok de aandacht van de nestor.

'Het woord is aan Titus Flavius Sabinus.'

Sabinus liep naar het midden van de zaal, bleef daar een ogenblik zwijgend staan en nam toen het woord: 'Geachte senatoren, wie van de aanwezigen denkt niet eerst en bovenal aan het welvaren van de keizer? Wie van de aanwezigen acht het geluk van de keizer niet van het hoogste belang voor het welzijn van het rijk? Wie wil de keizer derhalve het recht ontnemen om de vrouw te trouwen die het beste bij hem past?'

De senatoren waren met stomheid geslagen, alsof de priester hun met de hamer een klap op het voorhoofd had gegeven alvorens het offermes te bedienen. Niemand verroerde zich toen Sabinus na zijn korte toespraak ging zitten. Hij had een wijziging van de incestwet voorgesteld, zodat de keizer met zijn nicht kon trouwen. Ook Claudius was sprakeloos, maar anders dan eerst: de wezenloosheid in zijn ogen was verdwenen en hij leek zich te concentreren.

Vespasianus stond op en kreeg onmiddellijk het woord, omdat nog niemand was hersteld van de schok die was teweeggebracht door het idee dat er verandering zou komen in een principe dat al werd gekoesterd door hun verre voorvaderen.

'Geachte senatoren,' sprak hij, en hij deed het voorkomen alsof ook hij stomverbaasd was. 'Ik wist niet dat mijn broer met het voorstel zou komen dat hij u zojuist heeft voorgelegd. Maar net als u heb ik gehoord wat hij ons te zeggen had en ik ben na enig wikken en wegen tot de conclusie gekomen dat zijn idee hem moet zijn ingegeven door de goden. Het is een zo eenvoudig idee, dat niemand het zag totdat Titus Flavius Sabinus opstond en ons erop wees.

Ik heb geruchten gehoord over Lollia Paulina en Aelia Paetina die door verschillende facties in het paleis worden verspreid omdat ze daarvan kunnen profiteren. Jawel, profiteren! Dat ze op die manier het welzijn van onze geliefde keizer uitbuiten!' Er steeg weer gemompel op, maar nu van woede. 'Maar mijn intelligente broer wist precies waar hij een goede bruid voor onze keizer kon vinden: zo dicht mogelijk bij huis, eigenlijk nóg dichterbij, zodat het Juliaanse en het Claudiaanse huis worden verenigd door een liefhebbende oom en zijn toegewijde nicht. Stelt u eens voor, geachte senatoren, welke gevolgen zo'n huwelijk heeft.'

Vespasianus liet zijn blik over de gezichten van zijn collega's gaan terwijl die dachten aan de zekerheid die de vereniging van beide families zou brengen. Claudius had evenwel heel andere gedachten bij het huwelijk en begon van opwinding te stuiptrekken.

'Ik denk dat wij caesar moeten smeken om deze verbintenis te maken!' bulderde Galba alsof hij op het exercitieterrein stond, zo hard dat de mannen naast hem ervan schrokken. 'Omwille van Rome. Hoewel een huwelijk met je nicht van oudsher verboden is en er nog nooit een kersverse bruid met haar oom naar huis is gegaan, zouden we het niet beschouwen als incest, wat die kan alleen gepleegd worden door broers en zussen en door ouders met hun kinderen.' Hij stak uitdagend zijn kin naar voren, alsof hij zich bij voorbaat al schrap zette voor eventuele tegenwerpingen. 'En als het geen incest is, dan zal het huwelijk de goden behagen.'

Nu deze als conservatief bekendstaande senator zich voor het huwelijk uitsprak, gingen ook veel andere senatoren er heil in zien, zoals Sabinus al voorspeld had, en een voor een vroegen ze Claudius in te stemmen met de verbintenis zodra zij de wetswijziging hadden doorgevoerd.

'Nu komen ze pas goed op gang,' merkte Gaius op terwijl de senatoren hun best deden om zich het krachtigst van iedereen uit te spreken voor Agrippina. 'Zelfs Vitellius lijkt een eigen mening aan te durven.'

'Dat is er één meer dan waarop u gerekend had, oom,' grapte Vespasianus toen de oude Vitellius ging staan en theatraal zijn armen uitstak naar Claudius. 'Hoe dan ook, door zijn steun wordt de stemming een formaliteit.'

Vitellius wachtte met gevoel voor drama tot het stil was. 'Princeps, geeft u ons antwoord? Neemt u Agrippina tot uw echtgenote als de wet dat toestaat?'

Claudius probeerde serieus te kijken, maar kon zijn gretigheid niet verhullen. 'Ik ben een ingezetene van R-R-Rome. Ik moet de bevelen van mijn volk en het gezag van de Senaat respecteren en kan mij niet tegen hun gezamenlijke stem verzetten.'

'Geachte senatoren, dit zijn de woorden van iemand die zijn leven in dienst stelt van het rijk. Onze keizer, die de zware last van de wereldheerschappij met zich meetorst, moet vrij van huiselijke zorgen het algemeen belang kunnen behartigen. Wij als senatoren kunnen daarvoor zorgen. Ik stel voor dat we stemmen om het huwelijk met zijn nicht mogelijk te maken.'

Vespasianus voelde een hand op zijn schouder toen de Senaat losbarstte in goedkeurend gejuich. Hij draaide zich om en zag een van de slaven staan die de wachten buiten als boodschappenjongens gebruikten. 'Wat is er?'

'Meester, iemand die zich Magnus noemt staat te wachten op u en uw broer. Hij zegt dat u meteen moet komen.'

'Zei hij ook waarom?'

'Alleen dat het zeer dringend is.'

Vespasianus boog zich naar Sabinus. 'We moeten gaan, broer. Magnus heeft ons dringend nodig.'

'Maar er is nog niet gestemd.'

'Kijk om je heen. Het is in kannen en kruiken.' Vespasianus ging staan.

'Als Magnus zegt dat het dringend is,' riep Gaius boven het rumoer uit, 'is het ook altijd echt dringend.'

'Maar Pallas wil dat ik een gunstige dag voor het huwelijk voorstel.'

'Ik dacht dat het zou plaatsvinden op het feest van het oktoberpaard.'

'Nee, dat was alleen om Messalina uit haar tent te lokken.'

'Ik kan het toch ook doen?' bood Gaius aan. 'Welke dag is het?'

'De eerste dag van januari.'

'Waarom zou je nog twee maanden wachten?'

Sabinus overhandigde Gaius een lijst. 'Omdat Pallas de tijd wil hebben om al deze mensen te laten veroordelen vanwege hun samenzwering met Messalina, zodat ze op of voor de huwelijksdag terechtgesteld kunnen worden. Lees de lijst voor nadat u de datum hebt voorgesteld en laat de Senaat opdracht geven tot hun arrestatie. Voor Claudius doen ze nu alles.'

De wangen van Gaius trilden. 'Maar dan plaats ik mezelf wel erg...'

'... in de belangstelling? Dat klopt, maar u komt ook in de gunst van de man die zojuist de machtigste van Rome is geworden.' Sabinus liep achter Vespasianus de Senaat uit. Gaius bleef achter en staarde ongelukkig naar de dodenlijst.

'We moeten opschieten,' zei Magnus tegen de broers toen die naar buiten kwamen, 'ik heb Marius en Sextus vooruitgestuurd om tegen Clementina te zeggen dat ze het huis moet verlaten, maar ik denk niet dat ze naar hen zal luisteren.'

'Hoezo moet ze het huis verlaten?' vroeg Sabinus, die in het voetspoor van Magnus de trap af snelde.

'Ik denk dat ze gevaar loopt.'

Het verbaasde Vespasianus dat Magnus zo gejaagd was. 'Waarom?'

'Dat weet ik niet precies. Twee uur geleden kregen we eindelijk een van de gladjanussen te pakken die het huis van Sabinus in de gaten hielden en we hebben hem meegenomen naar de herberg voor dat gesprekje waar we het eerder over hadden.'

'En?'

'Er kwam niets uit, wat we ook met hem deden. Ik was ervan onder de indruk.'

'Dus we weten niet eens waar ze vandaan komen?'

'Nee. Maar we weten wel dat hij heel fanatiek moet zijn om onder die omstandigheden geen kik te geven.'

'Of hij is banger voor wat hij moet beschermen dan voor jullie messen en brandijzers.'

'Dat zou kunnen, maar het gaat in elk geval niet om een stel schooiers die wat willen bijverdienen. Ze zijn uit op iets wat in het huis is, dus we moeten Clementina daar weghalen.'

Sabinus ging nu zo hard lopen dat andere voetgangers voor hem opzij moesten springen. 'Waarom denk je dat ze op haar uit zijn?'

'Zeker weten doe ik het niet, maar ze houden nu al een paar dagen alleen uw huis in de gaten, dus daar is iets wat hen interesseert. En als ze hebben ontdekt dat hun maat verdwenen is, zullen ze misschien snel in actie komen.'

De hemel was grauw en het miezerde gestaag toen Vespasianus, Magnus en Sabinus haastig over de natte stoep de Aventijn op liepen. Honderd passen links van hen torende het kolossale Circus Maximus, dat er in het nevelige ochtendlicht grijs uitzag, boven hen uit. Rechts baande de Aqua Appia zich over de heuvel een weg naar zijn eindbestemming aan de voet. Ze sloegen af, liepen onder een van de bogen door – ze waren hier kleiner dan boven – en kwamen via de tempel van Diana in de straat van Sabinus, die de laatste tweehonderd passen naar de top overbrugde.

Na de verwoestende brand van ruim tien jaar geleden waren de meeste huizen op de Aventijn herbouwd, en normaal gesproken kon je zeggen dat het een charmante buurt was, een uitzondering tussen alle armoedige woonkazernes die Rome rijk was. Maar dat het geen normale dag was, werd duidelijk toen ze in de buurt van Sabinus' huis kwamen. Het kwam niet door het grauwe weer, de natte straat of de vochtige muren, en ook niet door het druppelen van de overhangende takken in de plassen op straat of de nekken van de voetgangers. En aan de bittere, voor deze tijd van het jaar heel ongebruikelijke kou die op hen neerdaalde toen ze hun bestemming naderden, lag het evenmin.

Het waren de leegte en de stilte die daaruit voortvloeide.

Er was niemand op straat. Nergens was er een zwerfhond of wegschietende kat te zien, nergens een vogel die fladderend aan de grijze hemel of in een boom, raam of verbogen hoekje beschutting zocht tegen de regen. Alsof een plaag alle levende schepsels had verdreven en de angst voor een eventuele terugkeer van de ziekte andere schepsels ervan had weerhouden hun plaats in te nemen.

Vespasianus noch zijn metgezellen zeiden iets toen ze de indrukwekkende gevel van Sabinus' huis naderden, de okergeel geschilderde muur met donkerrode kaders rond de deur en de paar ramen. Onder aan de trap hielden ze halt en keken naar de deur. Geen sporen van braak, en ook binnen leek alles rustig te zijn.

Vespasianus keek de weg af. 'Of ze houden je huis niet meer in de gaten, of ze hebben datgene waarvoor ze kwamen en zijn verdwenen.'

'Hoe dan ook, Marius en Sextus zouden hier ergens moeten rondhangen, of in ieder geval een van de twee,' zei Magnus, die zijn duim tussen zijn vingers nam en spuugde. 'Dit is niet normaal, dat het zo stil is op dit uur van de dag. Waar is iedereen?'

Sabinus deed enkele voorzichtige stappen richting de deur. 'Er is maar één manier om daarachter te komen.' Hij klopte zacht op het hout en kreeg geen antwoord. Ook toen hij iets harder klopte kwam er geen reactie. Hij haalde zijn schouders op en duwde de deur open, die niet vergrendeld bleek te zijn.

Vespasianus' maag trok samen en hij en Magnus wisselden een gespannen blik toen Sabinus naar binnen ging. Ze gingen achter hem aan.

En toen voelde hij het: diezelfde kou als bij de aanraking van de Dolende Doden, en toch wist hij dat ze onmogelijk zo ver van hun vochtige eiland konden zijn geraakt. Die geesten konden niet over water. Maar toen dacht hij aan de kille boosaardigheid van hun meesters en ging er een steek door zijn buik.

Sabinus voelde het ook. 'Er zit iets in het huis,' fluisterde hij en hij liep behoedzaam door de hal. 'Er hangt een sfeer die me doet denken aan de vallei van Sulis.'

Magnus snoof de lucht op toen ze in het atrium kwamen. 'Er brandt iets en het is niet alleen de haard...' Hij maakte zijn zin niet af. Bij alle drie de mannen stokte de adem en dreigde de maaginhoud naar boven te komen. 'Dat is zeker niet normaal.'

Links van het impluvium lag een bloedige massa licht te dampen in de kille kamer. Zelfs op een afstand van twintig passen kon je er nauwelijks een mens in herkennen. De buitenkant glansde van het vocht. Af en toe was er een stuip of trok er een spier samen, waardoor duidelijk werd dat er nog leven in zat. Hun binnenkomst was kennelijk niet onopgemerkt gebleven, want de spookachtige verschijning tilde zijn hoofd op en de ogen, waarvan de oogleden ontbraken, keken min of meer in hun richting.

'Magnus,' klonk het zacht en hees, 'maak er een eind aan.' De linkerarm kwam omhoog. Er zat geen hand aan en de stomp was oud.

'Marius?' Magnus vloog naar het bloedige en misvormde lichaam. 'Wat is er gebeurd?'

Vespasianus en Sabinus liepen naar Magnus, die met afschuw naar de gekwelde Marius keek. Zijn huid was van zijn hoofd en ledematen getrokken alsof een Titan ze met zijn vlijmscherpe tanden had afgeschraapt. Zijn romp was minder ernstig gehavend, maar zijn huid hing er in opvallend regelmatige repen bij, alsof hij door een gigantische klauw was gekrabd.

Marius' ogen rolden in hun kassen en bloed en slijm sijpelden uit het gat waar zijn neus moest hebben gezeten. 'Ik weet het... niet. Verscheurd.'

Magnus knielde neer. 'Door wie?'

'Ik heb... niets gezien.'

'Waar is Sextus?'

'Weg. Maak er een eind aan.'

Magnus trok zijn mes, zette de punt onder Marius' ribbenkast en sloeg een arm om zijn gevilde schouders. 'Je zult niet vergeten worden, broeder.' De twee mannen zetten zich schrap en met een woeste stoot gleed het mes door het afgestroopte vlees naar het snel kloppende hart.

Marius' gevilde lippen vertrokken van pijn. 'Broeder,' fluisterde hij met de laatste adem die zijn longen verliet. Zijn ogen verstarden en zijn lichaam verslapte. Magnus haalde zijn arm weg en liet zijn broeder op de grond zakken toen een bloedstollende gil door de marmeren gangen en kamers van het huis galmde.

'Clementina!' schreeuwde Sabinus, die zich vliegensvlug omdraaide en in de richting keek waaruit het geluid was gekomen.

'De tuin!' riep Vespasianus. 'Heb je hier wapens liggen?'

Sabinus knikte en rende naar een dichte deur. Een ogenblik later verscheen hij met een zwaard en een lang mes, dat hij naar Vespasianus gooide. 'Hier moeten we het mee doen.'

Vespasianus plukte het mes uit de lucht en rende achter zijn broer naar het *tablinum* aan de andere kant van het atrium en naar de binnentuin. Toen ze zagen wat zich veertig passen bij hen vandaan afspeelde, aan de andere kant van de tuin, bleven ze meteen staan.

Hun lange haren en baarden waren samengeklit en hun lange gewaden besmeurd met vuil. Met donkere ogen keken ze Vespasianus en zijn metgezellen strak aan. De vijf druïden strekten een arm naar hen uit.

'Bij de dikke reet van Juno!' riep Magnus uit. 'Wat doen zij hier in Mars' naam?'

Vespasianus staarde angstig en ongelovig naar de Britannische priesters en voelde zijn hart verkillen. Twee priesters hielden Clementina, die verstijfd was van angst, vast bij haar polsen en twee andere hielden Alienus vast, die beefde en snikte. Hij was vies en zijn baard en haren waren nog afstotelijker dan die van zijn gevangennemers. De leider stapte naar voren en er ging een schok van herkenning door Vespasianus heen, al kon het niet zo zijn, want de man was aanzienlijk jonger dan de laatste keer dat hij hem zag.

'Myrddin?'

De druïde bleef staan en glimlachte vreugdeloos. 'Nee, nog niet. Ik ben Myrddin geweest in een vorig leven en ik zal hem weer zijn wanneer mijn tijd gekomen is. Tot die tijd dien ik de levende Myrddin, en die eist het leven van de verrader Alienus en het offer van twee broers. Myrddin krijgt altijd wat hij wil. Helel, Zoon van de Ochtend, zal getuige zijn van de zege op de vijanden die zijn gevangene Sulis bevrijdden en de dood van de man die voorbestemd was om de kanker die de oude, waarachtige gewoonten zal vernietigen te laten woekeren in de buik van Rome. En daar ben je dan, Vespasianus, uit eigen beweging gekomen.'

Vespasianus voelde dat zijn voeten in de greep kwamen van dezelfde kilte als bij zijn vorige confrontatie met de druïden. Hun kwaadaardige aura overspoelde hem, de angst nam toe en hij kon zich niet verroeren. Ook Sabinus en Magnus bleven als aan de grond genageld staan.

Alienus werd naar voren gebracht en de druïden begonnen te zingen.

Hij keek doodsbang om zich heen, stribbelde nauwelijks tegen, verzwakt als hij was door zijn langdurige gevangenschap. 'Het was Theron,' riep hij naar de broers. 'Ze zeiden dat het Theron was die vertelde waar ik was en waar jullie wonen. Ik wil dat jullie hem vermoorden.'

De toekomstige Myrddin onderbrak zijn gezang om lachend te reageren. 'Inderdaad, Theron vertelde ons waar we jullie konden vinden toen hij in de zomer terugkwam naar Britannia. We keken al heel lang naar hem uit. Er was weinig voor nodig om zijn lippen los te maken en daarna deed Helel zich te goed aan zijn huid. Wraak nemen zal dus niet meer gaan, ook niet als jullie dat nog zouden kunnen doen.'

Alienus werd naar de visvijver in het midden van de tuin gebracht. Het gezang werd luider en Vespasianus keek met ontzetting toe – hij kon zich niet bewegen, alsof een onzichtbare kracht hem vasthield. Hij probeerde een voet op te tillen, maar die leek gemaakt te zijn van ijskoud lood. Alienus' hoofd werd naar achteren getrokken en net als bij het meisje in de vallei van Sulis kreeg hij iets in zijn mond gepropt, die vervolgens dicht werd gehouden terwijl ook zijn neus werd dichtgeknepen.

Alienus had niet de kracht om zich echt te verzetten, zijn lichaam schudde slechts. Hij moest slikken en kreeg een ogenblik later stuiptrekkingen. Ze lieten zijn neus en mond los en meteen gutste het bloed eruit. Bloed sijpelde uit zijn ogen en druppelde uit zijn oren. Bloed stroomde als urine uit zijn penis en kwam in krachtige golven uit zijn anus en spetterde tegen de onderkant van de gewaden van de druïden. Zijn hoofd rolde achterover en hij riep in doodsangst de hemel aan, al werd zijn kreet gedempt door de donkerrode nevel die uit zijn mond schoot, want het bloed verzamelde zich in zijn keel. Hij zakte door zijn knieën, en toen zijn gevangennemers hem loslieten, viel hij kronkelend en stuiptrekkend in de vijver.

Met alle kracht die hij kon verzamelen vocht Vespasianus tegen de kille angst die zijn hart omvatte en zijn lichaam verlamde, terwijl Clementina naar de vijver werd gebracht.

'Bid tot jullie god!' wist hij uit te brengen. 'Cogidubnus en Josef versloegen de druïden met de kracht van hun goden. Dat moeten wij ook doen.'

Vespasianus hoorde Sabinus een gebed tot Mithras prevelen en zelf riep hij zijn beschermgod Mars aan, die hij vroeg hem te sparen zodat hij zijn voorbestemming kon verwezenlijken. Magnus sloeg zijn vingers om zijn duim en spuugde ettelijke malen. Clementina gilde. Het water in de vijver woelde, het lichaam werd even onder water gezogen, kwam toen in staande positie weer naar boven en bleef staan, met de voeten net onder water, en stiet boosaardige keelklanken uit.

Na elk gebed voelde Vespasianus de greep van de kilte verminderen, en op een gegeven moment werd hij het mes in zijn hand gewaar.

De druïden zongen nog steeds, de naam Helel kwam geregeld over hun lippen.

Alienus kon zijn hoofd naar Clementina draaien, het was ruim voorbij zijn schouder toen zijn lichaam besloot mee te draaien. De druïden lieten Clementina los, maar ze rende niet weg. Ze kon niet rennen. Ze staarde met grote ogen naar het bloedeloze lijk dat nu bezeten was door een god die was vervuld van een onuitsprekelijke slechtheid en gramschap.

En die gramschap werd gevoed door zijn honger.

Bovennatuurlijk snel greep de god de rechterpols van Messalina. Haar mond ging open voor een stille schreeuw. Sabinus brulde tot Mithras om zijn vrouw te behoeden. Vespasianus stapte naar voren en hief zijn mes. De god stak zijn handen uit en haalde die langs de rechterarm van Messalina. Hoewel er aan de vingers geen klauwen zaten, werd haar huid losgerukt alsof die het velletje van een rijpe vijg was. Nu kon ze geluid uitbrengen en slaakte een kreet die een stem gaf aan haar gruwelijke lot: ze moest hulpeloos toekijken terwijl de huid van haar lijf werd gescheurd.

De druïden bleven zingen, hun stemmen werden krachtiger naarmate hun god sterker werd.

Sabinus huilde, hij kon zich nog altijd niet verroeren. Vespasianus bad uit alle macht tot zijn god Mars en slaagde erin nog een paar stappen naar voren te doen. Magnus hield zijn duim vast en spuugde.

Er klonk nog een gil toen de god zijn bloederige feestmaal grommend van genot in zijn mond stopte en vervolgens de andere arm van Clementina in zijn bleke hand nam en haar met zijn andere hand in haar gezicht sloeg, met alle gruwelijke gevolgen van dien.

Vespasianus had al zijn krachten nodig om nog een stap vooruit te zetten. Het gegil van Clementina en de gruwel die ze onderging namen hem zo in beslag dat hij nauwelijks doorhad dat er vanaf de rechterkant van de tuin een mes langs hem heen flitste. Het vloog zó snel dat het leek alsof het zijn definitieve vorm pas kreeg in de slaap van de toekomstige Myrddin. Zijn ogen werden groot van ontzetting en zijn stem verstomde. Zijn vier collega's zongen door, het drong niet tot hen door waarom hun leider wankelde. Een luide brul trok de aandacht van de druïden: de toekomstige Myrddin zakte op zijn knieën. Sextus sprong van het schuine dak van de zuilengang en landde met een koprol in de tuin. Het gezang haperde, de god tierde in zijn verdorven taal, Clementina jammerde van de pijn, maar de betovering was verbroken. De druïden vielen stil. Vespasianus, Sabinus en Magnus schoten naar voren en Sextus kwam vanaf rechts aangestormd. De druïden renden niet weg, ze hieven zelfs niet hun armen om zich te verweren. In plaats daarvan begonnen ze weer te zingen, maar het was al te laat. Sextus besprong twee druïden tegelijk, werkte hen tegen de grond – waar ze languit in de spetterende bloedplassen landden – en sloeg toe met zijn mes, met een snelheid die je van zo'n lomperik niet zou verwachten, waardoor er nog meer bloed in de rondte vloog. Met rechte arm priemde Vespasianus zijn mes in het linkeroog van zijn tegenstander, terwijl Magnus de keel doorsneed van de zijne: de baard van de druïde kwam los en het bloed gutste uit zijn lijf.

Sabinus stootte zijn zwaard in de onderrug van de god, die met een mond vol afgerukte huid brulde. Hij draaide zijn gezicht naar zijn aanvaller en trok het zwaard uit diens handen. Clementina was bevrijd van haar kweller en stortte bloedend uit haar afschuwelijke wonden ter aarde. Vespasianus wierp een blik op haar voordat hij zich op het lichaam van Alienus wierp, dat uithaalde naar Sabinus, die naar achteren vloog alsof hij door een onzichtbaar touw werd weggetrokken. Vespasianus doorkliefde met zijn mes de bleke huid om de ribbenkast. Er vloeide geen bloed, de aderen waren leeg. De god draaide zich naar hem om en smeet obsceniteiten naar zijn hoofd, terwijl de stukken huid uit zijn mond vielen. Vespasianus sloeg nogmaals toe met zijn mes, dit keer in de schouder, maar ook dat kon het levenloze lichaam niet deren. Gedrieën vielen ze nu de god aan en met een wilde zwaai van zijn bleke arm gooide het lichaam van Alienus hen opzij, waarbij hij de beide botten in zijn onderarm brak, waardoor zijn hand er vreemd slap bij kwam te hangen.

Hij draaide zijn hoofd naar Vespasianus, Magnus en Sextus, die op de grond waren beland, en keek hen om beurten aan. De dode ogen konden zien, en toen hij in die zielloze blik keek, wist Vespasianus opeens hoe hij dit monster kon doden. 'Het hoofd. Zijn hoofd moet eraf!' riep hij. 'Ik moet dat zwaard hebben.'

Magnus begreep hem meteen en stond op, terwijl de god met rollende ogen uit de vijver kwam en de grond deed trillen. 'Sextus, naar links!'

Sextus ademde zwaar. Hij knikte. Toen sprong hij tegelijk met zijn leider naar voren, ieder een andere kant op, terwijl Vespasianus om de dode druïden en de in elkaar gezakte Clementina heen liep om achter de god te komen.

De god gebruikte zijn verbrijzelde onderarm als knuppel en sloeg Sextus op zijn kin. Met zwaaiende armen en holle rug vloog Sextus door de lucht. Vespasianus sprong naar voren toen Magnus zijn mes in het gevoelloze dijbeen plantte dat eens van Alienus was geweest. Vespasianus greep het zwaard, zette zich met zijn voet af tegen het achterwerk van de god en rukte het wapen los toen Sabinus nogmaals aanviel en de god nijdig gromde.

Vespasianus voelde hoe het wapen in zijn hand lag en concentreerde zich op de nek die slechts drie passen bij hem vandaan was. Op zijn netvlies verscheen het beeld van het tollende hoofd van Hasdro, de vrijgelatene van Seianus. Hij herinnerde zich wat hij voelde toen hij als zestienjarige voor het eerst een onthoofding meemaakte, en de gewisheid van de handeling deed zijn hart zingen van vreugde toen het zwaard door de lucht suisde. Er ging een schok door zijn arm toen het ijzer in aanraking kwam met vlees en botten, maar het scherpe wapen sneed soepel door de spieren, pezen en wervels in de nek: het hoofd schoot omhoog en naar voren en tolde zonder noemenswaardig vochtverlies om een horizontale as. Het lichaam bleef met stuipende ledematen staan. Het gorgelende brullen had plaatsgemaakt voor het ruisen van uitgeademde lucht. Het hoofd stuiterde op de grond, rolde naar de bewusteloze Sextus en kwam tot stilstand in de holte van zijn elleboog. Schijnbaar uit het niets klonk er een aanwakkerende wind. Het rafelige vlees rond de gapende nekwond trilde, alsof iemand er hard tegen blies, en toen hield het ruisen op met een bruuskheid die je bijna kon horen en klonk er een zwakke schreeuw, waarvan niemand wist uit welke richting die kwam.

De hijgende Vespasianus zag het onthoofde lichaam van Alienus in elkaar zakken. Sabinus sprong eroverheen en rende naar zijn vrouw. Vespasianus volgde hem, maar één blik op haar ontvelde armen en vermorzelde gezicht was voldoende: er was geen hoop meer. Hij liet zijn broer alleen met zijn stervende vrouw en ging Magnus helpen om Sextus weer bij bewustzijn te krijgen.

'Toen we vertrokken uit Britannia dacht ik dat we die nooit meer zouden zien,' mompelde Magnus terwijl hij het bovenlichaam van zijn broeder optilde en in zithouding vasthield. 'Hoe zijn ze hier gekomen?'

'Myrddin zei dat ze Alienus zouden opsporen om hem te straffen, en ze grepen hun kans toen Narcissus Theron weer toestemming gaf om in Britannia te handelen. Ook mij zag hij liever dood dan levend, zei hij, maar ik had niet verwacht dat ze daarvoor hun eiland zouden verlaten.'

Magnus rochelde en spuugde naar de lijken. 'Als ze daar waren gebleven, hadden we ze met rust gelaten.'

'Dat ben ik met je eens. Het is een waardeloos eiland en ik ken niemand die daar geweest is, de keizer en zijn vrijgelatenen uitgezonderd, die het de moeite waard vindt om de bewoners te onderwerpen. Helemaal als er zo'n kankergezwel woekert.'

'Ja, waar ging dat in Mars' naam over?'

'Ik heb geen flauw idee, Magnus. Maar toen Messalina stierf, besefte ik dat zij een kanker was die woekerde in het mooie Rome, en ik vroeg me af wat er voor haar in de plaats zou komen. Misschien dat de volgende kanker die hier woekert de oude gewoonten zal bedreigen. Maar daar hoeven de druïden zich geen zorgen om te maken, zij zijn dood voordat de kanker tot volle wasdom heeft kunnen komen. Als we in Britannia blijven, mogen zulke verschrikkingen niet meer voorkomen.'

Magnus leek er niet zeker van. 'Het probleem is dat het kwaad zich vaak lastig laat uitroeien.'

Vespasianus keek naar de vijf druïden. Bloed kleefde aan de klitten in hun haar en baard en bezoedelde hun groezelige gewaden, maar hun kwaadaardigheid was verdwenen. Hun gezicht straalde rust uit, alsof ze sliepen, en toonde geen spoor van de pijn die ze uit het leven had gerukt. Vespasianus voelde de angst weer opkomen als hij naar ze keek.

'Ik ben bang dat je gelijk hebt, Magnus. En zelfs als het je gelukt is om een kwaad te vernietigen, zal er altijd weer een ander kwaad voor in de plaats komen.'

EPILOOG

1 JANUARI, 49 N.C.

Agrippina keek naar de kwijlende dwaas die ze tot echtgenoot nam. Haar ogen stroomden vol met een liefde waarvan Vespasianus wist dat die niet bestond. 'Als jij Gaius bent, ben ik Gaia.'

Claudius had pijnlijk veel moeite met het uitspreken van deze gelofte, maar de gasten verborgen hun ware gevoelens achter een vrolijke glimlach. Vespasianus wist dat de bruid, haar zoon Lucius en hun stiekeme medestander Pallas als enigen echt blij waren. Maar voor Agrippina was het een triomf, en dat was op haar gezicht te zien geweest toen ze die ochtend had genoten van de executies van degenen die te nauwe contacten hadden gehad met Messalina en Silius. Juncus Vergilianus, Vettius Valens en een stuk of tien anderen waren allen terechtgesteld; Suillius Caesonius werd gespaard, omdat hij bij de escapades van Messalina slechts een passieve rol had gespeeld. Ook Plautius Lateranus was gespaard, uit respect voor het optreden van zijn oom Aulus Plautius tijdens de invasie van Britannia.

En nu Claudius de ceremonie tot een goed einde bracht, was de triomf van Agrippina compleet: ze mocht zich keizerin noemen. Ze pakte Claudius' handen en glimlachte hem zo onschuldig toe dat iedereen die het zag geneigd was te denken dat ze de eerlijkste en meest onbaatzuchtige inwoner van Rome was. 'Kom, lieve echtgenoot, we moeten onze liefde consummeren.'

Claudius brabbelde iets wat op een instemming leek.

'Maar eerst moet jij ons gezin compleet maken. Dan pas kan ik me ontspannen en echt genieten.'

Het hoofd van de geschrokken Claudius kantelde een paar keer schielijk naar links. 'W-W-Wat moet ik v-v-voor je doen, duifje?'

'Ik ben jouw vrouw, dus mijn zoon moet ook jouw zoon worden.'
'Maar natuurlijk zal hij d-d-dat zijn.'
'Dan moet hij jouw naam krijgen.' De kilte in haar stem was voelbaar. Je kon een speld horen vallen.
Claudius knipperde hevig met zijn ogen en schudde nog een paar keer het hoofd. 'Natuurlijk, duifje, dat zal ik doen. Hij zal mijn naam dragen en die van jouw vader en jouw broer. Hij zal h-h-heten, hij z-z-zal heten: Nero Claudius Caesar Drusus Germanicus.'
'En wil je hem aannemen als jouw zoon?'
Narcissus stapte naar voren. 'Princeps, is dat een verstandige...'
Claudius keek hem niet aan. 'Stilte! U bent al een keer te ver gegaan door u te mengen in mijn familiezaken, Narcissus, doe dat niet nogmaals. Ik mag u dan tot quaestor hebben benoemd, met het recht zitting te nemen in de Senaat, volledig vertrouwen kan ik u niet meer, zeker gezien het feit dat u mij wilde laten trouwen met iemand van wie ik al een keer g-g-gescheiden ben. Als ik uw advies wil, zal ik daarom vragen.'
Vespasianus kon wel raden wat de eens zo machtige rijkssecretaris vond van zijn nieuwe ambt. Narcissus deed snel een paar stappen achteruit, terug naar waar Callistus er verloren bij stond; deze was sinds de hoorzitting van Asiaticus volledig uit de gratie.
Agrippina keek met ijzige minachting naar de in diskrediet geraakte vrijgemaakten en richtte zich toen tot Pallas. 'Wat denk je, Pallas? Doet de keizer er verstandig aan mijn zoon te adopteren?'
Pallas boog licht het hoofd. 'Jazeker, domina, de keizer neemt uitsluitend verstandige beslissingen. Zoals zijn beslissing om met u te trouwen, om maar iets te noemen.'
Agrippina trok haar zorgvuldig geëpileerde wenkbrauwen op. 'Maar dat was jouw idee.'
Claudius schrok. 'Ik dacht dat het Sabinus' idee was.'
'Nee, mijn liefste, Sabinus deed wat Pallas hem opdroeg. Het is Pallas aan wie wij ons geluk danken.'
Claudius legde een keizerlijke hand op de schouder van zijn vrijgelatene. 'Ik ben je zeer dankbaar, Pallas, omdat je begrepen hebt wat mij gelukkig zou maken. Je mag mij naar de bruidskamer brengen wanneer mijn duifje er klaar voor is.'
'Een ongekende eer, princeps.'

'Voordat ik me terugtrek, lieve echtgenoot, mag ik je nog om één gunst vragen?'

'Op jouw huwelijksdag mag je alles, duifje.'

'Aangezien Lucius de zoon van de keizer wordt, zou hij dan niet de beste leraar moeten krijgen die er is?'

'Uiteraard.'

'Roep dan Lucius Annaeus Seneca terug, die jij naar Corsica verbande op aandringen van dat kreng Messalina, die enkel wraak wilde nemen. Hij is de enige die intelligent genoeg is om een keizerszoon op te leiden.'

'Zo zal geschieden zodra w-w-wij niet alleen in geest maar ook in lichaam verenigd zijn.'

Agrippina ging op haar tenen staan, boog zich naar voren en kuste haar kersverse, kwijlende echtgenoot hartstochtelijk.

Vespasianus keek naar de verzamelde notabelen uit Rome. Van zijn familie ontbrak alleen Sabinus. Die was twee maanden geleden naar Moesia vertrokken om zijn verdriet te smoren in noeste arbeid.

'Kom, Lucius, mijn lieve kind, of zoals ik je voortaan noemen zal: Nero,' kirde Agrippina tegen de roodharige jongen van tien jaar oud die werd begeleid door een donkerharige jongen die een paar jaar ouder was. 'Jij en Otho moeten mij naar de bruidskamer brengen. Ik wil graag dat dat gebeurt door een stel geliefden zoals jullie.'

'Lieve moeder, dat zouden we geweldig vinden,' antwoordde Nero bijna krijsend van plezier. 'Zullen we u helpen met uitkleden?'

'Maar natuurlijk. En daarna kunnen jullie mij beiden helpen om mijn lichaam in de juiste stemming te krijgen.'

'Ze is nog geen uur getrouwd en doorbreekt nu al taboes,' fluisterde Gaius tegen Vespasianus. 'Ik vraag me af of ze van ophouden weet.'

Vespasianus keek naar Pallas, die nu ver voor de gebroken Narcissus en ineengekrompen Callistus stond. 'Ik vraag me af of hij haar kan tegenhouden.'

Gaius schudde triest het hoofd. 'Ik denk het niet. En haar echtgenoot zeker niet.'

Vespasianus liet zijn blik weer langs de gasten gaan en vroeg zich af of er iemand was die Agrippina in toom zou kunnen houden. Claudius schuifelde naast haar voort en wierp haar van opzij geile blikken toe. Hij zou alles doen wat ze van hem vroeg. Nero liep voor hen uit, met

Otho aan zijn hand. Zou hij op latere leeftijd invloed op haar kunnen uitoefenen, of zou hij altijd in haar ban blijven? Vespasianus zag Corvinus staan, die hem bewust negeerde, hij had immers gezworen zich in Vespasianus' aanwezigheid als een dode te gedragen. Naast hem stonden Galba en Lucius Vitellius met zijn zoons, de jonge Lucius en Aulus Vitellius. Zouden de oude families zich achter deze vrouw scharen? Natuurlijk zouden ze dat doen, ze was de dochter van Germanicus, de man die Augustus had moeten opvolgen.

Vespasianus' gezicht verstrakte bij de gedachte aan de toekomst. Hij sloeg een arm om de schouders van zijn zoon Titus en drukte hem even tegen zich aan. Naast Titus stond Britannicus, die met tranen in zijn ogen naar de huwelijksvoltrekking van zijn vader had gekeken. Toen Agrippina hen naderde, zag Vespasianus achter de glimlach die ze haar nieuwe stiefzoon schonk een kille haat die door niets minder dan zijn dood bevredigd zou worden. Britannicus zag het ook, want hij greep Titus' hand en probeerde zijn vriend naar zich toe te trekken.

Vespasianus hield zijn zoon vast en trok hem naar zich toe. Als hij Titus toestond goed bevriend te blijven met Britannicus, zou Agrippina hem ook vermoorden.

En zo ver zou Vespasianus het nooit laten komen.

NAWOORD VAN DE AUTEUR

Deze historische roman is gebaseerd op de geschriften van Tacitus, Suetonius en Cassius Dio.

Van het laatste deel van de vier jaar die Vespasianus in Britannia verbleef, weten we slechts dat hij twee stammen onderwierp, dertig veldslagen voerde en twintig heuvelvestingen alsook het eiland Vectis veroverde, zoals ons door Suetonius verteld wordt. Het relaas van Tacitus is verloren gegaan en Cassius Dio vermeldt dat Vespasianus werd omsingeld door barbaren en daarna gered door zijn zoon Titus, wat natuurlijk niet klopt, want Titus was toentertijd nog maar zes of zeven jaar oud! Op grond van wat Suetonius vertelt, mogen we aannemen dat hij zeer actief was, en uit de opgraving van verschillende heuvelvestingen in Zuidwest-Engeland blijkt dat de Tweede Augusta een lange en stelselmatige opmars moet hebben gemaakt. De beschrijving van de veldslagen is derhalve fictief, net als de poging van Caratacus en de druïden om Vespasianus in de val te lokken door zijn broer als lokaas te gebruiken.

Wat de druïden betreft, die zijn spoorloos verdwenen en blijven daarom een raadsel. Het beste boek over dit onderwerp dat ik heb kunnen vinden is *The Druids* van Stuart Piggott. Diens conclusie is dat we ons de druïden kunnen voorstellen zoals we willen of verlangen, maar nooit zoals ze werkelijk waren. Mijn druïden zijn volledig ontsproten aan mijn fantasie, maar ik heb wel gebruikgemaakt van vijf historische verwijzigen. Tacitus biedt ons een interessant kijkje in het verleden wanneer hij schrijft dat ze hun armen ten hemel heffen en een stortvloed van verwensingen uitspreken waardoor de Romeinse soldaten die Anglesey binnendringen zó worden geraakt dat hun benen verlamd raken en zij geen enkele poging doen te ontsnappen aan de verwondingen die hun worden toegebracht. Ik heb dit heel letterlijk genomen. Plinius vertelt ons dat ze witte gewaden droegen, en Cicero zinspeelt in zijn *De divinatione* op hun gewoonte om mensen te offeren, omdat ze graag voorspellingen deden aan de hand van menselijke ingewanden. Dit wordt bevestigd door Diodorus Siculus, die zegt dat ze hun slachtoffers doodden met een dolkstoot in de borst. Van Caesar weten we dat de slachtoffers ook wel verbrand werden in een rieten man, en hij beweert dat de druïden geloofden in zielsverhuizing, waaraan ik het idee van een onsterfelijke Myrddin heb ontleend. Dat ze de rituelen rond de oude Britannische goden die ze vereerden voor de komst van de Kelten levend hielden, berust uiteraard niet op feiten. Ik heb me evenwel vaak afgevraagd welke goden de mens bezielden tot het bouwen van monumenten als het schitterende Stonehenge, dat al in de tijd van Vespasianus oud was.

Tintagel, de kleine versie van de grote burcht in Anglesey, is mijn verzinsel.

De Cornovii waren een stam die leefde in het noordwesten van Britannia, maar er moet een onderstam in de Tintagel-regio hebben geleefd, zoals de naam van de nederzetting – Durocornavis, 'vesting van de Cornovii' – uitwijst.

Volgens de overlevering zou Josef van Arimathea naar Britannia zijn gereisd en op Glastonbury Tor een kerk hebben gesticht. Hij zou de zogenaamde speer van het lot óf de heilige graal hebben meegenomen, of beide. Ook zouden de kinderen van Jezus, in ieder geval zijn zoon en naamgenoot, hem vergezeld hebben. Dit is wellicht de oorsprong van het verhaal dat Jezus in hoogsteigen persoon over de grazige Britannische weiden zou hebben gelopen en heeft William Blake geïnspireerd tot het schrijven van *Jerusalem*. Aangezien ik, hoe triest ook, toch al ben beschuldigd van ketterij – na eerdere uitlatingen van soortgelijke aard –, voelde ik geen enkele belemmering om deze legende in deze roman te verwerken.

Ik ben dank verschuldigd aan John Peddie, die in zijn *Roman Invasion of Britain* beweert dat de landroute tussen de Axe en de Parret (twee rivieren in Zuidwest-Engeland) belangrijk was voor de invasiemacht, omdat die veel sneller en veiliger moet zijn geweest dan de route over zee, die om het schiereiland heen voerde en waar de wind en het tij het de schepen moeilijk maakten. Gezien de grootte van hun leger moeten de Romeinen er niet voor hebben teruggedeinsd om hun schepen een stuk over land te slepen.

Tacitus maakt in zijn *Historiae* melding van ene Hormus, de vrijgelatene van Vespasianus, dus ik vond het toepasselijk om die naam te geven aan de eerste slaaf die Vespasianus voor zichzelf aanschaft.

Messalina aasde op de Tuinen van Lucullus en dwong Asiaticus tot zelfmoord om ze in handen te krijgen. Tacitus doet verslag van de hoorzitting waarbij Asiaticus zich moet verantwoorden tegenover Claudius en Messalina, en mijn beschrijving ervan komt aardig met zijn verslag overeen, de rol van Vespasianus daarin uitgezonderd. Voordat hij een maaltijd nuttigde met zijn vrienden en in bad stapte om dood te bloeden, liet Asiaticus inderdaad zijn brandstapel verplaatsen om zijn tuinen niet te beschadigen. De tuinen lagen op de Pincius, een heuvel die pas in de vijfde eeuw zijn naam kreeg van een familie die er woonde. Om verwarring te voorkomen heb ik deze naam toch gebruikt.

De *Stervende Galliër* en de *Galliër die zichzelf en zijn vrouw doodt* werden aan het begin van de zeventiende eeuw herontdekt in de Tuinen van Sallustius. Het is niet ondenkbaar dat ze in de tijd van Vespasianus in de Tuinen van Lucullus stonden.

In alle drie de primaire bronnen worden de buitensporigheden van Messalina vermeld. De vraag is waarom ze zo ver ging dat ze met Silius trouwde. Zelfs de normaliter onverstoorbare Tacitus besefte dat zijn lezers dit moeilijk konden bevatten. Volgens Tacitus – maar toen ik dit opschreef niet volgens Wikipedia! – was Silius in het jaar 48 aangewezen als consul voor het volgende jaar, dus misschien vormt dat een verklaring en zit ik niet zo ver van de waarheid. De beschrijving van hun huwelijk – de orgie, de kuipen met druiven, de thyrsus van Messalina, de laarzen van Silius, de krans en het hoofdschudden, en Vettius Valens die in de boom klimt en bij Ostia een storm ziet – is gebaseerd op Tacitus. Deze schrijft ook dat het twee hoeren waren, Cleopatra en Calpurnia, die Claudius in Ostia op de hoogte brachten van het nieuws.

Narcissus leidde Claudius inderdaad af met documenten zodat hij niet zou merken dat Messalina hem bij zijn terugkeer naar Rome wilde spreken, en Vitellius was inderdaad dubbelzinnig in zijn commentaar op de schurkenstreek.

Vibidia, de oudste van de Vestaalse maagden, deed een goed woordje voor Messalina, waardoor Claudius haar 's ochtends ontbood en haar toestond zichzelf te verdedigen. Het was Narcissus die tot haar executie beval nadat hij voor één dag het bevel over de garde had gekregen omdat de loyaliteit van de prefect in twijfel werd getrokken.

De rol van Vespasianus bij de dood van Messalina is mijn verzinsel, net als de tribuun Burrus die haar om het leven bracht, maar hem komen we later in deze serie nog tegen. Messalina stierf in aanwezigheid van haar moeder in de Tuinen van Lucullus, wat zowel Tacitus als Cassius Dio een rechtvaardig einde vindt.

Lucius Vipstanus Messala Poplicola en zijn broer Gaius Vipstanus Messalla Gallus werden dat jaar tot consul benoemd naast de gebroeders Vitellius. Ik heb dit historische feit verrijkt met het verzinsel dat zij elkaars neef waren, waarbij ik genoot van de toevallige overeenkomsten in hun beider namen.

Corvinus heeft niet echt zijn zus verraden, maar ik vond het zogezegd een verantwoord verzinsel, omdat hij niet alleen haar ondergang overleefde, maar ook een paar jaar nadien consul werd. Het idee dat Corvinus zich gedraagt als een dode, heb ik te danken aan *The Duellist*, de fraaie film van Ridley Scott.

Dat Sabinus, Vespasianus en Galba bijdroegen aan de wetswijziging die Claudius in staat stelde met zijn nicht te trouwen, is een verzinsel. Maar de wetswijziging vond wel degelijk plaats, en op aandrang van Lucius Vitellius smeekte de Senaat Claudius de door Pallas naar voren geschoven huwelijkskandidaat te accepteren.

Tacitus schrijft dat Agrippina gebruikmaakte van het voorrecht van een nicht om bij haar oom op schoot te zitten en hem te kussen; is het niet vreemd hoe anders wij dit 'voorrecht' tegenwoordig zien?

De tweede echtgenoot van Agrippina, Passienus, overleed in het jaar 47 na Christus – mogelijk na vergiftiging door zijn vrouw – en liet alles na aan haar zoon Lucius. Dat hij een landgoed bezat naast dat van de Flavii, verzon ik erbij. Claudius voegde drie letters aan het alfabet toe, maar die werden na zijn dood nauwelijks meer gebruikt. Hij schreef ook een boek over dobbelen en was een fervent gokker. Ook deed hij wat handig rekenwerk dat hem in staat stelde de Seculiere Spelen te houden.

En tot slot adopteerde hij inderdaad Lucius Domitius Ahenobarbus, de latere Nero, waarmee hij in feite het doodvonnis van zijn eigen zoon tekende. Soms moet onze fantasie het afleggen tegen de werkelijkheid!

Ik wil weer de mensen bedanken die mij tijdens het schrijven van dit boek gesteund en geholpen hebben: mijn agent Ian Drury van Shiel Land Associates en Gaia Banks en Marika Lysandrou van de afdeling buitenlandse rechten, die naar mijn idee soms beter de afdeling buitenlandse bevelschriften genoemd kan worden. Bepaalde uitgevers zullen zich nu zeker aangesproken voelen en moeten zich schamen voor hun oneerlijkheid.

Ik wil Sara O'Keeffe, Toby Mundy, Anna Hogarty en iedereen bij Corvus/Atlantic bedanken voor hun voortdurende enthousiasme over de *Vespasianus*-reeks. Ik vind dat fantastisch. Corinna Zifko wens ik succes in haar nieuwe baan.

Zoals gebruikelijk gaan mijn dank en respect ook uit naar mijn redactrice Richenda Todd. Door haar grondige werk is mijn boek op een hoger plan gebracht en mijn klunzige Latijn verbeterd. Tamsin Shelton deed de bureauredactie en vond talrijke fouten waar ik herhaaldelijk overheen had gelezen.

Ten slotte gaan mijn liefde en dank uit naar mijn vrouw Anja Müller, die geduldig luisterde terwijl ik het boek aan haar voorlas en die zoveel fantastische ideeën had.

Het verhaal van Vespasianus wordt vervolgd met *De verloren zoon van Rome*.

Lees ook van Karakter Uitgevers B.V.

S. KRISTJANSSON

Strijd om Stenvik

Strijd om Stenvik is het eerste deel in De Walhalla Sage

'Een fantastisch en meeslepend debuut... ik vond het doodzonde dat het uit was.'
– *A Fantastical Librarian*

Na twee jaar in zijn functie als afgezant aan een stuk door te hebben gereisd, zit Ulfar Thormodssons taak er bijna op. Samen met zijn neef van adel heeft hij nog een bezoek te gaan. Maar er schuilen gevaren in de koude en beruchte stad Stenvik, en voordat hij er erg in heeft moet de jonge en onstuimige Ulfar problemen het hoofd bieden waar hij niet op had gerekend.

Audun Arinbjarnarson bestiert zijn smidse en is erg op zichzelf, hij is ruim een jaar hoefsmid in Stenvik. Niemand kent zijn verleden of weet waar hij vandaan komt, en dat wil Audun graag zo houden. Maar de Goden hebben andere plannen. Terwijl onzichtbare krachten het stadje bewerken, trekt het leger van een jonge koning richting Stenvik met het doel om de inwoners met het zwaard op de keel of de bijl op de borst aan de Witte Heer te onderwerpen. Maar aan de horizon vaart een andere, nog geheimzinnigere vijand.

'Dit belooft een fantastische serie te worden... Kristjansson voert het tempo hoog op en houdt dat tot aan het einde toe vol.'
– *Historical Novel Society*

ISBN 978 90 452 0487 1

Ook verkrijgbaar als e-book
ISBN 978 90 452 0497 0